B l e p h a r o p l a s t y

THE ART OF BLEPHAROPLASTY

眼整形艺术

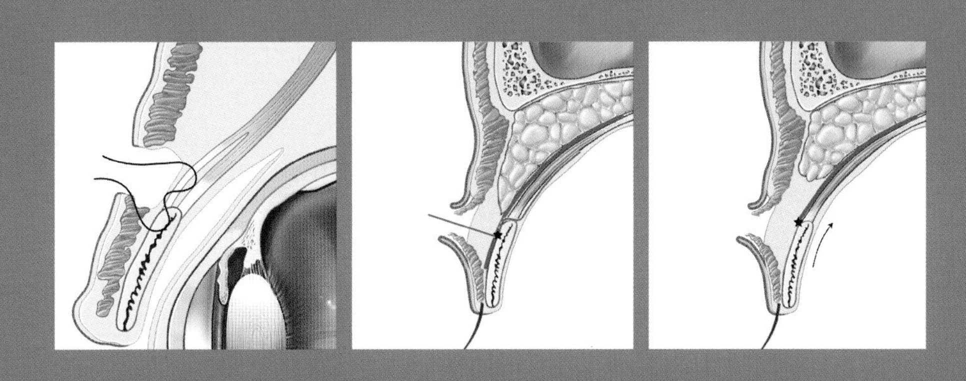

原著 **曺仁昌** 教授

编译 王振军 医师·金鑫 医师·吕英兰

Second Edition

KOONJA

第二版
眼整形艺术
The Art of Blepharoplasty

第二版第一次发行 | 2023年 4月 10日

主编 曺仁昌
发行人 Juyeun Chang
出版企划 Junho Choi
编辑人 Dayoung Lee
编辑设计 Wonbae Cho
封面设计 Jaewook Kim
插画设计 Hohyeon Lee
制作人 Soonho Lee
发行处 Koonja出版社
登录 第4-139号(1991. 6. 24)
本社 (10881) 京畿道坡州市西牌洞474-1
电话：(82) 31-943-1888 传真：(82) 31-955-9545
网址 | www.koonja.co.kr

* 本书如有破损，出版社负责调换。
* 验章经与作者协商后省略。

ISBN 979-11-5955-992-1
定价 550元

THE ART OF BLEPHAROPLASTY
眼整形艺术

作者简介

曺仁昌

学历

1969-75	延世大学毕业
1978-83	SEVERANCE医院整形外科专业课程进修
1984	医学博士学位

经历

1984	日本凌应大学整形外科研修
1985-2011	半岛眼整形医院院长
2006.10	美国亚特兰大 paces clinic 研修
2002-2004	大韩整形外科开院医师协会会长
2004-2006	大韩整形协会会长
2000-现在	延世大学整形外科外聘教授
2012-现在	BIO 整形医院院长

论文

1980	关于上睑下垂的临床研究-大韩整形外科学会杂志
2006	上眼睑失败的早期修复术-大韩美容整形外科学会杂志
2008	下眼睑退缩矫正术-大韩美容整形外科学会杂志
2011	Surgical Correction of Multiple Upper Eyelid Folds in East Asians - PRS 127(3):1323-31, 2011
2012	Correcting Upper Eyelid Retraction by Means of Pretarsal levator Lengthening for Complications following ptosis surgery - PRS 130(1):73-81, 2012
2014	Under-Through Levator Complex Plication for Correction of Mild to Moderate Congenital Ptosis - Ophthal Plast Reconstr Surq 2014:30:468-472

著作

眼整形外科学（2009）第三版-双眼皮的并发症治疗法

眼整形外科学（2003）第二版-上眼睑手术并发症及治疗法

-下眼睑整形术

-上眼睑手术的并发症治疗

Asian Facial Cosmetic Surgery(2006) - Revision Double Eyelid Operation

作者序

整形外科的手术以人体功能性为基础, 但同时也非常注重外在的美感，然而外在的美感常常会随着手术者的审美观而有所不同，因此整形外科又可以看成是一种接近于艺术的医学。

本文作者从踏入整形外科就耳闻眼整形是门槛较高的手术之一，随着手术案例及手术经验的累积也深深感受到眼整形的困难之处, 时代的改变让患者对于眼整形的期待度也相对提高，过去认为完美的眼整形手术因近期患者对于美感的提升而会感到稍显不足, 因此近期眼整形的手术困难度也提高不少。

眼整形手术如同一般的整形外科手术需要非常细腻的技巧，极小的技术上的差距也会带来千差万别的术后结果。市面上很少有书籍在探讨这方面的细微动作以及其造成的差距，且国外的大部分书籍所描述的技术常常不太适用于东方人的脸孔或采用的手术方法不是很适当。编写这本书籍，是为了减少因没有此类书籍，医生们只能通过自己研究与摸索来领悟的痛苦。

本书籍主要以作者的亲身经历为主要内容，因此许多内容上可能会感觉稍显不足，本书所描述的手术方式也未必是最好的方式，但是分享每次的手术经验对于整体的手术发展会有很大的帮助，因此也期待通过与他人的分享来加强本身的手术技巧，每位医师的手术方式与知识的差别造就各种不同的意见与想法，也相信各种不同的想法会慢慢弥补本书的不足之处。

本书籍没有着重详述所有的眼整形手术，主要针对作者在执行许多眼整形手术后发现的问题，如其他书籍没有提到的手术方式与其他手术不同的观点以及手术要特别注意的地方或比较容易有争议的部分等等。有些市面上较好的手术方式因作者的经验不够多而未在本书籍里做详细的讨论，希望读者们能体谅这部分的不足。在描述各个手术的过程中会发现许多重复的内容，这是许多眼整形手术的原理及过程会有相同的部分，为了完整的手术流程以及提高读者的理解力而并未把重复的部分做删减。

希望这本书给刚接触眼整形的医师提供良好的方向，减少因手术经验不足而造成的错误。在广泛的眼整形外科领域如果能提供小小垫脚石的角色作者也感到心满意足，如果读者们阅读这本书后有 “我也想过这种手术方式” 的想法时，希望可以更开心的享受这本书。

在此感谢父母亲给我很多的灵感与勇气，也感谢我太太在这段时间的鼓励与陪伴。

感谢朴智淑帮忙整理众多的资料，感谢KOONJA出版社的老板与员工对于这本书的大力支持。

最后非常感谢一路栽培我的Yu Jaedeok教授与许多恩师，也感谢与我一起讨论并给予我众多灵感的同事们。

第二版...

眼整形是非常敏感且困难的手术。经过几十年的眼整形手术更加亲身感受到这一点。我自己的研究和经验对于眼整形的发展是很有限的，通过书籍及整形学会所学到的知识有限且不明确。所以在2005年我与同我有相同想法的同僚们成立了眼整形研究会，通过学会我们敞开心扉，互相用我们的热情来填补对知识的渴望。同时我很幸运能与我志同道合的同僚们一起经营医院，我们一起激烈的发表，讨论，一起感受手术时细微且微妙的感觉，近距离用身体感受彼此手术时的呼吸和心跳声。感谢我的同事我的朋友辛容镐院长和安泰洙院长对于第二版内容的锦上添花。我相信在将来他们会弥补我的不足。

曺仁昌

目录

CHAPTER

01

双眼皮手术

DOUBLE EYELID OPERATION

做双眼皮手术之前要先牢记以下几点

术前在注射完局部麻醉后需在脑海里仔细摸拟一遍手术全过程来提高集中力。这种认真的过程不仅给手术主刀者也会给手术辅助者带来紧张感和集中力。

无创技术(atraumatic technique)是双眼皮手术的最高境界

如果精简某些步骤也能达到所预期的效果，就应果断地省略。换句话说，手术中要尽最避免为以防万一而做的多余步骤。这听起来理所常然，但是在临床过程中，很多医生往往为了确保达到预期的手术效果，宁愿不去省略多余的步骤。令人遗憾的是，这样做很可能适得其反，画蛇添足。因为，这不仅会浪费时间和精力，还可能给患者留下不必要的疤痕组织。

医生的审美观对手术结果起决定性影响

美的标准因地域，人种，时代的不同而不同，同时还受每个人的审美观，喜好，个性，价值观等因素的影响。但是，任何一种美都必须符合整个社会所普遍认同的客观标准。医生要基于这种客观标准，再根据不同患者的个性和意见来制定手术目标。在此过程中，医生的审美观有决定性作用。因此，为了得到成功的手术结果，仅仅追求于眼睛的好看是不够的。医生需要努力培养在眼部原有特征的基础上，配合与面部的整体结构，以及患者的年龄，嗜好，社会环境等因素，能使眼部整体协调的审美观能力。

手术线的张力不是永久的

组织缝合时，保持缝合作用的力量源于组织黏合。虽然术后初期是取决于手术线的拉力，但术后被缝合部位的周围组织会由于重力，眨眼等运动变得松散，慢慢的手术线的力量就会消失。因此，在缝合时要记得术后几个月后缝线的力量会逐渐消失殆尽的状况。活动越是频繁或拉力较紧的部位，越容易复发。因此，需要进行加固(secure)缝合(例如：下眼睑退缩手术，重度上睑下垂矫正术时)。

沾黏作用主要在两端组织接触面之间产生，缝合时，即使骨骼或睑板同时固定到强韧的眼部组织上，一旦睑板或骨骼前有像脂肪一样的软组织，则沾黏不会产生在骨骼或睑板上，而是出现在前侧的脂肪，因此很容易就会松脱。

快速恢复

术后能够迅速恢复到日常生活的状态是每一位受术者都非常期望的事。由于双眼皮手术的恢复期大约需要一年左右时间，这让很多想要接受双眼皮手术的人犹豫不决。怎样才能缩短手术恢复的时间？事实上，手术越是简单恢复起来越快。再者，就是刚手术完成的结果与最终所要远到的效果差别越小恢复的时间越短。既术后变化小的手术方法恢复起来更快。以双眼皮手术为例，通常医生会为了防止双眼皮线消失问题的出现，大多会选择固定的深一点。但事实上，在以选择双眼皮线不易消失的手术方式为前提下做适当深度的固定，会使恢复速度大大提升。医生必需在这方面下功去多了解。

有双眼皮的眼睛

在大多数情况下，双眼皮比单眼皮显得更有神，更具亲和力，更富表情。但如果做没好的话，这样的双眼皮会给人强势或面目比较凶悍的感觉。

以下几种类型的眼睛可以考虑做双眼皮手术：

· 惺忪眼：给人还没睡醒的印象

· 怒视眼：给人心有不满或怒气的印象

· 呆滞眼：给人面无表情，毫无特点，性格内向的感觉

· 眯缝眼：上眼睑垂拉下来，给人不清爽的印象

最适合做双眼皮手术的是皮肤薄，眼睛大的患者。医生在为这类患者做手术时，即使术前设计的双眼皮线位置比较高，做出来的效果都比较不错。而有些患者正好与之相反，即使术前设计的双眼皮线位置比较低，术后形成的双眼皮却比较高，给人有不柔和，不自然的印象。因此，为这类患者设计双眼皮线的时候，一定要注意不能设计得太高。

双眼皮手术后眼睛是否会变大

决定眼睛外观大小的两个因素是眼裂(palpebral fissure)的大小和眼皮的下垂程度。眼裂的大小犹如一扇窗户原来的大小，而下垂的眼皮正如悬在窗户上的窗帘。

有双眼皮的眼睛可以露出全部眼裂(palpebral fissure)，而单眼皮的眼睛眼皮会遮盖部分睑裂，这种使眼睛变小的情况也被叫做假性下垂(pseudoptosis)。假性下垂的眼睛做双眼皮，就像是把窗户的窗帘拉上去。由于把原来遮挡睑裂的那一部分眼皮拉了上去，使眼裂完全露出来，眼睛的外观也就理所当然地变大。变大的程度因人而异，术前眼皮下垂比较严重的患者，术后变化会比较大，而术前眼皮下垂不是很明显或有内双的患者，没有眼皮遮挡眼裂现象，术后变化就比较小。

那么，眼裂的纵向幅度，会不会在术后发生变化?

以最常用的手术方法，在睑板上固定的情况为例，上眼睑抬睑功能正常的患者几乎感觉不到术前术后有什么变化。但抬睑功能较弱的一部分患者在接受双眼皮术后会出现眼裂变小的问题，此种情况下会显得双眼皮宽。为了得知此种现象的原由，在手术时，在双侧眼睛大小相同的状态下，先把一侧的皮瓣固定在睑板上做出双眼皮并观察双侧眼睛大小变化。从中可能看到做出双眼皮的一侧会出现眼睛大小无变化或有变小一点的现象。即做出双眼皮的一侧眼睛的大小变化在0~-1.5mm之间。偶尔也有患者反映双眼皮术后出现眼睛变小的情况。对于提上睑肌功能强的患者来说变化并不是很大，而对于提上睑肌功能较弱的人来说，术后会很明显的看到眼睛变小。对于提上睑肌功能较弱的患者出现术后眼睛变小的问题可以以两种原因来解释。第一，当眼皮遮盖眼睛时会有意识的睁大眼睛，当不遮盖时则不会为了睁大眼睛而强用力。第二，让两个人各拿着同样重量的一本书跑步时，正常人不会因此而减慢速度，而体质衰弱的人则会放慢速度是同样道理。

此外，在双眼皮手术时，也会因切除了部分眼睑组织而使术后出现眼睛变大的效果。同理可推，有些人在体重下降后也会有眼裂变大的效果。总得来说，双眼皮就是将上眼遮挡部分去除掉，对于肌力正常的人有增大眼裂的倾向，对于肌力弱的患者可能会使眼裂变小。

KEYPOINT

以下因素可能会影响术后眼睛大小变化的程度：

造成眼睛变大：
- 皮肤下垂的问题
- 切除部分皮肤与周围组织使眼皮变轻

造成眼睛变小：
- 因固定双眼皮导致提肌负担 加重
- 用力睁眼意识减弱，眉毛下垂，提肌机能减退

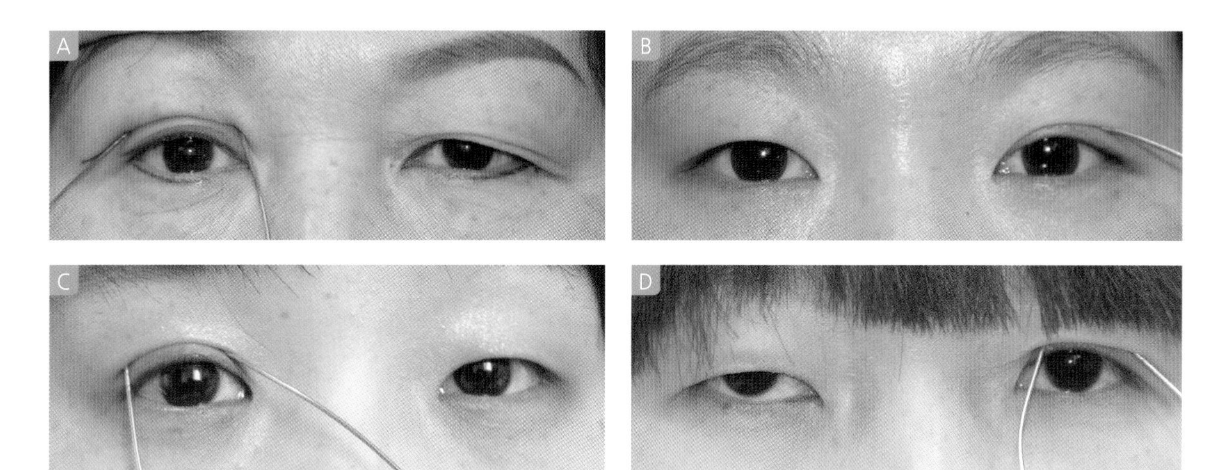

图1-1 **双眼皮术后眼睛大小的变化**
眼睑下垂的程度决定了术后眼睛大小变化的程度不同

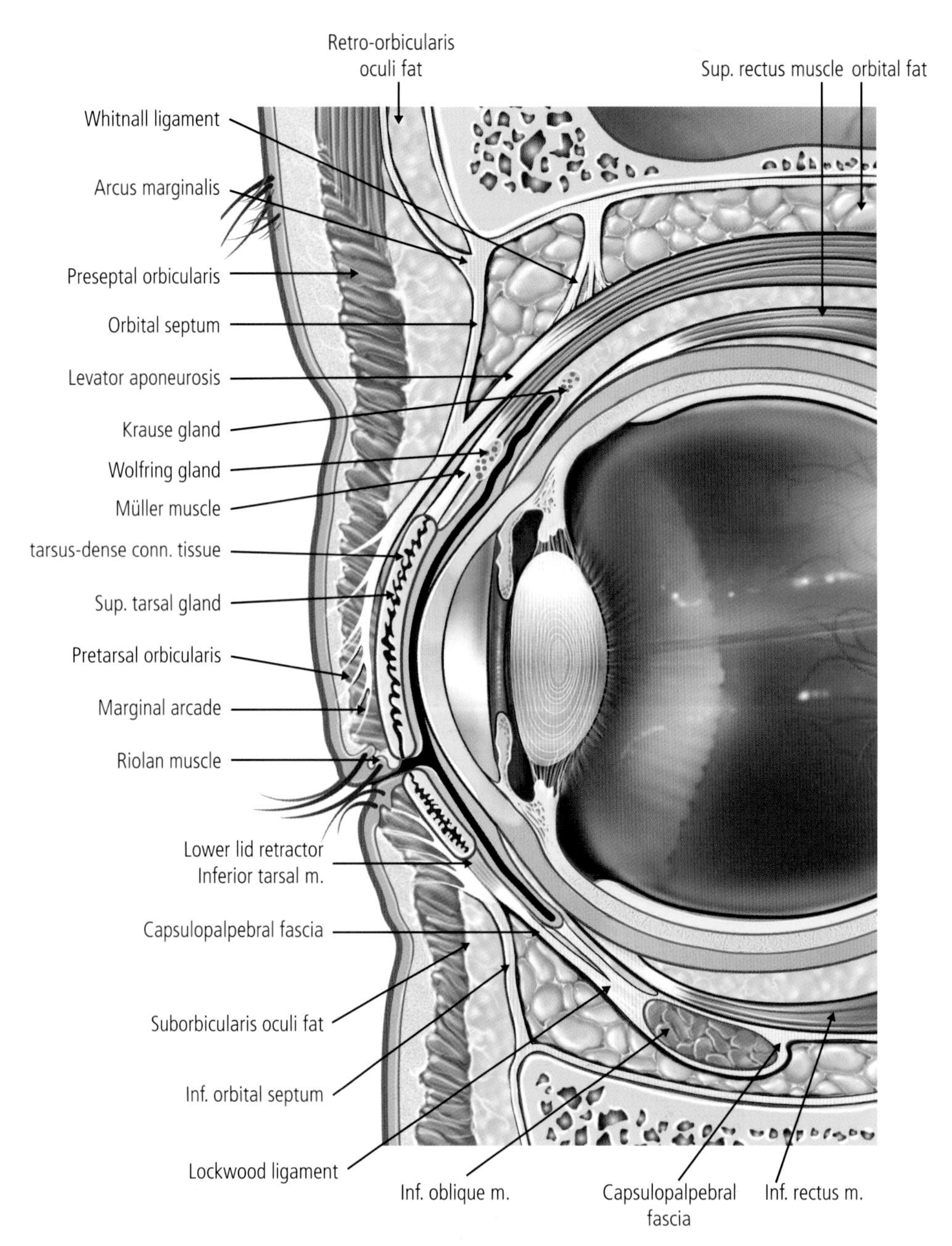

图1-2 **眼睑的解剖示意图(出自Kang JS)**

设计双眼皮(Design of Double Eyelid Fold)

手术前为患者设计双眼皮时，一定要在患者保持坐姿(upright position)的状态下完成。双眼皮的宽度和形状受诸多因素的影响，医生在综合考虑各种因素的基础上，为患者设计出几种适合患者的双眼皮，供患者选择。在这一过程中，如果患者保持坐姿，医生借用探条，很容易就能预测出术后将形成的双眼皮形状。而如果患者保持平躺姿势，医生很难做出准确的预测。

通常在患者取平躺姿势时，医生很难观察到眉毛下垂或眼皮松弛等症状。因此，患者在平躺和正坐两种姿势下的眼睛大小也是不一样的。手术前设计双眼皮时，如果患者取平躺姿势，医生难以准确地预测需要切除的皮肤量。双眼皮的宽度也会因眼睛大小(即眼裂)的不同而不同。即使是同一位患者，双眼皮的宽度也会因姿势，照明，心理状态等因素的影响而出现变化。作者以前曾接触过一名患者，在正坐姿势下平视时，右眼比左眼稍大，而平躺时左眼反而变得比右眼大。所以，一定要记住，双眼皮的术前设计一定要在患者保持坐姿的状态下完成。

双眼皮的分类

双眼皮根据其弯曲度(curvature)，高度，深度的不同而分为若干类。

按照弯曲度(Curvature)的分类

- 内折型双眼皮(inside fold)
- 外折型双眼皮(outside fold)
- 中性双眼皮(neutral fold)

双眼皮可分为内折双眼皮和外折双眼皮，或者扇形和平行。内折双眼皮一般是扇形，外折双眼皮可以是扇形或者平行(图1-3)。

内折型双眼皮(inside fold)

内折型双眼皮是指双眼皮的起点在内眦一侧藏在睑缘内，双眼皮线在睑缘的某处露出来后，越向外眦一侧幅度越宽的双眼皮。所有的内折型双眼皮均呈扇形，

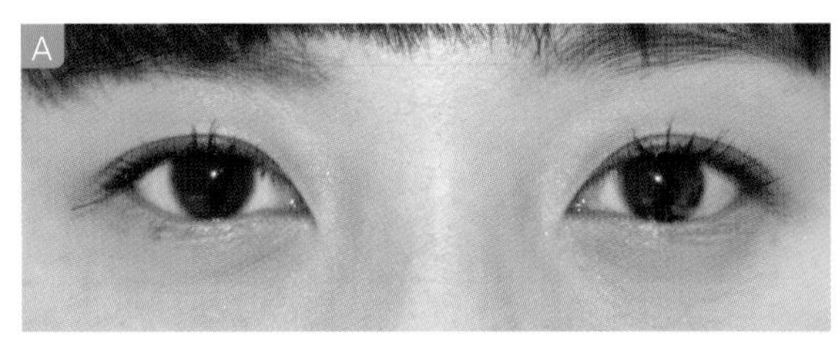

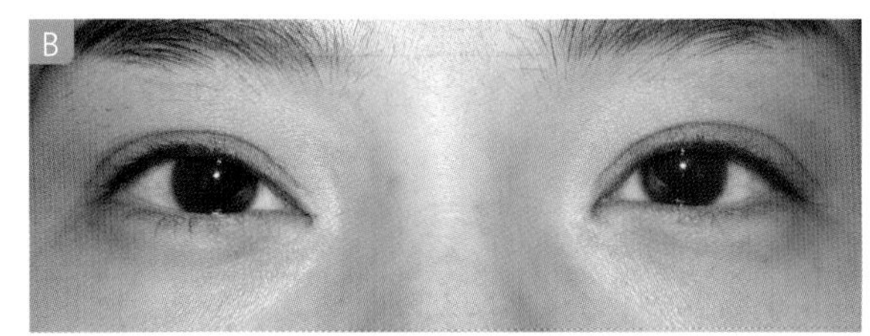

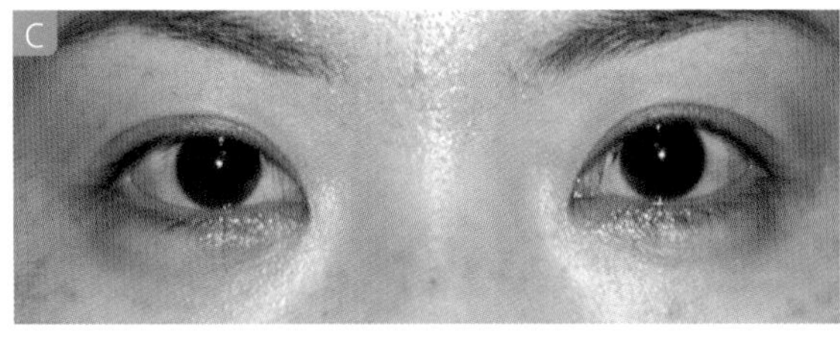

图1-3 **A.** 内折型双眼皮 **B.** 外折型双眼皮 **C.** 中性双眼皮(右)，接近于中性的内折型双眼皮(左).

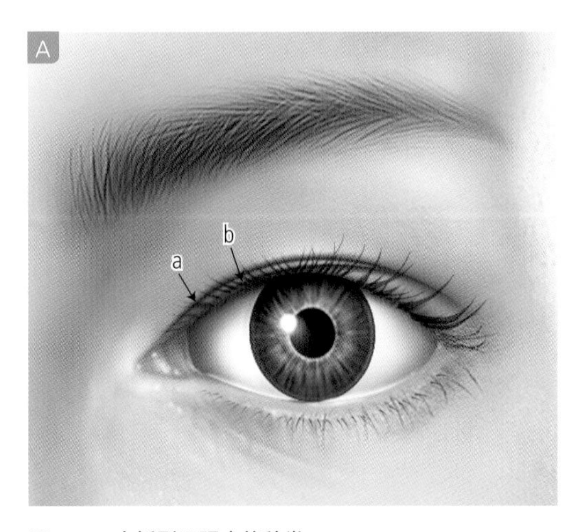

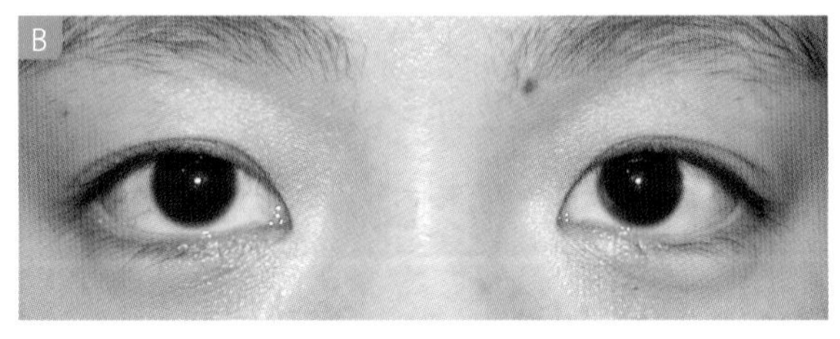

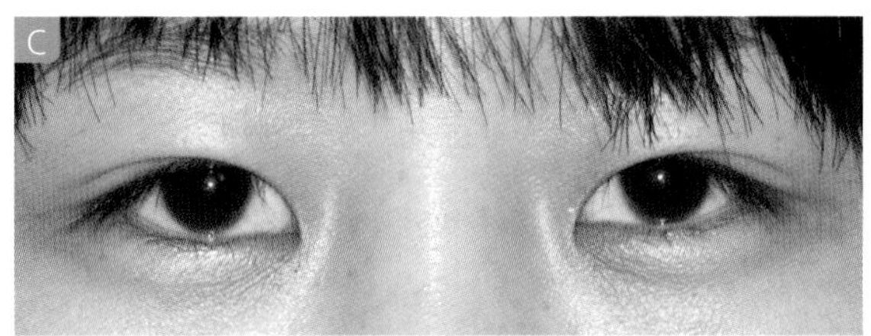

图1-4 **内折型双眼皮的种类**
A. 较长的内折型双眼皮，内折型双眼皮显得较保守，但比较自然
a线: 较长的内折型双眼皮 - 简约优美
b线: 较短的内折型双眼皮 - 显得较拘谨
B. 较长的内折型双眼皮，显得清爽，大方
C. 较短的内折双眼皮 内眦一侧显得比较臃肿，不开阔

根据双眼皮起始点的位置不同，双眼皮线开始露出睑缘位置也不相同，有的双眼皮线外露点靠近内眦一侧如(图1-4B)，有的则更靠近睑缘的中间点(图1-4C)。

与外折型双眼皮的手术相比，内折型双眼皮的手术属于相对更保守的手术，具有术前术后变化小，手术效果比较自然等优点。但缺点包括眼睛不能明显变大，

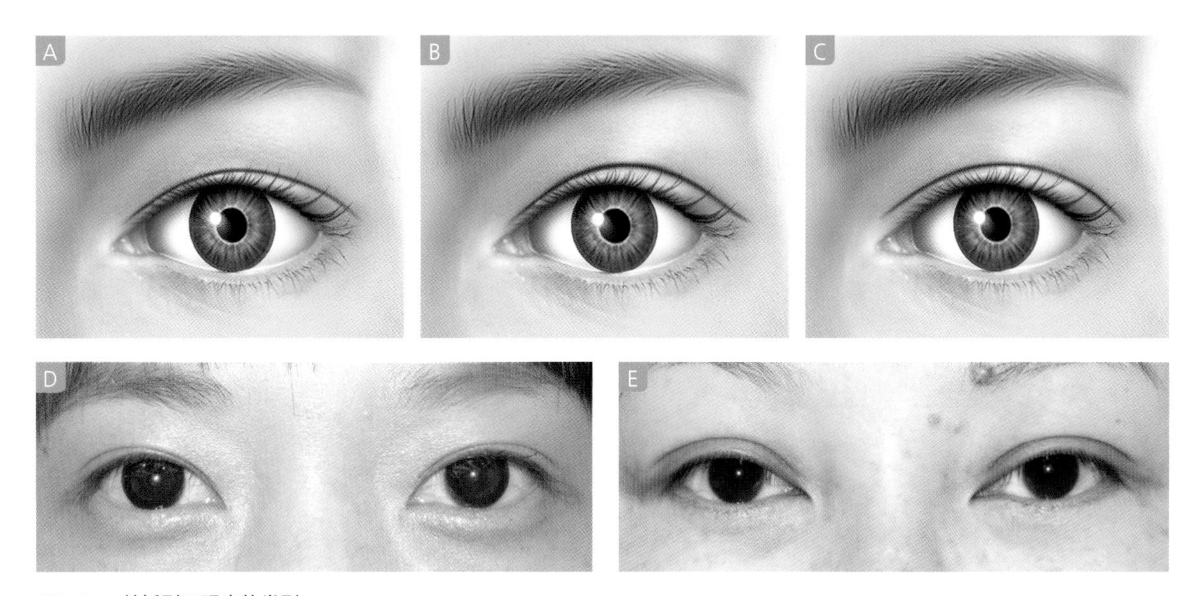

图1-5 **外折型双眼皮的类型**
从距离内眦2-3mm的地方开始出现双眼皮
A. 扇形：越往外眦一侧双眼皮宽度越宽，适用于较窄的双眼皮。**B.** 扇形 - 平行型(混合型)：适合于希望做适中宽度双眼皮的患者。双眼皮的宽度内眦到中间宽度变宽，然后保持同一宽度到外眦。**C.** 平行型：内侧及外侧宽度相同，一般不适合东方人。个性外向及舞台工作者比较偏好。**D.** 左侧：内侧较窄的扇形。比较适合东方人。右侧：中立 **E.** 内侧较宽的平行型。

整体印象不够大方等(图1-4)。双眼皮线越靠近a线，整体印象越大方，越靠近b线，整体印象越拘谨。如果想要有自然而不拘谨的感觉，应该设计一条与a线相符的双眼皮。

外折型双眼皮(outside fold)

外折型双眼皮是指从内眦附近开始就可以看到双眼皮线的外观。外折型双眼皮可进一步分为三种类型，即内眦一侧的双眼皮幅度较窄，越到外眦一侧幅度越宽的扇形(图1-5A)，内眦一侧的双眼皮幅度较窄且向外眦一侧逐渐变宽，而从睑缘中间的某一点开始双眼皮线与睑缘向外平行的扇形-平行混合型(图1-5B)以及内，外眦的双眼皮幅度基本相同的平行型(图1-5C)。一般来说，外折型双眼皮显得优雅，大方，给人性格外向的印象。但它的缺点是欧美色彩浓，不太自然等。通常情况下，内眦一侧较窄的外折双眼皮(图1-5A)既具有外折双眼皮优雅，大方的特点，还具有内折双眼皮比较自然的特点。因此，在为东方人做手术时，作者比较喜欢选择较长的内折型双眼皮(图1-5A)或较窄的外折型双眼皮(图1-5B)。因从事舞台工作而强调面部表情的患者往往会偏好从内眦开始就出现双眼皮线型态，也就是比较明显的外折型双眼皮。需要引起注意的是，从内眦角开始就有明显的双眼皮会造成非常不自然的印象。想要达到自然的效果，最好使双眼皮线从距离内眦2-3毫米的地方开始出现。

中性双眼皮(neutral fold)

中性双眼皮介于内折型双眼皮与外折型双眼皮之间，其特点是不具有内折型双眼皮与外折型双眼皮所具有的缺点。也就是说，中性双眼皮虽然多多少少可能给人比较拘谨的印象，但总体上还是显得既大方又自然。

在决定做什么类型的双眼皮时要考虑以下两点:

① 外眼角下斜的患者适合做扇形双眼皮，而外眼角上翘的患者做外折平行型双眼皮，能弥补外眼角上翘的缺陷。

② 要考虑双眼皮的幅度。如果双眼皮宽，则容易形成外折型双眼皮，幅度窄则容易形成内折型双眼皮。根据患者的自身条件，既使是同等高度有的人会形成内双，有的则形成外双。需要注意的是，这类眼皮如果强制做成外折型双眼皮，会导致内侧双眼皮过宽并且线条下流畅，效果往往非常不自然(图1-6)。

有时在临床诊疗中还会遇到一些患者要求做较窄的的外折型双眼皮。这些患者不希望双眼皮的幅度太宽，却又不喜欢内折双眼皮，要求做成窄幅的外折双眼皮

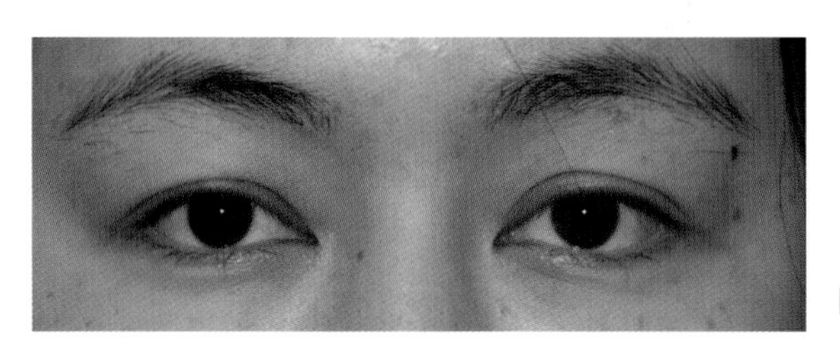

图1-6 · **左眼双眼皮内侧比外侧更宽。**

做这样的双眼皮应注意以下几点问题:

- 如果有内眦赘皮(epicanthus)就容易形成内折型双眼皮，要接受内眦皮整形手术(epicanthoplasty)。
- 切割线要向内眦一侧延伸，其长度要比一般情况稍长一些。
- 切割线在外眦一侧要尽可能地向下倾斜。这是因为双眼皮线如果在外眦一侧向下倾斜，在内眦一侧就会显得相对上翘，而呈现出外折型双眼皮所具有的一般特点。但是，如果切割线在外眦一侧过分向下，会使眼睛整体上显得向外下斜，需要特别注意。

KEYPOINT

内折型双眼皮(inside fold)	外折型双眼皮(outside fold)
· 属于扇形	· 分为扇形，平行型，混合型三种
· 效果自然	· 效果可能不自然
· 内眦端不开阔	· 显得大方，外向
· 术前术后变化小	· 术前术后变化大
· 适合于外眼角下斜的患者	· 适合于外眼角上翘的患者
· 适合于要求做窄幅度双眼皮的患者	· 适合于要求做宽双眼皮的患者

在谈论内折双眼皮或外折双眼皮的问题时，要记住有时不能简单地用二分法观点看待问题。同样是外折双眼皮，如果幅度不同，其形状也会存在很大的差别。比如有些窄幅的外折双眼皮看起来更接近于较长的内折双眼皮。一般情况下，不管是内折双眼皮还是外折双眼皮，作者都更愿意做成接近于中性双眼皮的效果。

内眦有赘皮时需考虑的事项

有内眦赘皮时做内折双眼皮还是外折双眼皮好存在很多的争议。最理想的情况是对内眦赘皮进行矫正，但也有不对此做处理手术的情况，有内眦赘皮时更偏好做内折双眼皮，但内折双眼皮存在使内眦赘皮看着更明显的缺点，做外折双眼皮时蒙古皱纹和其双眼皮产生两条线，给人不自然的人工感(operative appearance)。另外有内眦赘皮的眼睛受皮肤张皮的影响，外侧双眼皮很容易消失，因此做手术时需充分的考虑到此点。作者术前会跟患者沟通几种形状，但大多数情况下这时会推荐做偏于中立的双眼皮(图1-4A, 图1-5A)。

双眼皮的幅度

决定双眼皮的幅度时，应该在患者保持坐姿的状态下，先用探条试做多种不同形状的双眼皮，并与患者就各种双眼皮的效果和优劣进行充分的商讨之后再做出决定。

决定双眼皮的幅度时应考虑以下几点问题：

· 眼睛大或眼皮薄的患者适合做宽双眼皮，眼睛小或眼皮厚的患者适合做窄双眼皮。
· 双眼皮越宽，看起来肿得越严重，术后恢复越慢。相反，双眼皮的幅度越窄，水肿显得越少，术后恢复的速度也更快。因此，如果被患者问及术后恢复所需的时间，作者一般都会根据患者所要求的双眼皮幅度来回答。如果双眼皮的幅度较窄，只需一个星期即可恢复：一般幅度的双眼皮需要1-2个月的时间才能恢复；而幅度较宽的双眼皮一般需要4-5个月时间才能恢复。
· 选择做窄双眼皮，手术效果会比较自然。但是，一段时间后，眼皮下垂的现象会造成双眼皮变窄。宽双眼皮则很少会出现此类问题。如果仔细观察80岁以后的毕卡索的照片就可以看出，由于毕卡索的双眼皮幅度很宽，即使到了耄耋之年，眼皮丝毫也没有下垂。
· 选择做宽双眼皮时需要注意的是，可能在术后出现睑板前肥厚(pretarsal

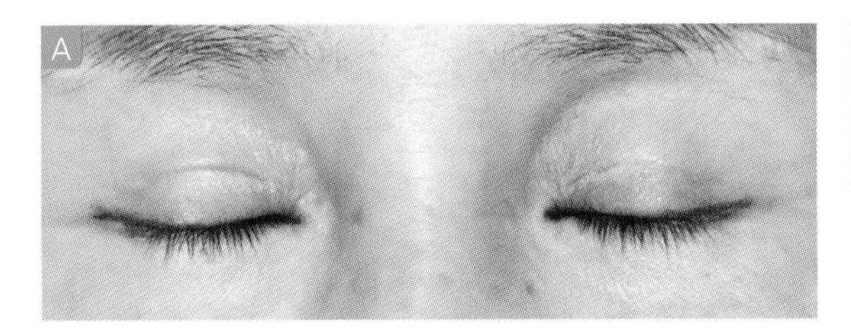

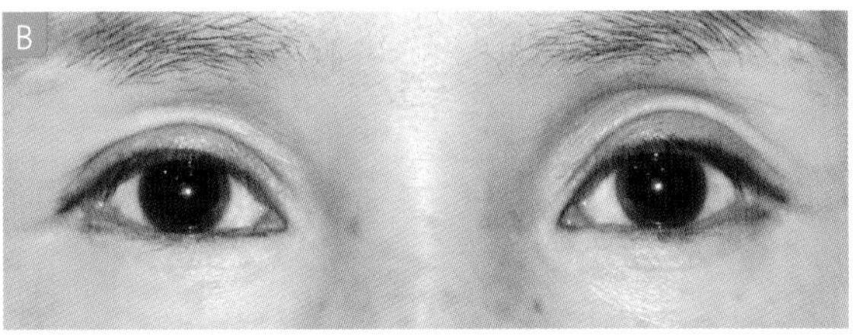

图1-7 **闭眼时右眼的双眼皮比左眼高。但由于左眼的眼皮凹陷使眼皮下垂程度有所减轻，睁眼时左眼的双眼皮线高度反而比右眼的高。**

fullness)现象。皮肤薄或睑板前软组织(pretarsal soft tissue)较少的患者不太容易出现睑板前肥厚现象，如果患者本人要求，可以适当地把双眼皮的幅度做宽一些。但是，如果眼皮较厚，软组织较多的患者要求做宽的双眼皮，应该先对其说明情况后，同时在不会出现明显睑板前肥厚的宽度范围内进行手术。

· 在与患者进行术前的商讨时，需要让患者照镜子判断效果。需要说明的是，人一般在照镜子的时候眼睛会变大(睑裂的纵向幅度会变大0.5-1.0毫米)，而此时双眼皮的幅度反而会变小。因此，如果在患者照镜子的状态下进行设计，做出来的双眼皮幅度会比预想的大一些。最好的方法是不照镜子，在患者正坐平视的状态下设计并判断双眼皮的幅度。

决定双眼皮幅度的因素来自患者和医生两个方面。患者方面的因素包括以下几点。

· 皮肤厚度
· 皮下软组织的量
· 皮肤的松弛度
· 眉毛下垂程度
· 提上睑肌的功能(levator function)
· 眼睑的凹陷程度

双眼皮线下皮瓣的皮肤越厚，皮下软组织越丰富，做出来的双眼皮幅度会越宽;眼皮下垂越严重，眉毛下垂越严重，做出来的双眼皮幅度会越窄;眼睑凹陷程度越严重，双眼皮的幅度也会随之变大(图1-7)。皮肤越薄，睁眼的时候眼睑因手风琴效果，双眼皮的宽度会变窄。提上睑肌力量越大双眼皮的宽度越窄。如果患者的眼皮下垂程度不严重，可以在患者保持坐姿的状态下直接用探条试着做各种幅度的双眼皮。如果眼皮严重下垂，需要让助手适当地将患者的眉毛提上去，使下垂的眼皮伸展开来后，再用探条设计出理想的双眼皮。那么，将眉毛提到什么程度才可称得上适当呢？作者认为，将眉毛上提后，眼皮伸展80%左右较为适当(参考第二章老年性上眼睑手术)。

决定双眼皮幅度医生方面的因素包括以下几点:

· 设计线的高度
· 设计线的深度(固定位置)
· 皮肤切除量
· 上睑下垂的矫正程度
· 眼窝脂肪的切除量

对这一部分的内容，将在《双眼皮手术的并发症》一章中进行详细的说明。

双眼皮形成的原理

眼睑的构成:

· 前层(Anterior flap) - 皮肤，皮下脂肪，眼轮匝肌
· 中间层(Middle flap) - 眶隔膜，眶脂肪层
· 后层(Posterior flap) - 提上睑肌腱膜，提上睑肌，睑板，米勒氏肌，结膜

双眼皮是在anterior flap和posterior flap之间经由腱膜连接起来的。从显微镜上看有双眼皮的眼睛与无双眼皮的眼睛在结构上的区别是，有双眼皮的眼睑腱膜的分支(branches of the levator aponeurosis)贯穿于眼轮匝肌之内(图1-8)，贯穿于此的腱膜分支连接着睑板与眼轮匝肌，且与真皮相连接。而单眼皮的眼睛腱膜不贯穿眼轮匝肌或贯穿较少(图1-8)。因此为了做出双眼皮，就要前层与后层之间经由组织粘连形成连接。这些组织粘连的种类分为:

点状黏连，线状黏连，面状黏连(图1-9)，与点状黏连相比，线状黏连的沾黏程度更大，比起线状黏连，面状黏连的程度则更大，以此类推，黏连越重双眼皮褶皱消失的几率越小。因此点状黏连的手术方法适合那些眼皮薄的患者。

线状黏连中，有局部线状黏连与完全线状黏连。而一般情况下即使是局部线状黏连，如果固定牢固的话，双眼皮褶皱消失的几率很小。消失几率大的情况下就需要采用完全线状黏连的方式。

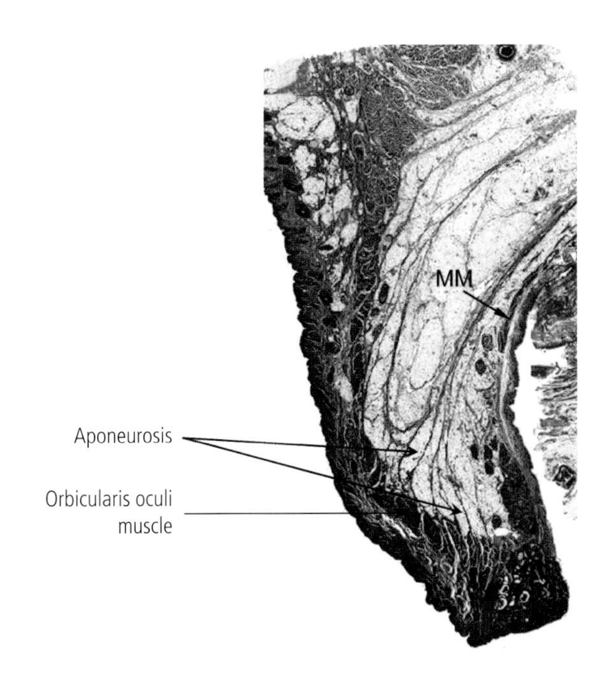

图1-8 提上睑肌腱膜(Aponeurosis)贯穿眼轮匝肌后，因皮下层的众多隔膜与真皮间接连接形成双眼皮(图片出自东亚大学眼科)。
MM: müller muscle

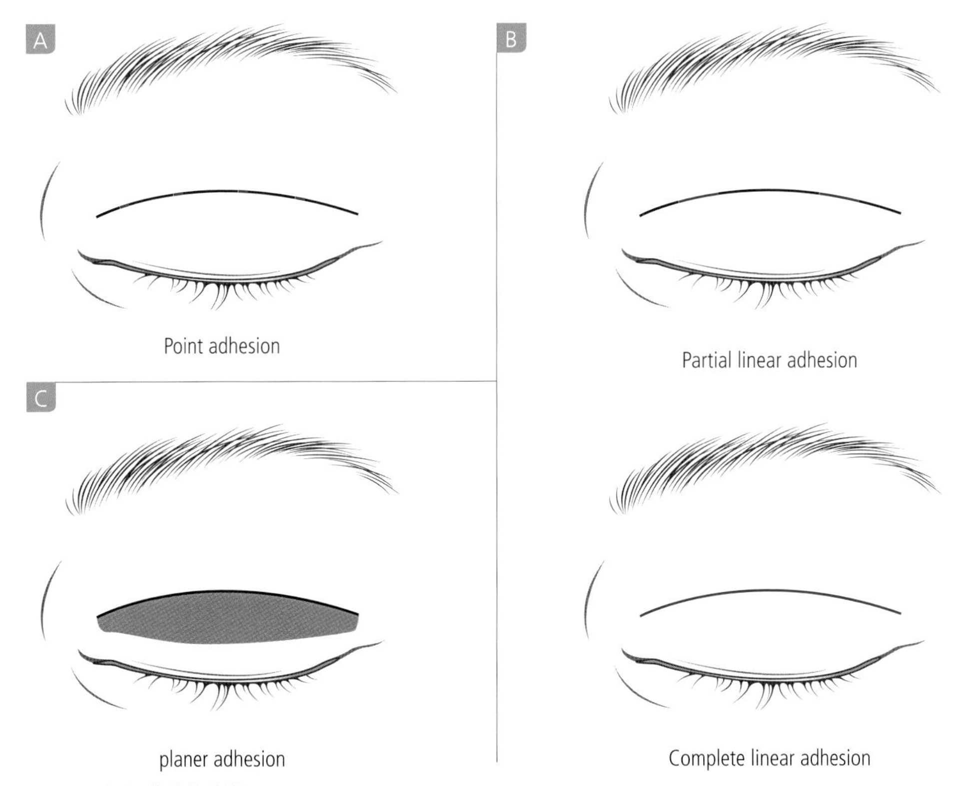

图1-9 组织沾黏的种类
A. 点状黏连 **B.** 线状黏连 上: 部分线状黏连 下: 完全线状黏连 **C.** 面状黏连，红色：黏连部位

但由于面状黏连只用于比较特殊的情况。作为一种外伤性手术(traumatic surgery)，大面积的黏连会引起严重的疤痕组织，因此应尽量避免使用此种黏连方式。但在双眼皮术后褶皱消失的情况下，如果存在下皮瓣(lower flap)粘连严重时，想要避免再次出现褶皱消失的情况，必须要去除所有粘连组织并且重新悬吊固定redrpe，以达成新的面状粘连(参考 p 105)。

埋线法，切开法【去皮法】

年龄较大的患者一般都需要切除下垂的眼皮才能形成较为理想的双眼皮，而年轻患者不需要切除皮肤。有时很难做出决定，这时最好先让患者坐到椅子上，并按照患者的要求，用探条设计出一定幅度的双眼皮。设计好之后，将眉毛适当上提。如果将眉毛上提之后，双眼皮的形状发生明显变化，则需切除一部分皮肤，而如果变化不大，则不需要切除皮肤(图1-10)。

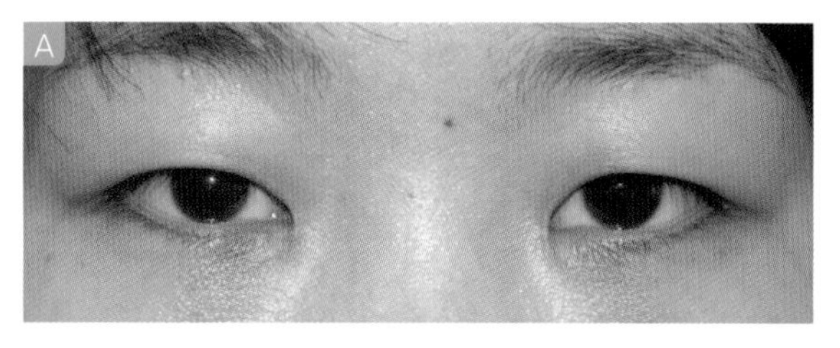

图1-10 **A.** 单眼皮的眼睛 **B.** 让助手把眉毛提起后做出双眼皮的样子。双眼皮线上方的皮肤看起来下垂的少。**C.** 在不提眉毛的情况下做出双眼皮线则双眼皮上方的皮肤看起来下垂很严重。

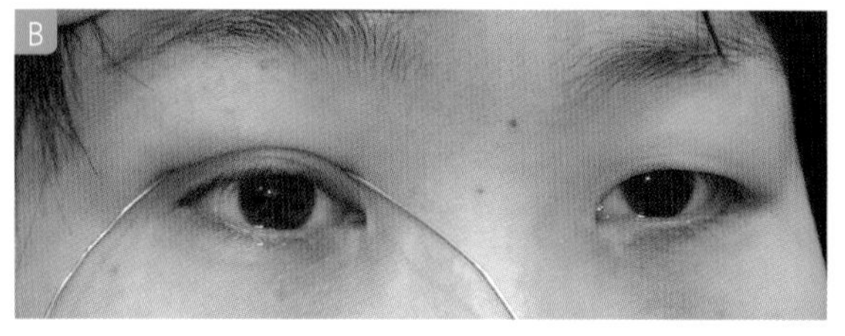

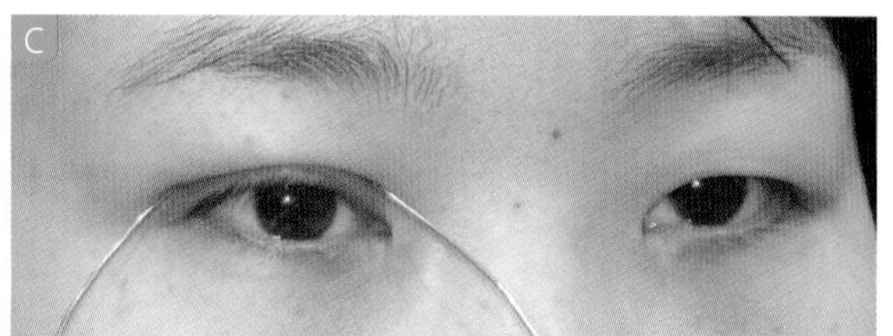

埋线法(Non-incision or short incision method)

埋线法不需要切除任何的组织(without soft tissue excision)，只需用缝合线进行固定即可。但此种方法所形成的双眼皮比较容易消失。

一般情况下，只有眼皮薄而且可以看清楚上面细微的褶皱及没有垂皮的患者，以及眼皮几乎不会对双眼皮形成阻抗力，双眼皮时隐时现的患者，才能接受埋线法手术。

方法 1：经由三个小孔的埋线法

采用这种方法时，作者通常先打开三个1-2毫米左右的小孔，找到睑板之后与皮肤处的眼轮匝肌缝合固定(图1-11)。

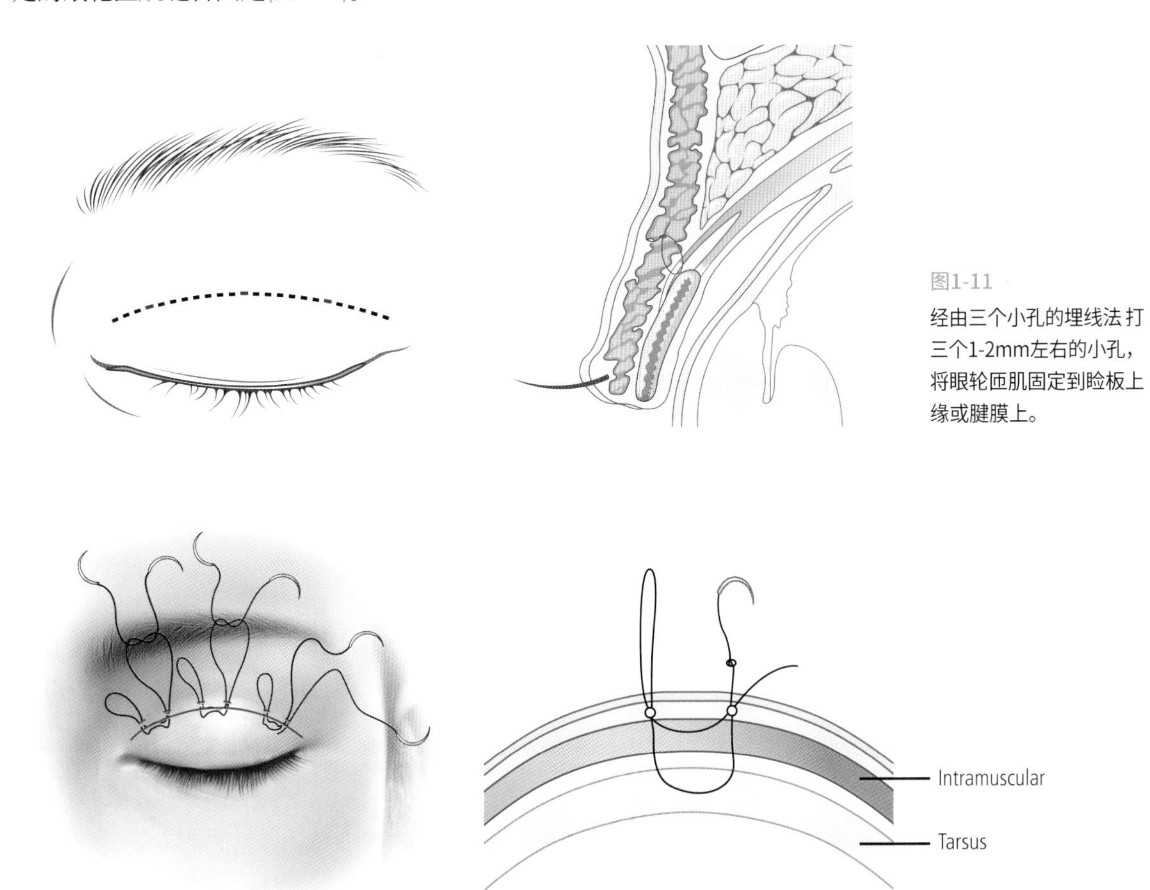

图1-11

经由三个小孔的埋线法 打三个1-2mm左右的小孔，将眼轮匝肌固定到睑板上缘或腱膜上。

图1-12 **埋线法**

埋线法经由6个小孔固定三个点的手术方法。

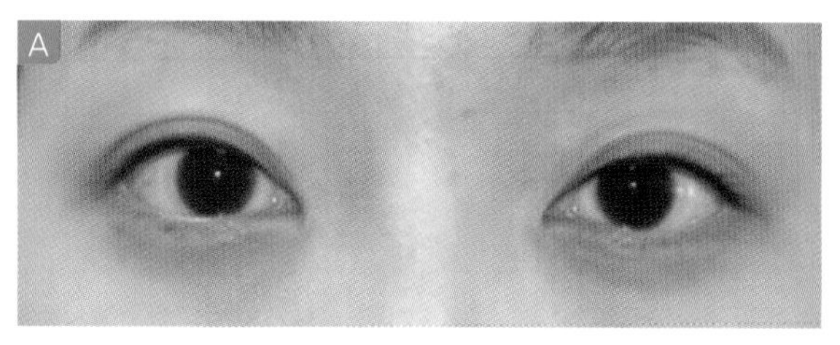

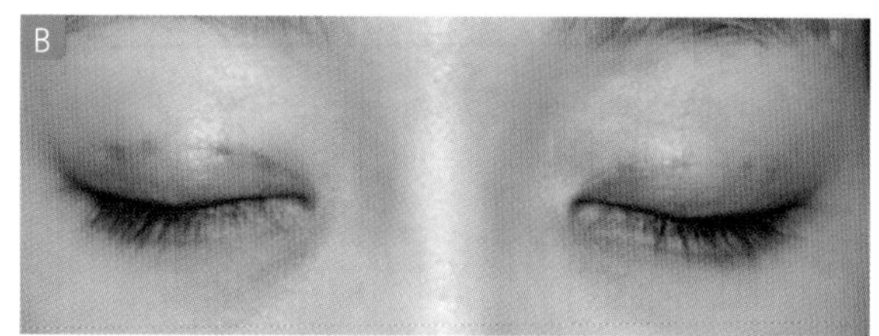

图1-13 六个小孔的埋线法。埋线法手术后 **A.** 睁眼时 **B.** 闭眼时

方法 2：经由六个小孔的埋线法

按照事先设计好的双眼皮线，在皮肤上以5-6mm为间距打6个孔。用双头针的尼龙线(7-0)穿过第一个孔到达睑板，从第二个孔中穿过。再用另外一个针通过眼轮匝肌穿过第二个孔进行结扎。其余的两个点也按照此方法进行(图1-12，13)。

作者经常采用的部分切开法

在临床实践中，作者喜欢采用部分切开法。这种方法因为需要切除睑板前软组织(pretarsal soft tissue)，术后能够形成粘连。因此，这种方法既具有一般埋线法所具有的优点，做出来的双眼皮还不会轻易地消失。部分切开部位因使用eversion缝合，不会形成凹陷性疤痕(图1-15)。

适应症

1. 年轻患者的眼皮
2. 眼皮下垂不严重者
3. 眼皮薄的情况下
4. 由于上一次手术中形成的双眼皮过窄而接受矫正手术时

在上述第4种状况为了避免形成多重疤痕，有可能会采用埋线法在原有双眼皮线上方进行手术。但是，下皮瓣(lower flap)上原有的疤痕组织很容易引发睑板前肥大。为避免出现这种情况，一定要注意不能使双眼皮的幅度比上一次宽很多。

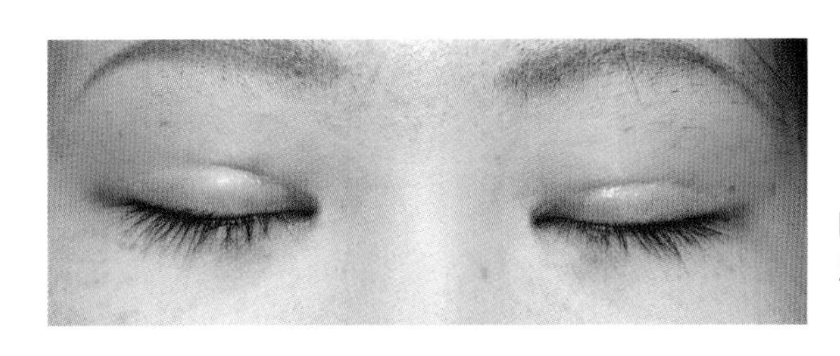

图1-14 · 切口部位的眼轮匝肌被切除后，双眼皮线下方出现凹陷型的疤痕

禁忌症

- **眼皮比较厚的情况下**：单单去除眼窝脂防是不够的，需要去除ROOF，眼轮匝肌等情况时，就要实施完全切开法。
- **前次手术失败出现双眼皮线消失，存在睑板前粘连(pretarsal adhesion)的情况**：这种情况下，如果不能充分剥离皮瓣下方的粘连组织，术后再次出现双眼皮线消失的几率很高，因此一定要经由切开法充分剥离粘连组织后进行固定，才能避免修复术后双眼皮线消失的情况。

手术方法

1. 用11号手术刀开两个长度为4毫米的小口，然后在二者的外侧2-3mm处分别打一个小孔。
2. 切开皮肤后，用手术刀或bovie刀割开眼轮匝肌，直到出现睑板前提上睑肌腱膜(apponeurosis)或筋膜(fascia)。
3. 留下眼轮匝肌，切除睑板前脂肪组织或结缔组织。不切除眼轮匝肌是因为一旦将其切除便可能在切割部位上留下凹陷性疤痕(图1-14)。作者一般将固定位置选在眼轮匝肌而不是在真皮上。留下足够的眼轮匝肌显然更有利于手术的进行。此时为了使沾黏更加牢固，往往会切除过多的睑板前软组织(pretarsal soft tissue)，但这并非是一个好的方法。这是因为，睑板裸露在外后可能形成多处疤痕，并使血液和淋巴循环受阻，导致水肿难以消除。更重要的是，与固定在裸露的睑板上相比，固定在睑板及其上面的提上睑肌腱膜上，固定效果更加牢固。

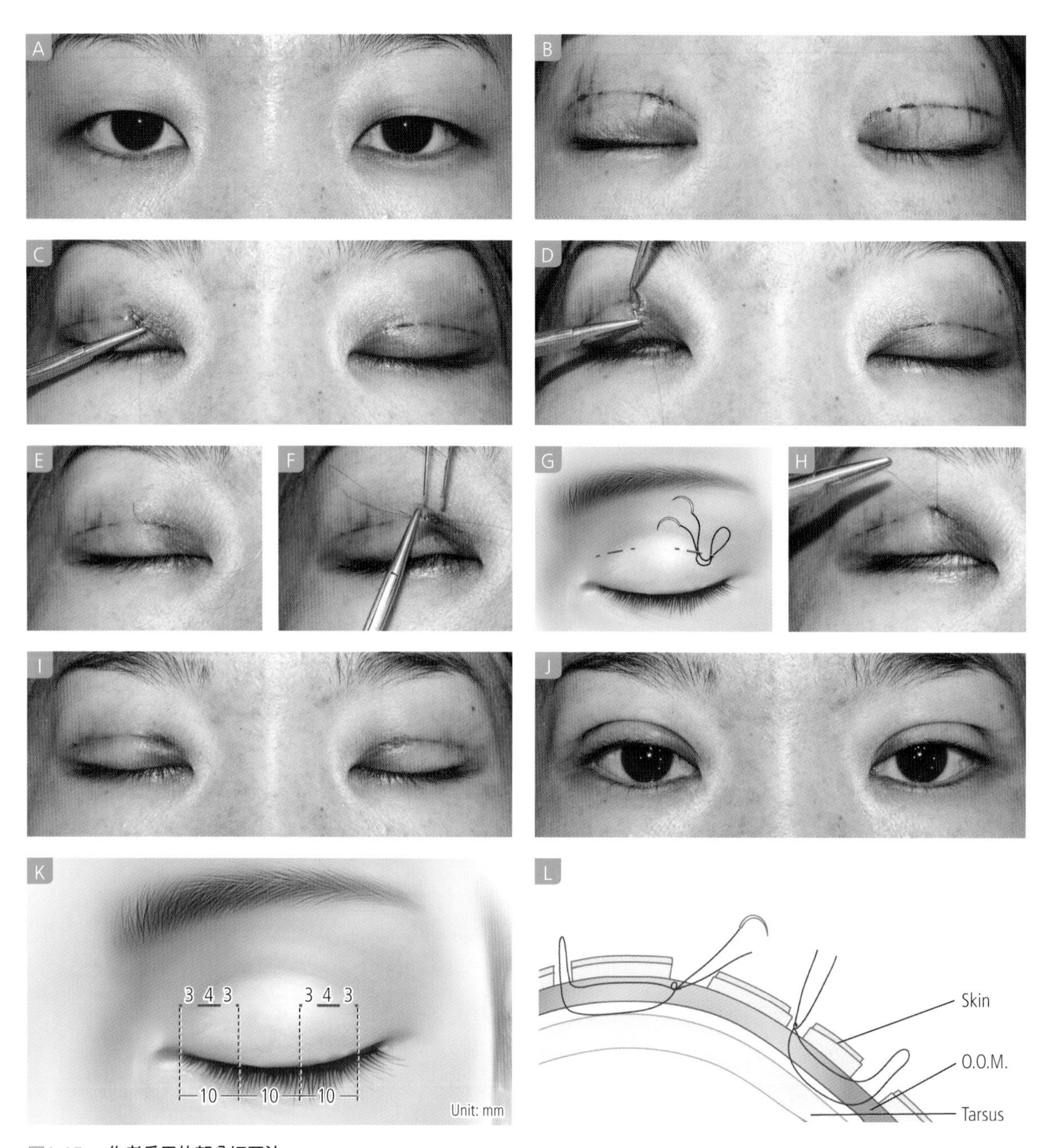

图1-15 **作者采用的部分切开法**

A. 术前 **B.** 设计，做两个4mm的切开线并在各自切开线两端做点状切开。**C.** 在一侧眼睛上做两个4mm切开线，并切除切开线下方及各目两端的 pretarsal connective tissue。在与设计线同高度的睑板上固定。**D.** 夹住睑板上缘2mm处的腱膜，用针穿过点状切开部位。**F.** 穿过点状切开部位的眼轮匝肌并通过线状切开部位。**G.H.** 打结(tie)。**I.J.** 术后即刻睁眼 ，闭眼。**K.** 做4mm部分切开，并在各自的两侧3mm处做点状切开。4个固定位置之间间隔10mm。**L.** 断面说明

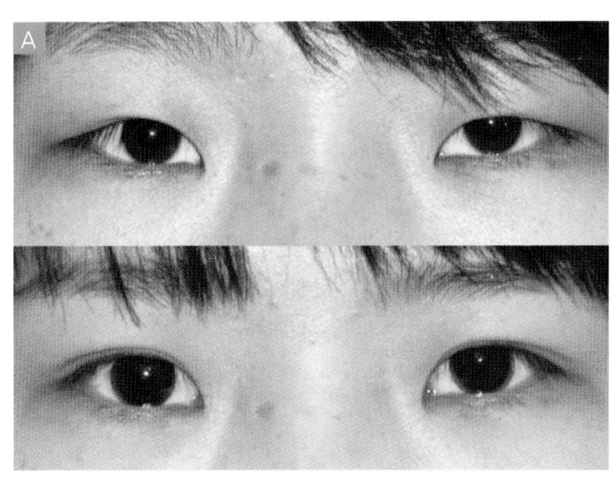
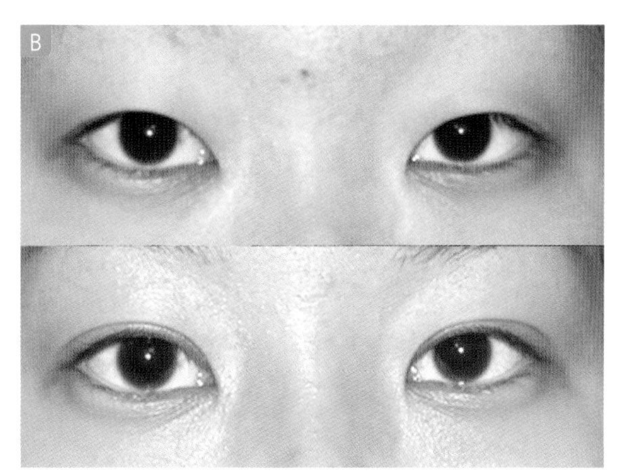

图1-16 通过两个短切口及四个点状孔的手术效果。A，B手术前后

4. 在各个切口的两端位置(总共4处)上找出离皮肤最近的眼轮匝肌，并将其固定在睑板和提上睑肌腱膜上(图1-15K)。在针穿过过程中，重要的是：使针穿过大量眼轮匝肌并且从其下方穿过，从点状切开点穿出并在眼轮匝肌上穿过去。线结要埋在眼轮匝肌深处。固定睑板后，详细的固定提上睑肌腱膜的方法在高级双眼皮手术中进行介绍。
5. 为防止出现凹陷痕，缝合切口时将眼轮匝肌与皮肤一起缝合。

优点 (图1-16)

1. 术后的恢复比切开法快，疤痕少，效果自然。
2. 可以弥补埋线法容易导致双眼皮消失的缺点(去除睑板前组织，形成彻底的粘连作用，就会减少双眼皮线脱落的问题) 。
3. 用大量的眼轮匝肌作为固定的组织，双眼皮线脱落的几率小。
4. 切开部位做外翻缝合(eversion suture)固定部位因为是点状切开，因此创伤部位的凹陷不会非常明显。
5. 固定间隔在8-10mm之间。

中间部位的部分切开法

切割线的长度与双眼皮线

在双眼皮手术中，切割线的长度并非一定要与未来形成的双眼皮线长度一致。由于双眼皮线具有一定的延伸性，有时只切割到设计线的中间部分(10-12mm)也能够形成完整的双眼皮线。

但此种手术方法有以下几点问题

双眼皮线不够长

如果患者的眼皮比较适合接受部分切开法手术，那么这类患者在接受手术后，切口部位上形成的双眼皮线会自然地沿着设计好的线路向内，外眦方向延伸。但是如果患者的皮肤比较厚，双眼皮线就不能充分延伸，很容易导致双眼皮过短。因此，要根据眼皮的厚度调整切割线的长度。

双眼皮线下斜

用部分切开法做成的双眼皮多数都存在双眼皮线两侧下斜的问题。如(图1-17)所示，切割线的内端在①点或②点时，只有比较适合接受部分切开法手术的患者，其双眼皮线才会沿着图中实线部分延伸，形成接近于外折双眼皮的外型。然而，很多东亚人或多或少都会带有蒙古皱折。这种皱折可能形成一股向下的拉力，使双眼皮线有张力(tension)，进而沿着图中虚线部分延伸，变形为内折双眼皮。因此，如果预计做出接近于图中实线部分的双眼皮线，最好把切割线拉到③的位置上(图1-17)。

外眦一侧也会存在相同的问题。如果切割线不够长，双眼皮线可能从切割线外端处开始突然下斜。尤其对于老年患者来说，一旦双眼皮线下斜，眼睛整体看上去会有松弛下垂感。对这类患者，一定要把切割线充分拉长，并准确地固定到提上睑肌腱膜或眶隔上。(参照第二章《老年性上眼睑手术》)

至于双眼皮线在外眦一侧应该延伸多少才算比较合适的问题，作者认为切割线在离外眦4-6毫米处结束比较理想(图1-17)。比这个距离短，往往会显得不够大

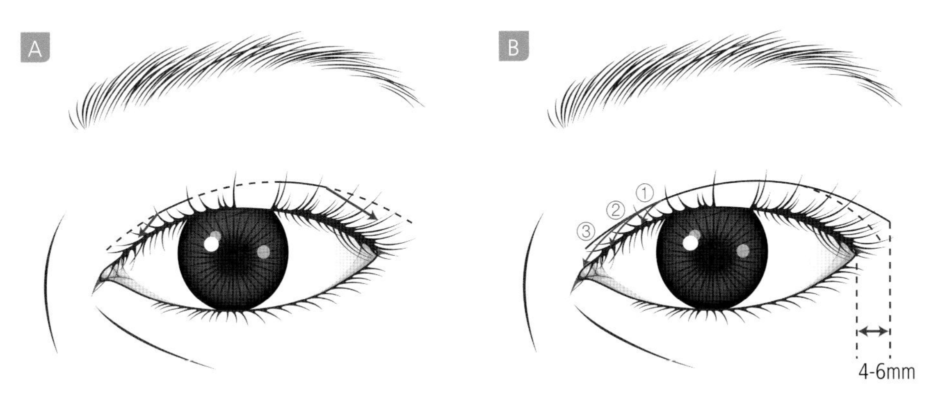

FIGURE 1-17 **A.** 两侧切开结束的点，双眼皮可能下垂。
B. 如果切割线较短，只开到①，②的位置，术后形成的双眼皮线可能从切割线两端处开始延着虚线方向下斜。

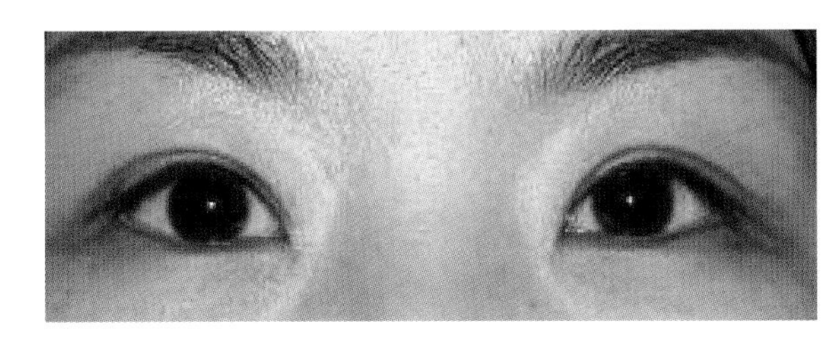

图1-18 左眼的双眼皮线在内侧下斜，形成了内折双眼皮。如果预计形成与右眼相同的外折双眼皮，应该将切割线向内眦一侧切开更多。

方，但是比较保守的患者可以考虑将双眼皮线做得适当短一些。相反，如果双眼皮线太长，容易被看成是眼皮上的皱纹。更有甚者，笑的时候双眼皮线可能与鱼尾纹相连，很不好看。

双眼皮深浅不一

部分切开法形成的双眼皮可能会出现双眼皮线深浅不一的问题。切割部位上的双眼皮线相对较深，而自然延伸后形成的那一部分则可能太浅。同一条双眼皮线的不同部分深浅不一，整体上也会显得很不自然。同时，还要注意不能在切割线部位上留下凹陷疤痕(depressed scar)，以免出现凹凸不平的痕迹。

切开法(Incision method)

1. 皮肤下垂比较严重，至少需要切除3-4毫米的皮肤。2. 皮肤过厚，不仅需要切除眼眶脂肪，还要切除眼轮匝肌或ROOF。如只需切除眼窝脂肪(orbital fat)即可，则采用埋线法或部分切开法。

与完全切开法(即切除法)相比，部分切开法和埋线法具有手术程式简单，恢复快，疤痕少，造成的组织损伤面积小，术后效果比较自然等优点。但同时还具有切割部位上方略显臃肿，眼皮可能下垂等缺点。

通常认为埋线法的手术效果比较自然，而切开法的效果则不太自然。当然，与埋线法相比，切开法的手术程式更复杂，创伤(traumatic)也更大。但是，切开法的手术效果之所以往往不尽理想，并非因为切开法需要切除一部分组织而埋线法则不需要。导致切开法效果不佳的真正原因是手术中需要实施而埋线法中则不需要实施的那一部分程式。比如，剥离(underming)下皮瓣或由于切除过多眼轮匝肌而在下皮瓣上形成疤痕(scarring)等，都会使手术效果不尽如人意。这也反过来说明，只要在手术过程中省略不必要的程式，切除法手术也完全可以形成自然而美丽的双眼皮。

切开法手术的优点还在于，它可以解决眼皮下垂的问题，尤其适合眼皮臃肿的患者。眼皮下垂属于人体老化现象，任何人随着年龄的增长都会遇到这一问题，而切开法手术可以起到预防作用。

作者一般在预测患者需要切除3毫米以上的眼皮时采用切开法，在年轻患者当中，这一比例约占20%左右。应该对哪些患者采用切开法，完全依据医生的判断而定，有的医生甚至对所有年轻患者都采用这种方法。那么，到底应该切除多少皮肤？有关皮肤切除量的计算方法，将在第二章《老年性上眼睑手术》中进行说明。

切除软组织(Soft Tissue Excision)

眼轮匝肌(Orbicularis oculi muscle)

埋线法和部分切开法等无需切除皮肤(skin excision)的手术并不需要切除眼轮匝肌。而在切开法手术中切除眼轮匝肌时要记住，将眼轮匝肌切除之后，切除部位可能会下塌，很容易留下手术痕迹。同时，作者认为将睑板固定在与其距离最近的眼轮匝肌(inferior pretarsal orbicularis platform)上，要比固定在真皮上效果更佳，这就更需要留有足够的眼轮匝肌。如果需要切除的话也是将下唇切缘下方的眼轮匝肌切除(cuff of the pretarsal orbicularis muscle)而保留切口外侧的眼轮匝肌。

睑板前软组织(Pretarsal soft tissue)

切除睑板前软组织，容易形成前层(皮肤和眼轮匝肌)与后层(睑板或提上睑肌腱膜)粘连。特别是在睑板内侧，如果不去除睑板前脂肪(pretarsal fat)就很容易导致双眼皮线消失或睑板前臃肿的问题。

重要的是应去除固定缝合部位下方的软组织，即必须固定到去除软组织部位的最上端。此种做法的原因在于如果不这样做，固定点上方切除软组织的部位可能与眼轮匝肌形成粘连作用，导致三眼皮出现(图1-19)(具体介绍参考第三章三眼皮)。

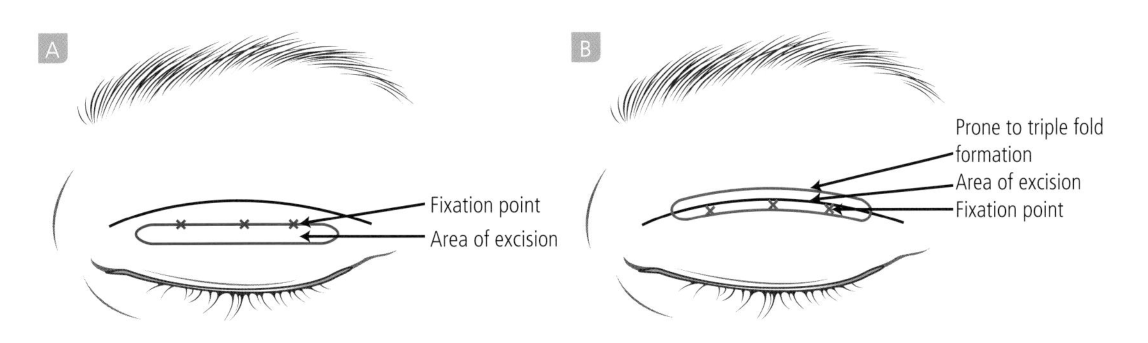

图1-19 软组织切除线如果比固定部位高就会出现三眼皮的问题。
A. 在软组织切除部位的最上端固定
B. 如果固定位置低于切除部位的上端，容易形成三眼皮。(将在第三章的三眼皮部分进行详细的说明)

注意

要在睑板上切除软组织

为了形成双眼皮，虽然要经由切除软组织而达到最大程度的粘连作用，但软组织的切除部位不应超越睑板的最上端。切除睑板以上部位的软组织，可能导致两种不良后果。

① 切除睑板上缘的提上睑肌腱膜(aponeurosis)会因腱膜断裂(aponeurosis disinsertion)而导致上睑下垂。腱膜在睑板上端经由纤维带与睑板形成了坚固连接(图1-20)。因此在切除睑板前软组织时，切除腱膜虽然不会引起腱膜断裂的问题，但在睑板上端切除上端部位的腱膜会引起腱膜断裂的问题。而即使切除睑板上端的提上睑肌腱膜的情况下，因米勒氏肌仍能发挥作用因而不会立刻引起上睑下垂。但一段时间之后，还是会因米勒氏肌的松弛或功能减弱(lenthening and thinning)等问题导致上睑下垂问题的出现。

② 去除睑板上组织的部位与眼轮匝肌发生粘连而形成三眼皮。创伤部位会与周围组织形成粘连作用，睑板上端部位的粘连会引起三眼皮。

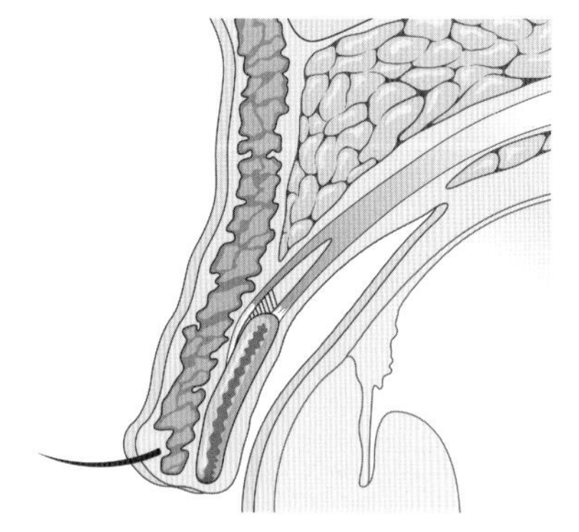

图1-20 提肌腱膜在睑板上端经由纤维带(斜线部分)与睑板上端连一起，因为睑板与腱膜之间存在大量纤维性连接，所以与在睑板上端切除软组织相比，在睑板上端以下部分切除软组织时，即便切除了腱膜，也不会引发腱膜与睑板间的断裂。

要在睑板上固定缝合 (图1-21)

如果在睑板以上部位固定缝合，缝合线的结会留在睑板外，使睑板不能遮住缝合结。结果可能使缝合结刺激到结膜，引发疼痛。这种现象同样会出现在上睑下垂的矫正手术中，需引起注意。折叠提上睑肌(levator plication)时要让提上睑肌和睑板(tarsus)折叠在到一起，而如果在提上睑肌之间折叠在一起，缝合结就有可能刺激到眼球。

如果睑板上缘存在线结也不安全。线结会对眼部造成刺激。因此在睑板上端 1mm 以上的下方部分较为安全。缝线穿透部分睑板才能承受其张力避免复发，而如果缝线并未穿过睑板，就会由于组织松弛而导致线结的位置比睑板的位置高。

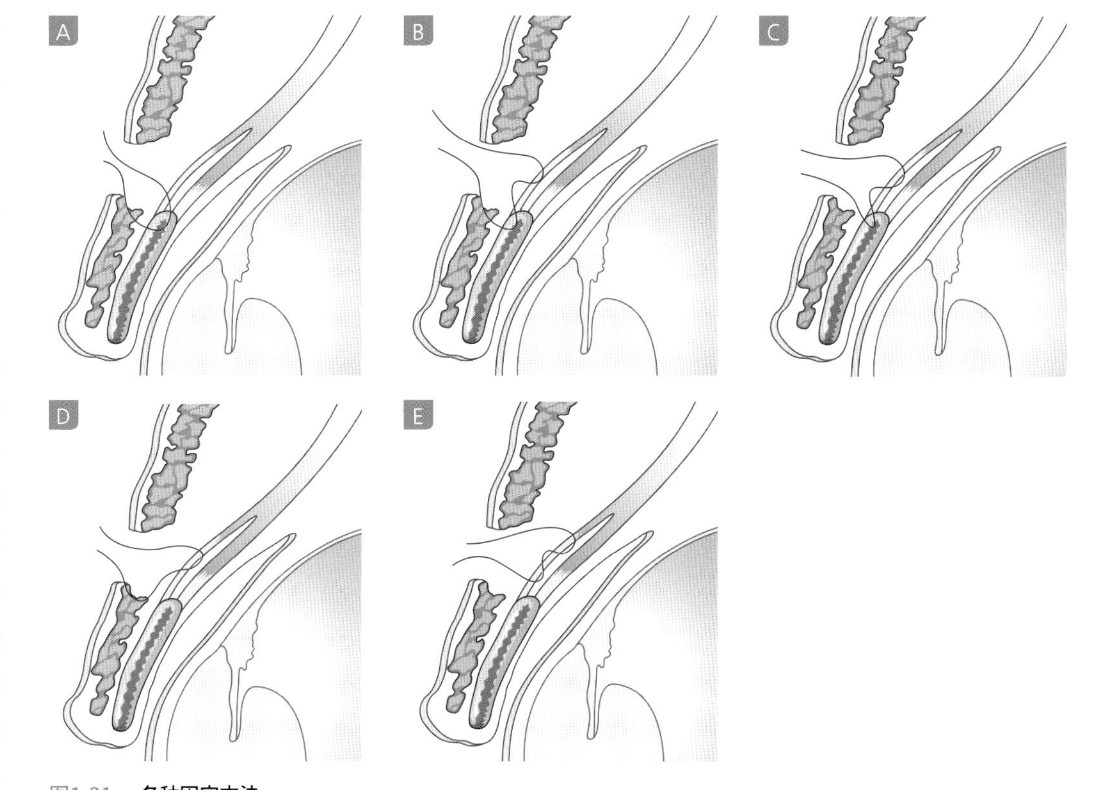

图1-21 各种固定方法
例一，固定缝合在睑板上比较安全的情况(suture on the tarsus)
A. 皮瓣固定在睑板上
B. 为了得到高位固定，把皮瓣和腱膜同时固定在睑板上(TAO fixation, 3 point fixation)
C. 上睑下垂手术：提上睑肌腱膜前徙术(aponeurosis advancement)中把腱膜向下拉至 睑板进行固定
例二，固定缝合在高于睑板的位置不安全的情况。(suture over the tarsus)
D. 皮瓣固定在高于睑板的腱膜上
E. 上睑下垂手术：提肌长度的折叠缝合位比睑板高

眶隔脂肪(orbital fat)
和眼轮匝肌下脂肪(ROOF，retroorbicularis oculi fat)

如果上眼睑太厚，可以在眶隔上打开小孔(septal buttonhole)后，切除部分眼窝脂肪，并不需要打开大的切口。眶隔最主要的功能就是起滑动(gliding movement)作用，如果将眶隔切除就可能引发不必要的粘连反应，而可能形成三眼皮。需要强调的是，如果上眼睑不是厚得特别明显，最好不要切除太多的眼窝脂肪，因为随着年龄的增长，脂肪自然地就会减少。

切除眼窝脂肪后，上眼睑如果仍显臃肿，就应该切除ROOF。切除时要掌握好切除量，不能使骨膜露出来。切除眼轮匝肌附近的ROOF也可能引发粘连反应，进而形成三眼皮。与眼窝脂防相比，ROOF在分布上内侧较少而外侧较多。切除内侧1/2的ROOF往往会形成三眼皮，需引起注意。以双眼皮线的外端(即双眼皮线在外眦一侧结束的位置)为基准，其外侧的ROOF也不能切除太多。按理来说，外侧的皮肤表面要保证微微凸出(lateral convexity,lateral roundness)(图1-22)。而如果在图中A部位切除太多的ROOF，会使这一部位变得扁平(flat)，外观上皮肤

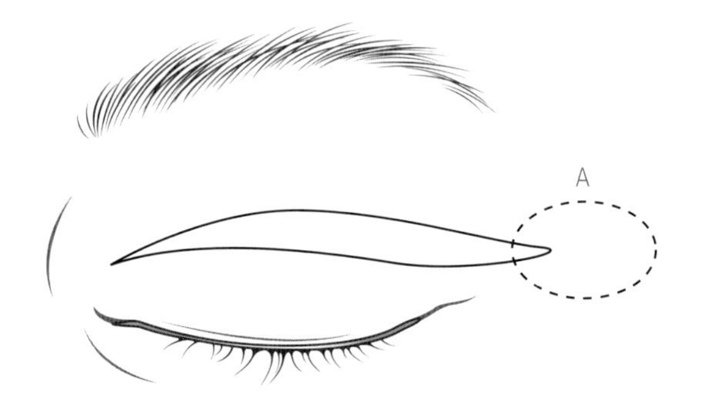

图1-22 · 切除A部位，即双眼皮线外端外侧的ROOF，会使这一部位失去饱满感，使人显得瘦弱。

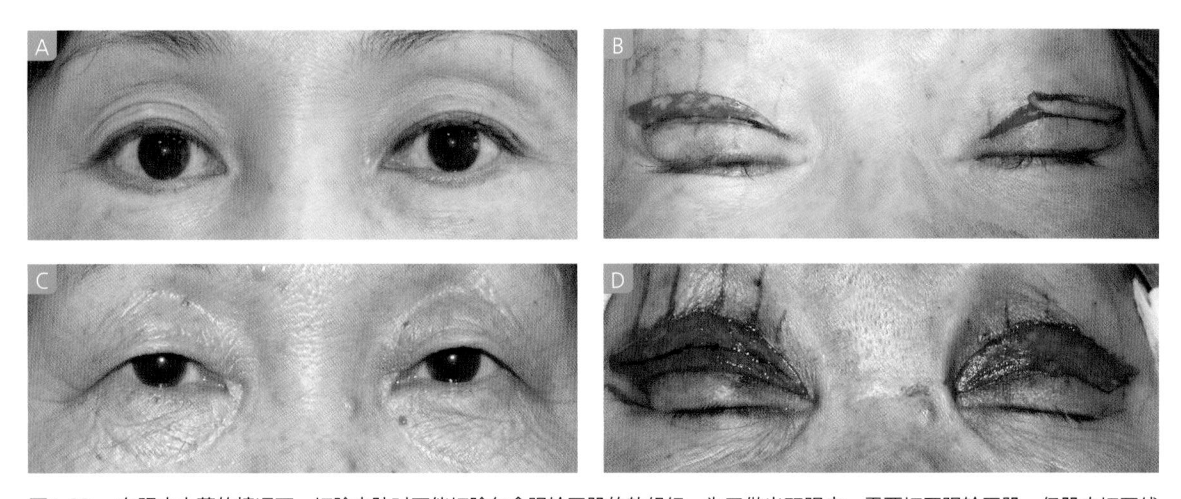

图1-23 · 在眼皮太薄的情况下，切除皮肤时不能切除包含眼轮匝肌的软组织。为了做出双眼皮，需要切开眼轮匝肌，但肌肉切开线的位置是根据上皮瓣与下皮瓣中哪个位置需要增加厚度来决定的。切开眼轮匝肌下方部位，上皮瓣被增强(图B)，切开眼轮匝肌中间部位，则上下皮瓣都被增厚。

显得不再充实饱满，人也显得瘦弱(cachectic)，疲倦。

相反，如果眼皮薄或眼睑凹陷，就只需切除皮肤，其他诸如眼轮匝肌，结缔组织，ROOF等软组织概不切除。切开皮肤暴露眼轮匝肌，此时选择切开肌内的位置时，依据上，下唇厚度调整，若上唇较薄，可于肌肉下部做切口，若下唇较薄，可于肌肉上部做切口(图1-23)。如果这类患者的内侧脂肪(medial fat)比较多，可以考虑将其游离(free graft)移植到外侧，这样可以使眼皮变得充实饱满，使人看起来更加年轻。

作者不主张剥离下皮瓣或切除下皮瓣上的眼轮匝肌。一般在术前用探条设计双眼皮时，大部分患者都能选择到自己较为满意的双眼皮。这说明不用特意切除什么组织也能形成漂亮的双眼皮。如果一定要切除什么组织，反而会留下不必要的疤痕组织，结果往往就是弄巧成拙，得不偿失。

但是，很多医生在临床赏践中喜欢剥离下皮瓣或切除下皮瓣上的眼轮匝肌。列举一下他们的主张如下：

有助于形成粘连，使双眼皮不容易消失。

这种主张有一定的道理，但是切除软组织后容易形成过度的粘连反应，使疤痕组织变得过多。而疤痕组织会令睁眼时眼皮的手风琴样折叠效果消失，使人的整体印象变得很不自然。通常情况下，只要手术方法得当，单靠双眼皮线上的粘连也能够充分保证双眼皮不消失，并不需要特意在下皮瓣上形成一个大范围的粘连。

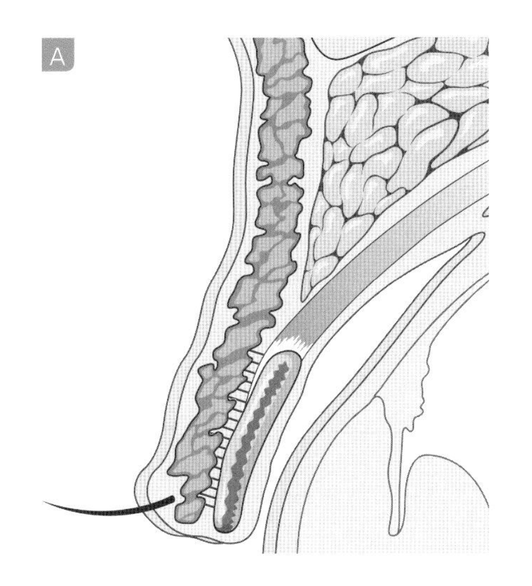

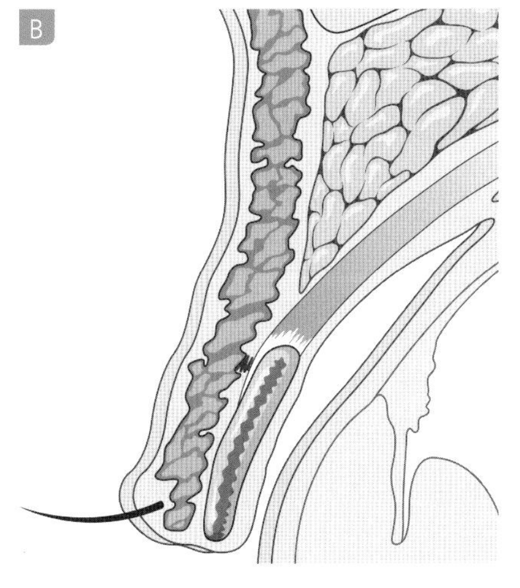

图1-24

大面积的粘连 (A) 与线状粘连 (B) 的对比牢固的线状粘连不会使双眼皮消失。

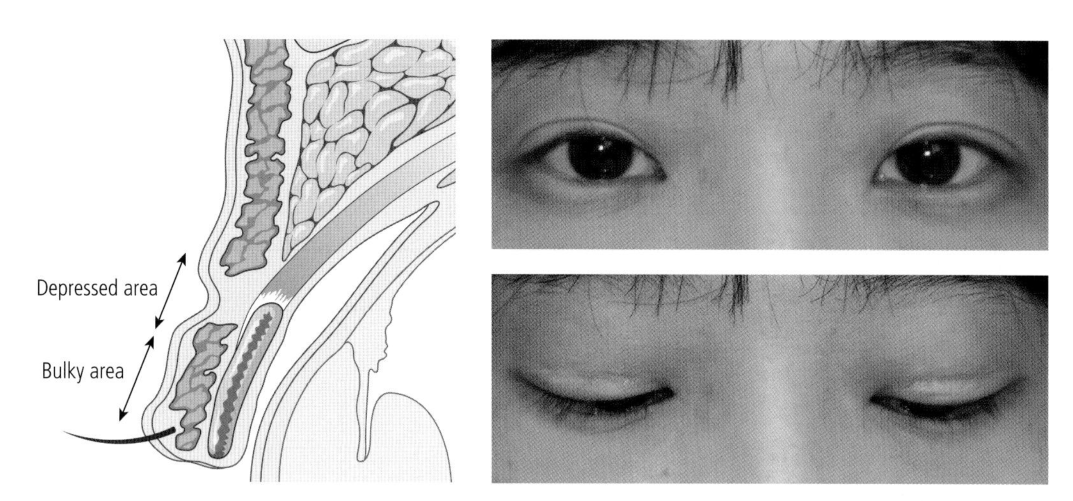

图1-25 · 切除切开线下方的眼轮匝肌，被切除部位出现凹陷性疤痕而下方看起来显得更凸出，因而实际睁眼时的双眼皮就会看起来肥厚。照片中能够看出，双眼皮切开线下方2-3mm宽度的区域因切除了眼轮匝肌而出现凹陷，睁眼后双眼皮比较肥厚(bulky)。

正如作者在前言中所提到的一样，手术中可以省略的部分最好省略掉(图1-24)。

切除眼轮匝肌可以预防睑板前肥厚症(pretarsal fullness)

大部分人在睁眼时的双眼皮线位置在眼睑缘上方2-3毫米处。而眼睑缘上方3毫米处有睑缘动脉弓(marginal arterial arcade)，后者下方有睫毛的毛囊，所以这一部位的眼轮匝肌通常不会被轻易地切除。换言之，通常被切除的是睁眼时双眼皮线上方的眼轮匝肌，而双眼皮线及其下方的眼轮匝肌则不能随意切除，这样一来，睁眼时双眼皮线下方显得比上方肥厚，而双眼皮线至眼睑缘之间的部位正好就是表现出双眼皮外观的部位，所以反而显得肥厚(图1-25)。

此外，这种做法还会妨碍淋巴循环，使水肿难以消退，严重时还可能引起结膜水肿(chemosis)。更重要的是，在闭眼，眨眼(blinking movement)，分泌泪液等一系列的动作过程中，睑板前眼轮匝肌具有关键性作用。一旦部分肌肉被切除，轻则可能引发眼干症，重则可能导致不能完全闭眼，只能半睁着眼睛睡觉。

这种被切除肌肉的患者哪怕是最简单的上睑下垂矫正手术也是不可以接受的，更不可重复接受手术。因为，一旦眼皮再受到缺损，这类患者闭不上眼睛的程度将非常严重。

在睑板前眼轮匝肌上注射肉毒素后出现眼睛变大的情况，从中可以了解到眼轮匝肌与眼裂大小存在关联。在眼皮手术中因局部麻醉液的影响，眼轮匝肌呈暂时性麻痹状态，此时也可以看到眼睛闭合困难的情况。由此可以判断眼轮匝肌在闭眼及闭眼力量中具有很重要的作用。

其次，如果切除过多的眼轮匝肌，会出现毛细血管扩张(telangiectasis)的问题，并导致双眼皮线下方皮瓣颜色变深。

术前使用探针试着做出双眼皮时，如果由于切开线下方过于臃肿而容易出现不自然的情况时 应该尽量降低双眼皮宽度，而不应该想着经由切除双眼皮线下方眼轮匝肌去解决问题。但有一部分患者的双眼皮在调整幅度后仍显得比较臃肿，这时应选择比正常宽度略窄的设计。

双眼皮的深度

不同深度双眼皮的特点 (图1-26)

浅双眼皮的特点

· 介于单眼皮和双眼皮之间，具有中性形态和特点
· 睫毛可能扎眼
· 睑裂不能完全露出来

适当深度的双眼皮的特点

自然，眼睛会变大，印象柔和

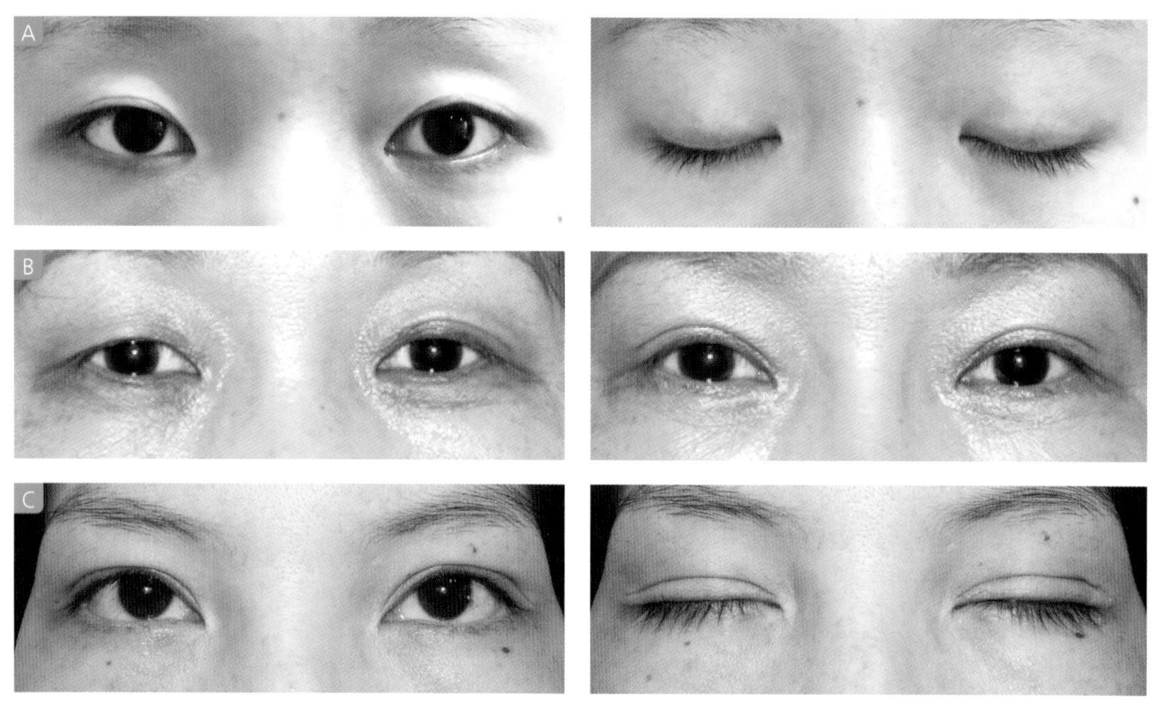

图1-26 各种深度的双眼皮例子

A. 浅双眼皮，眼皮遮盖眼睑缘 **B.** 适当深度的双眼皮(左图)左眼是先天性双眼皮，(右图)手术后形成的右眼双眼皮与左眼双眼皮没有太大差别 **C.** 深双眼皮，伴有外翻症和凹陷疤痕，印象不柔和。

深双眼皮的特点

· 睫毛外翻
· 面部表情生硬
· 上眼睑活动受阻，闭眼时受到向上的拉力
· 凹陷性疤痕
· 双眼皮线上方肥厚
· 可能出现眼睛变大或变小的情况
· 有眼干症的问题

即双眼皮手术中外翻症(ectropion)的反面不是内翻症(entropion)，而是浅的双眼皮（双眼皮线条不清晰）。

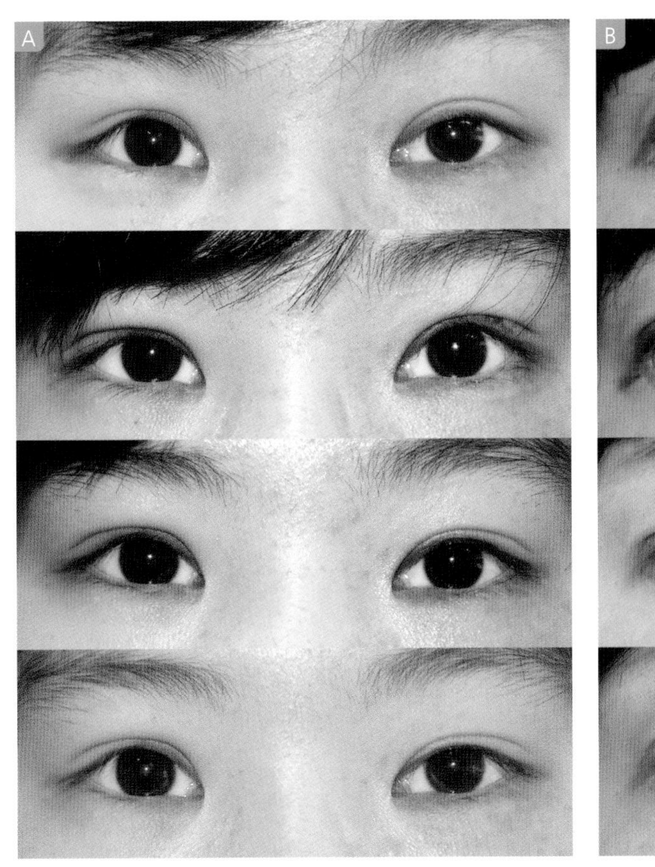

图1-27 双眼皮会随着时间的流逝逐渐变浅(2例)

A. 术前
仐术后一周，双眼皮清晰
术后三个月，双眼皮线变浅
术后八个月，与术后初期相比睁眼时双眼皮变浅

B. 术前有外翻症
术后10天双眼皮有点深
术后40天双眼皮变得不是很深
术后6个月外翻症消失

所有双眼皮线都会在特定的一个时间段里出现不同程度的变浅现象(图1-27)。

在双眼皮手术中，双眼皮线的深度问题是最重要也是最难决定的问题。双眼皮的幅度和形状固然重要，但是双眼皮的幅度可以在术前设计过程中预测出来，只要按照设计好的线进行手术，基本不会出现什么问题。与幅度问题不同，双眼皮线的深度问题却受到多种因素的影响。手术方法，手术中出现的水肿程度等都影响到双眼皮线的深浅，而手术后经过一段时间，所有人的双眼皮线都会出现不同程度的变浅现象(图1-27)。

双眼皮线变浅的程度大体上受到两种因素的影响。其一是患者本身的生理特点，其二是医生的手术技巧。一切事物与生俱来有一种保持自身原有形态的特点，如果有外力想要对其加以变形，就会遇到来自内部的阻力。一切事物所普遍具有的这种性质叫做惯性，而惯性原理同样适用于双眼皮手术中。对双眼皮具有较大抗力的眼皮，也就是在手术后很容易使双眼皮变浅的患者应该做较深的双眼皮，以防在术后双眼皮线变浅甚至消失。

Ⅰ. 患者的因素

以下几种情况对双眼皮的阻力较大

· 皮肤较厚
· 皮肤松弛，遮住睫毛
· 软组织肥厚
· 提上睑肌功能偏弱
· 内眦赘皮(epicanthal fold)导致内眦一侧眼皮紧绷
· 患者年纪小
· 之前手术后双眼皮消失

医生在手术前用探条测试双眼皮时，可以预测出患者眼皮对双眼皮的抗力。使用探条很容易就能做出双眼皮，且拿开器具后双眼皮还能保持一段时间的眼皮，对双眼皮的抗力较弱。而需要将器具用力按下去方能形成双眼皮，且拿开器具后双眼皮又马上消失的眼皮，则对双眼皮具有较强的抗力。

皮肤松弛，遮住睫毛

有些患者眼皮下垂比较严重，睫毛的大部分被眼皮遮挡。对这类患者进行术前的测试时，要用力地把探条按下去才能使遮挡睫毛的眼皮提到上面，双眼皮也随之形成，显然和比较容易用探条形成双眼皮的患者相比，这样患者的眼皮对形成双眼皮的阻力更大(图1-28，1-29)。

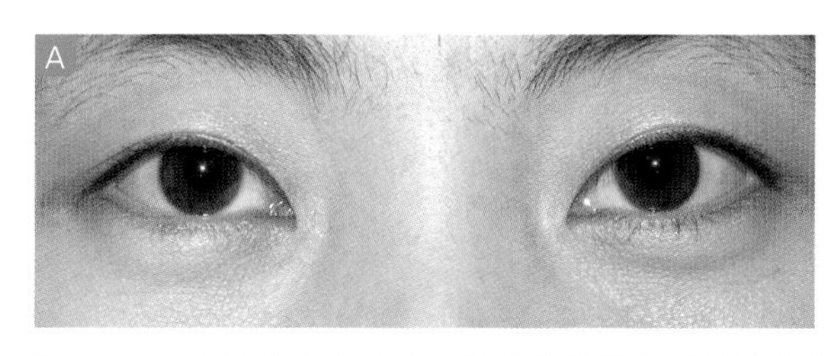
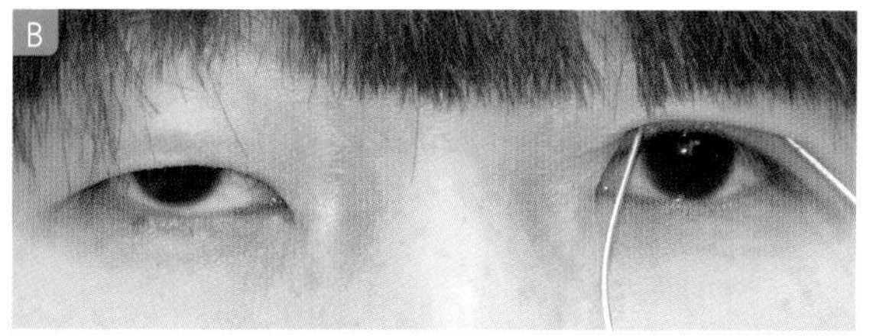

图1-28 A. 因皮肤薄而双眼皮不容易消失的眼睛 B. 遮盖大部分眼睫毛的眼睛术后双眼皮线容易消失。

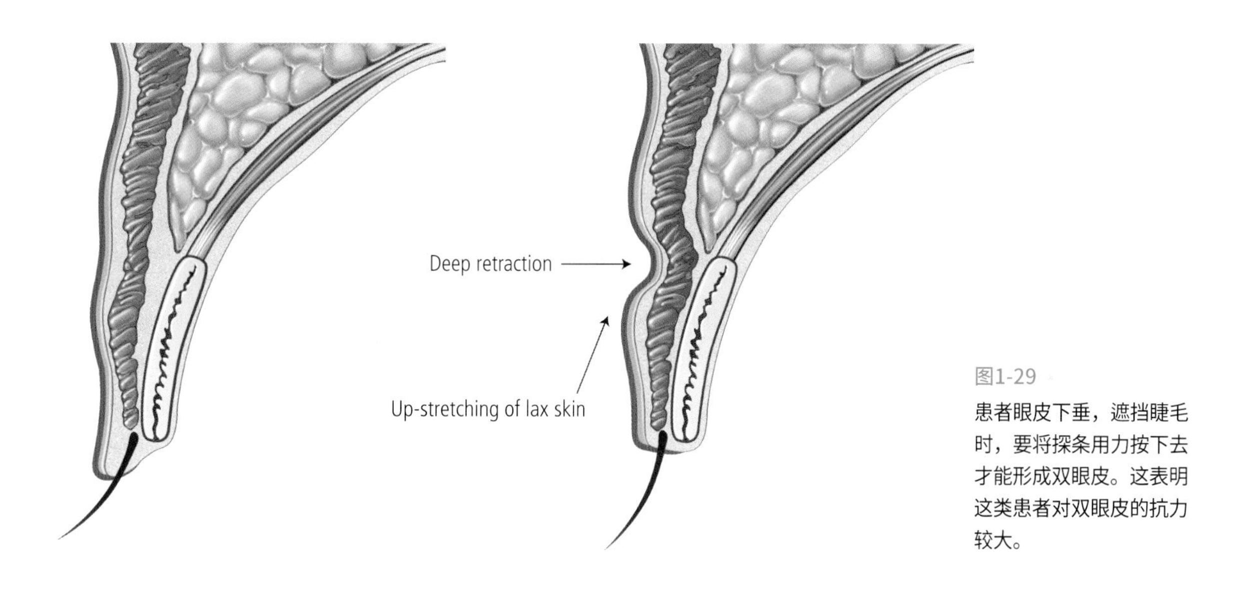

图1-29
患者眼皮下垂，遮挡睫毛时，要将探条用力按下去才能形成双眼皮。这表明这类患者对双眼皮的抗力较大。

提上睑肌功能偏弱

提上睑肌功能弱的患者给人没有睡醒，睁眼比较吃力(ptotic)的感觉。这类患者如果不矫正上睑下垂而直接做双眼皮，会很容易使双眼皮消失。因此，应适当地把双眼皮做得深一些。如果先矫正上睑下垂以后再做双眼皮手术，可以解决双眼皮容易消失的问题。但是外侧的双眼皮仍然比较容易消失。另外，上睑下垂手术和双眼皮手术同时做时，容易出现外翻症，需要引起注意。这种情况下作者会将眼轮匝肌固定到睑板上后，再在高位(睑板上沿上3-7mm处)腱膜上进行固定图1-31(参照五章上睑下垂)。

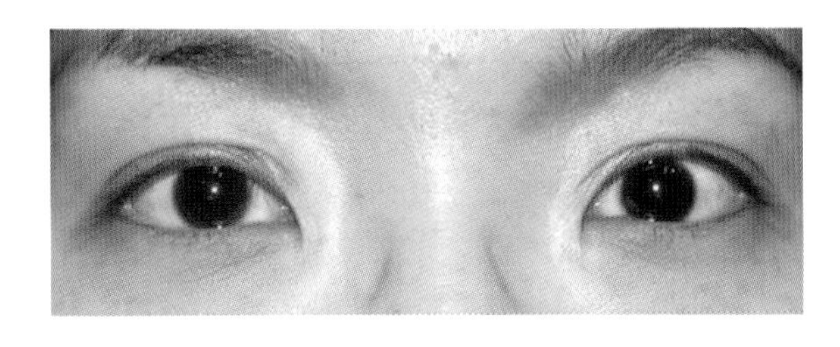

图1-30 **因为内眦赘皮而导致的内侧双眼皮消失**
在有内眦赘皮(epicanthal fold)的情况下做外折双眼皮(out fold)，这时内侧的双眼皮线很容易消失。

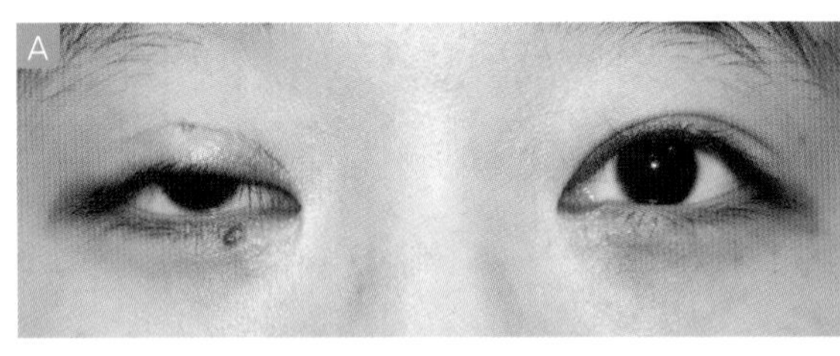

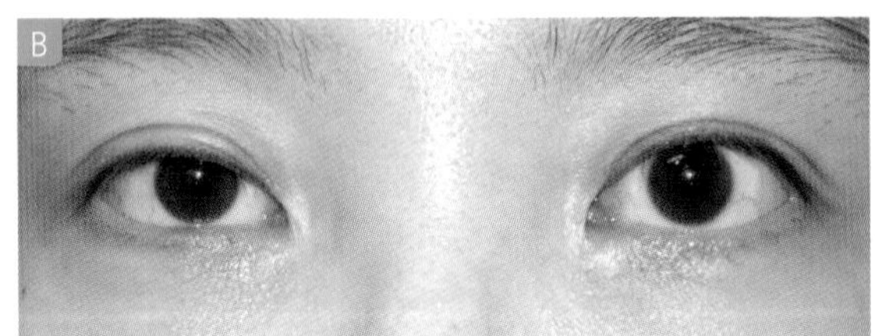

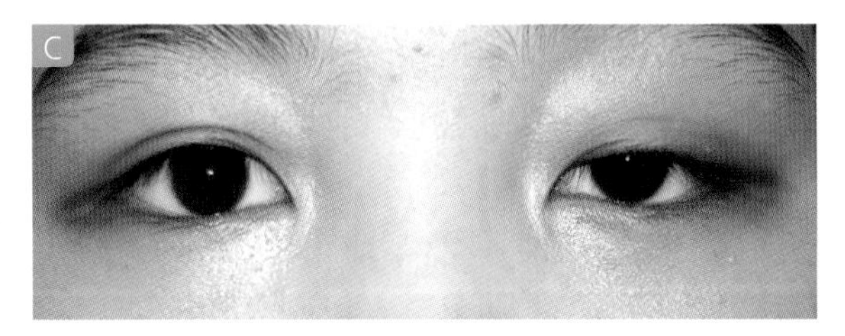

图1-31 右侧因上睑下垂导致双眼皮模糊

有内眦赘皮(epicanthal fold)的情况

如果连接赘皮的带状组织比较牢固，需要将探条向内侧压得深一些才能使双眼皮形成。这说明内眦一侧的眼皮具有较大的抗力。这种情况首先要解开与赘皮连在一起的带状组织，或者在固定时直接做得深一些。由于赘皮使内眦一侧的眼皮紧绷，做外折双眼皮后内侧的双眼皮很容易就消失。而内折双眼皮则基本不受内侧眼皮紧绷的影响，很少出现双眼皮消失的情况(图1-30)。

患者年纪小

年龄越大，眼皮上的褶皱就越多，皮下脂肪也越少，对双眼皮的抗力自然也会较小。换言之，年纪越大，双眼皮消失的情况就越少发生。而年纪越小，双眼皮越容易消失。如果年纪较小的患者为治疗内翻症而接受双眼皮手术，应考虑到双眼皮可能容易消失的情况，做成轻微外翻(ectropic)的双眼皮。

修复手术

在接受修复手术的患者当中，对双眼皮的抗力最大的是前一次手术后折皱消失的患者。这是因为折皱虽然消失，但在下皮瓣上却已经形成了粘连，而粘连现象并不会因双眼皮的消失而一同消失。这种情况应先剥离粘连组织，并进行悬吊(redraping)固定到更深的部位上。

在这种情况下，最重要的问题是上一次手术后究竟在下皮瓣上留下了何种程度的疤痕粘连。如果下皮瓣形成的粘连比较轻微，可以将其忽视，用一般的双眼皮手术方法处理即可。而如果粘连比较牢固，就会影响到双眼皮的成形，且越牢固，影响越大。此时应按如下步骤进行手术。1. 先剥离下皮瓣，祛除粘连组织，使之不能阻碍双眼皮的形成。2. 剥离后留在皮瓣上的疤痕组织(纤维组织)也会阻碍形成双眼皮。因此要固定到稍高的部位上，以形成轻微的外翻。有关这方面的内容，将在第三章《双眼皮手术的并发症及其原因和对策》中详细说明。

以上列举了导致双眼皮消失的各种原因。在很多情况下，这些原因不是单独地出现，而是几种原因同时出现在一名患者身上。例如有些患者眼皮较厚，并伴有轻微的上睑下垂，且上一次手术后形成的双眼皮往往又是窄双眼皮。为这种患者进行手术时，要采用特殊的固定方法。(参照固定方法的种类)

任何一位患者在接受手术后的一段期间内都会出现不同程度的双眼皮变浅现象。这一过程与疤痕切除手术后的愈合的过程相似，受外部拉力越大，动作越频繁的部位，疤痕也会越大。换言之，双眼皮在术后不可避免地会出现变化，是以下几种原因综合作用和影响的结果。

因水肿，血肿等的干扰，固定部位上没有形成牢固的粘连；固定部位受到来自周围组织的拉力；眨眼动作导致缝合松动或使缝合处周边的组织松弛。

总而言之，须借助缝合线的拉力才能达到并维持结果的手术，在固定部位上形成牢固的粘连反应之前，都会出现缝合松动的现象。这与在上睑下垂手术中，下垂程度越严重，复发程度也越严重是一样的道理。上睑下垂越严重，需要提升的量也就越多。因线与组织张力的增加，提升后的组织就容易松弛。

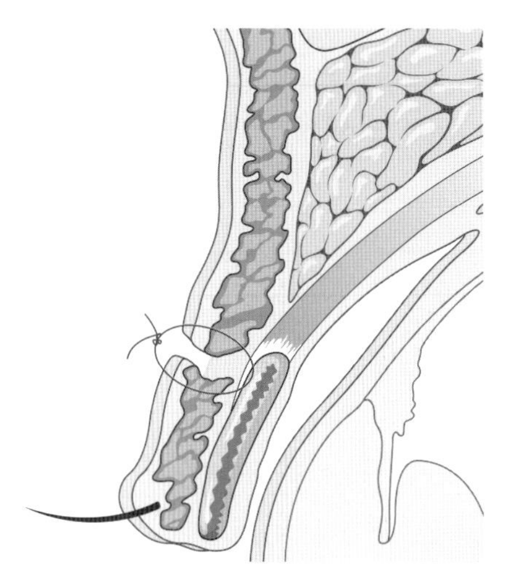

图1-32 **缝合皮肤同时与睑板或腱膜一起进行固定的方法**
内部进行永久性固定缝合，加强固定的情况。或本身有双眼皮的情况下，为避免在其他部位形成双眼皮，而把此种方法作为引导缝合(guiding suture)来使用。

Ⅱ.导致双眼皮变浅(或消失)的手术因素

在术后双眼皮线变浅消失的重要原因中，手术方法的选择影响很大。

没有做埋线固定缝合(buried fixation suture)(皮肤缝合时，将其缝合在睑板或腱膜，并同时进行固定的皮肤固定缝合法)(图1-32)

如果使用这种方法，要比使用其他方法时做更深部位的固定。(作者很少单独使用这种方法。有时做为辅助性措施，永久性固定以外还需做4-5个辅助性固定，这时可以选择使用这种方法。)

粘连作用不牢固，只依靠缝合线(例：单结连续缝合)

在粘连部位量极少的情况下，单单依靠缝线力量的埋线法，虽然线是永久的但缝线的张力会随着时间的流逝造成周围组织的松弛。双眼皮是经由与周围组织的粘连而形成的褶皱，一旦粘连程度变弱就很容易出现双眼皮线消失的问题。

低位固定

太低位的固定会使双眼皮过浅或消失。

像脂肪一样的组织夹在前层与后层之间而影响粘连

特别是在内侧，由于睑板前脂防比较多而影响了双眼皮的成形，此时就需要切除脂防。

埋线固定缝合(buried fixation suture)的数量少

越是容易导致双眼皮线消失的手术方法，越需要进行牢固的缝合。

水肿严重或者有血肿

固定缝合逐渐变得松脱而导致双眼皮线消失。

对固定部位反复施加摩擦力的动作，如揉眼睛等

举个例子有过敏性皮炎的患者如双眼皮术后用力揉眼睛，双眼皮会容易松掉。

其他，固定的方法不当的情况

例如低位固定时过分的固定打结(tie)缝合会导致组织溃烂，因此在打第一，第二个结(tie)的时候应该留意调整力度。

固定方法(Fixation Technic)中，其他的手术技巧

固定是指稳固地连接anterior lamella(包含皮肤与眼轮匝肌的皮瓣)和posterior lamella(睑板与腱膜，米勒氏肌)

固定方法可以从以下三个方面进行说明

- 固定的位置
- 固定的组织
- 固定的方向

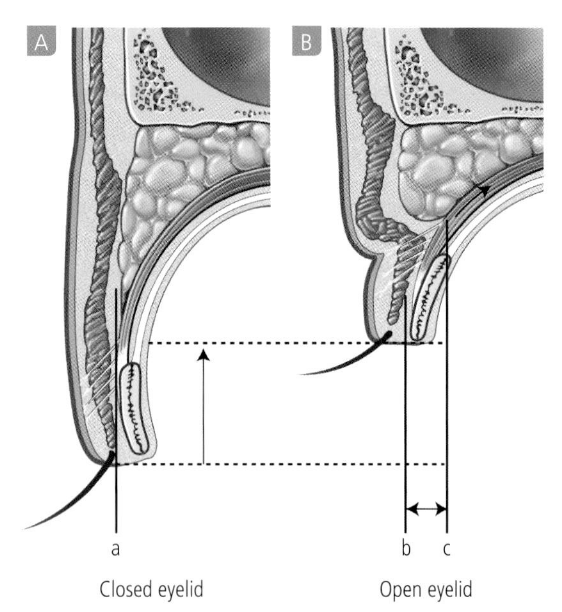

图1-33 固定位置越高，在睁眼的时候由于固定位置向后移动，而使双眼皮看起来更加深。

Principle: The levator palpebrae muscle moves the tarsal plate superiorly and posteriorly.

原理：因为提肌的运动方向是向上后方的。

A. 闭眼时睑板上端的提上睑肌位置与a的位置相同。**B.** 睁眼时固定缝合所在的睑板上端的提上睑肌位置。b-c表亦双眼皮的深度 可以看出固定缝合点C的位置越高，b-c之间的距离就越大。

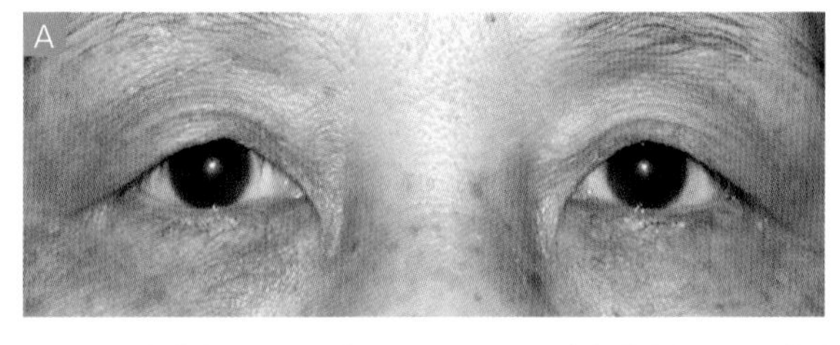

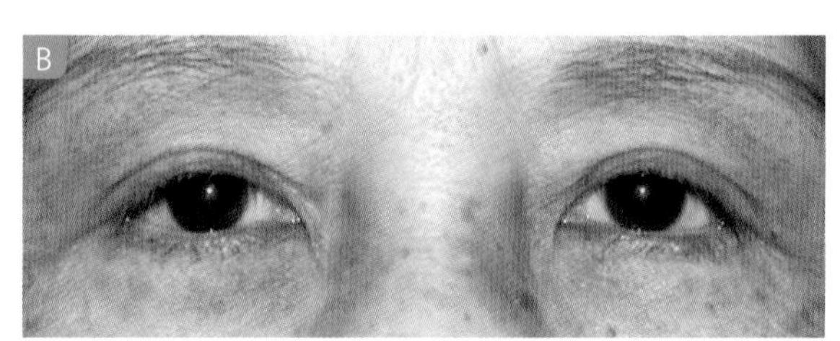

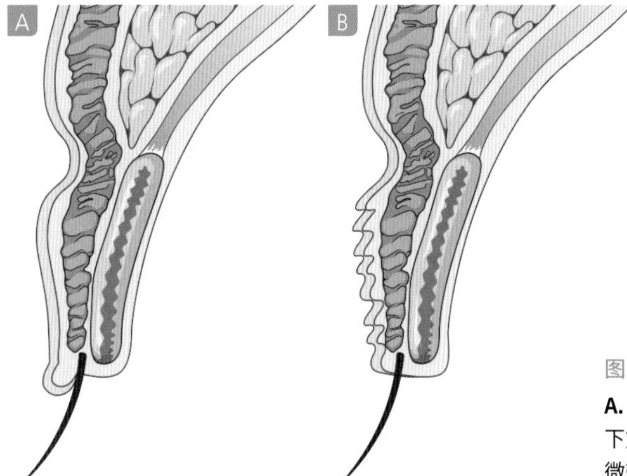

图1-34 低位固定后的两种双眼皮形态。

A. 下垂的眼皮轻轻遮盖着眼睑线。眼睛变大的效果并不明显。**B.** 下方皮瓣有褶皱。给人一种柔和的感觉。如果皱纹不是很多，稍微带有一些皱纹对于年长的人来说是比较适合的。

固定位置

韩国人睑板的平均纵向幅度为8.8毫米(黄健)。固定位置在睑板上所处的高度决定双眼皮线的高度。固定的位置越靠上方，下皮瓣上的皮肤就会伸展(stretching)，而使得双眼皮线变深并伴有一定的外翻(图1-33)。相反，如果固定位置低，下皮瓣上的皮肤就会形成褶皱或遮挡睫毛。要做出深度适中的双眼皮，需要在下皮瓣上的皮肤被适当牵引(traction)的状态下，选择睑板上与其高度相同的一处位置进行固定，以使睫毛轻微外翻。

当然，选择固定的高度还要考虑到上面所提及的患者皮肤及手术方法等对双眼皮形成抗力的多种因素。

低位固定

固定位置较低可能导致两种情况出现。术前用探条进行测试时，如果按下探条的力度不太大，也可以看到这两种情况(图1-34)。

眼皮下垂(hooding)，遮住睫毛根部

这种情况下，由于眼睑缘(palpebral fissure)被眼皮遮盖，因此眼睛增大的效果比较弱。尤其是在内侧容易发生变浅或消失，而不易化妆，应该做的深一些。

眼皮上出现少量的褶皱，但不遮挡睫毛

如果褶皱不严重，这种双眼皮的效果要好于皮肤完全伸展的双眼皮。尤其对于年纪大的患者来说，带有细微的褶皱反而显得更自然，更柔和。总之，每次做固定的时候作者都会觉得睑板简直就是上帝赐给整形外科大夫的礼物。在双眼皮手术中，睑板是一个极佳的参照标(landmark)，只要以睑板上端为中心，稍适调整即可轻松找到合适的固定位置。难以想像如果没有睑板，医生们将怎样进行双眼皮手术。

固定高度

内眦一侧的固定位置要比外眦一侧高的理由(图1-35)

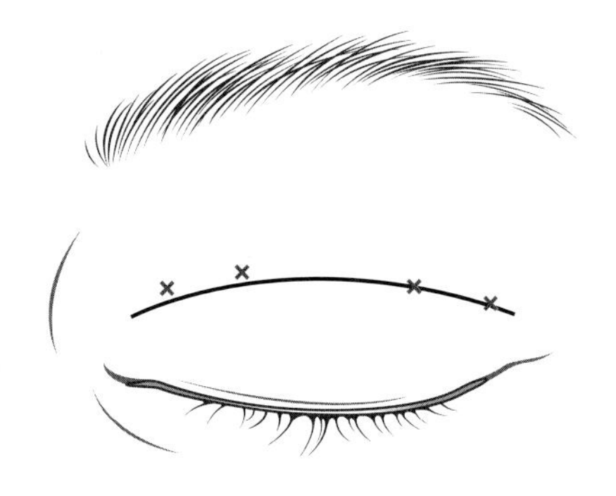

图1-35 • **切口线与固定位置(高度)之间的关系**
与切口线相比，固定位置从外到内逐渐升高。内侧的固定位置高出切口线一截，越向外侧，固定位置就越接近于切割线。实际应用上，作者会固定于两点(眼睑板及提上睑肌腱膜)，(会在高级双眼皮详述)。

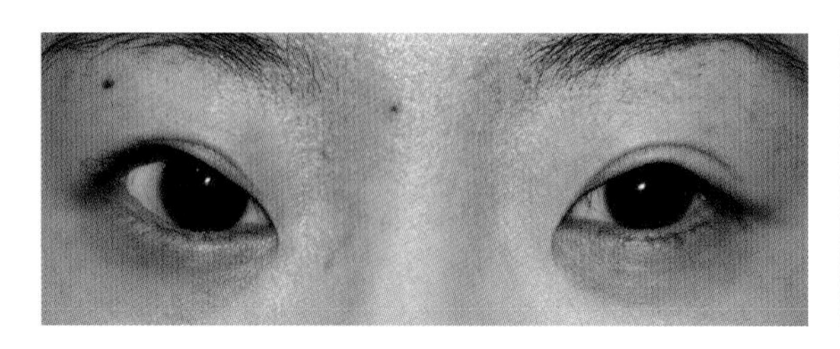

图1-36 • 内侧双眼皮模糊 眼皮遮盖睑缘

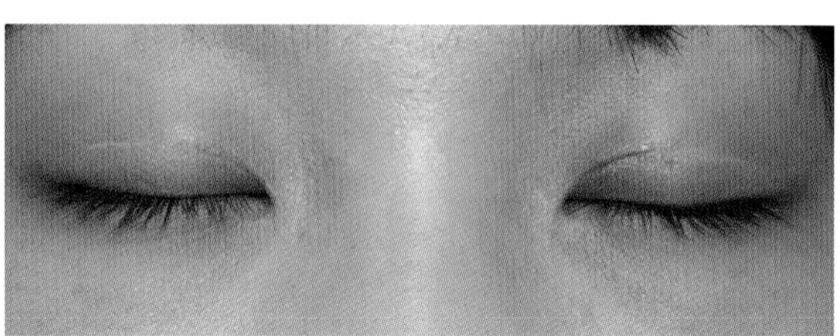

图1-37 • 内侧与皮肤高度相比，因固定的位置比较高内侧容易出现凹陷性疤痕

内眦一侧的固定位置要比外眦一侧高的理由

内侧与外侧相比较

① 内眼角处的睑板前脂肪量多。提上睑肌腱膜前(preapponeuroticfat)脂肪量多。米勒肌前脂肪量(premüller muscle fat)与米勒肌脂肪量(fat infilteration in müller muscle)多，固定缝合后不易出现过分的粘连。但是由于这一部位上血管分布较为密集，一不小心就可能导致出血，因此这里的脂肪组织不宜切除。而如果将脂肪组织也一起固定，就会出现拧乳酪(cheese wiring)效果，形成的粘连可能有些松动(loosening)，最后导致双眼皮消失。

② 手术后可能出现眼轮匝肌呈新月形(elliptical fullness)肥厚的现象。这时，肥厚的眼轮匝肌会更多地遮住(hooding)内眦一侧的睑裂，中央和外眦一侧的情况则往往略好于内侧(图1-36)。矫正眼轮匝肌肥厚的方法是，先在内眦一侧以椭圆形切口来切除皮肤和眼轮匝肌。之后缩小双眼皮幅度并将固定位置上移，使双眼皮线变得清晰可辨。为了使双眼皮外观看起来比较明显，固定过高会容易

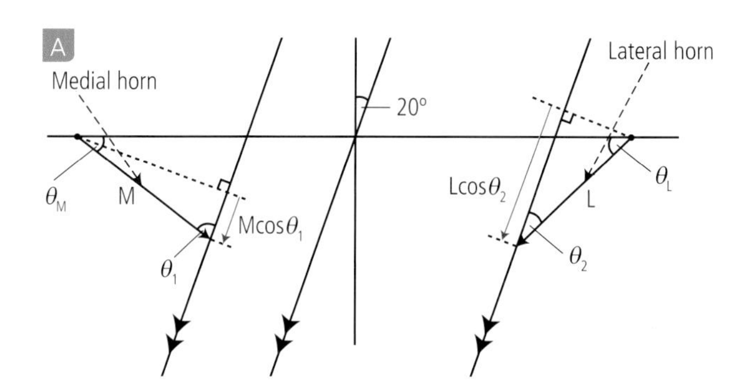

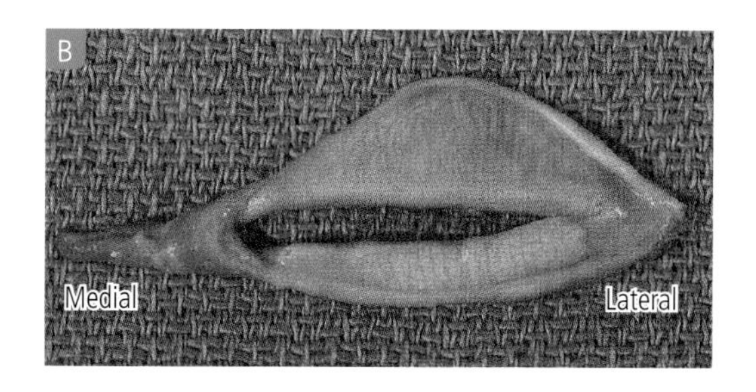

图1-38 **提上睑肌的走行方向(Kakizaki).**

A. 提上睑肌的走行方向(Kakizaki)因medial horn比 lateral hom 更趋向水平，因此 medial 的悬吊力量比lateral弱

B. 多数情况下，睑肌的内侧比外侧小

形成凹陷性疤痕(图1-37)。

③ 内眦一侧提上睑肌腱膜的运动方向比外眦一侧更加呈水平位。这也是需要固定位置内高外低的原因之一(图1-38)。

④ 睑板的内侧缘比外侧缘较小(图1-38B)。

⑤ 如果有内眦赘皮(即蒙古皱纹)的患者要求做双眼皮，要事先预想到这种皮肤对双眼皮的抗力较大，容易导致双眼皮线消失。手术中要在睑板以及靠近上方的提上睑肌腱膜做双道固定。如果双眼皮线在内眦一侧出现哪怕非常轻微的变浅现象，皮肤就会遮住睫毛的一部分，有些女性患者就会抱怨画眼线时太吃力。为了预防此现象产生，需更高一层次的固定方法，会在TAO固定法里详细说明。当然还要注意不能在过高的位置上固定，以免形成凹陷痕和外翻。

⑥ 腱膜在内侧空虚的呈度(bare areas)比外侧大(图5-22)。

固定的组织

这里的固定指的是固定前层(anterior lamella)和后层(posterior lamella)。

· Anterior lamella：皮肤，眼轮匝肌。

· posterior lamella：睑板，隔膜，提上睑肌腱膜，结膜。

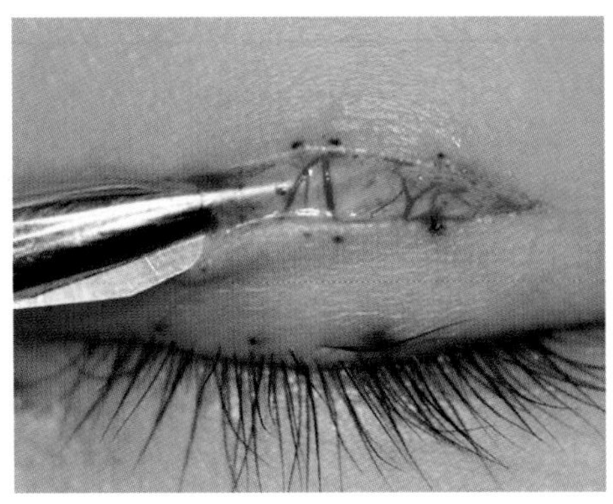
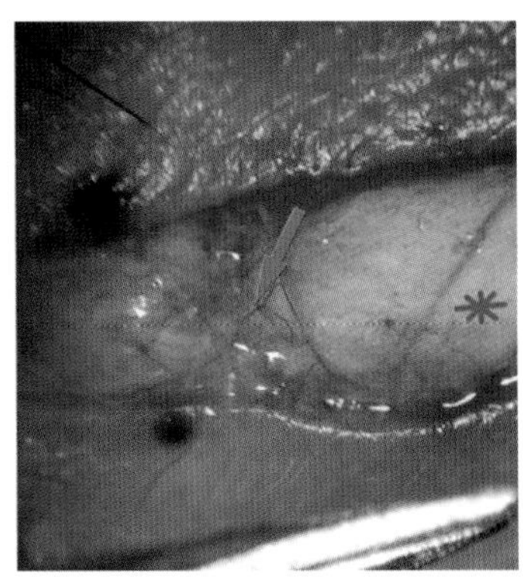

FIGURE 1-39 · 眼轮匝肌外侧的筋膜(outer fascia of orbicularis oculi muscle)

前层(anterior lamella)固定组织

作者会将眼轮匝肌缝在下方皮瓣的上缘，以往有个用语是tarsodermal fixation，会偏好将真皮选用为用来固定的组织。以组织学角度来看，电子显微镜下，和单眼皮的眼睛比起来，腱膜的纤维并没有穿过眼轮匝肌直接连到真皮，而是只有连接到皮下组织，经由皮下组织许多的septa，间接的连到真皮层。因此，在手术手法上，只要将眼轮匝肌在posterior lamella连接好，就会自然的连到真皮。为此，在拉开切口线后要保留下皮瓣边缘处的眼轮匝肌，为了形成牢固的黏合面而切除眼轮匝肌及使用睑板与真皮的固定方式，会形成凹陷性疤痕。

眼轮匝肌比真皮更适合做固定的理由

1. 真皮薄而眼轮匝肌厚。在眼轮匝肌上固定，可以减轻缝合线的松动程度。
2. 与真皮相比眼轮匝肌更深。缝合线穿插真皮内部，离表皮(epidermis)太近有可能暴露在外侧。在皮肌腺或汗腺周围还可能引起异物反应(foreign body reaction)。
3. 不做眼轮匝肌缝隙(gap)如果真皮直接固定在睑板上，眼轮匝肌会形成缝隙(gap)。即便是采用埋线法，也会形成凹陷性疤痕。眼轮匝肌缝隙会阻断血液及淋巴的正常流向，而影响消肿。真皮层，真皮下层或肌肉层都有各自的血流系统(例：dermal plexus，subdermal plexus)。因此不管在哪层一旦出现缝隙就会对正常的血流造成影响(图1-40)。

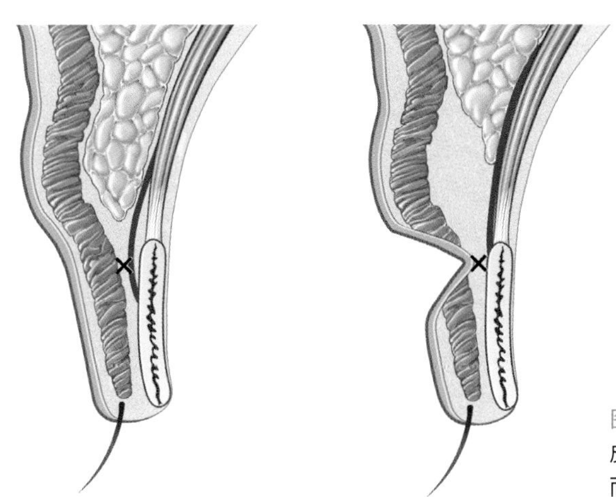

图1-40 眼轮匝肌与睑板固定，及真皮与睑板固定时真皮固定会形成gap而形成凹陷疤痕。

后层(Posterior lamella)固定组织

后层(Posterior lamella)固定组织是以睑板及提肌膜为主的组织，有时也会利用眶隔膜(septum)，以下是各种固定方法：

· 裸露的睑板(Nude tarsus)
· 附有腱膜(aponeurosis)的睑板(tarsus)
· 直接在睑板(tarsus)上方的腱膜(aponeurosis)上固定
· 在睑板(tarsus)及其上方的腱膜(aponeurosis)上做双重固定
· 前眶隔(anterior septum)或后眶隔(posterior septum)上固定
· 在无睑板(tarsus)的外侧，直接固定在眶隔膜或腱膜上

A. 在裸露的睑板上(Nude tarsus)做固定是为了得到更好的粘连，说的就是在切除全部睑板前组织的状态下进行固定。但睑板单独的力量并没有与提上睑肌腱膜合体力量大。另外，因为切除全部睑板前组织是属于外科创伤(traumatic surgery)，会形成疤痕(scar formation)，虽然容易形成粘连(adhesion)但会影响正常的血流，切开线部位出现凹陷性疤痕。因此作者认为这不是个好方法。

B. 在睑板前固定腱膜(aponeurosis)或同时固定睑板与腱膜(aponeurosis and tarsus)时，比起固定在裸露的睑板(nude tarsus)上，更具有创伤小(less traumatic)，固定牢固(powerful)的特点。

C. 直接在睑板上端的提上睑肌腱膜上固定的方法是在睑板非常小的情况下使用，如在睑板高度只有6mm左右的患者使用此步骤会出现一些问题。1.固定线会对结膜造成刺激。2.会引起外翻症。3.限制提上睑肌的运动，并造成眼疲劳综合症(fatigue eye syndrome)，因此不建议使用。

D. 在睑板和高处的提上睑肌腱膜上做三处固定(3 point fixation)。此方法能够预防采用C方法固定时因外翻症导致的不自然，并防止低位固定时出现的双眼皮线消失的问题。作者把这种综合固定的方法运用于各种情况中。在睑板上部分性的穿过(tarsus)，挂起睑板上端的腱膜，将线固定在眼轮匝肌的方法简称TAO固定法。因此，实用性强，也包含各种特别功能，因此作者特别命名为TAO fixation。接下来会介绍更多此方法的用处。

TAO Fixation

· 睑板一在下皮瓣在没有完全伸展的状态下，采用穿过部分睑板的方式来固定
· 腱膜一睑板上缘上腱膜
· 眼轮匝肌一离皮肤最近的地方

E. 在眶隔膜上固定

也有不在腱膜或睑板上固定，反而固定在前方或后方眶隔膜(anterior or posterior septum)上的方式。适当使用此方法也是没有问题的。把后方眶隔膜作为腱鞘(sheath)一样的固定在此，虽然比直接固定在腱膜上弱一些，但基本无差别。但如果在并不适当的情况下使用就会出现双眼皮线消失或者过深，在前方眶隔膜上固定时，从靠近腱膜的眶隔膜做翻转瓣(turn over flap)固定，就可避免伤口部位凹陷，易于双眼皮的形成。

结论上不是很推荐A，C方法，D，E方法是很有用的。

老年性眼整形手术(anging blepharoplasty)的最外侧固定

眼裂(eye fissure)结束的部位没有睑板，年轻患者一般不需要在外眦的外侧做固定，双眼皮线也会自然向外延伸。而老年患者则必需在此处做一个固定。由于此处没有睑板，一般固定在腱膜或眶隔膜上(图1-42)。但是这部分的腱膜的位置比较深，直接在腱膜上进行固定的话，通常容易会形成深且突然结束的双眼皮形态，因此不能直接固定在腱膜上，而是利用将下方的腱膜形成腱膜瓣，延长其长度(图1-41)或固定在眶隔膜上就能形成深度适当，柔和的双眼皮(对这方面的内容，将在第二章《老年性上眼睑手术》中做进一步的说明)(图2-17C)。

动态双眼皮(dynamic double eyelid)

一般情况下只要双眼皮的大小，深度，宽度等满意，疤痕不明显，就是患者们比较满意的双眼皮。但是一个高品质的双眼皮手术，在闭眼或向下看时，(closed state or downgaze state)不会有明显的凹陷及皱纹(痕迹)，只有在睁到一定程度时才会出现双眼皮线的双眼皮。闭眼出现的凹陷疤痕表面上看起来与双眼皮线没有太大差别，但一定要严格的进行区分，并且分析其中的原因，来预防双眼皮凹陷性疤痕的出现，这与如何缝合固定有很大的关联。

作者采用的手术方法如下:

1. 固定眼轮匝肌，但不固定真皮。
2. 使用TAO 固定方法。
  - 在平躺的状态下固定时，在与双眼皮线差不多的高度或比其稍微高一点的位置，用针穿过部分(partial thickness)睑板。如果固定的位置过分高于切开线，就会拉扯下方的皮瓣皮肤，在闭眼的状态下呈现皱纹(痕迹)而导致外翻和疤痕。
  - 在睑板上缘的上方，适当的提拉腱膜(aponeurosis)进行固定，借助腱膜的力量防止双眼皮线消失的情况。先穿过部分睑板的目的是为了即使有腱膜从上方牵拉的力，也能避免下方的皮瓣被拉扯(图1-43)。

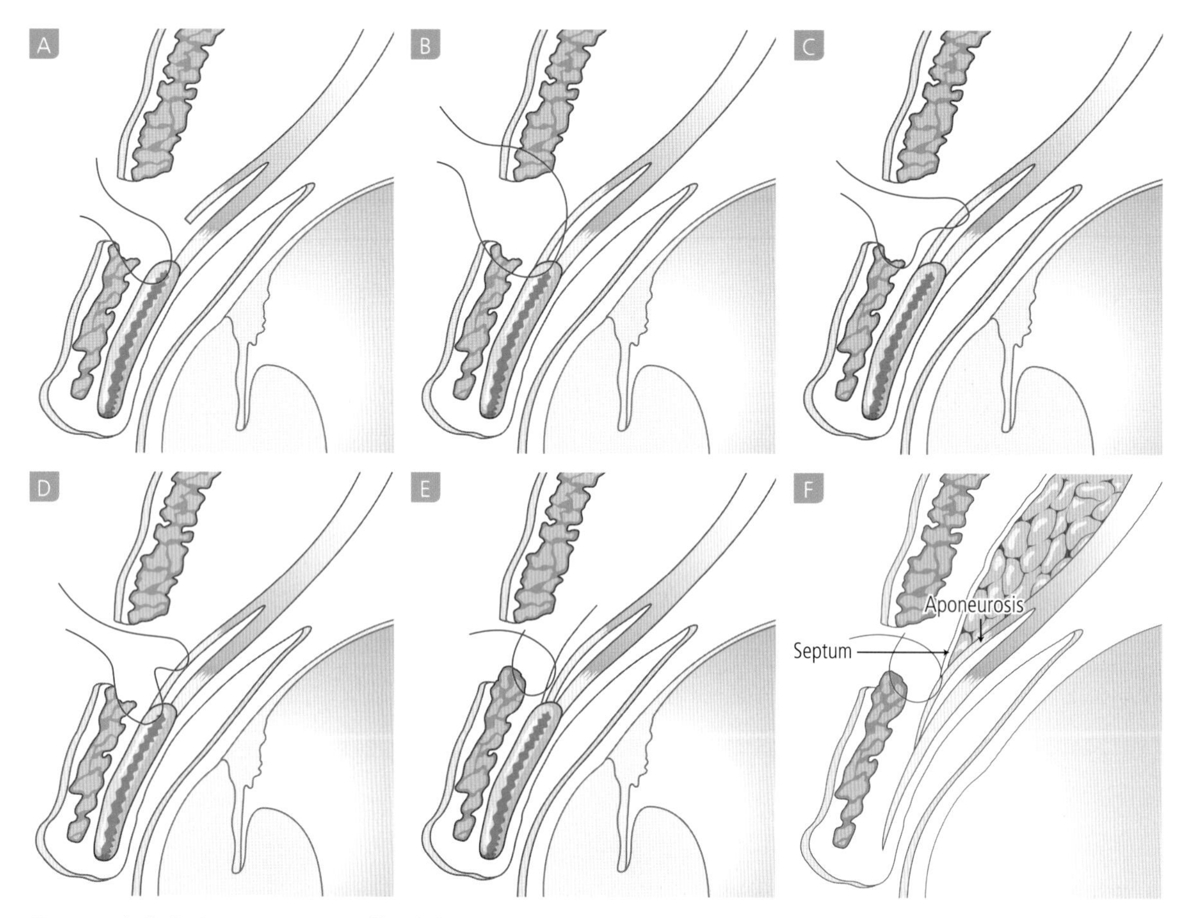

图1-41 各种后层(posterior lamella)的固定方式

A. .切除睑板前软组织(pretarsal soft tissue)后，在裸露的睑板上固定

B. 睑板前提上睑肌腱膜或提上睑肌腱膜和睑板固定

C. 直接在上端的提上睑肌腱膜上固定

D. 在睑板和高处的提上睑肌腱膜上各做一处固定(3 point fixation)

E. 在外侧隔膜上固定

F. 在没有睑板的外侧部位，固定于腱膜或眶隔膜上

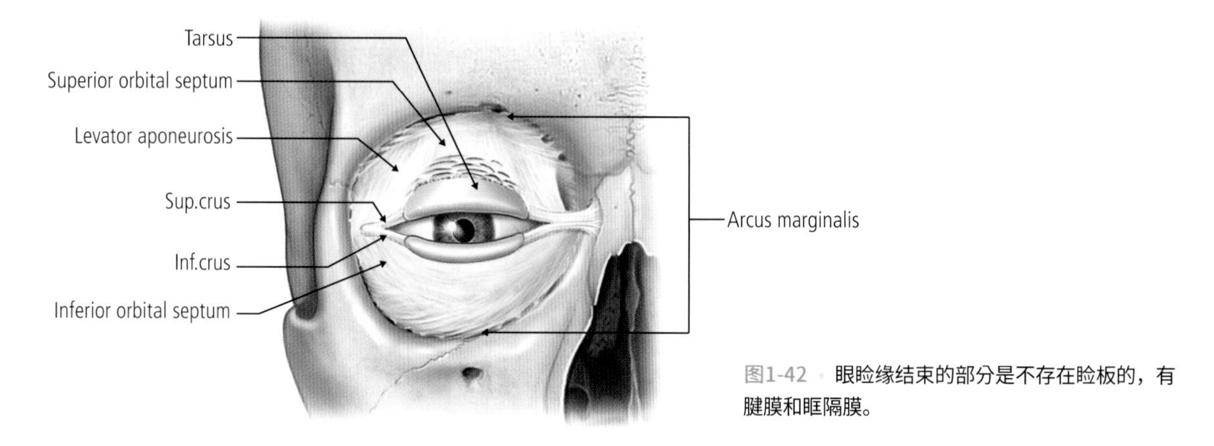

图1-42 眼睑缘结束的部分是不存在睑板的，有腱膜和眶隔膜。

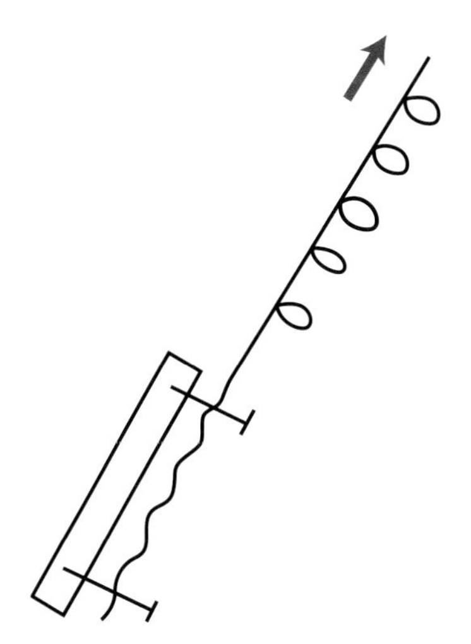

图1-43 **在褶皱的布条上钉上钉子，拉扯布条的上方，布条的下方褶皱也不会变得平整。**

Despite the tension from the upper end，the nail prevents stretching of the lower portion of the fiber. The partial thickness bite of the tarsal plate serves as the nail that prevents transmission of tension from the levator to the lower flap.

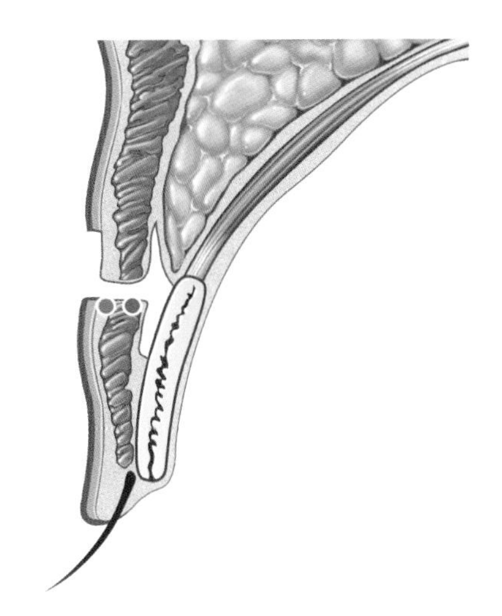

图1-44 **眼轮匝肌的固定点**

固定在离皮肤较近的眼轮匝肌上(蓝点)如果离皮肤太远(红点)，双眼皮线会不流畅。

· 穿过接近皮肤的眼轮匝肌，应注意如果眼轮匝肌距离皮肤较远，则双眼皮的宽度不一，而距离皮肤过近也会诱发双眼皮凹陷的形成(图1-44)。

3. 把上面三个缝合以适当的力量打结(tie)不直接固定在睑板或提肌上，既能够预防外翻也能预防下方的凹陷性疤痕的形成，以及经由腱膜的拉力来避免双眼皮线变不明显或消失。

此种方法特别在部分切开及埋线方法中是非常重要的。某个部分出现下陷情况，比起切开后出现的凹陷，看起来更加严重。作者的经验上来讲，年轻人一般做四个固定点，内侧开始的一点，第二点做TAO固定，外侧的3，4点则固定在比皮肤高1mm的包含腱膜的睑板上(图1-45)。

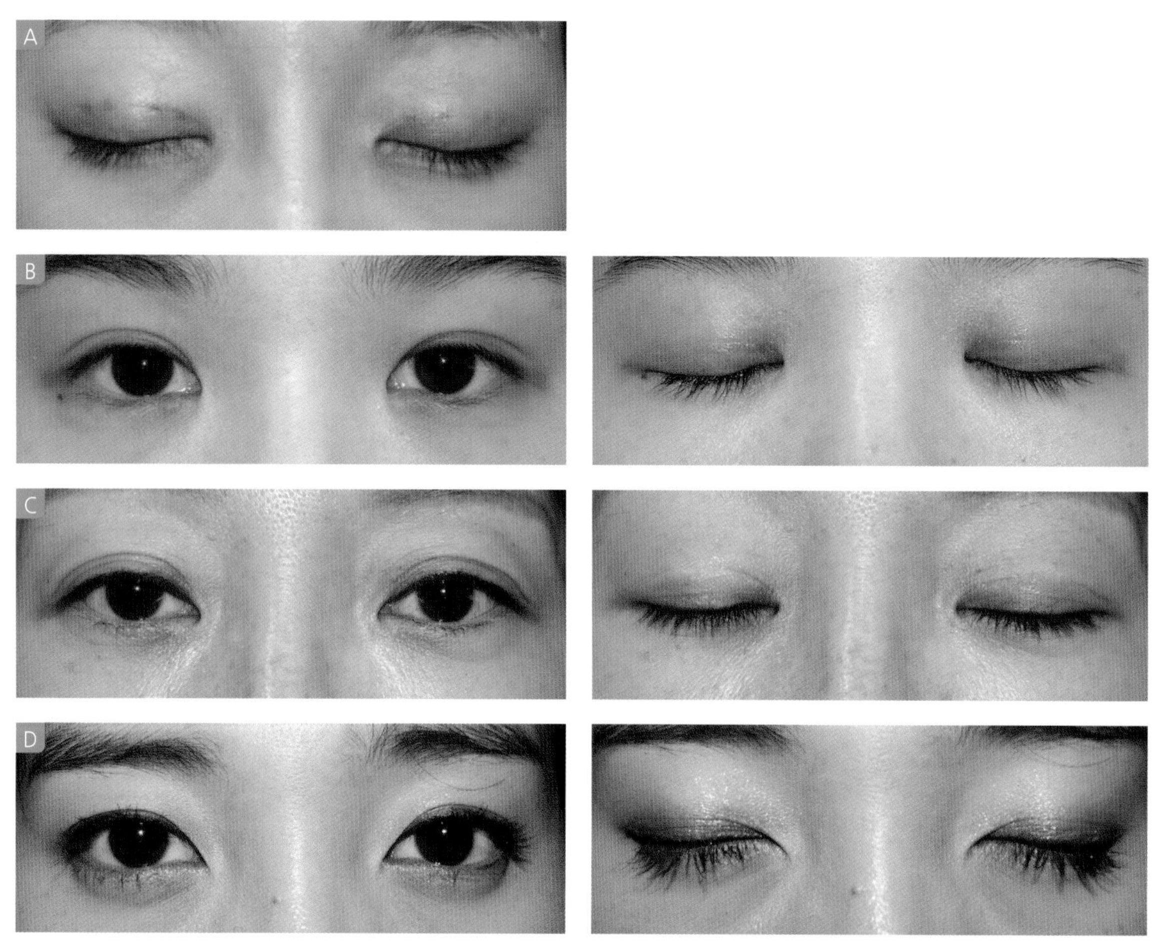

图1-45 **A.** 即使是埋线法，如果术后出现凹陷性疤痕，会很明显。**B.** 高级双眼皮是指闭眼没有凹陷且没有折痕，睁眼时双眼皮明显。**C.** 手术后的双眼皮 **D.** 天生双眼皮。闭眼时C，D没有差别。

TAO固定的原理

1. 在保持皮肤不被过分伸展的状态下，在睑板适当的位置上，部分穿过并在深层固定
2. 在睑板上端固定提肌腱膜
3. 固定眼轮匝肌

TA0固定的优点

1. 能够预防双眼皮过深及产生外翻症，双眼皮消失的问题。
2. 恢复期短：因未固定在高位，所以从深双眼皮变换为浅双眼皮时用时比较短。
3. 即使采用部分切开法也能做出 delayed fold。
4. 双眼皮术后睁眼力量不会减弱；(p-3 参考双眼皮术后眼睛会变大吗?)：轻微的腱膜折叠术有效。
5. 适用于各种特殊情况。

此外

采用TAO fixation注意要点(使用3 point fixation，穿透约一半的眼睑板)

1. 内侧的固定(medial fixation)内侧的睑板高度相对较低，即使在内侧睑板上端进行固定，双眼皮的线也是非常容易消失的，因此要在睑板上端固定后，还要在上端腱膜上进行固定。单纯的在腱膜高位做固定，在俯视的时候会形成凹陷性双眼皮。

注意

DYNAMIC动态双眼皮与STATIC静态双眼皮?

闭眼的时候像没有双眼皮一样，而眼睛睁到一定程度的时候则会显现双眼皮这种叫做动态双眼皮，而相反不管是睁眼还是闭眼的状态下都有双眼皮线这种叫做静态双眼皮。还有一种叫delayed folding的用语也经常被使用，认为这是一个更加生动的描述。另外腱膜是动态组织(dynamic tissue)，睑板是静态组织(static tissue)，为了做到动态的双眼皮，比起固定在睑板，最好是固定在腱膜或连接在腱膜上的眶隔膜上。

以下说法是错误的: · 腱膜(aponeurosis)，睑板，隔膜(septum)等是本身没有弹性的组织，假设腱膜连接在米勒氏肌上，在米勒氏肌收缩时就会使腱膜上出现褶皱，此时比睑板其更显动态(dynamic tissue)。 · 不管是哪种双眼皮都是动态双眼皮。举个例子，就像小孩玩的玩具弹弓，弹弓上面的绳子有全弹性的，也有中间部分有拉弓皮革种类的弹弓，但是弹弓打石子的原理都是一样的。

真正非动态的双眼皮的情况只有上睑下垂的患者才会存在，因为这样的患者提上睑肌力量弱，不管是睁眼向上看还是闭眼，双眼皮的形状都不会有很明显的变化，因此是静态的(Static)。因此，固定在腱膜上或者睑板上都能做出美观的双眼皮。问题的重点是“采用哪种方法”而不是“使用哪种组织”

2. 睑板本身相对较小时，即使在睑板上端固定，也会因高度过低而不能使皮瓣完全拉伸，如果为了高位固定而直接固定在腱膜上，就会形成较无神的眼睛。
3. 想做特别窄的双眼皮(内双眼皮)的时候：此时固定过高会形成外翻，固定太低也非常容易使双眼皮线消失，而采用此种方法能够同时预防外翻及双眼皮线消失的问题。
4. 在上一次手术中出现外翻而想要进行修复的时候。此时很容易再次出现外翻，而且过分注意外翻，就会忽视双眼皮线消失的问题。因此在睑板低位进行固定来预防外翻的形成，同时在睑板上端及腱膜上进行固定，不仅能避免外翻也能避免双眼皮线消失的问题。
5. 上睑下垂矫正术时，在提肌被前进的眼睑中部与内侧双眼皮线不易消失，但眼睑外侧(lateral)双眼皮线易消失，此时可以想像成做腱膜前进，与高位腱膜一同进行三点固定(3 point fixation)，因腱膜有折叠(plication)的效果所以不会轻易消失。
6. 反复做了多次手术而造成眼部缺皮时，虽然固定的比较低，但皮肤缝合点下方的皮瓣会被拉扯stretching，而导致外翻。此时为了避免下方皮瓣被拉扯，就要在睑板低位穿过部分厚度(partial thickness)后固定在上方的腱膜上。这样即使做了皮肤缝合下方的皮瓣皮肤也不会被拉扯(图1-43)。
7. 提上睑肌肌力弱时，双眼皮术后眼睛可能会变小。(P-3参考 双眼皮术后会不会使眼睛变大？)采用此种固定方法，能有一定的提肌折叠(levator plication)作用，因此能抵消眼睛变小的效果。

固定方法

固定方向要呈放射状。即内侧的眼轮匝肌要固定在位置更靠内的睑板上，而外侧的眼轮匝肌则要固定在位置更靠外的睑板或腱膜，眶隔上。究其缘由，是因为眼球并非平面状的物体，眼皮的上下运动也必然不是垂直运动。换言之，提上睑肌呈倒置的扇形(fan shape)，肌肉收缩时形成的力量指向扇形顶点。因此，固定时要向顶点的反方向固定。实际手术中如先固定睑板，两侧的皮瓣会向着中央部位固定。即在内侧固定时，要先固定外侧的眼轮匝肌，然后固定睑板。相反，比起外侧的睑板要先固定内侧的眼轮匝肌(图1-47)。图1-44已有说明，不同点仅是从睑板指向皮肤还是从皮肤指向睑板。

双眼皮的长度

在内侧2-3mm位置没有双眼皮，以此往后逐渐地出现双眼皮的状态才是最好的。在外侧是从外眼角4-6mm以后没有双眼皮。性格保守，男性一般会将双眼皮做的短一些。在去除皮肤时，向外延长切开线，从距外眼角4-6mm处作为转折点(turning point)(图1-48)。

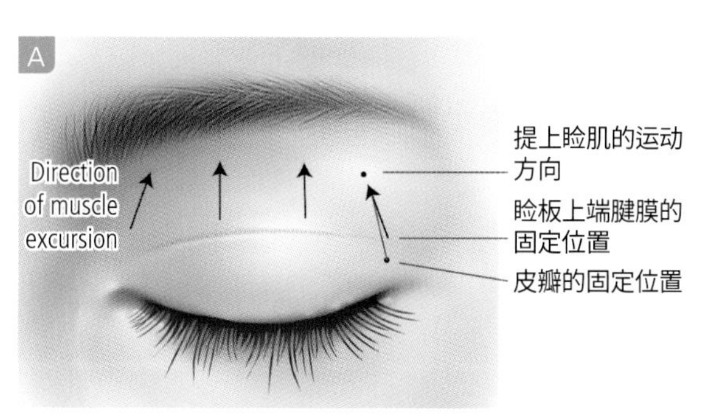

图1-46 **在内，外侧皮瓣与睑板固定位置的相对关系**

A. 如果垂直固定睑板，睁眼时皮瓣会向内侧牵拉。

B. 固定睑板的位置如果向外，会向垂直方向进行牵拉。

结扎(Tie)

固定时，作者大多用7-0PDS线做4-6处结扎，做3处结扎时会容易松掉，也可以采用尼龙线。但使用尼龙线两个月后如果出现炎症，就需要切除尼龙线，即使切除，双眼皮线仍会存在。PDS线在术后两个月也仍然持续有作用，六个月后就会被吸收。

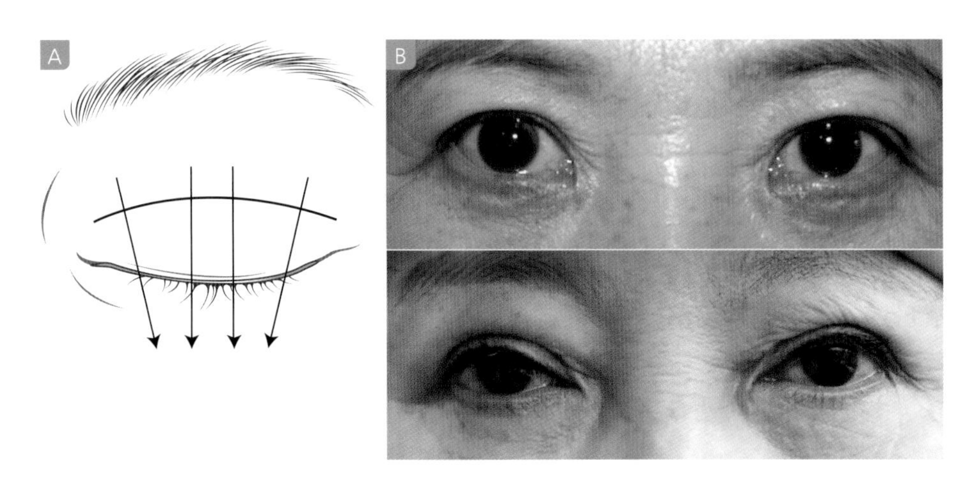

图1-47 · **A.** 固定方向，在中央要指向正上方，而在两侧则要以眼球为中心，呈放射状指向外侧。内侧的固定角度比外侧的要大一些。**B.** 固定方向如果在内侧不呈放射状，就很容易出现齿状皱纹。

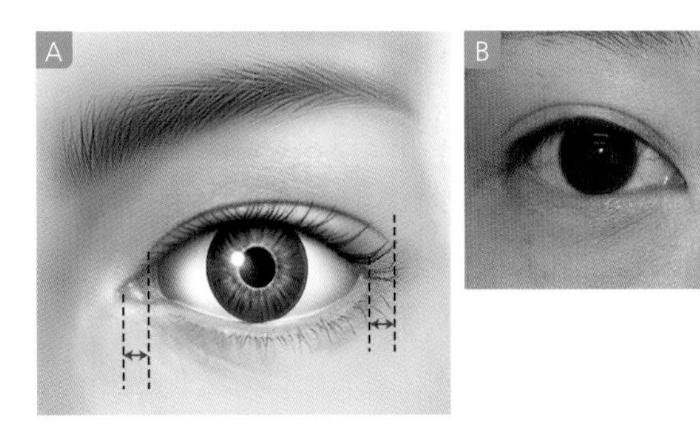

图1-48 · **双眼皮长度**

眼睛内侧2-3mm位置无双眼皮，在外侧外眼角4-6mm处结束是比较合适的

结扎时的强度，第一个和第二个结要扎得宽松一些，以防组织坏死，剩下的结扎则要扎得紧一些，避免松脱。

皮肤缝合

缝合皮肤时要做外翻缝合(eversion suture)，以尽量减少疤痕。为避免产生局部性的眼轮匝肌切迹(gap)，埋线法手术中要将皮肤和眼轮匝肌一起缝合，而在切开法要在每隔一定距离的地方将皮肤，眼轮匝肌和睑板缝合在一起(图1-49)。这样既可减缓被埋的固定缝合处的张力，还有利于形成粘连。只在剩下的部位做连续缝合(running suture)即可。

年纪较大的患者，在没有双眼皮线的外侧切开线处的缝合采用垂直褥式缝合(vertical mattress suture)，彻底形成外翻缝合。

缝合要细密，否则在里面的固定缝合线可能因位眨眼动作造成下方皮瓣脱位(dislocation)到上方皮瓣的内侧(图1-50)。进行连续缝合时作者不做单纯的连续缝合，而多会选择做联锁式(interlocking)的连续性缝合。仔细观察可以发现，单纯连续缝合缝合后皮肤呈水波状而采用联锁式(interrupted suture)连续缝合则会现直线性。

另外，年龄较大的患者被切除大量皮肤后可能出现上皮瓣和下皮瓣厚度明显不同的症状。使皮肤表面平整的方法是，下皮瓣要全层或将眼轮匝肌包含在皮肤内使其变厚缝合，而上皮瓣则要部分厚度缝合。

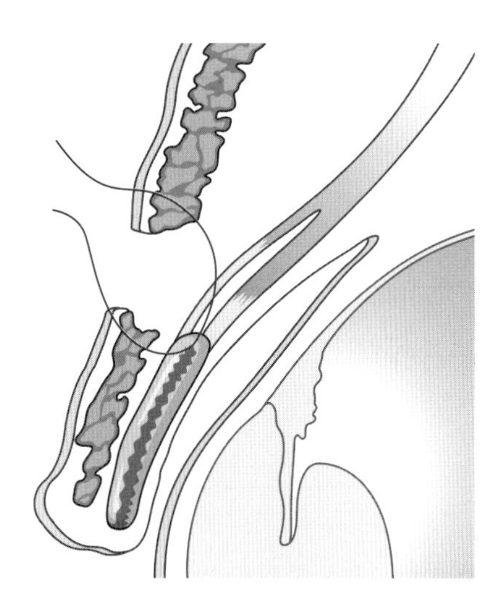

图1-49 每隔一定距离要做皮肤—眼轮匝肌—睑板—眼轮匝肌—皮肤的缝合。

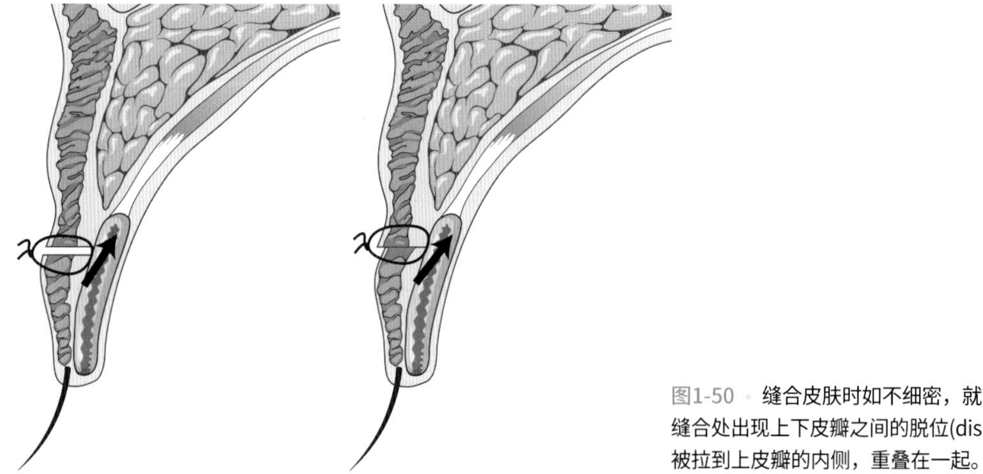

图1-50 缝合皮肤时如不细密，就可能使内部的固定缝合处出现上下皮瓣之间的脱位(dislocation)，下皮瓣被拉到上皮瓣的内侧，重叠在一起。

FREQUENTLY ASKED QUESTIONS

Q 如果患者的两眼外观大小不同，应如何做双眼皮手术？

A 如果患者的两眼外观大小不同，首先应该找出原因，并根据不同原因选择不同的手术方法。具体说明如下。

1. 实际睁眼幅度不同 (图1-51).

也就是说左右两眼的提上睑肌功能不同导致两眼外观大小的不同。对这类患者要先对较小一侧的眼睛进行上睑下垂手术之后再进行双眼皮手术。如果两眼的外观大小差异不明显，患者又不愿意接受上睑下垂手术，可以直接做双眼皮手术。术前设计时，眼睛较小一侧的双眼皮线要设计得相对低一些，而眼睛较大一侧的则要相对高一些。

2. 内双眼皮大小不同 (图1-52).

双眼皮大小不同，眼睛的外观大小自然也就不同，而且大小差异往往比较明显。但是，当一侧有隐性双眼皮而另一侧则是单眼皮或两侧的隐性双眼皮大小不同的时候，很容易会错误地认为眼睛小的一侧患有上睑下垂。其实，没有双眼皮或双眼皮较小的一侧的眼睛显得比另一侧小，是因为其眼皮下垂程度比另一侧严重。手术时不要考虑眼大小不同的情况，按照正常手术方法施术即可。手术中最难的是术前正确

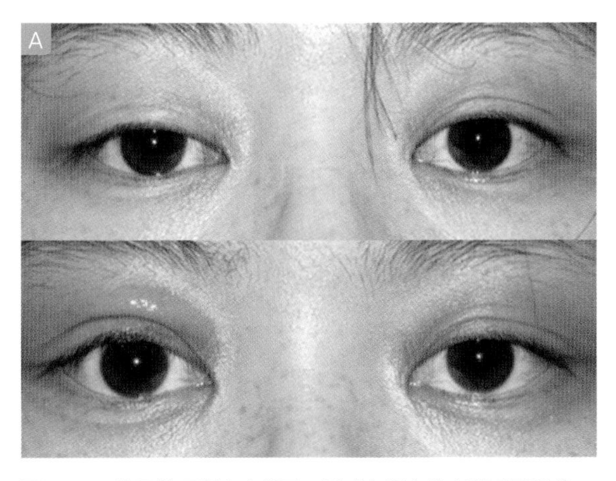

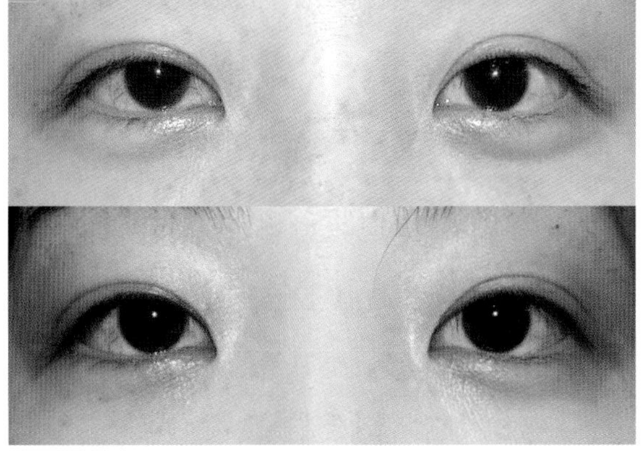

图1-51 为了使两眼大小相同，需对右眼实施上睑下垂手术。

判断两眼大小有差距的原因。

区别的方法

- 将两侧眼皮上提到刚刚可以看到睫毛根部的高度，再观察两眼大小。如果在这个状态下两眼大小依然不同，就说明这是由提上睑肌的功能差异造成的。
- 用探条做出双眼皮后进行比较。如果两侧眼睛大小不对称，说明提上睑肌的功能存在差异。
- 在向下看的状态下观察两眼大小，向下看时因皮肤松弛减少，可以较轻松的R/0皮肤松弛。平躺时皮肤也没有松弛。但是有些患者在平躺和正坐时因眼睛大小会发生变化，因此这一方法并非对所有患者都有效，仅供参考。

3. 双眼皮深度不同

双眼皮不明显的一侧会显得眼睛比较小(图1-53)。

4. 下眼睑高度不同

上眼睑正常而下眼睑高度不同也会使眼睛大小不一样。

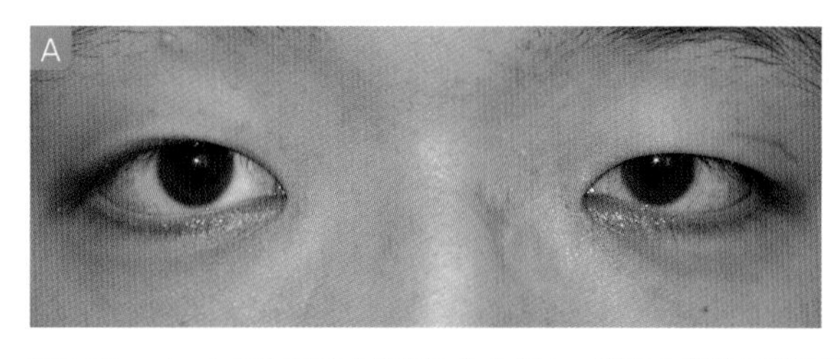

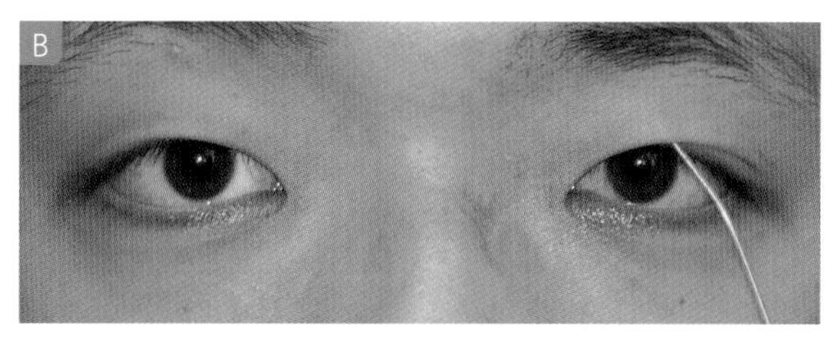

图1-52 · **A.** 由于右侧的内双眼皮比左侧大，所以右侧的眼睛显得更大。双眼皮手术不管是否存在内双眼皮，只要做出对称的双眼皮就可以了。**B.** 外观上看左侧眼睛比右侧的小，但是把眼皮提起以后发两眼大小是一样的。

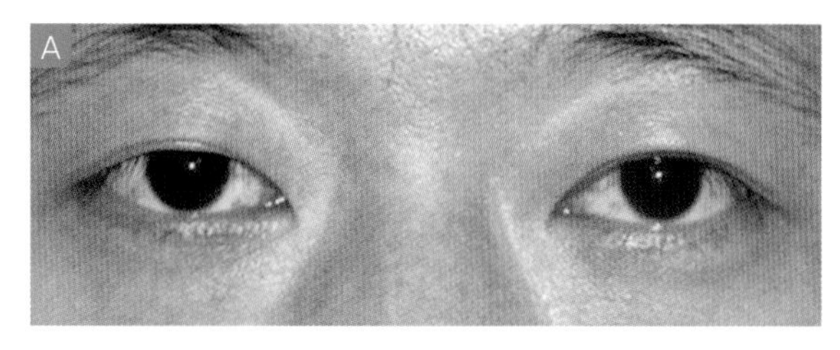

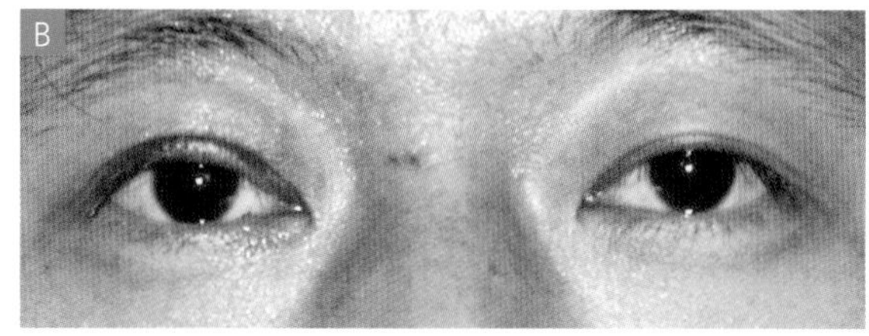

图1-53 · **A.** 由于右侧眼睛双眼皮变浅，眼睛会看起来更小。**B.** 双眼皮术后双侧眼睛的大小变得一样。

Q 存在皮肤松弛但并不严重的年轻人，如何判断是否需要切除皮肤?

A 不知道应不应该切除皮肤时，先让患者坐到椅子上，之后用探条做出双眼皮。然后让助手将患者眉毛上提，并再次做出双眼皮。对两者进行比较之后，如果两者都没有明显差别，就不需切除皮肤。皮肤上提伸展量应为80～90%。

具体来说，如果觉得应该切除3毫米以上的皮肤，就应该使用切除法，而预计切除量在3毫米以下时，则考虑到疤痕问题不推荐切除。但是如果眼皮过于臃肿，单凭切除眼眶脂肪难以解决问题，就应该切除皮肤，哪怕切除量在3毫米以下。

另外还有一个很重要却往往很容易被忽略掉的因素一睑板前肥厚。假设在平视状态下埋线法，切除法手术形成的双眼皮大小完全相同，那么不管接受何种手术，睑板前肥厚在平视状态下基本相同。但是在向下方注视状态下，埋线法手术形成的双眼皮幅度更高，睑板前肥厚的问题也会随之显现出来。如果觉得睑板前肥厚可能成为日后问题，应该采用切开法(图1-54)。

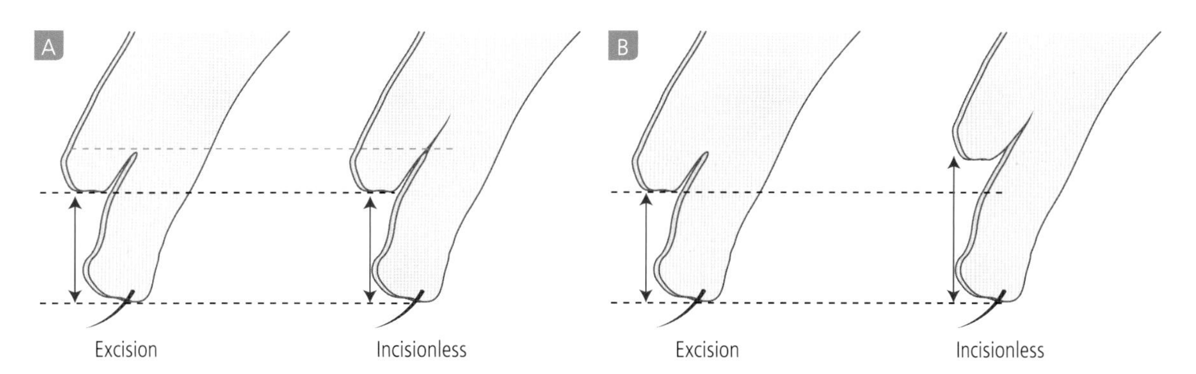

图1-54 **A.** 正常睁眼时双眼皮宽度相同。**B.** 俯视时采用埋线法的一侧双眼皮宽度更大，而双眼皮宽度大的一侧容易出现睑板前肥厚(pretarsal fullness)。

KEYPOINT

不切除皮肤做双眼皮时，比起切除皮肤时双眼皮线要高些，此时需要注意以下几个问题：

- 恢复时间比较长
- 向下看时出现睑板前臃肿
- 高位双眼皮容易变深

切除皮肤做双眼皮时，需要注意的问题：

- 提早出现眼皮下垂
- 疤痕

其他

泪腺脱垂(lacrimal gland prolapse)(图1-55 & 1-56)

泪腺与外侧脂肪容易混淆，比起脂肪组织下方比较突出，其位置是不同的。泪腺比脂肪组织坚硬，颜色呈苍白色(pale). 如果泪腺脱垂或者泪腺的位置比较低，沿上眼窝内侧骨膜剥离并将泪腺缝合至泪腺窝(lacrimal gland fossa)中。为防止术后复发的问题，需要进行固定。

因与泪腺周围组织相连，要先进行分离使其变到可自由移动的状态，然后固定在骨膜上才不会引起复发。部分切除(partial excision)的情况下要进行结扎(tie)，只有切除才能避免因持续的流泪而导致lacrimal fistula。

如果因lacrimal ductule的撕裂等引起fistula的问题，可以在那个部位结扎或电凝并插上drain直到泪水变少为止。当眼泪流量减少可以去除drain。

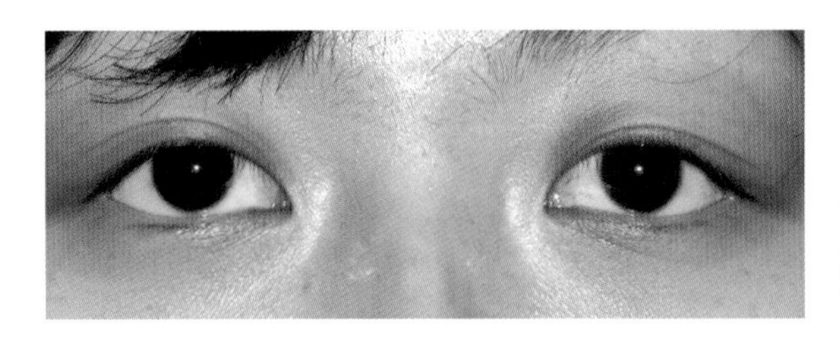

图1-55 **泪腺脱垂例证**
泪腺脱垂的原因更多的是因为形成肥厚的位较低，而非脂肪层肥大。

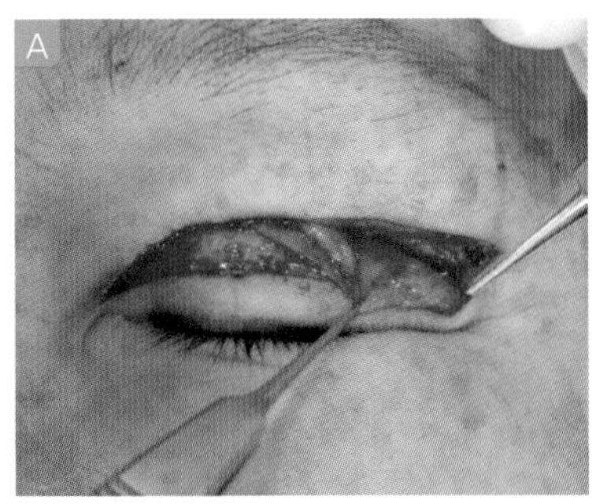

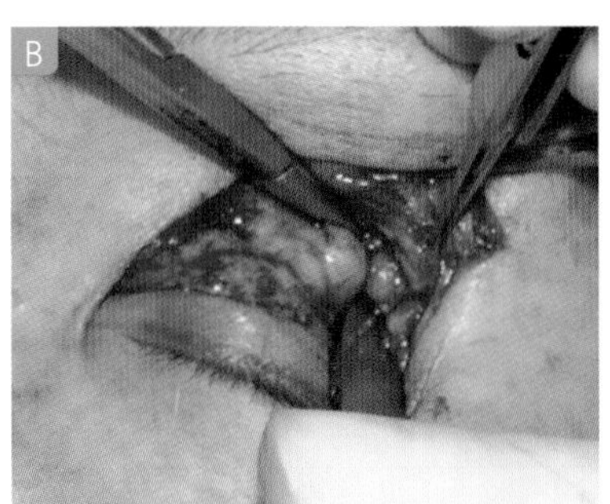

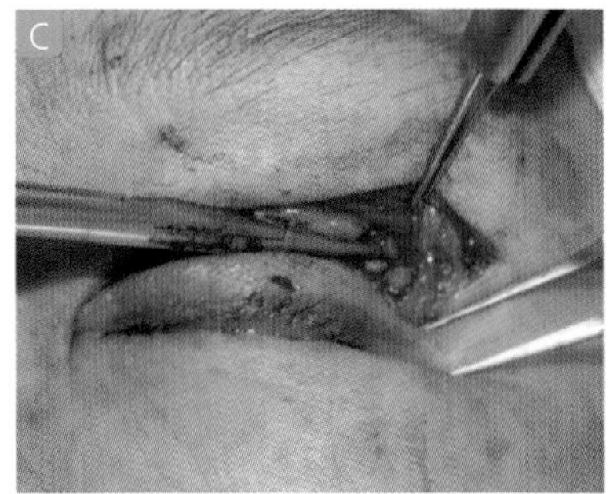

图1-56 **泪腺脱垂手术实例**
A. 脱垂的泪腺 **B.** 把泪腺徒周围组织中分离出来，沿眼眶骨膜前向下方进行剥离。**C.** 把泪腺缝合在骨膜下部。

参考文献

1. Flower RS : Upper blepharoplasty by eyelid invagination; Anchor blepharoplasty. Clin Plast Surg 20(2):193-207 , 1993.
2. Fagien S : Temporary management of upper lid ptosis, lid malposition and eyelid fissure asymmetry with botulinum toxin type A) Plast Reconstr Surg 114:1892, 2004.
3. Ahn HB, Lee YI : The study of anatomic relationship between the Müller muscle and tarsus in Asian upper eyelid. Ophthl Plast Reconstr Surg 26(50):334-338, 2010.
4. Morikawa K, Yamamoto H : Scanning electron microscopic study on double and single eyelids in orientals. Aesth Plast Surg 25:20-24, 2001.

非切开手术法(Non-incisional method)

| 安泰洙 |

作者的方法与其他方法的比较

四角形埋线法

这是一个很常规的方法，利用四角形形状的缝合将前层(anterior lamella)与后层(posterior lamella)固定在一起的方法(图1-57)。

作者的三角形埋线法

作者一般利用三角形埋线法。因为是三角形缝合的方法，所产生的水肿相对也会轻一些，且维持力会大一些，所以也适用于眼皮较厚的情况，也可用于切开术后双眼皮松脱情况的矫正(图1-58)。

双眼皮是前层的皮肤向后牵拉所形成的。因此，这种向后牵拉的向量会因三角形固定数量的增加而力量加强。

再者，同样的宽度下，增多三角形缝合的数量，但软组织的缝合面积是不变的。因此，在肿胀程度相同的情况下，可以增强皮肤侧固定的力量(图1-58C，D)。

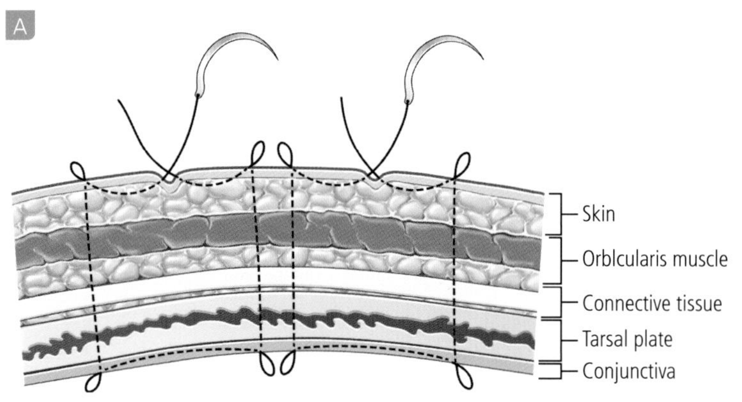

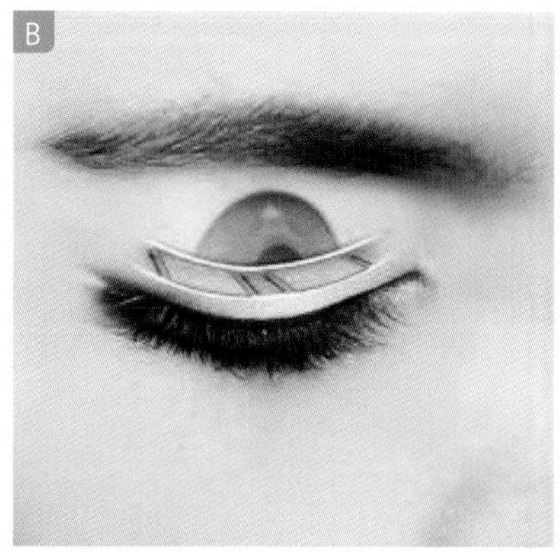

FIGURE 1-57 · **四角型形态的埋线法。**
A. 穿过皮肤和结膜之间的模样。 **B.** 立体图

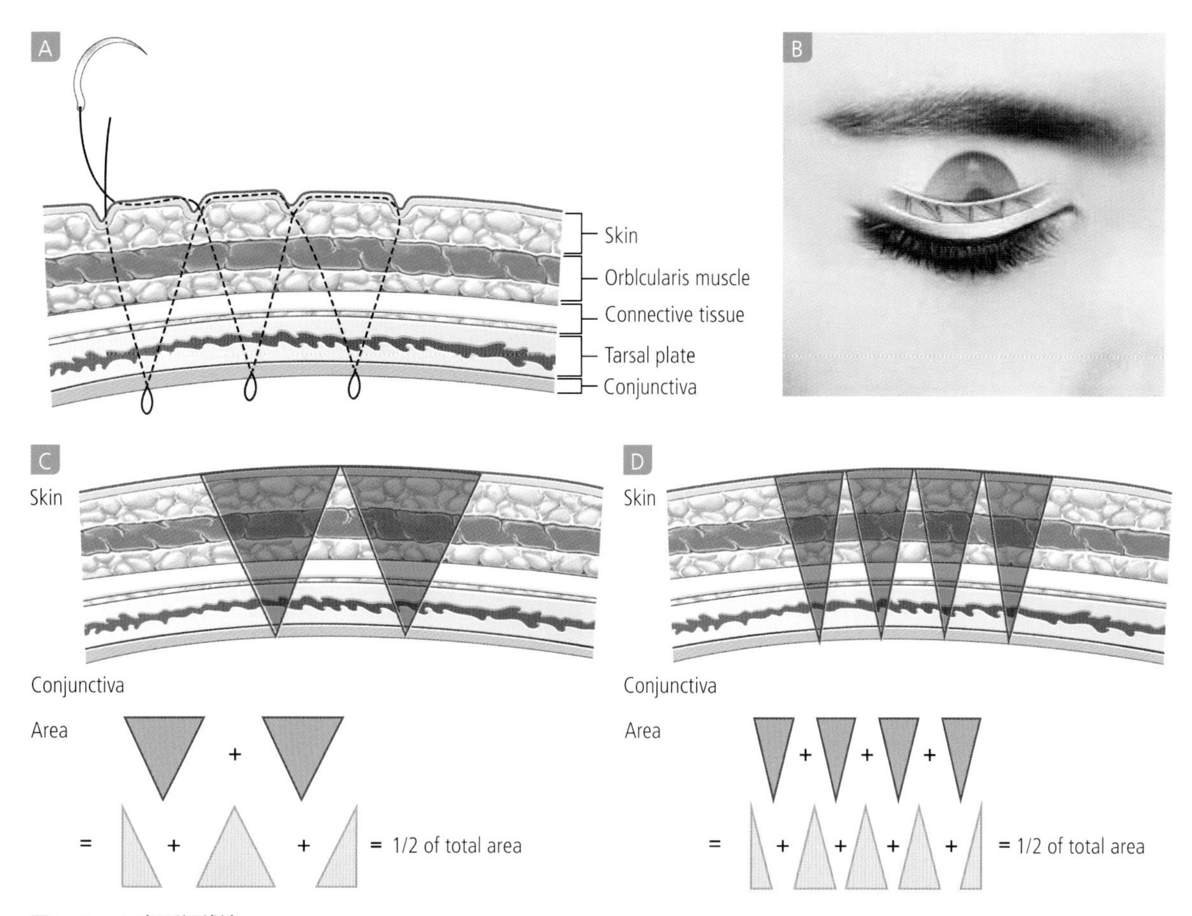

图1-58 三角形埋线法

A.缝线缝合的断层面。**B.**三角形埋线法的立体模样。比起三处切口（C）的三角形埋线法，五处切口（D）的方法更加的牢靠。相同宽度的情况下，即使增加埋线的切口数量，但因为组织的勒紧效果是一样的，即使加大力度(加大缝合的切开点)，肿胀程度也是一样的。

三角形固定的长处还在于即使出现皮肤的凹陷反应也是在三角形的边缘处，整体上维持的更久，对于结膜的刺激也会减小。即，概括起来，比起四角形的缝合会更加的牢固，维持双眼皮的力量更强，刺激更少。

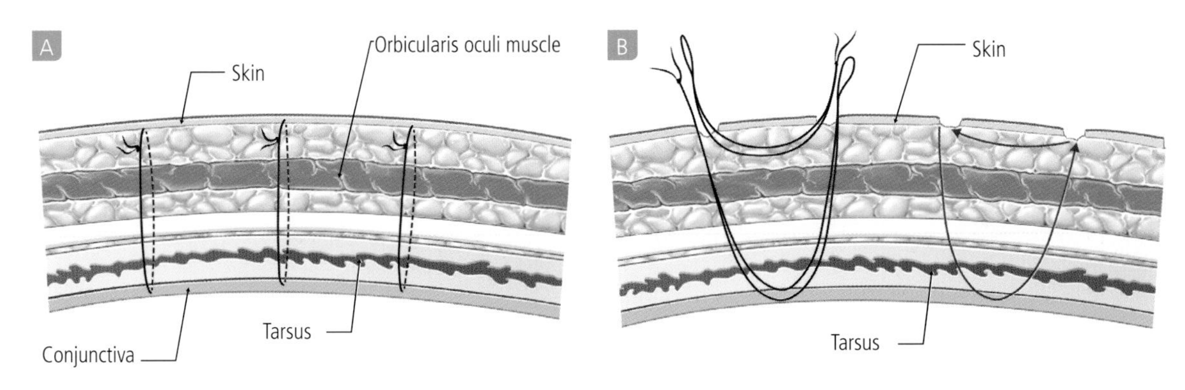

图1-59 **A.** 窄幅缝合 **B.** 宽幅的半圆形缝合

根据埋线幅度的大小也存在不同的埋线方法，窄幅的缝合由于勒住的组织量有限，所以也容易松脱，而宽幅的缝合由于组织量大相对的肿胀程度也会大一些(图1-59)。

连续埋线法与间断埋线法的长短处

间断埋线法虽然是一针一结较为复杂，但是由于结数多，所以即使有个别松脱了，也会维持双眼皮的形状。

连续埋线法只是一个结，所以相对来讲，操作管理更容易一些，即，线结留的长一些以防止松脱，打结要尽量往里，连续埋线的力度相对均衡。

间断埋线，可以利用四角形埋线或者半弧形埋线较多，连续埋线可多样性的应用宽幅弧形埋线，四角形埋线及三角形埋线。

手术顺序

患者选择

首先要判断患者是否适用这种手术。根据皮肤的厚度以及柔软度，皮肤薄，柔软的情况下，可以用微创埋线手术。但对于皮肤厚，缺乏弹性的患者，术后效果会差，首先要考虑切开法。

术前设计

患者在坐姿状态下看着镜子设计宽度。内侧线条以坐姿状态设计，中间开始的线条是在躺着闭眼状态下沿着睑缘平行设计的。

线条对照设计时，从内侧到外眼角处做垂直线，之间每间隔4-5mm作垂线，用来设计对称的双眼皮线。如果想要内折的双眼皮，内侧的设计线要收窄，想要外双的话，内测设计线也要设计成平行的。但是由于患者存在个体差异，还是坐姿状态下设计线条会比较好(图1-60)。

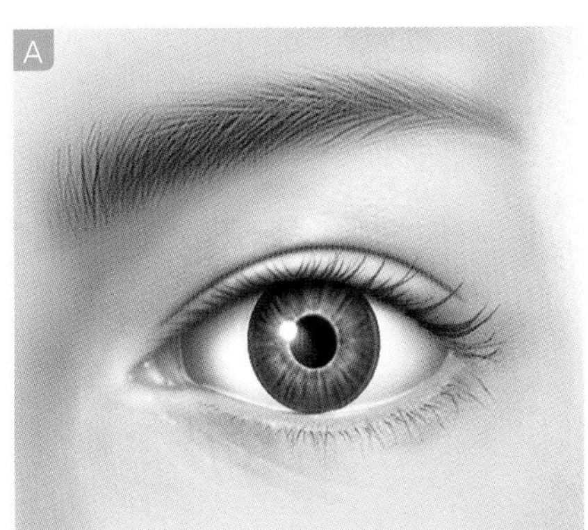

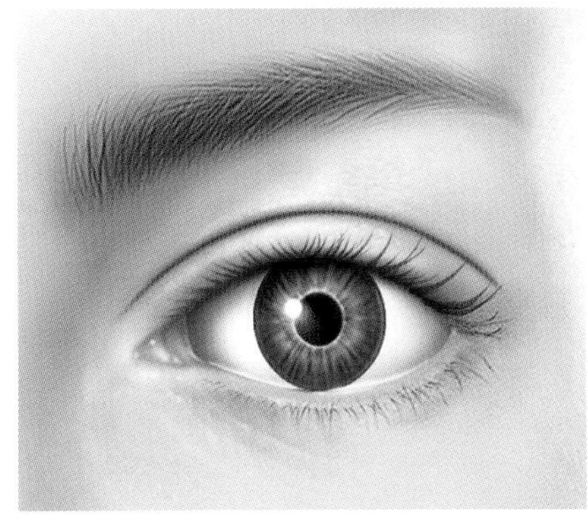

图1-60 **内折形弧线以及外双弧线图片**

A.内折弧线以及外双弧线的设计差异 **B.**存在内眦赘皮的东方人，设计的时候将内侧的设计线设计下内眦线条下方，即，内侧窄的话会形成内折的弧度(左边图片所示)。整体平行于睑缘设计的话，做出来的是平行双眼皮(右边图片所示)。重要的是在坐姿状态下用设计器设计确定，根据患者的情况，适度的向上或向下调整线条弧度。

麻醉

实施局麻，眼皮的血运丰富，可以用1:50,000浓度的肾上腺素，肾上腺素浓度越高，术中及术后睁眼大小可能会存在一时性的不同，需按照患者的条件以及术者的熟练度予以选择。

双眼皮的方法(Triangular single-knot suture method)

以下原则施术。1.把结打在外侧组织多的部位。2.万一需要调整的话，为了寻找线结方便，比起在最外侧打结，在倒数第二个孔打结会方便一些。3.为了减小内眦赘皮的影响，在最内侧垂直进针。4.伴随着各个切口形成自然的粘连，为了使线结进入到后方，可以做一个皮下隧道。

皮肤薄的情况下，也可以通过4个小切口做双眼皮，皮肤厚的情况下，为了维持力度，可以做7个切口。一般厚度的话，做5或者6个小切口，并按以下操作。

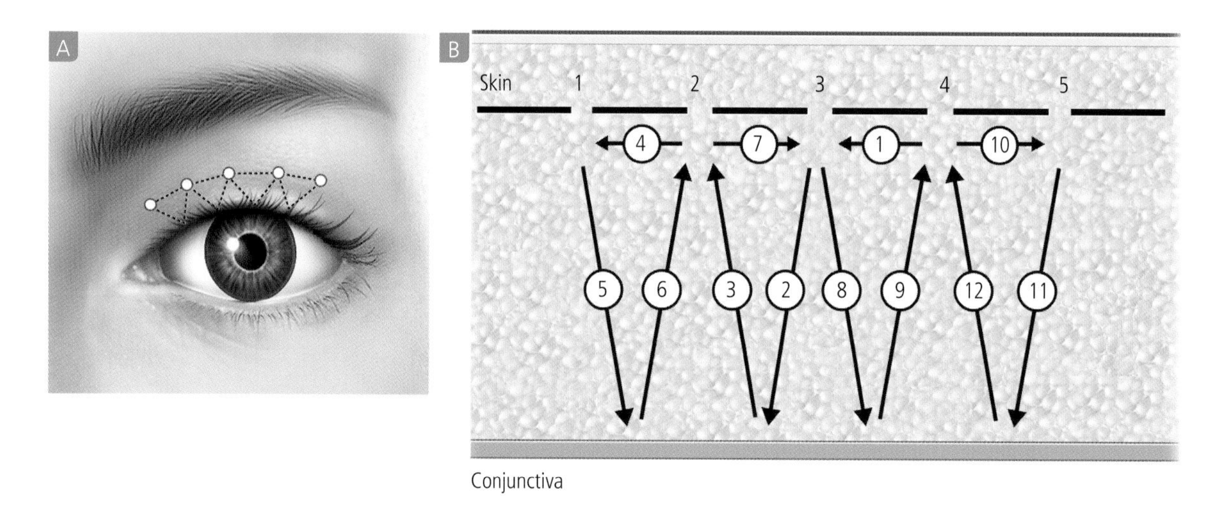

图 1-61 三角形连续埋线法(5点)

A.从外部看，向后方缝合的线，画成了向下的样子(参考11-B)。**B.**缝线的断面模样。

5点技术

沿着双眼皮设计线，用11号刀片做5个小切口，从内到外依次为1-5号，从4号进针穿过皮下到3号，从3号到2号是穿过结膜出针，从2号到1号再次通过皮下，再翻折从1号到2号穿过结膜。以此类推，反复交叉通过皮下及结膜形成三角形的连续缝合(图 1-61)。

6点技术

患者皮肤较厚或者之前切开的双眼皮不成形的情况下可以选择6点技术方法。做6点切口，从5点到6点做贯穿结膜的缝合，再从6点到5点做皮下缝合，5点到4点贯穿结膜，4到3走皮下，3到2走结膜，2到1走皮下，之后反折1到2走结膜，2到3 走皮下，3到4走结膜，4到5皮下打结完成埋线。

增加切口使得前层的皮肤向后层的牵拉力得以加强(图1-62)。

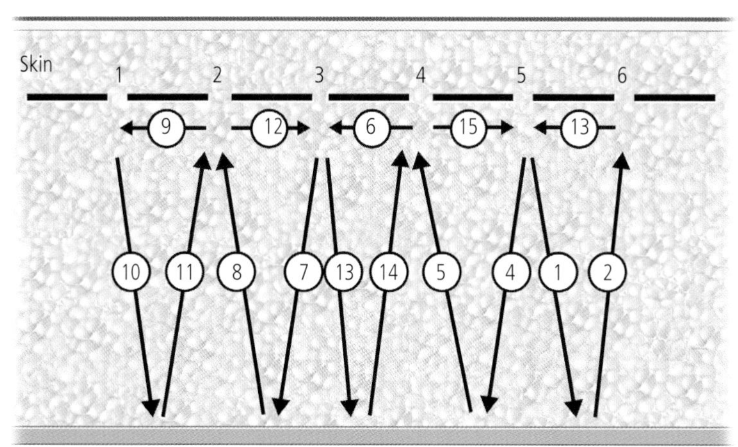

图1-62 **三角形连续埋线法(6点)**

从内侧到外侧设计相应的点数，在组织量丰富的外侧开始埋线，作者的经验，比起最外侧，稍靠内的一些，比如6点中的第5点做打结是比较好的。

额外的手术

轻度眼睑下垂的情况下，在埋线的基础上，可以增加müller肌肉的折叠进行矫正。

Müller muscle tucking & conjoint facial sheath sling

通过埋线的方法，从皮肤侧到结膜侧进针，并于结膜侧可以进行Müller折叠。在结膜侧的后壁上存在着Müller肌，可向上方进针并缝合Müller肌，折叠并向下缝合，之后从结膜出针再向皮肤侧缝合并打结。可以做同一处切口上的缝合，也可以单独做Müller折叠，如果有需要的话，也可以做埋线双眼皮，也可以在做埋线双眼皮的同时做Müller折叠。

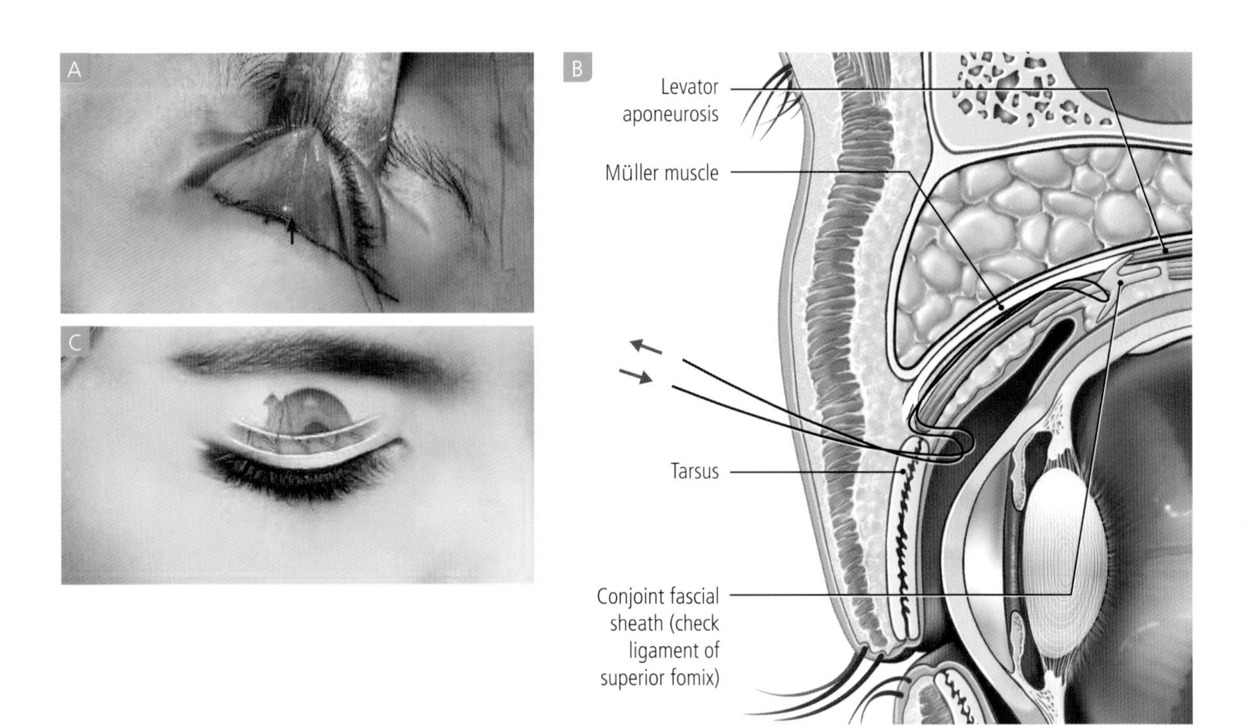

图1-63 **Müller折叠**

A.线在结膜侧的走向图。提升想要提升的部位，一般以瞳孔为中心提升。内侧可见的白色部分（与睑板平行，血管的内侧）为CFS。这样的提升会增加MRD1的值。**B.**断面图片。Müller折叠与5点埋线技术同时应用时的示意图。可以同基础埋线连续实施，也可以单独实行。

作者为了使Müller折叠的效果稳定，下方会缝在睑板上缘，向上会缝合高至12mm的CFS，缝合时向旁边移动4mm的幅度，再下来，使得Müller折叠以及CFS悬挂得以实现(图1-63)。

术后管理

1-2天内有轻微的压迫感，所以要做好冰敷。如果是和上睑下垂矫正同时做的，则冰敷5分钟，之后2-3分钟练习增大眼睛，尽可能在手术第一天如此反复练习。1-2天结束冰敷后可以热敷或多出去走动。但是，如果淤青明显的话最好避免光线的直射。

术后两个月不要揉眼睛，2周内不要戴隐形眼镜(如果同时做上睑下垂，则术后一个月都不可以配戴隐形眼镜)。

并发症

双眼皮松脱或者可见的线结

为了防止线松脱，术中要把线放置在远离锐器的地方。在埋置线结的窗口处要做眼轮匝肌以及眶隔的切开。做一个小隧道，以方便线结能进入其中。打结的时候可以拽后层组织使线结进入后方。这样线结会进入后方，在肌肉下则看不到线结，并且这样可以在剪线的时候保留2mm的长度防止线结松脱。

线结可能会引起局部的肉芽肿，这种情况去除线结会得到改善。这种肉芽肿易发于手套粉末或者纱布纤维进入伤口的情况。

不对称

可能会产生些许的不对称。为了减少不对称，要确定皮肤的设计线。另一个，因为两侧睑板大多是一样宽的，穿透结膜时，时针通过睑板的上缘也会减小不对称。

因为提肌肌力，眉毛运动，眼球突出的程度不同而可能产生不对称，这种情况下可以两只眼睛设计线做调整，或者用上诉方法做上睑下垂的矫正。

眼睛的刺激与不适

不要让线在结膜侧有大于1-2mm的裸露，如果手术即刻眼睛不舒服的话，要检查下眼皮内侧，存在缝线脱出的话，要重新手术。如果没有发现，则观察1-2天，并涂抹眼药膏，之后还是有刺激的话再拆除缝线。

眼睑外翻以及弧度过深

缝合力度过大时早期会产生外翻或者弧度过深，但是随着时间大部分都会改善。

炎症

缝线也算是一种移植物，也可能引发炎症反应。双眼皮内侧的结膜下囊肿以及皮下囊肿等也可能发生。

其他

斜视，复视有可能在同时矫正上睑下垂矫正的时候产生，但大部分会在1-2周好转。

术前因为皮肤的遮挡可能产生抬眉的习惯。这种情况下，做双眼皮的话，抬眉毛的习惯将得到改善。上睑下垂的情况下，矫正之后也会出现这种情况，有可能会使得外侧下垂，这时可以同时做眉下切或其他手术。

REFERENCES

5. Shirakabe Y, Kinugasa T, Kawata M, Kishimoto T, Shirakabe T. The double-eyelid operation in Japan:its evolution as related to cultural changes. Ann Plast Surg. 1985;15(3):224-41.
6. Mutou Y, Mutou H. Intradermal double eyelid operation and its follow-up results. Br J Plast Surg. 1972;25(3):285-91.
7. Baek SM, Kim SS, Tokunaga S, Bindiger A. Oriental blepharoplasty:single-stitch, nonincision technique. Plast Reconstr Surg. 1989;83(2):236-42.
8. 안태주. 매몰법을 이용한 일측성의 경미한 눈꺼풀처짐 교정. 대한미용성형외과학회지 2010;16(3):140-143.
9. 유현석, 금인섭, 민경원. 5mm 단일 부분 절개를 통한 이중 안검 성형술. 대한성형외과학회지 2002;29(6):521-525.
10. 정두성, 김영환, 최준. 결막하 매몰법을 이용한 이중검 성형술. 대한성형외과학회지 2001;28(4):337-341.
11. Ahn TJ, Kim K. Mild ptosis correction with stitch method. Archives of Aesthetic Plast Surg 2012;18(1):15-20.
12. Cho BC and Byun JS. New Technique Combined with Suture and Incision Method for Creating a More Physiologically Natural Double-Eyelid. Plast Reconstr Surg. 2010;125:324-331.
13. Shimizu Y, Nagasao T, Asou T. A new non-incisional correction method for blepharoptosis. J Plast Reconstr Aesthet Surg. 2010;63(12):2004-12.
14. Suzie HC, William PC, Cho IC, Ahn TJ. Comprehensive Review of Asian Cosmetic Upper Eyelid Oculoplastic Surgery:Asian Blepharoplasty and the Like. Archives of Aesthetic Plast Surg 2014;20(3):129-139.
15. NeliganPC . Plasticsurgery. 3rd ed.: Elsevier;2013;2:163-168.

CHAPTER

02

老年性上眼睑手术

UPPER BLEPHAROPLASTY FOR THE ELDERLY

- 术前规划
- 手术方法
- 其他问题点
- 眉毛下方上眼睑提升术(Infrabrow Blepharoplasty, Subbrow Lifting)

老化过程是岁日流逝中谁都无法避免的一个自然现象。但是这个自然现象可能给有些人带来不好的影响。有卓越才能和贵重经验的人才，只因外表看着老，正在被社会排挤，冷落。作者认为这种现象是对社会发展有用人才的一种浪费。尤其像韩国等东亚国家这种问题会更加严重。

我们所追求的回春手术不仅仅是为了看着年轻，解决机能上的问题，而是为了让这些人才不被社会排挤，可以更久的适应这个社会，展现自己的才能并获得勇气。老年性上下眼睑手术最终目标不仅是年轻而且要给人柔合且有亲和力的印象。

术前规划

对于年龄较大的患者来说，判断上眼睑手术好坏的最重要的标准是术后形成的结果能否与患者的整体形象相谐调。老年性上眼睑手术最重要的目标是矫正眼皮下垂松弛，可做双眼皮也可以不做双眼皮。要与患者充分商议来决定。但是，如果患者不反对，从矫正松弛的效果和预防再次松弛方面来看，作者比较推荐做双眼皮。对那些不想要双眼皮人的可以做内双型双眼皮，主要优点是能够预防眼皮下垂及复发。但是对于男性来说，由于社会方面等因素偏向不做双眼皮。因眼皮下垂而做眼皮上提时，手术前眉毛一般处于较高的状态(眉眼距较宽)，手术后随着眼皮下垂问题的改善，会随之出现眉毛下垂的问题，因此术前应提前预测眉毛下垂的数量及状态。

年龄比较大的患者，上眼睑的皮肤与眼轮匝肌比较薄，而相对的皮下脂肪，眼轮匝肌下脂肪(ROOF)不够饱满。所以不需必要切除皮肤以外的软组织。如果切除过多的软组织，会延长术后恢复时间。与年轻人不同，年龄大的人如果双眼皮下出现皮肤绷紧伸展(stretching)的外观就会使人看起来表情凶神恶煞。要做出自然柔和的感觉，重点是手术调整双眼皮下方皮瓣，使其保留一部分皮层细纹。

手术方法

上眼睑切口设计。(Designing the upper lid incision)(图2-1.2-2)

双眼皮线(下线)与切开线的设计。

双眼皮线设计(设计下线)

患者在坐姿状态下，让助手上提患者的眉毛，使上眼睑上80-90%的皮肤伸展开来。然后用探条(bougie)设计出各种双眼皮线，并与患者充分交换意见之后，画出最终的双眼皮。用探条做双眼皮时深度不可深。100%伸展皮肤指的是皮肤被牵拉到睫毛轻微外翻的程度。如在皮肤被伸展到100%的状态下设计双眼皮的话，术后的双眼皮会比实际要做的宽度窄，且会容易印象不柔合。

确定切除量(设计上线)

患者在坐姿状态下，在提起眉毛的状态下设计下线即双眼皮线设计线。
设计好双眼皮线之后，再次上提眉毛，使眼皮伸展80~90%左右，并测量从眼睑缘到双眼皮线之间的距离。松开眉毛，在与刚才测量到的高度相一致的高度上画出上线(图2-1)。

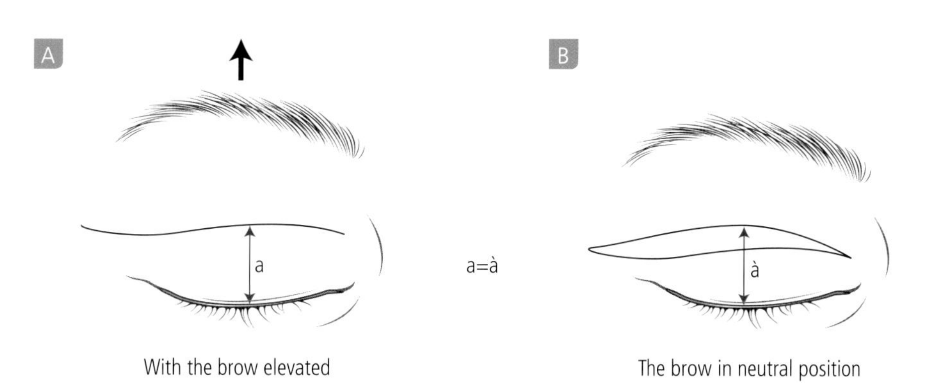

图2-1 **确定双眼皮线与皮肤切除量的方法**

A. 提起眉毛使眼皮伸展80%-90%的状态下，设计双眼皮线。以此作为下线。**B.** 在眉毛完全放松的状态下，设计上线。提起眉毛时的下线与放松眉毛时的上线的高度是相同的(a=à)。

用此方法确定所要切除皮肤的量，中央以瞳孔正上方，内侧是以内侧角膜缘，外侧是以外眦为尾来确定所要切除的皮肤量，然后连接此之点来设计上线。
双眼皮宽度和形状以眼睛大小和眼球突出程度为参考，因每个人的审美观念都存在差距，要通过镜子给患者看各种大小和形状，通过充分的商谈来最终决定。
皮肤和眼轮匝肌较厚的患者如做宽双眼皮会形成香肠眼，睑板前肥厚，所以要相对做宽度窄一些的双眼皮。相反，皮肤薄且皱纹多的患者可以做相对宽一些的双眼皮，因为双眼皮窄的话皮肤会松弛的更快。

有时术中切除了适当的松弛皮肤，但术后却会出现眉毛下垂，同时双眼皮线上与眉毛间出现不能程度皮肤下垂现象为了避免这一问题的出现，应在患者闭眼状态下，使其眉毛完全放松，让助手稍微向下按住其眉毛，并画出上线确定皮肤的切除量。

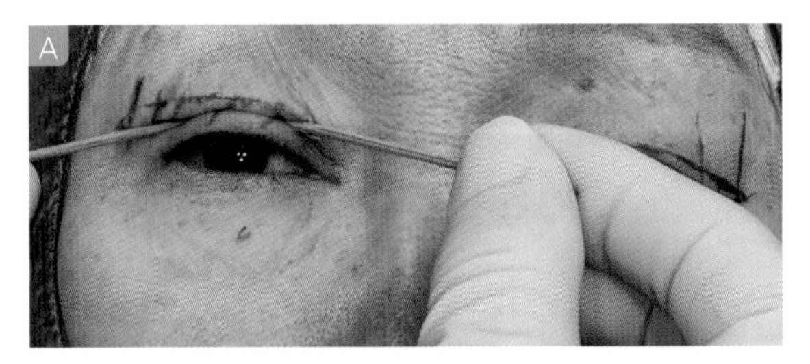

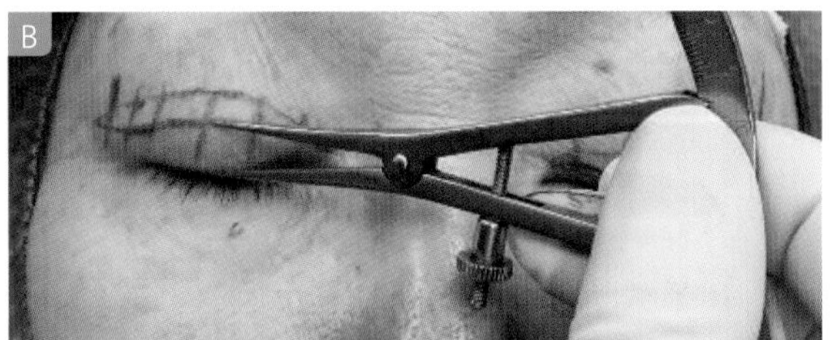

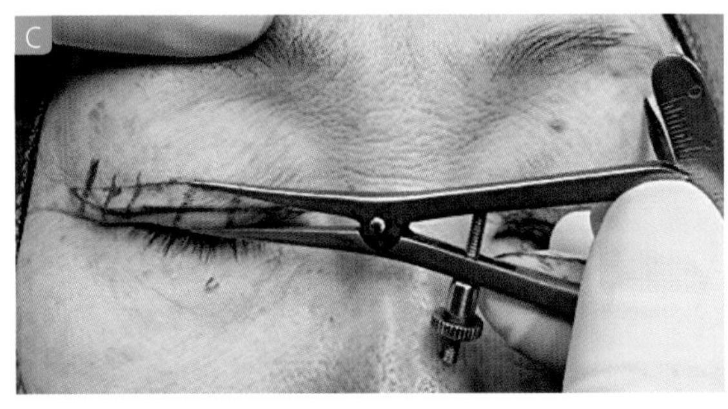

图2-2 **老年性上眼睑手术中确定双眼皮线与皮肤切除量的方法**
A. 适当提起眉毛的状态下(下方皮肤伸展 80%-90%)做出双眼皮。**B.** 适当提起眉毛的状态下(下方皮肤伸展80%-90%)测量双眼皮宽度。患者要求的高度为 8mm左右。**C.** 在眉毛放松的状态下，做出与B图一样的8mm高度的上线。提起眉毛的状态下就能看到双眼皮线与切除皮肤量的区域。

切口线长度设计

切除皮肤时，在内眦一侧要以眼部皮肤(upper eyelid skin)为界线，不能切到鼻子上的皮肤；在外眦一侧则要尽可能不超过眼眶缘2厘米以上。需大量切除皮肤时，与额部提升或眉下切手术同时进行，可预防疤痕过长和 crow's feet 加重。

设计双眼皮内侧时需要注意的问题

一般外侧的皮肤下垂程度比内侧大，眉毛下垂的程度也是外侧大于内侧，说明相对的内侧皮肤下垂并不严重。

根据内侧皮肤下垂程度的不同，可以画出以下几种不同形状的切口线(图2-3)。

- 如果内侧的皮肤下垂程度较轻，需要切除的皮肤量也少，上线和下线的长度是没有太大的差别。
- 当内侧皮肤松弛到一定程度时，上下线的长度会存在一定程度的差异。为了减少此差异，要延长内侧切开线。
- 如果内侧皮肤严重下垂，这一部位上的皱纹就会比较多，甚至连鼻子上也会有皱纹。如果是这种情况，应该设计反转切口(back-cut)以防止因上下线长度不同而在术后形成皱纹。设计(back-cut)时，由于这部分皮肤较厚，为了避免形成band和肥厚性疤痕，应尽量缩减此三角区底边的宽度。宽度越宽就越容易形成肥厚性疤痕。上下切口线的差距，需通过牵拉上线内侧缝合的方法来解决。为了防止 back-cut 折点形成肥厚性疤痕可注射稀释的曲安奈德。

设计双眼皮外侧时需要注意的问题

到想形成双眼皮的点，画向下延伸线然后向crow's feet大概15度的方向画出向上转折线，双眼皮消失点即延伸线向上方转折的点(turning point)大概在眼尾4-6mm处是合适的，对于追求窄双眼皮及男性来说可以设计的短一些(图2-4)。

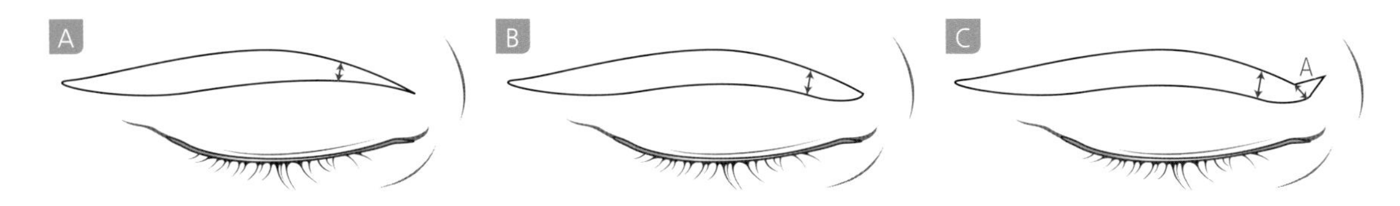

图2-3 **内侧皮肤下垂程度不同，画出来的线也不同**
A. 内侧皮肤下垂程度轻，设计时应减少皮肤切除量。**B.** 内侧皮肤下垂较多，切口线要向内延伸 **C.** 内侧皮肤严重下垂，要加上三角形的反转切口(back cut)。切割时，如果三角形A的底边过长，就可能形成类似于赘皮的band或肥厚性疤痕，要加以小心。

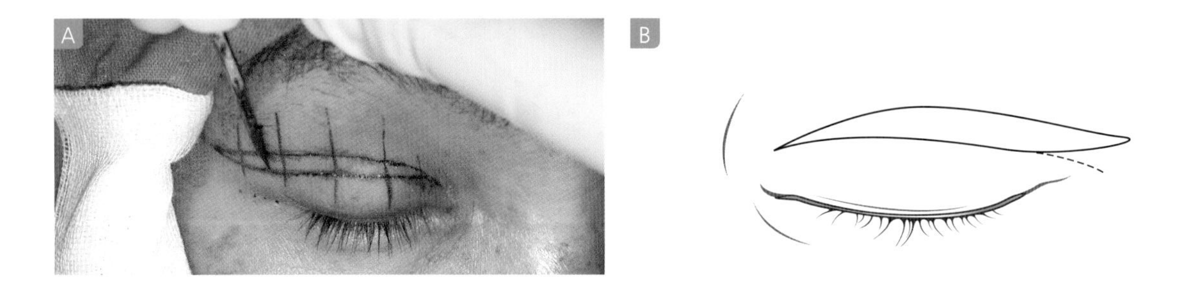

图2-4 **A.** 设计双眼皮结束的位置，既弧线由下反上的转折点(turning point)，以距离眼尾4-6毫米为宜，如果过长就会看着像皱纹。**B.** 如过短双眼皮尾部会下垂。

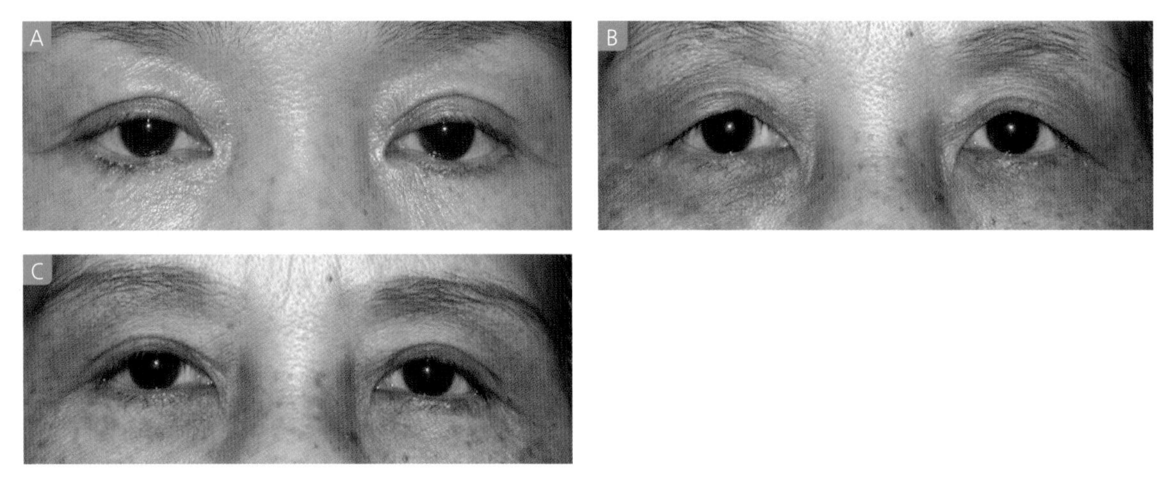

图2-5 如果转折点(inflexion point)太靠近眼尾，形成的折皱线会比较短，甚至会形成向外下斜的双眼皮线。**A.** 双眼皮线在外侧出现了下垂，**B.** 外侧窄双眼皮，**C.** 双眼皮宽度不变，向外延伸并没有下垂，看起来很自然。

皮肤与眼轮匝肌切除

一般厚度的眼皮在做眼睑手术时可适当切除眼轮匝肌。眼轮匝肌的切除是在皮肤切除后，在暴露出来的眼轮匝肌上下方各保留1-2mm后切除。如切除量多会在上方形成三眼皮，而在下方会形成凹陷性疤痕(图2-6) 。

但是皮肤薄，眼窝凹陷(sunken eyelid)时，不必切除眼轮匝肌，只切除皮肤会使眼皮看起来饱满。特别是老年性上眼睑手术中，下方皮瓣(lower flap)由于皮肤松弛等而变薄时，眼轮匝肌就会变薄，此时不能剥离下方皮瓣或切除眼轮匝肌。如果切除眼轮匝肌就会因为皮下组织粘连而出现僵硬的双眼皮，睁眼时皮瓣宽度变窄，手风琴样褶皱效果消失，并且出现皮肤颜色变深或毛细血管扩张(telangiectasia)，而破坏了眼睛的自然度。如果双眼皮切开线下方的皮瓣厚，眼睛看起来比较臃肿就得不到患者的青睐。但是也有例外，有些老年人皮肤较薄，

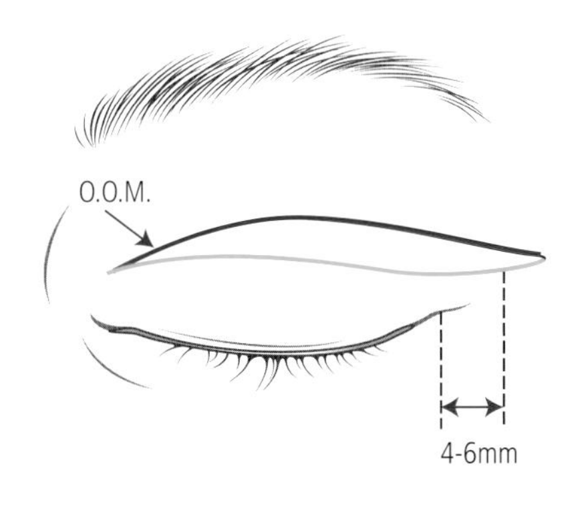

图2-6 需同时切除皮肤和眼轮匝肌时，在上方要留有1-2mm的眼轮匝肥(红色标记)，如果切除此处会形成三眼皮。而如果切除下唇下方1-2mm的眼轮匝肌则会出现凹陷性疤痕(蓝色标记)。

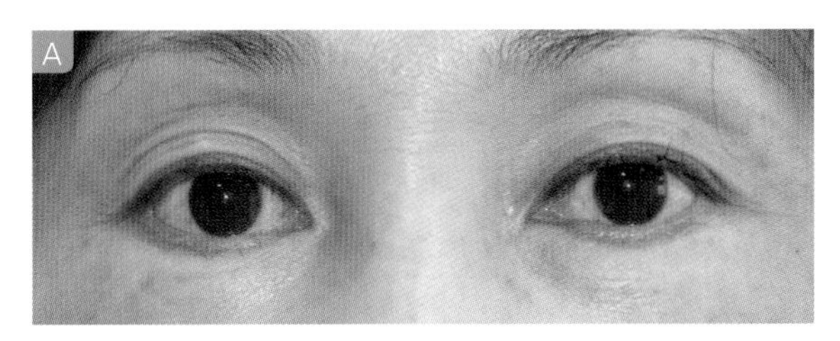

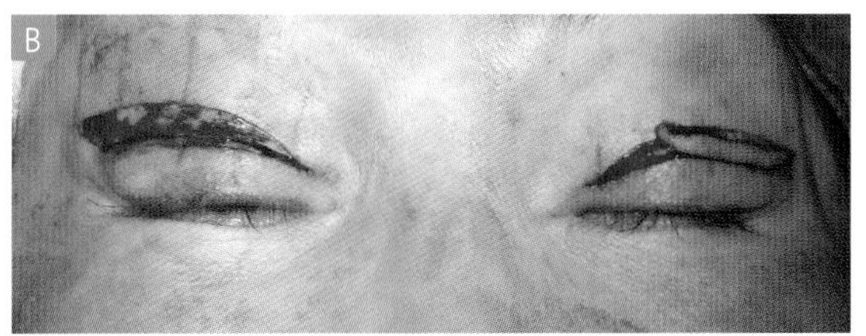

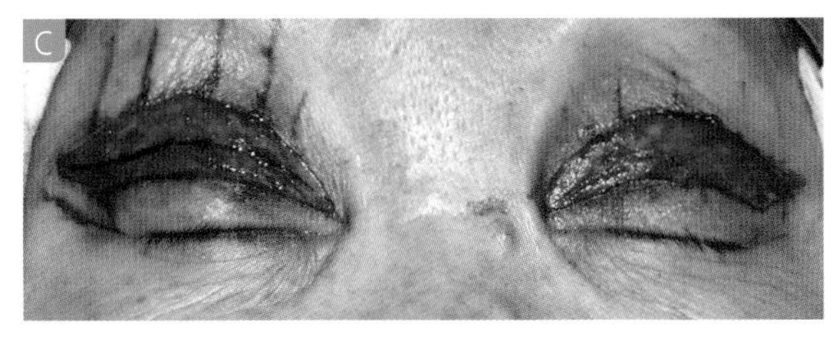

图2-7 **眼窝凹陷，多褶皱，眼皮薄的情况下，只切除皮肤，不切除包含眼轮匝肌在内的其他任何软组织。**

A. 整体上组织量少而出现的眼窝凹陷。

B. 要在切口下线上方的1毫米处切开眼轮匝肌。之后，切开线上方的眼轮匝肌要用来增加上皮瓣下的组织容量。

C. 另例，在眼轮匝肌上画出切开线，切开线下方部分加强下方皮瓣容量，上方部分补助加强上方皮瓣容量。

双眼皮线下方皮瓣褶皱多，呈现退行性变化(attenuated)的情况下，只切除皮肤，眼轮匝肌则不切除。可以在手术中将眼轮匝肌填充到下方皮瓣内使之行成睑板前肥厚(pretarsal fullness)。这样会使人的整体形象显得更年轻(参考图2-7)。

切除脂肪

如果患者的眼皮比较厚，可以在隔膜(septum)上打开一个小孔(septal button hole)后切除外侧脂肪。眶隔膜是滑动膜(gliding membrane)，具有预防粘连的作用。如果内侧的脂肪层也比较厚，则内侧脂肪(medial fat)也要切除。一般来说，内侧脂防颜色较白，较稠密(dense)，还有一些较粗的血管被包在里面，需要特别留意止血。

在眼睛凹陷且皮肤薄的患者当中，内侧脂防突出的情况也是很多见的。内侧脂肪可以在medial horn不受到伤害的情况下经结膜(transconjunctrival)取出，取出的脂防可以移动到其他凹陷的地方(图2-8)。

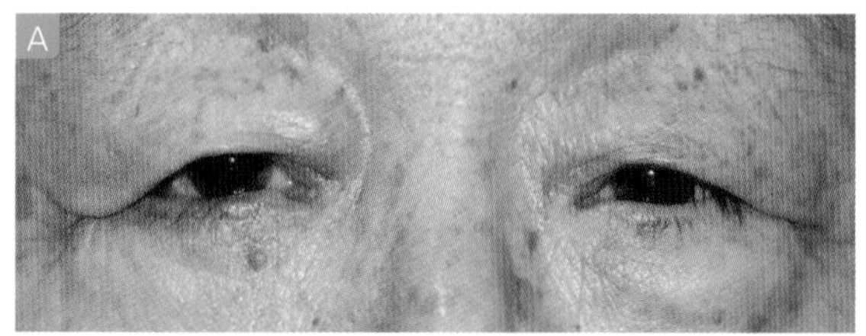

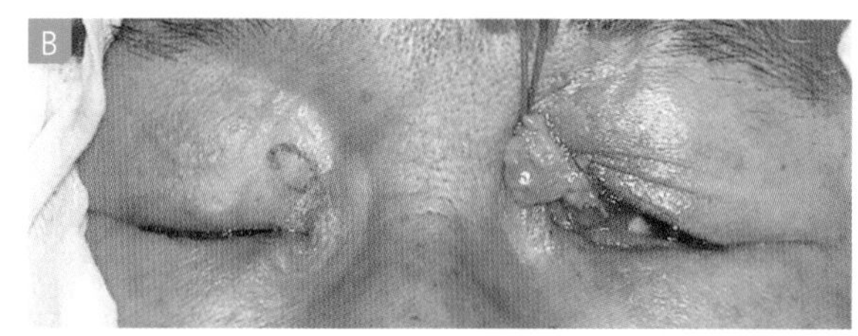

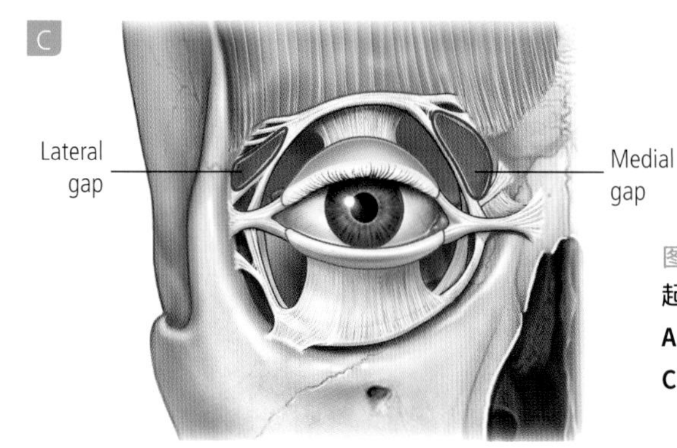

图2-8 **内侧脂肪突出的例子。整体上眼睛看着凹陷，但内侧脂肪突起的情况很常见。**

A. 内侧脂肪突出。**B.** 把内侧脂肪通过睑结膜取出的过程。

C. Levator aponeurosis gap. Medial and lateral gap

切除眼轮匝肌下脂肪(ROOF)

眼轮匝肌下脂肪的作用是使眼轮匝肌与眼眶缘之间的滑动过程保持顺畅。如果切除过多的眼轮匝肌下脂肪或切除时紧贴骨膜，可能会导致粘连，进而形成凹陷性变化。虽然这种凹陷大部分是一时性的，但如果情况严重，可能形成永久性凹陷，眼轮匝肌和提上睑肌膜之间的粘连会使皮肤滑动受限，引发上睑下垂。切除内侧的眼轮匝肌下脂肪，也可能形成三眼皮(triple fold)，需要特别留意。相反，切除外侧的眼轮匝肌下脂肪，一般不会引起太大的问题。但是，需要在双眼皮线结束点的眼眶线附近，维持一定程度的凸度(convexity)。如果这一部位上的眼轮匝肌被大量切除，会变得过于扁平，使人看起来面带病容，外观显得非常疲惫。因此，要切记这个部位如不是严重突起，切除时要多加小心(图2-9)。

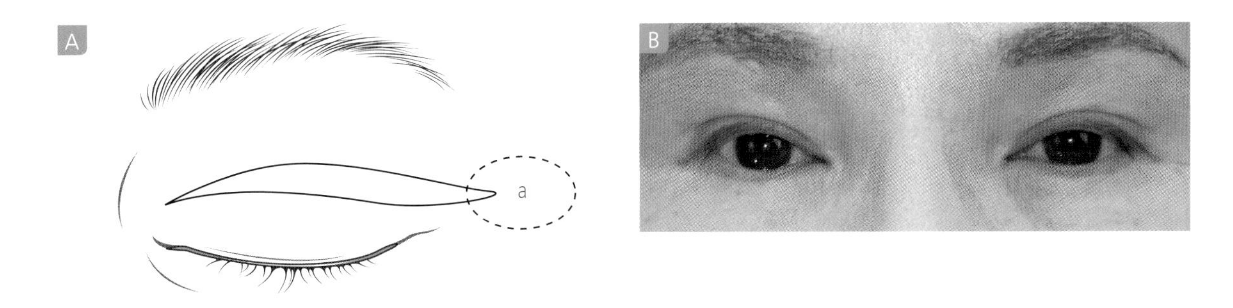

图2-9 **A.** 在没有双眼皮的a点，切除过多的软组织，就会显现病态，因此需要注意。**B.** 如果在眼睛外侧(图 a点)切除过多的组织，就会造成眼睑外侧圆润(lateral roundess)消失而出现不自然外观。

固定(Fixation)

老年患者的皮肤和眼轮匝肌偏薄，所有的双眼皮在术后一定时间内会变浅，所以手术当时要比预想的深度做的深一些。但年老的患者相对于年轻患者变浅的程度要少一些，所以固定时不可固定太深。固定是将眼轮匝肌固定在睑板上或同时固定在睑板和腱膜上。固定前要切除固定位置睑板前的软组织，但不可全部切除只切除一部分。将下方皮肤稍微伸展之后，固定到与皮肤上端处于同一高度上的睑板或提上睑肌上。这种固定法我们称之为Tao固定。如果固定到更高的位置上，折皱线下方的皮肤会完全伸展开来(stretching)，形成又高又深的双眼皮线，严重时甚至会形成睑外翻。有时因毛细血管扩张而使皮肤颜色加深，与年轻患者不同，老年患者如果有这样的双眼皮，会使人显得不温和，表情生硬，整体印象很不自然。

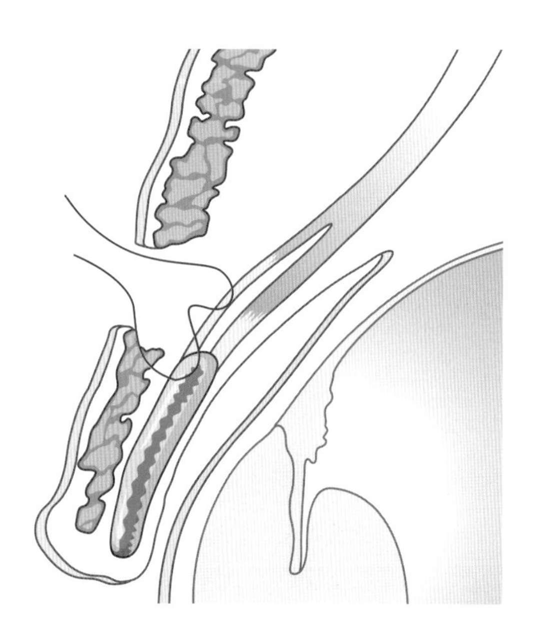

图2-10 ◦ Tao固定

有些年老的人做了上眼睑手术后显得印象不柔合，外观不自然，因此忌讳实行双眼皮手术。有部分医生认为不应该向老年人推荐双眼皮手术。其实，做好双眼皮手术并不难，老年人双眼皮技术要点，是使下唇不要过度伸展，保留其松弛度。只要根据患者的不同年龄，在手术方法和技巧上做稍许调整，就完全能够做出自然而漂亮的双眼皮。也许还会有人认为，掌握这种技巧太难，但是只要能够对双眼皮手术的基本原理做深入的理解和掌握，就一定能够做好手术(图2-11)。

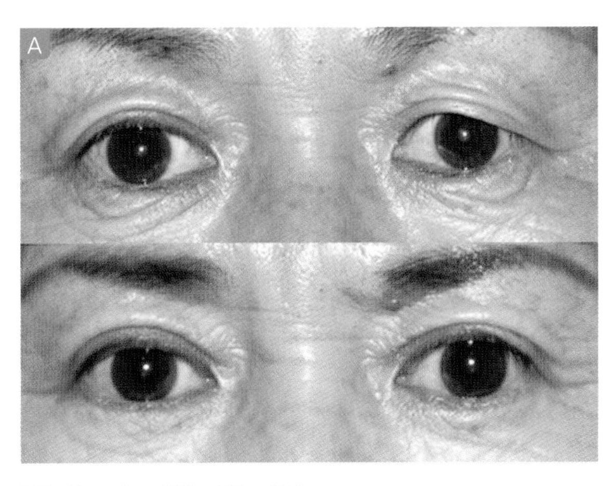

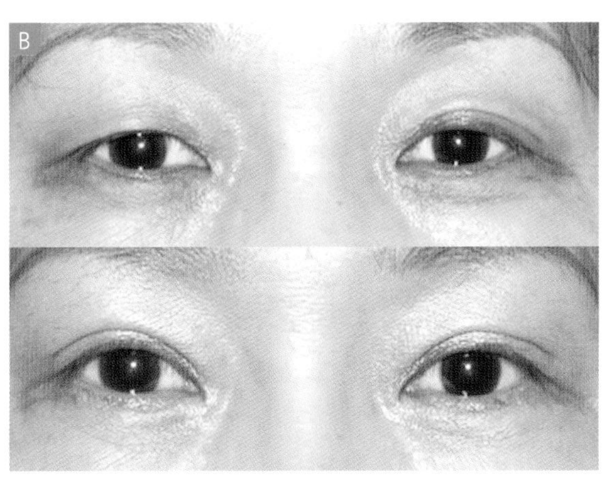

图2-11 **上，术前，下，术后**
A. 年老的人如果做出适当的双眼皮深度，也能得到自然的效果。**B.** 与左侧天生的双眼皮相比，做出的双眼皮也是相对自然的。

作者为了防止外翻，凹陷性疤痕及双眼皮线消失的问题，而采用了TAO固定法。

1. T用针在睑板上浅浅的穿过(稍微留有下方皮瓣皮肤褶皱的高度)
2. A把上端的提上睑肌腱膜稍微下拉固定。(下拉时能感觉到的紧张度不是很高的提上睑肌腱膜)
3. 固定在下方皮瓣上端的眼轮匝肌上(inferior pretarsal orbicularis platform)

Tao固定的其它用途-如下情况下很有用

- 重度上睑下垂手术时，外侧提上眼肌不做前徙的部位很难形成双眼皮。
- 内侧睑板过小时，因睑板上端高度低，双眼皮很容易松掉。
- 要做内双时。

对于年纪大的人来说，是做双眼皮还是单纯切除下垂松弛的皮肤，必需仔细考量。在下垂的眼睛上，双眼皮会让眼睛看起来下垂情况没有那么严重，还能预防眼睑内翻的出现。但是长期处于单眼皮的人，如果突然做出双眼皮，是否会因为不习惯而对生活造成不便也要考虑在内。此外还需要注意的是，比起没有双眼皮的人来讲，这样的人群还要考虑手术后恢复期较长的缺点。如患者不想要双眼皮，作者会推荐基本看不到的内双，这样既可让眼睛以后看起来没那么重，也可预防内翻，减少皮肤切除量。

如果患者年纪较轻，考虑到双眼皮线日后可能变浅的问题，应该在较深的部位做固定。但是，老年患者在接受双眼皮手术之后，一般不会出现双眼皮线明显变浅的现象。而且较浅的折皱比深折皱更适合老年患者。因此，为老年患者做手术，无需将双眼皮线做深。年轻患者的双眼皮由深变浅需要恢复的过程，而老年患者不需要此过程。大多数情况下，老年患者恢复会更快一些。

KEYPOINT

年老的人皮肤完全绷紧的话

- 双眼皮深度深出现眼睑外翻的现象，会显得凶狠，还会因为睁眼不适而苦恼。
- 皮肤被伸展看起来薄，皮肤的毛细血管扩张而使皮肤颜色加深。
  相对于睑板前丰满外观(Pretarsal fullness)，睑板前平坦外观(Pretarsal flatness)看起来让人显得有点神经质。

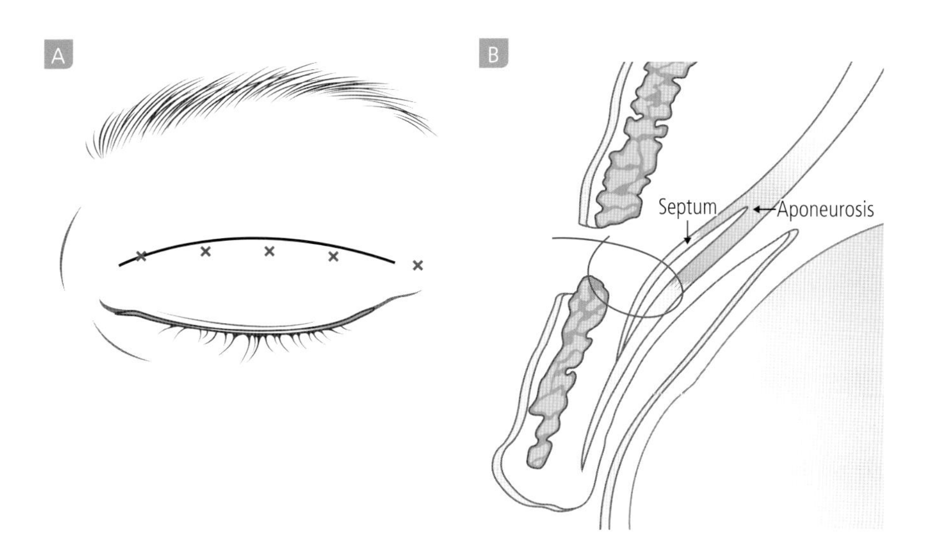

图2-12 **A.** 切开线与固定位置的关系
B. 眼尾没有睑板，需固定在腱膜上。在皮肤伸展80-90%的状态下，相比内侧其它部位固定的低一些。这样可以做出深度均等的双眼皮。

固定位置

用固定数量代替低位固定，一般会固定7-8处。内侧的睑板和腱膜相对眼轮匝肌要深一些，所以要固定深一些，高位固定3处(图2-12)。中间与外侧到有睑板的位置做低位的固定，眼尾外侧因没有睑板需固定在腱膜上。术后为了缩短恢复期可采用只加深一点的方法。

做向外延伸的双眼皮的方法：

- 在老年性上眼睑手术中，在离开眼裂的外侧，有不向双眼皮褶皱形成的方向延伸的倾向，因此固定的准确性是非常重要的。最外侧的固定要从睑缘结束的部位往外侧延伸大约4-6mm处为止。此部分没有睑板，并不能固定到睑板上，只能固定在提上睑肌腱膜上(图2-13)。
- 如果在提上睑肌腱膜(levator aponeurosis)上固定，由于提上睑肌腱膜位置比起眼轮匝肌深(图2-13C)，会呈现双眼皮由深突然变浅的状态(图2-14)，因此在腱膜上固定时要特别注意不要固定太深。

固定在腱膜上的两种方法

①直接或间接腱膜固定法(图2-15A)

睑板和腱膜离眶缘越近深度越深。如完全暴露离眶缘最近的外侧处腱膜，双眼皮深度会过深，并行成凹陷性疤痕。所以需在没有完全暴露腱膜，且保留腱膜上软组织的状态下将腱膜固定在眼轮匝肌上。此时采用不可吸收的7-0尼龙线。2-3mm内侧深度没有那么深，需释放腱膜前组织，暴露腱膜后用不可吸收线固定在眼轮匝肌上。

② 腱膜下端固定(图2-15B)

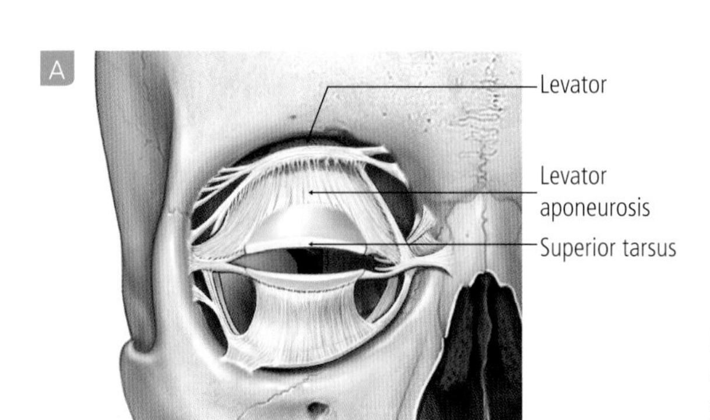

图2-13 **A.** 眼睑缘外没有睑板 **B.** 双眼皮从外眼裂向外延伸大约4-6mm左右为最好 **C.** 提上睑肌腱膜在眼角外侧伴随外眼睑肌，且其位置在此处比在眼睑(eyelid)其他部位更深。

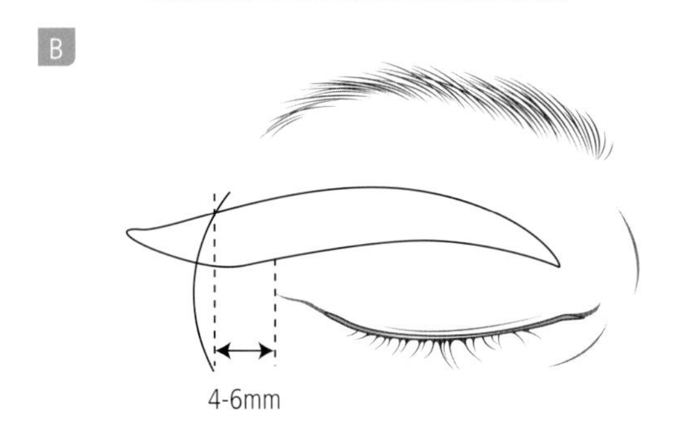

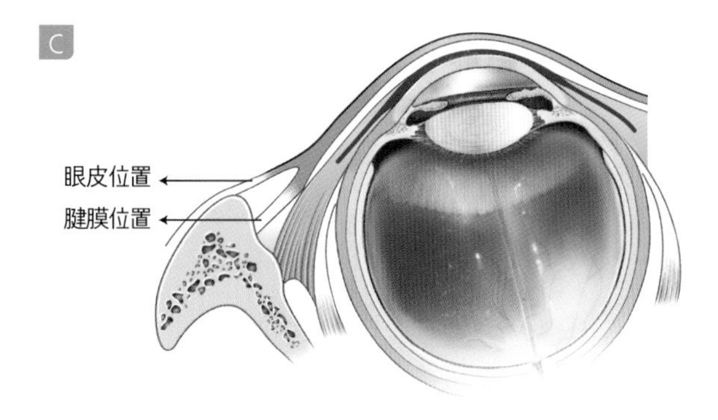

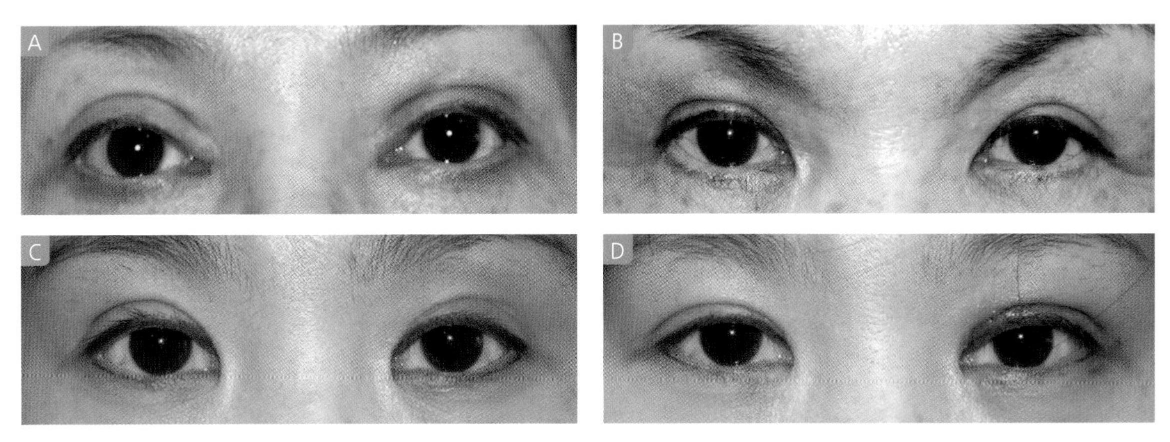

图2-14 双眼皮没向外侧延伸，容易导致双眼皮线过深，过短或下垂。**A.** 双眼皮线过短; **B.** 双眼皮线向下延伸; **C.** 外侧短并向下下垂; **D.** 矫正术后3天。

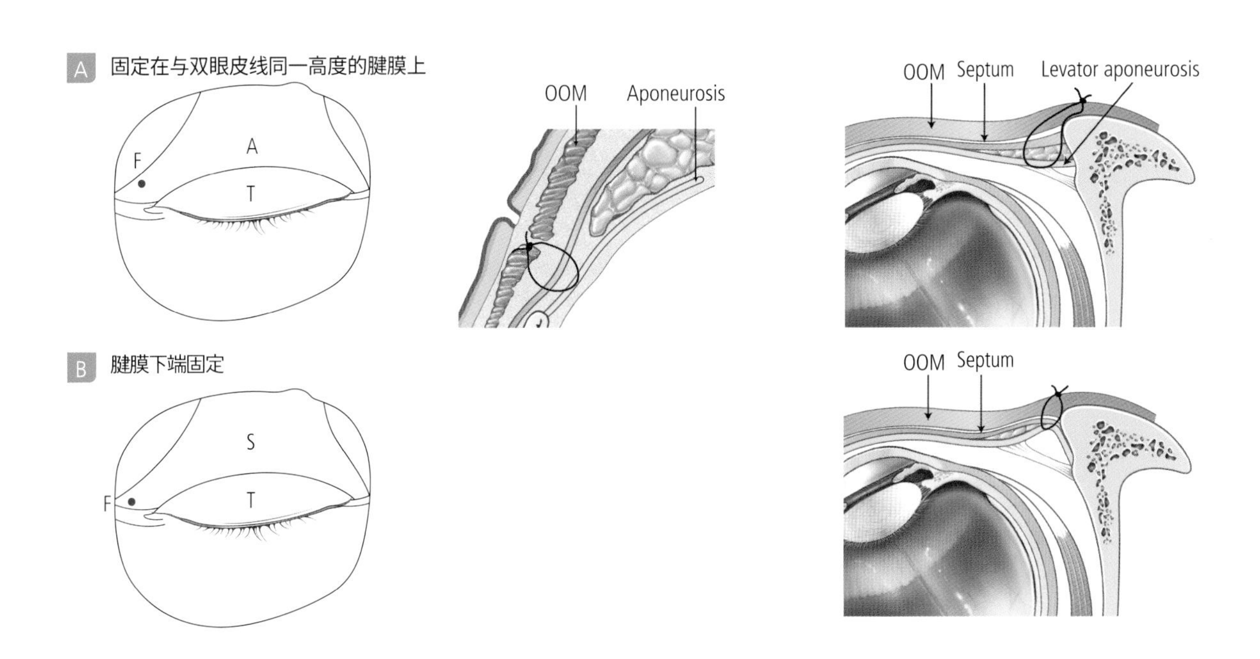

图2-15 **向外侧延伸双眼皮手术方法**

A. 固定在与双眼皮线同一高度的腱膜上。此处腱膜较深，为了防止双眼皮过深，不可完全暴露腱膜。

B. 固定腱膜下端，虽然腱膜下端是可移动的组织，双眼皮深度不会深。

OOM: 眼轮匝肌，Aponeurosis: 腱膜，F: 固定位置

在外侧切口线处暴露腱膜。延着腱膜向下寻找腱膜下端(lower margin of tarsus)将腱膜下端的外侧部位固定在眼轮匝肌上。腱膜下端属于可移动性组织，少量松解附合在骨膜上的部位，移动性会增强。连接此处可做出深度适当且向外延申的双眼皮。外眦到眶缘的距离很多样，为5.4±1.5mm。距离为4mm左右眼睛比较短的患者，做一个外眶缘外侧延伸的双眼皮很不容易。这时需将腱膜下端切开向外延伸固定在眼轮匝肌上。

特别注意:

年轻人的双眼皮线很容易延长到外侧，而为什么年老的人却不容易向外延双眼皮线，或出现下垂的情况呢?

包绕脂防的隔膜越向外侧延伸越容易出现下垂，而随着年龄的增加此种问题会变得更加严重，外侧最终会低于双眼皮线。下垂的脂肪因夹在腱膜(aponeurosis)与眼轮匝肌之间而影响双眼皮的形成。

固定方向

把皮瓣固定在睑板或腱膜上时，应向放射性方向固定而并非垂直固定。在手术操作顺序上，先固定在睑板上然后再向皮瓣固定时，以中心为基点呈反放射性方向。眼皮不是平面性的，是包绕着眼球上下移动，这是因为腱膜是呈放射性向外延伸的缘故。也就是从内侧夹住睑板，再夹住外侧(向中央的方向)皮瓣，从外侧夹住睑板并固定内侧(向中央的方向)皮瓣(眼轮匝肌)。如果不这样做，就会在内侧形成梳子样的皱纹，还会在外侧出现双眼皮线变短的问题。

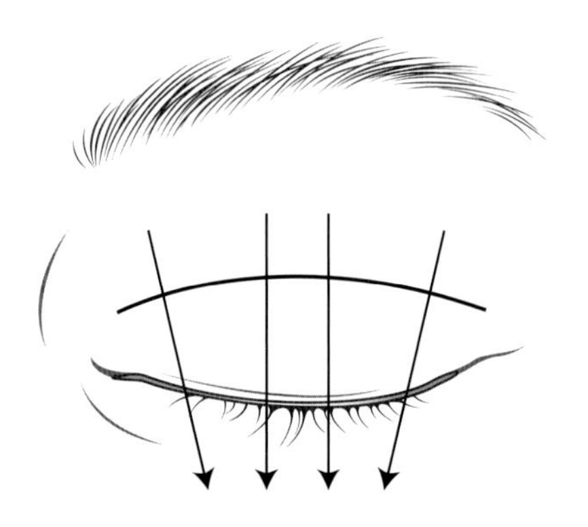

图2-16 **固定方向**
从睑板向皮瓣固定的方向是呈向中央集合的方向。

皮肤缝合(Skin suture)

临时固定缝合(guiding fixation suture)

除在切口内部做永久性固定缝合之外，皮肤缝合时也要将3-4个左右的缝合线固定到睑板上。这是因为在切口内部做固定时，老年患者的固定位置本来就比年轻患者的固定位置低，加上这样的补充措施，可以使固定变得更加稳固。如果在进行睑板固定的同时做皮肤缝合，也要将眼轮匝肌一起缝合，以防止留下凹陷性疤痕。缝合的顺序为：皮肤—眼轮匝肌—睑板—眼轮匝肌—皮肤(图2-17A)。天生或手术后留有原有双眼皮的患者，为了预防双眼皮松掉或变浅时在没有内侧固定时使用此方法。

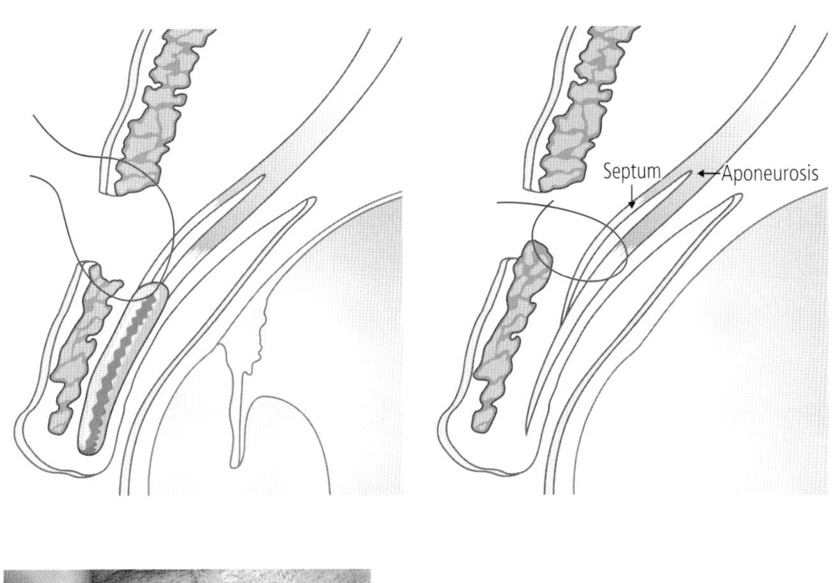

图2-17 **临时性固定缝合(Guiding fixation suture)**
皮肤缝合时要做4-5个临时固定缝合，3-4日后拆线。

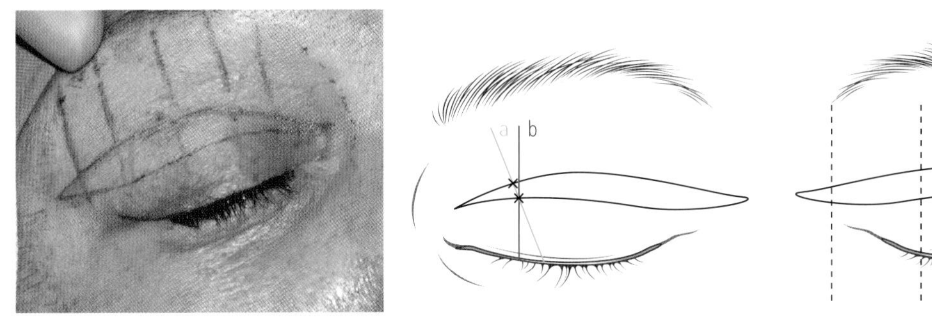

图2-18 **皮肤缝合方向**
缝合上下皮瓣时，不能一味地对齐上下皮瓣的长度(a)，应采用垂直缝合(b)才能避免内侧梳子样褶皱的出现。即眼睛微睁状态下在上下皮肤自然汇合的点缝合。

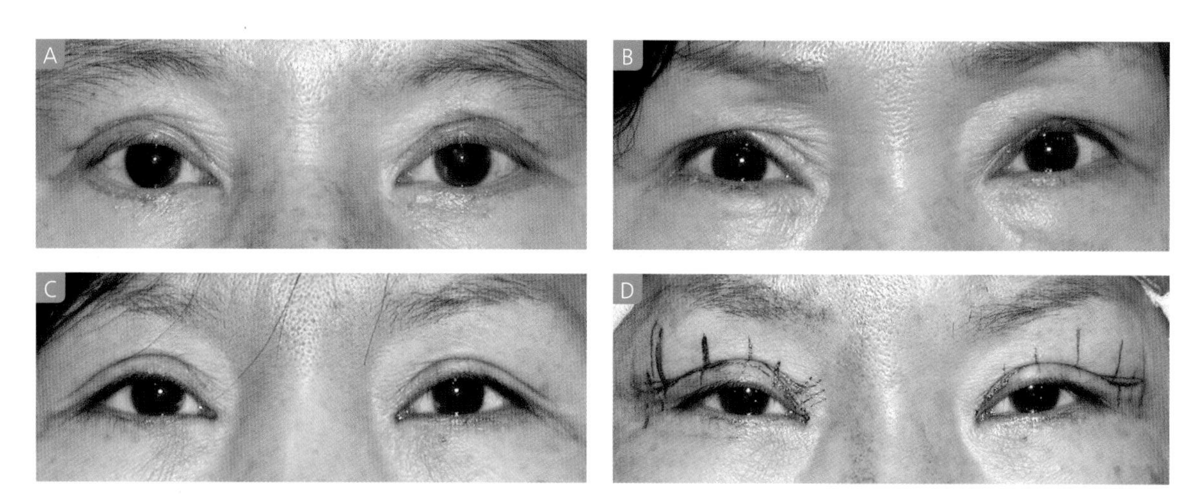

图2-19 · **内侧的梳子样皱纹**

如果睑板固定缝合时没有向内侧(medial)方向，皮肤缝合时又不是垂直缝合，而一味地根据上下皮瓣的长度进行对合缝合时，就会形成这种梳子样皱纹。

剩下步骤是单纯做皮肤连续缝合(running suture)。皮肤缝合应注意不要形成凹陷性疤痕。皮肤缝合时因切口线上的长度比下方长，很多人认为需对齐上下皮肤缝合(图2-18A)。其实在此种情况下，为了防止梳子样皱纹的出现(图2-19)最好做垂直缝合(图2-18B)。如此前手术已经产生了梳子样皱纹，向更内侧牵拉上皮肤缝合即可矫正此问题。上下皮瓣厚度存在差距，因固定时只固定下皮瓣，睁眼时下皮瓣被向内牵拉，有可能形成上下皮瓣脱离。这时可通过相对于下皮瓣更浅缝合上皮瓣的方法来预防脱离。

虽然一般情况下眼皮不做皮下剥离，但在外侧没有双眼皮的部位适当的进行皮下剥离能够缓解皮肤的紧绷感，也比较容易实施外翻缝合(eversion suture)。

在外侧没有双眼皮线的部位，用胶布粘贴2周。

上眼睑凹陷脂肪填充

上眼睑凹陷脂肪填充时要在睁眼状态下填充。脂肪填充最常见的负作用是睁眼时凹陷没有得到改善，但闭眼时眼睑非常突起。这是因为移植的脂肪在睁眼被带入了眼窝内侧。为了防止此现象产生，一定要在睁眼状态下进行移植。因为睁眼状态时提上睑肌会离皮瓣比较远。

其他问题点

老年性上睑下垂

引发上睑下垂的原因包括人体老化，外伤引起的水肿，长期伴有眼睑水肿的甲状腺眼睑疾患，以及过去曾接受上睑下垂矫正手术等。最近，因长期佩戴隐形眼镜而患上睑下垂的病例呈逐年增多的趋势。

以上这些原因可能引起提上睑肌腱膜开裂(dehiscence)或断裂(disinsertion)。这种现象可以经由将提上睑肌膜拉伸到睑板上进行缝合予以解决。预防术后复发，可以将米勒肌与提上睑肌腱膜同时提上去。有关这一方面的内容将在《上睑下垂》一章中做详细的说明。

对原有双眼皮满意但皮肤松弛的情况

如果患者对原有的双眼皮比较满意，可以按照前面介绍过的方法，做眉下提升也可以做双眼皮。本来就有双眼皮的患者需要在手术前考虑好是否需要重新做固定。切开式手术有可能破坏原双眼皮固定的结构，如果粘连不充分就会导致双眼皮线不明显。实际操作中先天性双眼皮也不可以忽视这一点。即使是先天性的双眼皮也会出现双眼皮线不明显的问题。切开后如果发现双眼皮变浅征兆则应进行固定。如果下皮瓣上没有粘连，可以做固定缝合。但是，在大多数情况下，下皮瓣上都会留下一定的粘连。这时，不单独做固定缝合，而是在缝合皮肤时在睑板上做4处左右的缝合即可。

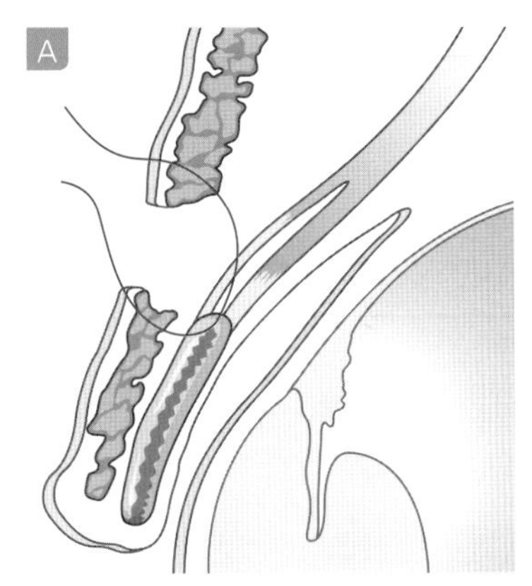

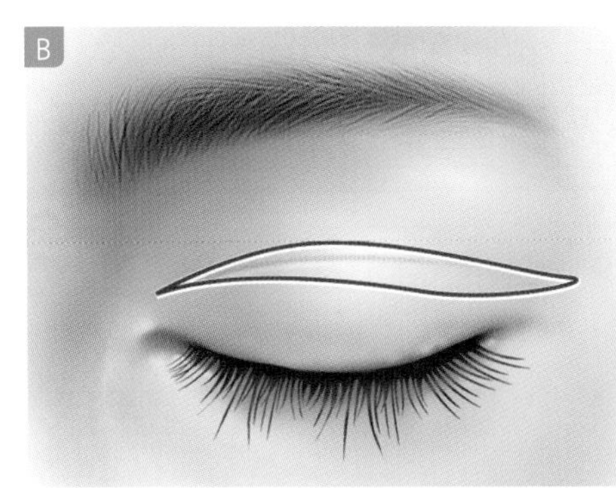

图2-20

引导性固定缝合(guiding fixation suture)

A. 本身有双眼皮的患者在缝合皮肤时按照皮肤-眼轮匝肌-睑板-眼轮匝肌-皮肤的顺序就足够了。如果完全不做固定就会在意想不到的地方形成双眼皮，为此要施固定。**B.** 在双眼皮下方皮瓣严重松弛的情况下，要在原有双眼皮线下方加新双眼皮切开线，从而消除下方皮瓣的褶皱。

做此辅助性固定的原因是:

· 切除疤痕时，粘连部分也可能被切除，使双眼皮折皱线消失。

· 手术中只要是受到外伤的部位，都可能形成不可预期的双眼皮线。为防止原有双眼皮线以外的部位上出现皱折，缝合时要做到确实，牢固。鉴于这种缝合起着预防双眼皮线移位到其他部位的现象，作者将其命名为引导性固定缝合(guiding fixation suture)(图2-20A)。

为了防止出现凹陷性疤痕，缝合皮肤时要将眼轮匝肌也一并缝上。

如果患者对自己的双眼皮线宽窄没有不满，只要顺着原有折皱线做手术即可。也可以根据需求，修改双眼皮线的位置。

但有些患者的折皱线下方皮肤可能明显下垂。这时要按照伸展折皱线下80%的皮肤，留下20%皱纹的标准，在原有折皱线的下方切开，切除下皮瓣上的松弛皮肤。由此来减少下方皮瓣皱纹及避免双眼皮过宽。

患者不愿意做双眼皮的情况

有些患者虽然眼皮下垂程度比较严重，却不希望术后形成双眼皮。由于形成双眼皮后形象变化比较明显，尤其是男性患者不愿接受这项手术。这种情况下，应按照如下步骤进行手术。

① 双眼皮下线要低。要在睫毛线上方3-5毫米的较低高度上画出下线。如果下线的设计高度较高，就会很容易形成双眼皮。相反，如果下线的设计高度太低，则因为皮肤太薄，缝合起来比较困难。而且，由于上下皮肤之间存在厚度差，很容易留下疤痕。

② 为了避免形成不想要的双眼皮，应尽量减少软组织的切除量。

③ 为了避免双眼皮的形成，要注意眼轮匝肌不能有空隙部分(gap)，在缝合皮肤时为了外翻(eversion)的形成，应实施垂直褥式缝合(vertical mattress)。

④ 在皮肤缝合部位用胶布粘贴2周。

但是这又可能引起另一个问题。在大多数情况下，切除下垂的皮肤后会出现眉毛下垂，眼睑变厚。男性患者因为皮肤比较厚，这种现象尤为明显。另外，接受老年性上睑下垂的矫正手术后，眼皮变厚的现象也非常多，即使在手术中切除了相当量的脂肪等软组织，眼皮却变得更臃肿。为了防止这种现象，需大量切除软组织。切除大量软组织，较容易形成双眼皮。此时作者推荐做出内双型的双眼皮。这样既可满足患者的要求，也可，防止眼皮变厚(图2-21)。

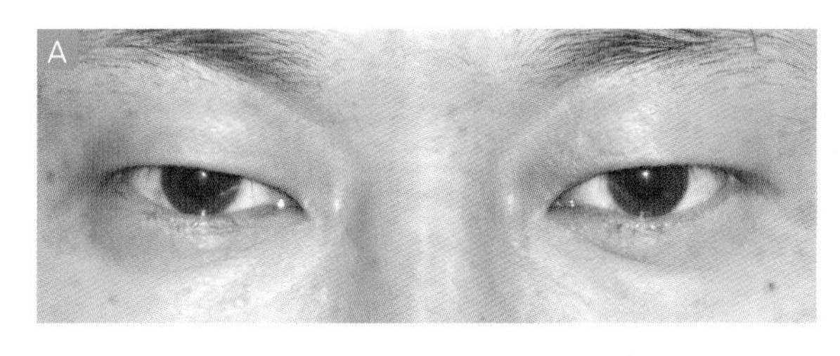

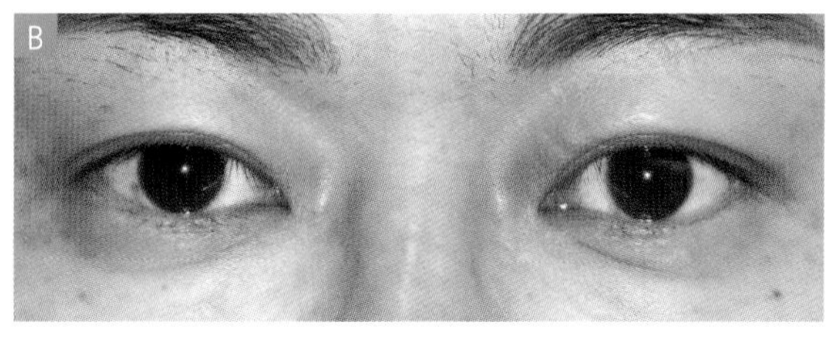

图2-21 男性上眼睑手术前后能看到是内双眼皮

老年性上眼睑外翻症(Senile ectropion in upper lid)

老年性外翻症一般会伴有由上眼睑组织退化而出现的上眼睑下垂，导致上睑下垂术后眼球干燥的原因大致上有两方面。第一，由于外翻症灰线(grey line)自身变得干燥。灰线(grey line)外翻时，很难保持长时间睁眼。第二，由于灰线(grey line)角质化的形成(keratinization)导致睑板腺(meibomian gland)阻塞，并使构成泪膜的三大成分：粘蛋白，水溶液，脂质(mucin, aqua, lipid)中的最外层脂质缺失，而提高了眼泪蒸发的速度。矫正方法参考第3章(p 109, 110, 112)外翻症修复最终步骤(scoring of the tarsus)。但值得庆幸的是，由角质化导致的orifice阻塞能够经由外翻症矫正而得到恢复(reversible change)。

眉毛下方上眼睑提升术
(Infrabrow Blepharoplasty, Subbrow Lifting)

采用切除眉毛下方皮肤的上眼睑整形术，能够避免一般上眼睑切除术后的各种问题。

与一般上眼睑手术的不同之处

一般的上眼睑手术后会形成新的双眼皮线与之产生各种不满相比之下，此种手术方法由于只是单纯切除松弛的皮肤，即恢复到皮肤下垂之前的状态而且术后恢复时间非常短。但缺点是无法做出双眼皮或对原有双眼皮进行调整，更不能切除脂肪来解决肿泡眼的问题。为了弥补这一缺陷，偶尔会在下方另外做出双眼皮。此时做双眼皮的同时切除部分眼皮，这样一来，切口位于上，下两处以避免仅做一处切开时因切除过多皮肤而对其造成负担(如加长疤痕，眉毛外侧下垂，crow's feet变得明显等情况)。另一个缺点是相比上眼睑整形术眉毛下垂严重，眉毛容易变成水平形状。为了避免此问题的产生将切开部位的眼轮匝肌固定在额肌瓣，deep galea或眉毛上方的骨膜上。

上眼睑松弛矫正术是切除眼皮下部较薄的皮肤，并与上端较厚的皮肤缝合，而由此也可能会因皮肤薄厚差异而引起一些问题。但眉毛下提升术则是让相同厚度的皮肤之间进行缝合。皮肤切除部位对其较近的部位影响较大，较远部分则较少，若进行眉下切口则对眉外形(使之下降)的作用较大，对于双眼皮松弛的矫正作用较小，若采用双眼皮切口则作用相反。所以如果眉毛间距过近或术后眉毛下垂的可能性存在的话是不适合使用此方法的。

另外传统方法在切除皮肤部位向外有出现crow's feet的倾向，而相比之下眉毛下切开术是在上方切除，因此不会导致 crow's feet。

早期眉毛外侧出现下垂的原因(mechanism of early lateral eyebrow ptosis)

- 附合在骨膜上的眉部下脂肪外侧要比内侧松。
- 眉毛外侧1/3处颞嵴内侧有向上提拉眉毛的额肌，外侧则由侧头肌替代，对眉部上提没有影响(图2-22)。

适应症

- 不想要双眼皮或不想修整双眼皮的情况
- 眉毛比较厚的情况下，可以切除部分眉毛
- 实施过眉毛下方上眼睑切除术后出现疤痕的情况
- 眉毛比较高: 闭眼状态下眼皮下端到眉毛下端间距超过16mm或眉毛下端比眼缘高时
- 纹过眉毛的人
- 要求快速恢复的情况

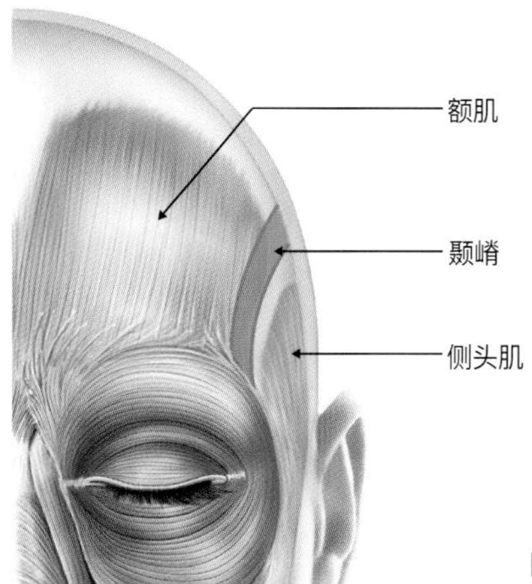

图2-22 **颞嵴(temporal crest)**
外侧没有向上提拉眉毛的额肌是眉毛外侧容易下垂的原因。

手术方法

· 设计及切除皮肤
· 切除眼轮匝肌
· 眼轮匝肌悬吊
· 缝合

设计及切除皮肤

· 沿着眉毛的下向设计切除皮肤范围。各自标记眶上神经(supraorbital nerve)及其内侧1cm(supratrochlear nerve)处的滑车神经。
· 眉毛有纹眉的情况下，选择在有纹眉的位置设计。如果眉毛比较厚或纹眉比较宽的情况下，切开时切除部分眉毛或纹眉不仅能看起来有提眉的效果，也能得到隐藏疤痕的效果。眉毛内切除时应注意不要破坏毛囊。要注意不能损伤眶上神经和滑车神经。
· 皮肤的切除量与前面所讲的上眼睑手术切除皮肤量的方法是相同的。
· 大体上是内侧下垂量少，外侧下垂量大。因此在眶上神经开始部分开始切开。
· 但如果内侧下垂严重，切开线向内侧延长，不同的是此部分不需要切除眼轮匝肌，只需切除皮肤。
· 外侧切开线应到眉毛或纹眉线结束的位置为止。
· 沿着设计线切除皮肤。

眼轮匝肌切除剥离

· 在切除皮肤部位，条状(strip)切除眼轮匝肌。眶上神经及滑车神经的部位不做切除。如果过多的切除眼轮匝肌会使眉毛下方变得没有弧度。上睑凹陷时，可将眼轮匝肌做肌瓣填充上方。
· 上皮瓣的眼轮匝肌与帽状腱膜之间向下方剥离。此时眉毛下脂肪(subbrow fat)向下方剥离后因形成了粘连而变得稳固。露出骨膜，确认眶上神经。眉毛下脂肪剥离会抑制眉毛的移动(immobilization of eyebrow)，而剥离眉毛下脂防与眼轮匝肌能使眉毛自由移动。虽然能够得到自然的效果，但想要使其形成坚稳固的粘连并不容易。
· 将下方皮瓣眼轮匝肌固定在上皮瓣2-3mm处的额肌或骨膜上，做2-3处固定。

· 缝合皮下组织后进行皮肤缝合。皮肤缝合时先缝合外侧可预防dog ear的形成
(图2-23，2-24)。

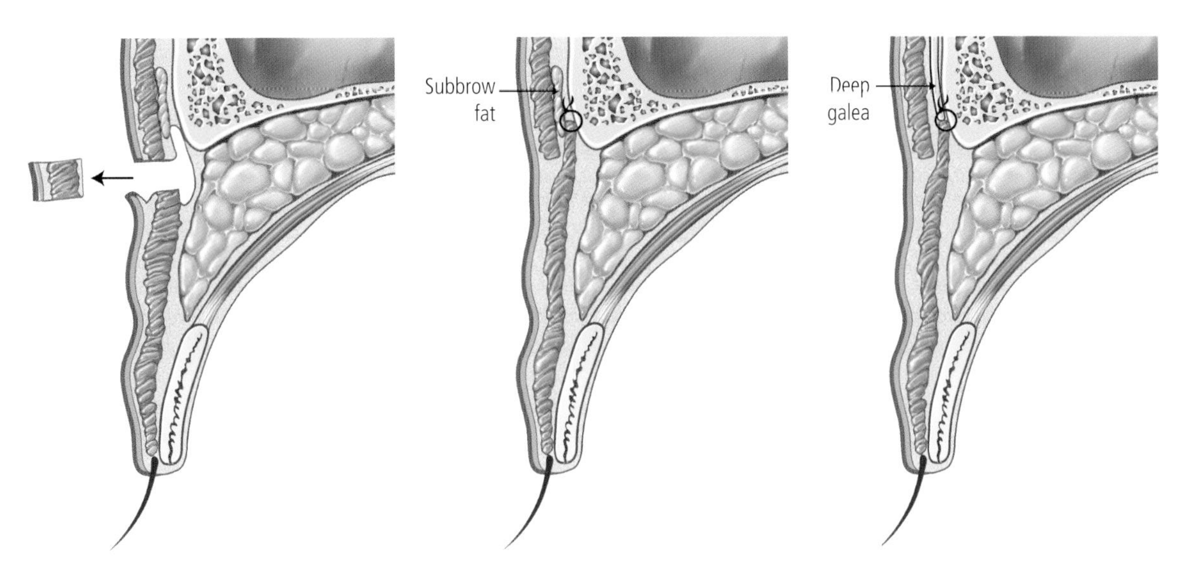

图2-23 Subbrow lifting. 下方皮瓣的眼轮匝肌固定在骨膜或 deep galea上

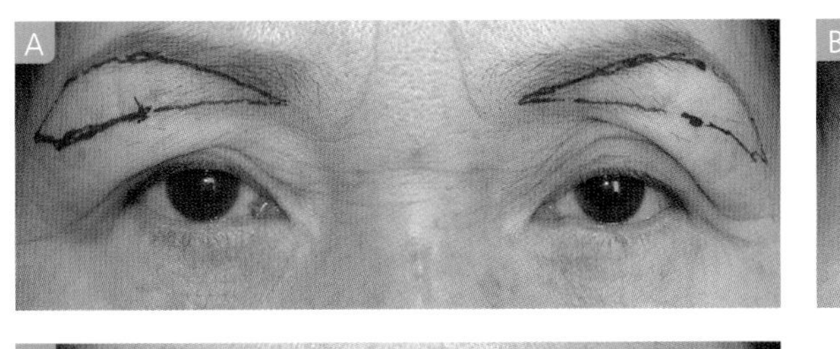

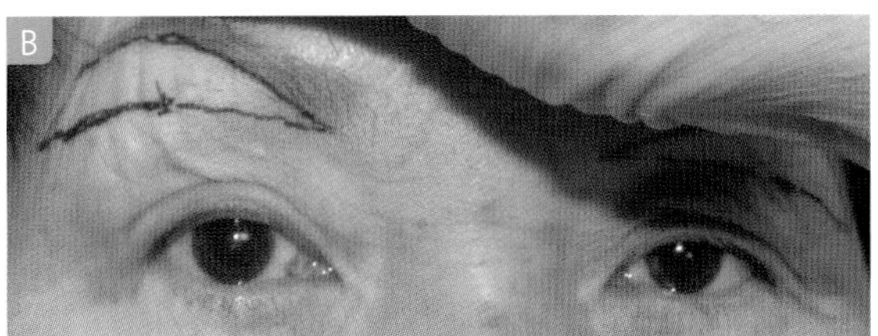

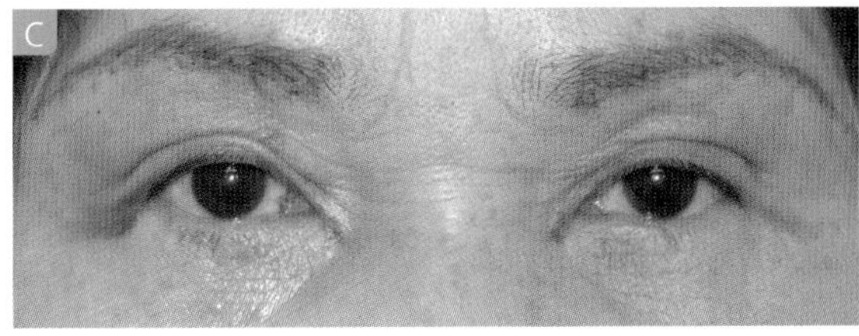

图2-24 **眉下提升术**
A. 设计 **B.** 根据预想的结果确定切除皮肤的量 **C.** 术后

并发症

· 异常感

· 疤痕

· 眉毛的水平化

KEYPOINT 

In aging blepharoplasty

1. 在皮肤并未完全坤展的状态下，来设计双眼皮，在此状态下固定于与皮肤上端相同位置的睑板上。使下方皮瓣留有一些褶皱，即不做高位固定。
2. 下方皮瓣即不做潜行分离(Undermining)，也不切除眼轮匝肌。
3. 睑板前组织(Pretarsal tissue)一律不做任何的切除，在睑板固定位置的睑板前组织(Pretarsal tissue)上切开小孔。
4. 在睑板上较低位置进行固定，但为了避免双眼皮变得不明显，要充分利用上方腱膜的力量可做3 point fixation。
5. 避免过分切除皮肤，对于下垂严重的眼睛来说，比起皮肤应选择切除上方皮瓣的眼轮匝肌。

参考文献

1. Flowers RS : Blepharoplasty and periorbital aesthetic surgery. Clin Plast Surg 20;193-207, 1993.
2. Baek BS, Park DH : Cosmetic and reconstructive oculoplastic surgery. 3rd Edition, Seoul Koonja Publishung Company, 2009.

CHAPTER

03

上眼睑整形手术并发症的原因及矫正法

SECONDARY UPPER BLEPHAROPLASTY

- 疤痕
- 双眼皮的深度问题
- 双眼皮的高度问题(即双眼皮的宽窄问题)
- 睑板前臃肿肥厚(Pretarsal Fullness)
- 双眼皮不对称(Asymmetry Of Double Eyelid)
- 三层眼皮(三眼皮)(Triple Fold)
- 上睑凹陷和三眼皮(Sunken Eyelid And Triple Fold)
- 上睑下垂
- 松解双眼皮
- 不满意的双眼皮之早期矫正手术

不同人种，不同地区，不同时代的人对美的标准都有所不同。因此，每一位接受手术的患者都会提出不同的要求，而对手术结果的评价也会因人而异。

患者可能对手术结果提出的不满或要求可归纳如下

双眼皮手术的并发症

· 疤痕
· 双眼皮的深度问题
  双眼皮过浅或消失(shallow fold or loss of fold)
  双眼皮过深或外翻(deep fold or ectropion)
· 双眼皮的高度问题(或称双眼皮的幅度大小)
  双眼皮过窄(low fold)
  双眼皮过宽(high fold)
· 睑板前肥厚(pretarsal fullness)
· 不对称(asymmetry)
· 三眼皮(triple fold) 或多重睑(multiple fold)
· 上睑凹陷(sunken eyelid)
· 上睑下垂(ptosis)
· 双眼皮改成单眼皮(removal of double eyelid fold)

疤痕

原因

① 缝合不当
② 因延误拆线时机而留下缝合线痕迹(stitch mark)
③ 切口过长，切除了过多的皮肤和皮下软组织
④ 双眼皮过深引起的凹陷性疤痕(depressed scar)
⑤ 内眦赘皮整形手术的疤痕

双眼皮疤痕跟体质有一定关系，但大部分原因在医生。医生做双眼皮固定时，固定下方皮瓣，这样每当睁眼时，下皮瓣会被向内拉扯而导致与上皮瓣移位(图3-1)这种现象特别容易出现在双眼皮线外侧，原因主要是，与内侧或中央段相

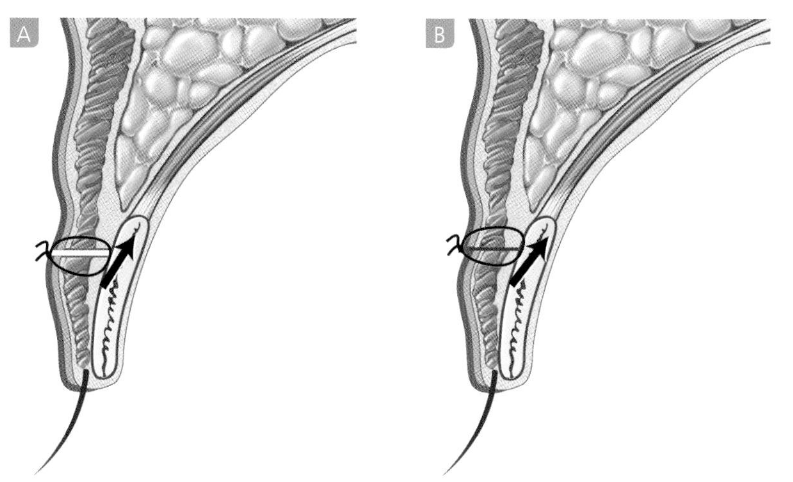

图3-1 睁眼时，下皮瓣上的固定缝合线将下皮瓣向内侧拉，使其与上皮瓣脱离(dislocation of the lower flap)。为防止出现这种情况，缝合一定要密。左侧图是手术初期，右侧图是术后3天。从右图中可以看到下方皮瓣已移位了。

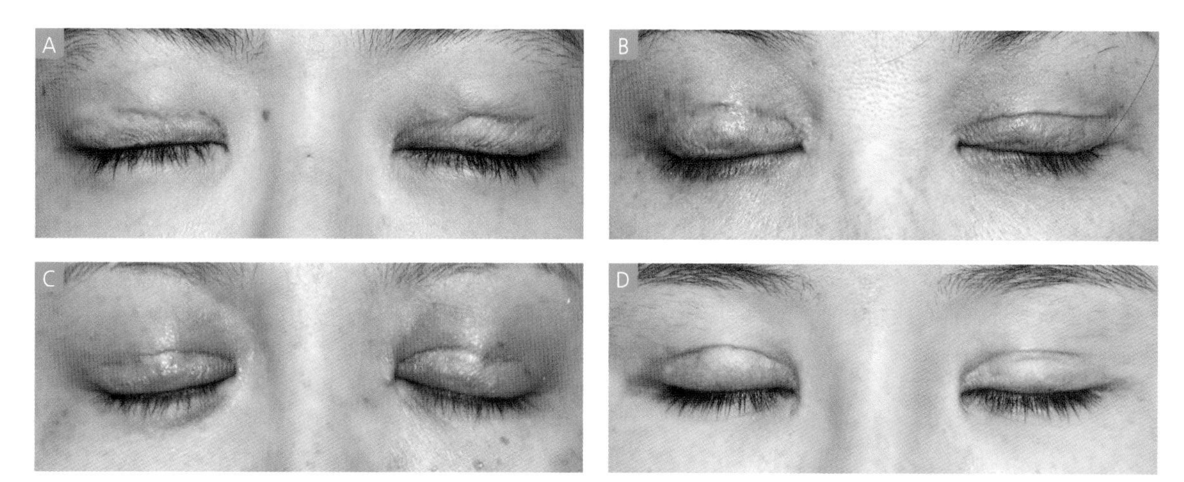

图3-2 **睑轮匝肌缺损导致的凹陷性疤痕。**重睑线正下方切除眼轮匝肌的部位上形成了 2-3mm的凹陷性瘢痕。

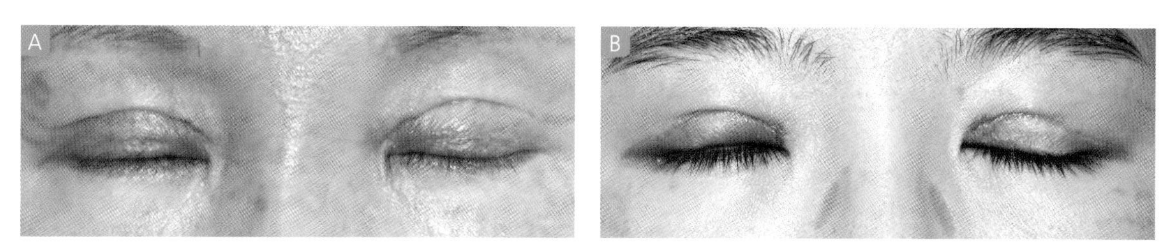

图3-3 **外翻症的凹陷性瘢痕。**因折皱过深而形成了凹陷性瘢痕，皮肤被向下牵拉。

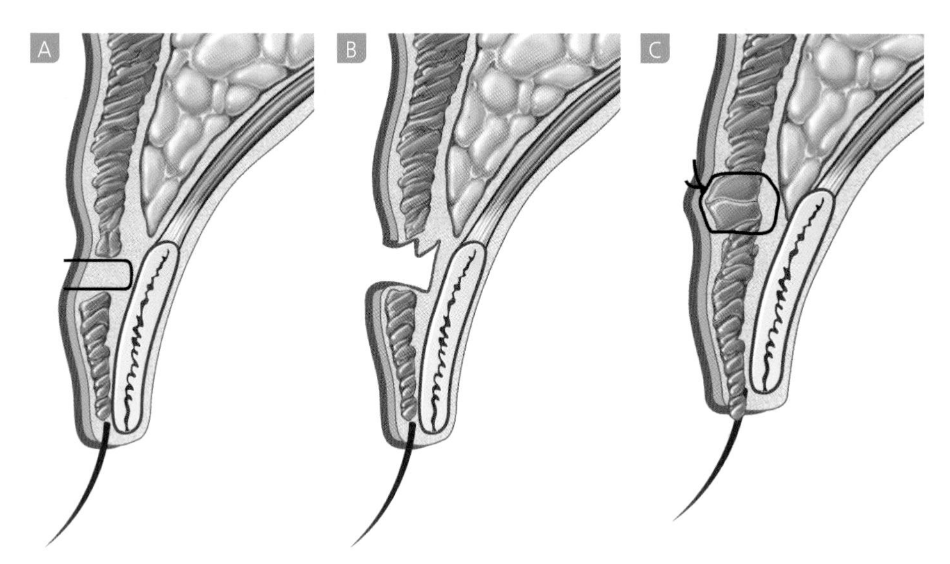

图3-4 凹陷性疤痕的矫正法
A. 切除疤痕处的皮肤 **B.** 剥离上皮瓣眼轮匝肌的下部 **C.** 皮肤与肌肉一次性缝合

比，外侧的腱膜位置比皮瓣位置深(图2-15)。为了预防此问题，皮肤缝合要密。

延误了拆线时机，还可能留下缝合线的痕迹。一般情况下，缝合后经过五天就开始出现轻微的缝合线痕迹。过了7天，痕迹就会变得清晰可辨。再过几天时间，就可看到手术部位上形成上皮隧道(epithelial tunnel)。

对于年轻的患者，实际的切开线可以比预期的双眼皮线长度短一些，如此也能满足患者的要求。因此应注意不要盲目遵从预想切开线长度。

如果出现凹陷性疤痕，会比眼部出现的任何问题都更容易被人看到，因此一定要避免凹陷性疤痕的出现。这种情况多是由于切除了过多的眼轮匝肌及结缔组织而导致的(图3-2)。除此之外，接下来要介绍的过深双眼皮，外翻症等都是导致凹陷性疤痕出现的原因(图3-3)。避免此问题发生还需要实施外翻缝合(eversion suture)。向下看或闭眼时出现的褶皱与凹陷性疤痕外观看起来类似，因此这也需要特别注意此点。预防凹陷性疤痕的方法在第一章有详细的介绍。

另外因进行早期修复而需要再次切开的情况下，容易导致肥厚性疤痕的形成。为了尽量减少疤痕的形成，可以进行切口边缘修正(marginal revision)或在伤口处注射或者喷洒曲安奈德 triamsinolone。

疤痕修复术(scar revision)

手术疤痕的修复方法与一般的疤痕修复方法一样。要修复凹陷性疤痕，首先切除眼轮匝肌缺损部位的疤痕性皮肤之后，将切口上下部的眼轮匝肌填充到缺损部位即可。

因双眼皮折皱较深引起的凹陷性疤痕，需要将深的折皱矫正为较浅的折皱。这一部分将在3章较深双眼皮中进行详细的说明。在没有双眼皮线的外侧皮肤上要粘贴两周左右的胶布。

一般双眼皮手术时不做皮下剥离，但是有凹陷性疤痕周围的皮肤会有些向内侧翻卷。所以切除凹陷部位的皮肤后在切口上方做一点皮下剥离。这样有助于外翻缝合，减少皮肤张力，也有助于防止凹陷性疤痕的形成，缩小疤痕(图3-4)。

在进行皮肤连续缝合时(contineous suture)，比起做单纯的连续缝合，作者比较偏爱联锁式(interlocking)连续缝合法。仔细观察后我们可以发现，单纯的连续缝合后的缝合部分呈现波纹状，而采用联锁式(interlocking)连续缝合法则像间断缝合(interrupted suture)一样，皮肤会呈现平整顺畅的状态。

双眼皮的深度问题

所有的双眼皮在手术后的一段时间内出现不同程度的折皱变浅的现象，双眼皮变浅的程度取决于两个因素：

第一，患者上眼睑的特征
第二，医生的操作技巧

因此，医生要在手术前首先对患者的上眼皮特点准确的了解和掌握，并根据患者的眼皮状况，预测出双眼皮在术后会出现何种程度的深度改变。同时，医生还要准确预测出自己所要采取的手术方法后期变浅的程度。医生要在综合考虑以上两种因素的基础上，来确定双眼皮的深度。一旦医生对上述两个因素中的任何一个因素做出错误的判断和预测，就会造成双眼皮折皱过深，过浅，甚至是双眼皮消失的结果。

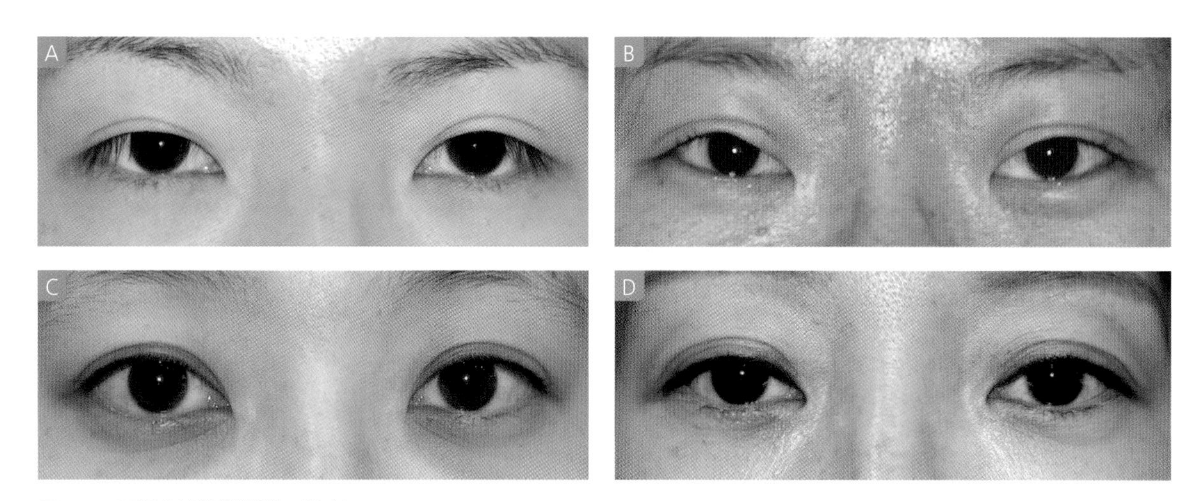

图3-5 **双眼皮过浅(模糊的双眼皮)**
A & B. 睫毛未完全露出，睫毛根部被眼皮遮盖。**C & D.** 双眼皮线下方有褶皱。

双眼皮变浅或消失(shallow fold, Loss of fold)

手术原因

- 未充分切除睑板前软组织
- 固定太低
- 不精准的固定
- 血肿，水肿引起固定松弛，松脱

患者眼皮的自身问题

- 皮肤偏厚，软组织过多
- 年龄偏小
- 上睑下垂
- 窄双眼皮
- 眼睑凹陷(sunken eyelid)
- 内眦赘皮(epicanthal fold)
- 眼球内陷(enophthalmos)
- 体重急剧增加
- 前一次手术后双眼皮变浅或消失

双眼皮折皱在手术后变得过浅，或不再明显的最大原因，是手术过程中未能做出准确而恰到好处的固定。固定位点太低，术前设计的双眼皮线太低，以及没有在提上睑肌腱膜或与其相连的睑板上做出牢固的固定，而是在脂肪或其他软组织上做固定，或缝合不紧等因素，都会引起双眼皮折皱在手术后变浅，不再明显的现象。相反，缝合过紧则会导致组织坏死，有时还会形成血肿，水肿等，使固定松弛甚至消失掉。这也同样会带来双眼皮变浅，消失的结果。双眼皮术后一段时间内双眼皮会变浅，比起变浅多的手术方法，变浅量少的手术方法不仅恢复时间短，还有利预测其最终效果(predictable)。

双眼皮是由眼睑前后层组织(anterior and posterior lamella)黏连所形成的，因此在手术时一定要考虑到手术缝合线的作用是暂时的，而并非永久。这就是Goldburg所讲的机械思维(mechanical thinking)的对比是生物思维(biological thinking)。

浅的双眼皮有两种表现形态：一种形态是眼皮下垂遮盖了部分睫毛根部或部分眼球(图3-5A)。另一种形态是能看到双眼皮线下方皮肤有轻微的折皱(图3-5B)。前者不被推荐而后者则能表现出柔和自然外型(图1-34)。

对双眼皮形成抗力的因素(fold resistence)

如何预测患者的双眼皮在手术后出现变浅的程度呢？手术后双眼皮折皱变浅的程度较为明显，或是折皱比较容易变浅，是因为眼部皮肤对形成折皱的抗力较强而出现的现象。在手术前用探条形成双眼皮时较为费力，或把探条拿开后双眼皮立即消失，就说明皮肤对双眼皮折皱的抗力较大。

阻抗力较大的眼睛，一般是眼皮较厚或软组织过多，上睑下垂，皮肤弹性较强的年小的患者，上睑凹陷，眼球内陷，或有内眦赘皮时内眦一侧会对双眼皮折皱形成较强的抗力。内折双眼皮比较容易出现变浅或消失的现象。因上一次手术后折皱变浅而再次接受手术的患者，由于在折皱已经变浅的情况下，下皮瓣上形成了粘连，对折皱线的抗力往往也都比较强。此外，患者在接受手术后，体重急剧增加，也会使折皱变浅。

预防双眼皮变浅的方法

为防止双眼皮折皱变浅，固定时，要避免有脂肪组织或其他不必要的软组织夹在其中。如果患者的眼皮属于抗力较强的类型，要考虑折皱在术后变浅的程度，可适当将折皱做得深一些，哪怕在刚做完手术时有一些外翻也无大碍。这一步骤的关键就在于掌握好折皱变浅的程度。如果折皱做得太深，即使双眼皮线在手术后出现一定程度的变浅，外翻现象也可能会存在一些。因此，手术中一定要慎重。

作者会把睑板一同固定在腱膜上，经由调整睑板和腱膜的高度来预防双眼皮变浅的问题。

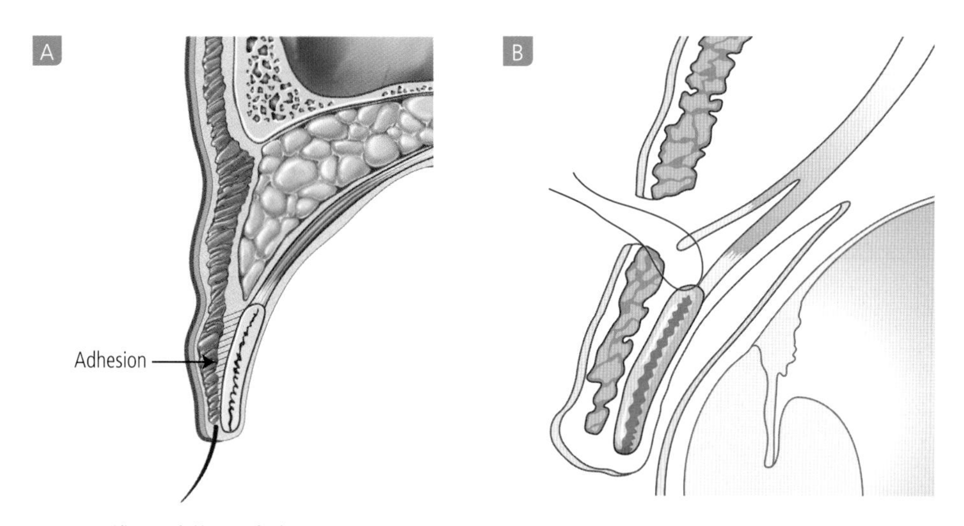

图3-6 **浅双眼皮的矫正方法**

A. 如果下皮瓣有粘连应进行剥离。**B.** 把眼轮匝肌和睑板同时高位双重固定在腱膜上，并形成轻微外翻。

浅双眼皮的矫正方法

如果睑板前有较多的脂肪组织或其他软组织，要切除一部分，以助形成粘连。如果有上睑下垂或内眦赘皮等症状，须先对这些症状进行矫正处理，以缓解眼皮在手术后对折皱形成的抗力。

接受修复手术的患者，其双眼皮折皱线下方的皮瓣上可能留有上次手术后形成的粘连。由于这种粘连妨碍双眼皮折皱的形成，手术中要先将其分离。这时，留在上面的纤维组织会降低皮瓣的韧性和弹性，因此，修复手术后形成的折皱要比第一次手术后形成的折皱更容易变浅。综合考虑这些因素，医生在为患者进行修复手术时，一定要把折皱做得比一般手术时深一些，甚至轻度的外翻(ectropic)(图3-6, 3-7)。

双眼皮过深或外翻症

双眼皮折皱过深，原因是手术时选择的固定位点太高。如果固定位点比下皮瓣的宽度高出太多，皮肤就会严重紧绷，形成外翻。

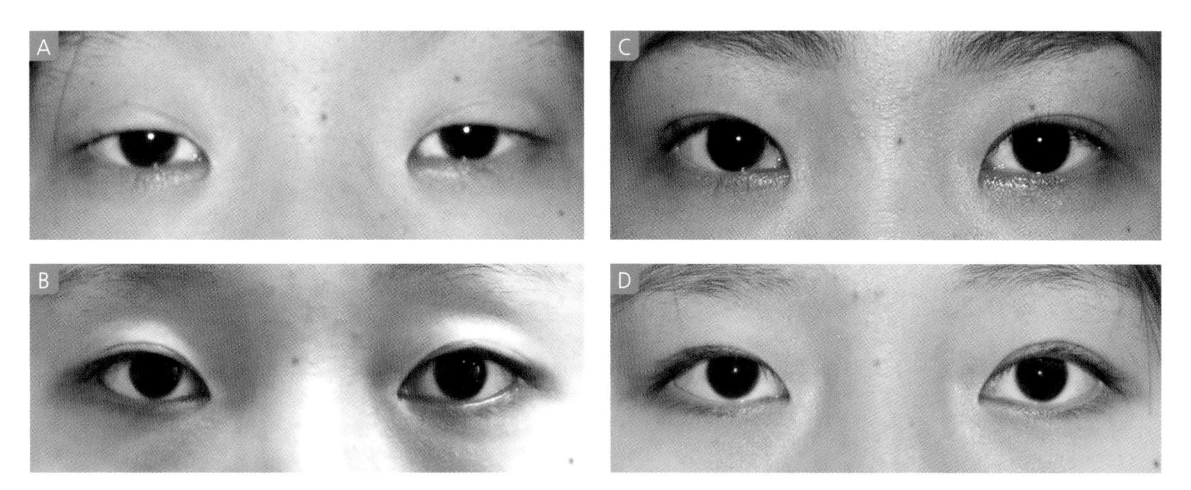

图3-7 **浅双眼皮矫正术前术后**
A & B. 完全变浅的双眼皮，术前术后。**C & D.** 不明显的双眼皮(消失一半的双眼皮)，术前术后。

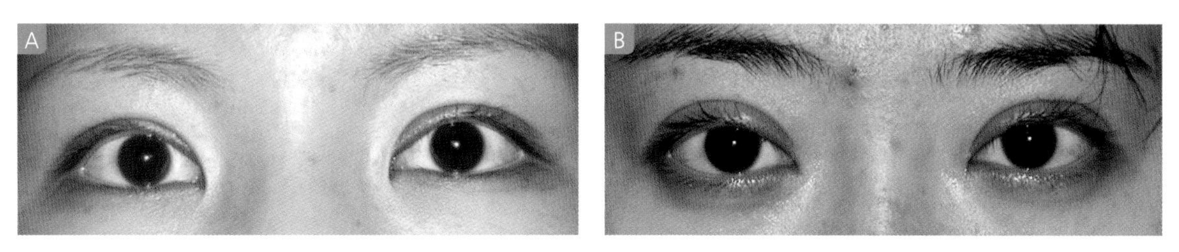

图3-8 **A.** 窄且深的双眼皮 **B.** 宽且深的双眼皮

过深双眼皮的临床表现包括：睫毛过度上翘，印象不柔合，闭眼时出现凹陷疤痕等，也有很多患者术后会有牵拉感。在某些情况下，过深的折皱可使眼睛变大，但在严重情况下，反而会让眼睛变小，且多伴随有折皱线上方臃肿的症状。眼睛变大是因为手术时将固定位点选择在较高位置的提上睑肌上，而导致提上睑肌腱膜形成折叠(plication)，使其伸缩性有所增加而出现的现象。此时如果双眼皮折皱过高，由于提上睑肌运动受限，眼睛反而会变小，这一点一定要牢记在心。如果外翻严重，会导致黏膜外露，随着灰线部位黏膜上皮组织的部分角质化(keratinized)的出现，会使睑板腺(meibomian)的出口(orifice)堵塞，引起泪膜的最外侧脂质层变薄，而使眼泪蒸发速度加快，从而出现眼球干燥症(图3-8)。

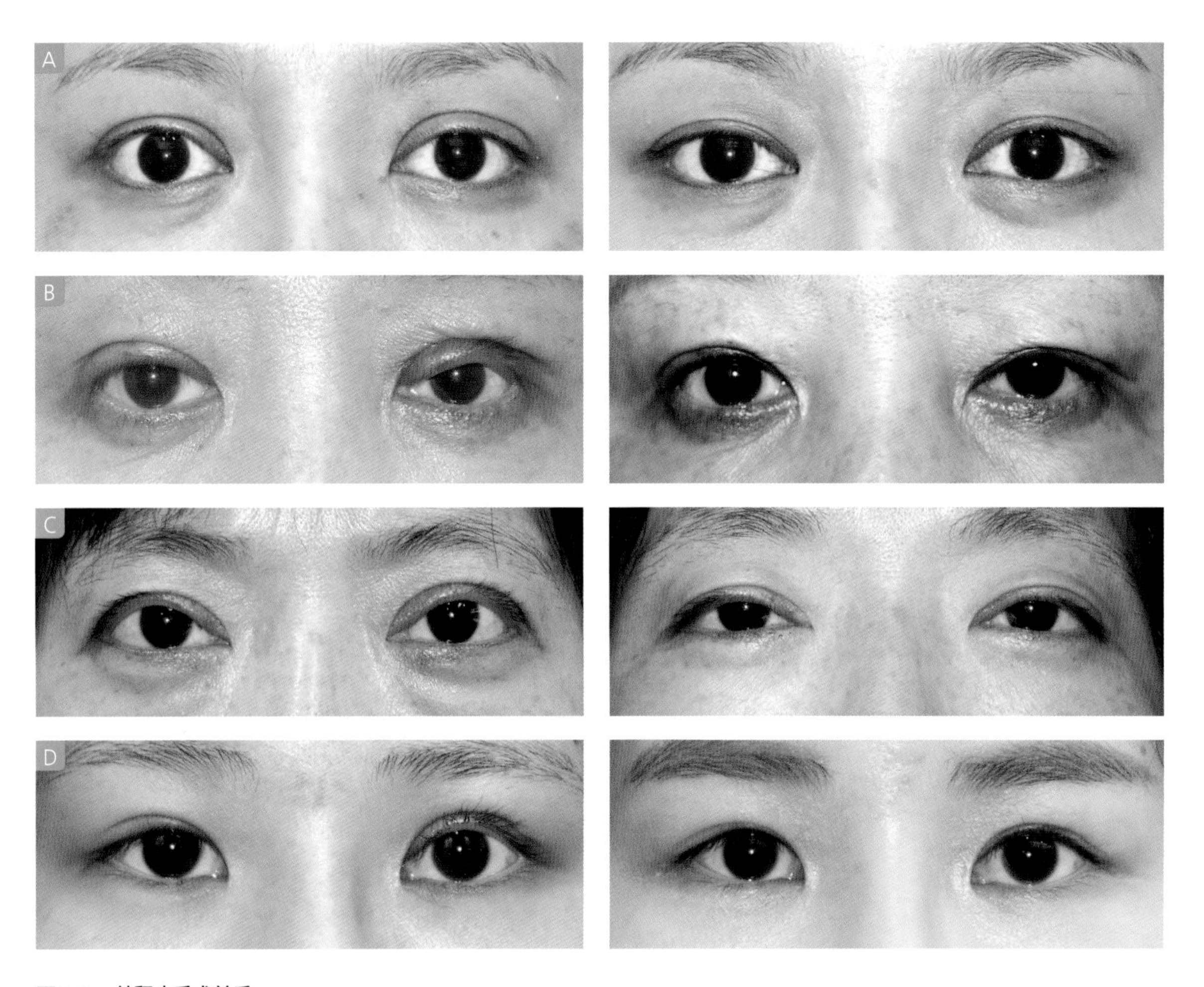

图3-9 外翻症手术前后

矫正方法

首先把导致双眼皮过深部位的粘连组织分离后在睑板上比原固定位点低的地方重新进行固定。如果分离上一次手术形成的粘连后外翻现象便消失则简单地将下皮瓣固定在较低的位点上即可解决问题。但是，如果双眼皮线下侧仍然存在外翻现象，这是因为下皮瓣存在粘连，则要将粘连组织分离后，将皮瓣重置(redraping)到比原有位置更低的睑板下部。

此时，要留意不能让原有的折皱线上方重新出现粘连现象，而形成三眼皮。为

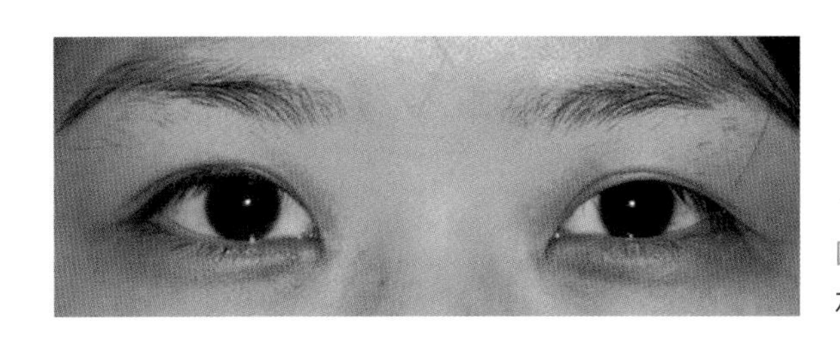

图3-10 窄双眼皮
左侧双眼皮浅看起来更窄

防止形成三眼皮，可将眶隔和眼眶脂肪填充到腱膜(aponeurosis)和眼轮匝肌之间P114中详细说明。

较深的折皱往往同时伴有较宽的问题，两者的矫正方法也比较相似。两者不同点在于如果折皱较深但不高，可直接利用原来的双眼皮折皱线，而又高又深的折皱，则要重新设计一条比原来稍低的折皱线，并切除新旧两条折皱线之间的皮肤。

如果术后对效果不满意，早期修复(early correction)的情况也经常出现，而在众多修复手术中，作者并不提倡对外翻症进行早期修复。因为外翻症的早期修复成功率非常低，甚至早期的双眼皮修复也可能导致外翻症的形成(图3-9)。

双眼皮的高度问题(即双眼皮的宽窄问题)

低双眼皮线(Low fold)

低双眼皮线又称窄双眼皮。导致双眼皮窄的最常见原因是术前设计得过低。即使折皱线设计的不算低，但折皱线太浅而使其线条不清晰时，也会导致眼皮上形成褶皱，带来双眼皮变窄的效果(图3-10)。此外，患者皮肤松弛，眼皮下垂比较严重时，如果皮肤切除不够充分也会使双眼皮看起来比较窄。

窄双眼皮修复成宽双眼皮的方法

矫正窄双眼皮的方法有如下三种(图3-11)

1. 不改变原有的双眼皮线，切除遮盖双眼皮线的上方组织(皮肤与眼轮匝肌)使双眼皮看起来宽一些。

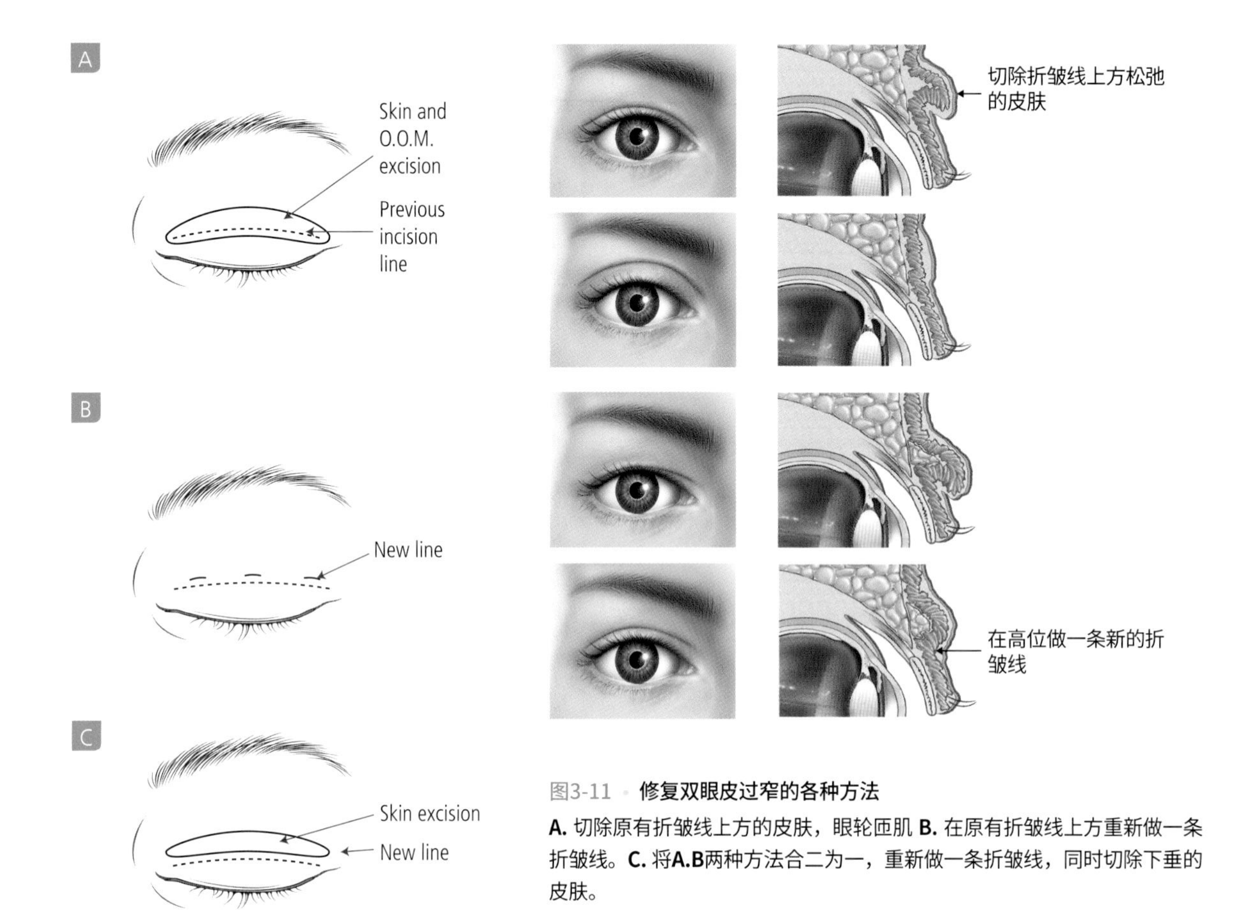

图3-11 · **修复双眼皮过窄的各种方法**

A. 切除原有折皱线上方的皮肤，眼轮匝肌 **B.** 在原有折皱线上方重新做一条折皱线。**C.** 将**A.B**两种方法合二为一，重新做一条折皱线，同时切除下垂的皮肤。

2. 在原本折皱线的上方，用切开法或埋线法，做出一条新的折皱线。

3. 将上述两种方法合二为一，在做新的双眼皮线的同时，切除松弛的皮肤。

第一种方法的优点在于，如果疤痕明显，可对其进行修复且只留一条疤痕。尤其是在老年性的上眼睑手术中，双眼皮线上方的皮肤下垂比较严重时，使用这种方法可得到明显的效果。需要注意的是，在眼皮下垂程度不算非常严重的情况下，如果将双眼皮线上方的皮肤切除过多，会导致眉毛下垂，而其结果反而是双眼皮不会像预期的一样增宽。因此，在实际操作当中一定要谨慎，尽量少切除皮肤，可切除双眼皮线上方的眼轮匝肌，这样可以预防眉毛下垂。

采用此种方法时，应在术前和患者说明术后双眼皮宽度可加宽的程度，而说明时，不要在眼皮100%完全伸展的状态下说明，而是应在眼皮伸展到80-90%的状态下说明。如果双眼皮过窄，采用此方法无法加宽太多所以不适合用于双眼皮太窄的情况。

双眼皮宽度适当且只想稍微加宽的患者以及年轻时双眼皮宽度正常而随着年龄的增加上皮瓣下垂，下皮瓣出现皱纹等情况下，采用此种修复方法能够得到很好的效果(图3-11A)。

第二种方法在宽度上不受限制，想加宽多少都可以，但会多一条疤痕。比较适合于原有双眼皮疤痕不太明显，且希望双眼皮折皱的高度在术后发生较为明显变化的患者。可采用全切法，埋线法或部分切开法(图3-11B)。

此时，如果原双眼皮线不深，就不必对下皮瓣加以变动。但是，如果双眼皮线非常深，就要考虑将下皮瓣剥离，使原本双眼皮线变得较浅。需要注意的是，由于原手术后存在疤痕组织，运用这一方法进行手术，比较容易出现睑板前组织的肥厚臃肿(pretarsal fullness)现象。术前必须让患者充份了解避免术后不满。

第三种方法适合于双眼皮线的宽度非常窄，且皮肤下垂也比较明显的患者(图3-11C)。

高双眼皮线(high fold)

临床表现 (图3-13)

较高的双眼皮(宽双眼皮)不适合东方人，显得生硬且不自然。伴有睑板前组织的臃肿肥厚(pretarsal fullness)，即使手术后经过相当一段时间，也会显得有水肿。较高位双眼皮往往会伴随较深的问题。主要症状包括不自然，牵拉感，表情生硬，凹陷性疤痕，睫毛外翻等。

另外，皮肤与提腱膜之间多存在粘连。由于提上睑肌功能因此受阻，折皱高的患者同时伴有轻微上睑下垂的现象也很常见。

原因

· 设计过高
· 固定过高
· 切除皮肤过多
· 高位粘连
· 上睑下垂
· 眼睑凹陷

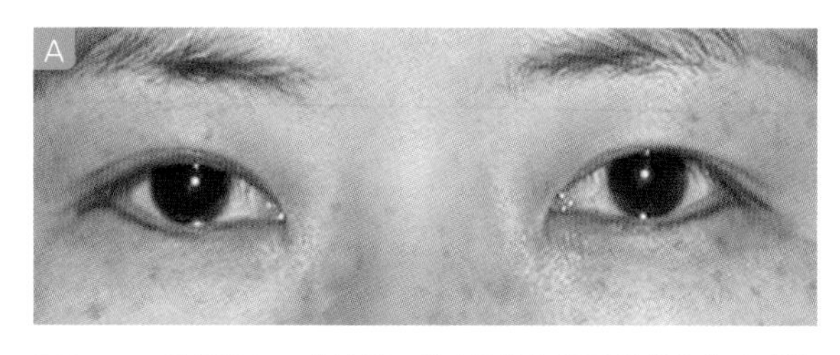
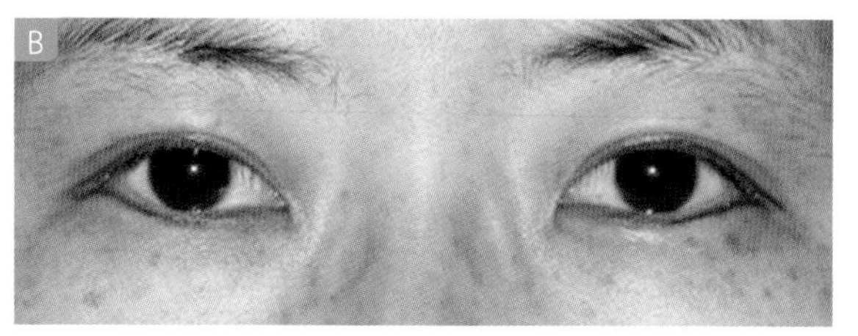

图3-12 采用图3-11中的第一种方法修复低重睑线的术后对比

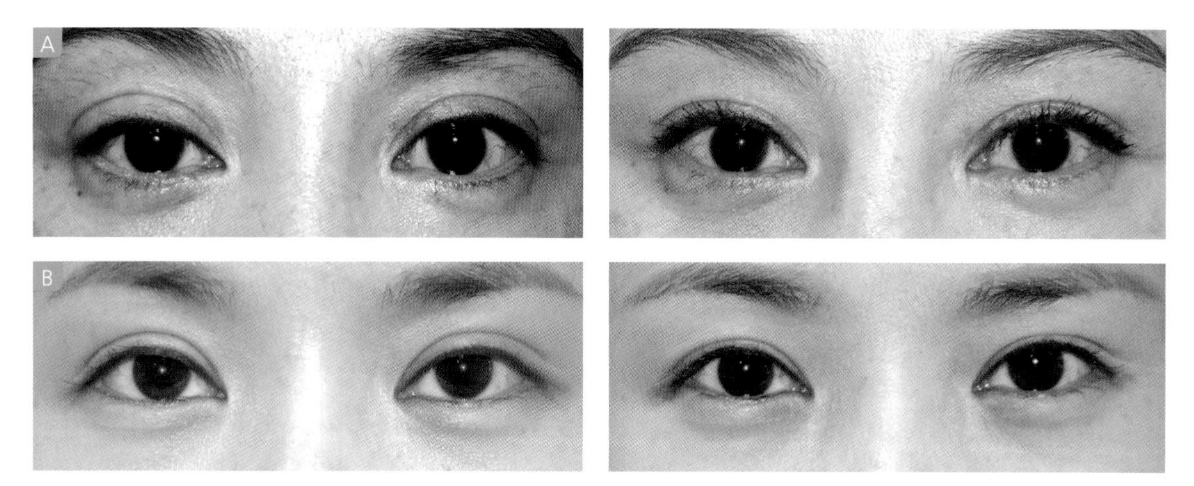

图3-13 宽双眼皮手术前后对比

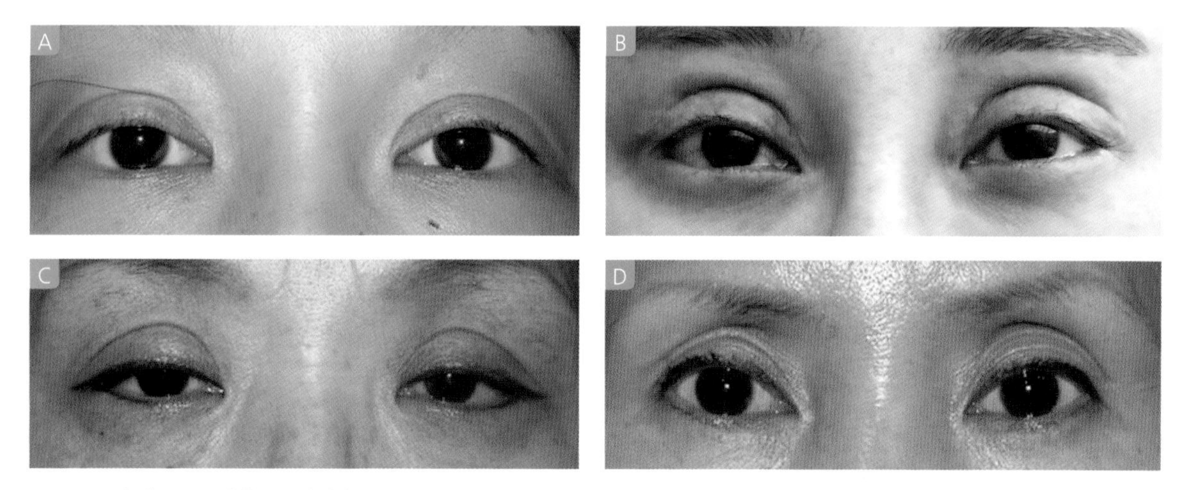

图3-14 各种原因导致的双眼皮过宽

A. 切开线过高导致的宽双眼皮 **B.** 高位固定，外翻症导致的宽双眼皮 **C.** 上睑下垂导致的宽双眼皮 **D.** 上眼睑凹陷导致的宽双眼皮，上睑下垂和眼睑凹陷时，存在中间部位高的特征。

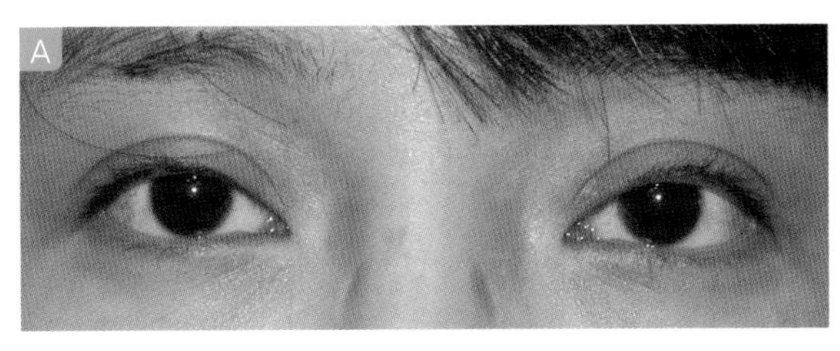
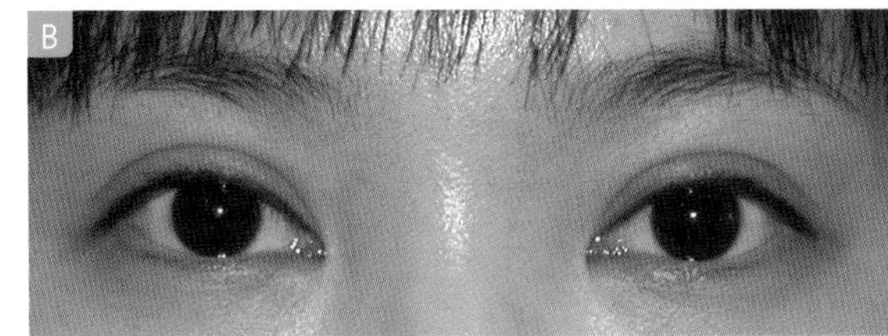
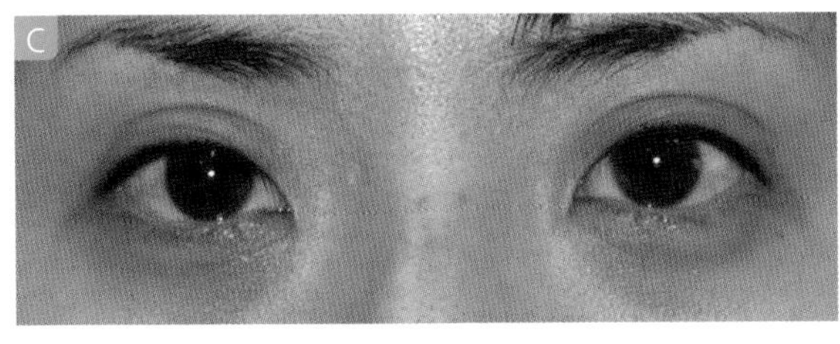

图3-15 宽双眼皮的各种类型
A. 宽且深的双眼皮，睫毛外翻。**B.** 宽却不深的双眼皮 **C.** 宽且浅的双眼皮，可以看到双眼皮下方的褶皱。

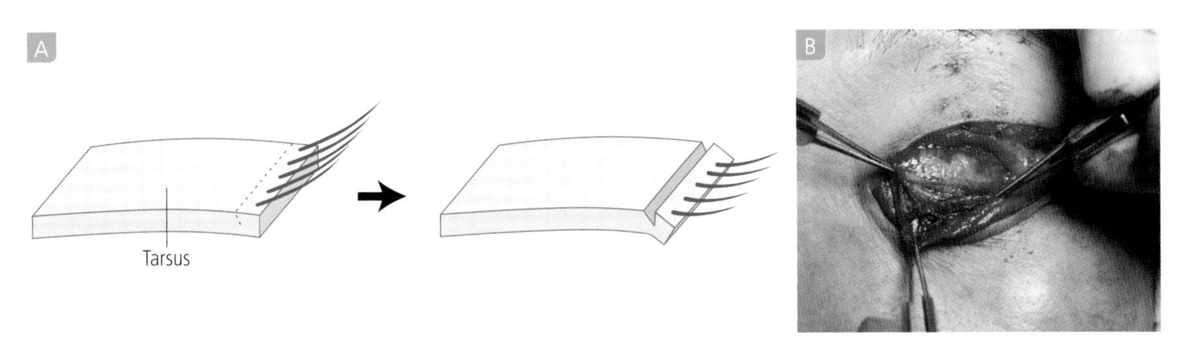

图3-16 **睑板末端部位的楔型切开(Mechanism of scoring incision).**
A. 术后睫毛方向向下 **B.** 临床照片

形成高位双眼皮线(宽双眼皮)最常见原因是术前将双眼皮线位置设计得太高(图3-13A)。有时即使术前设计合理，如果固定时选择的位置比较高，或在高位形成粘连，因皮肤被牵拉形成宽双眼皮，且伴有外翻(图3-13B)。如果皮肤切除量过多，会使折皱线上方的皮肤量变得过少，而这也会带来双眼皮线显得偏高的效果。此种现象在眼睑凹陷时也会出现。在有上睑下垂的情况下，很容易出现双眼皮看起来过高或容易线消失的问题。在上睑下垂时出现的双眼皮线过高，存在相对于内外侧，中间部位最高的特征(图3-14C)。

高位双眼皮(宽双眼皮)的种类

根据双眼皮深度划分(图3-15)。

· 宽且深的双眼皮: 大部分情况下会伴有外翻症或双眼皮过深

· 宽但深度适当的双眼皮
· 宽且浅的双眼皮：高双眼皮线伴有折皱线消失或不明显的症状。大多数高折皱同时也是深的折皱，并且多伴有睑外翻。但偶尔也有高却深度正常或高且深度过浅的折皱。极个别情况还存在深度不一的问题，例如中间部位深，内侧浅。

修复方法

高位双眼皮(宽双眼皮)的修复要根据其形成原因而采取不同的手术方法。一般情况下，为了使高位双眼皮变低，术前设计一条较低的双眼皮线，然后切除新旧两条线之间的皮肤。但也有一些患者可能没有足够的皮肤可以切除。这时如果切除皮肤，由于皮肤量不够，可能导致睡眠时眼睛不能完全闭合。所以，这种情况下不可以切除皮肤，要从低位切口剥离上方的疤痕组织，使原有双眼皮消失。

剥离已有的高位粘连，可在两个层实现。

剥离腱膜前层(隔膜后层)(pre-aponeurotic layer)

· 由于是在较深层次，因此不容易产生像三眼皮一样的后遗症。
· 与上睑下垂矫正术一同实施时较简易
· 容易处理眼窝脂肪
· 如果剥离不当，可能会伤及腱膜或米勒式肌而导致上睑下垂。

剥离眶隔膜前层(preseptal layer)

· 不容易诱发上睑下垂
· 但由于是浅层，即使是很少量的粘连也会形成三眼皮
* 作者偏好腱膜前层(pre-aponeurotic layer)剥离

不同深度高双眼皮(宽双眼皮)的基本修复方法

深的折皱
(睑外翻)
→ 分离原有双眼皮线上的粘连
↗ 深的折皱依然存在 → 剥離下皮瓣后 → 存在 → 做睑板scoring incision后再做低位固定
↘ 深的折皱消失 → 低位固定 ↘ 消除 → 低位固定

正常深度 → 根据手术目标切除适量皮肤与眼轮匝肌后再逢合
(不需要剥离粘连的双眼皮线)

浅的折皱 → 根据手术目标切除适量皮肤
↗ 下皮瓣上有牢固的粘连 → 剥离后做高位固定
↘ 下皮瓣上无牢固的粘连 → 直接做高位固定
(双眼皮不明显)
(不需要剥离粘连的双眼皮线)

* Scoring incision : 把tarsus分开成wedge形状，是修复严重外翻症的方法。

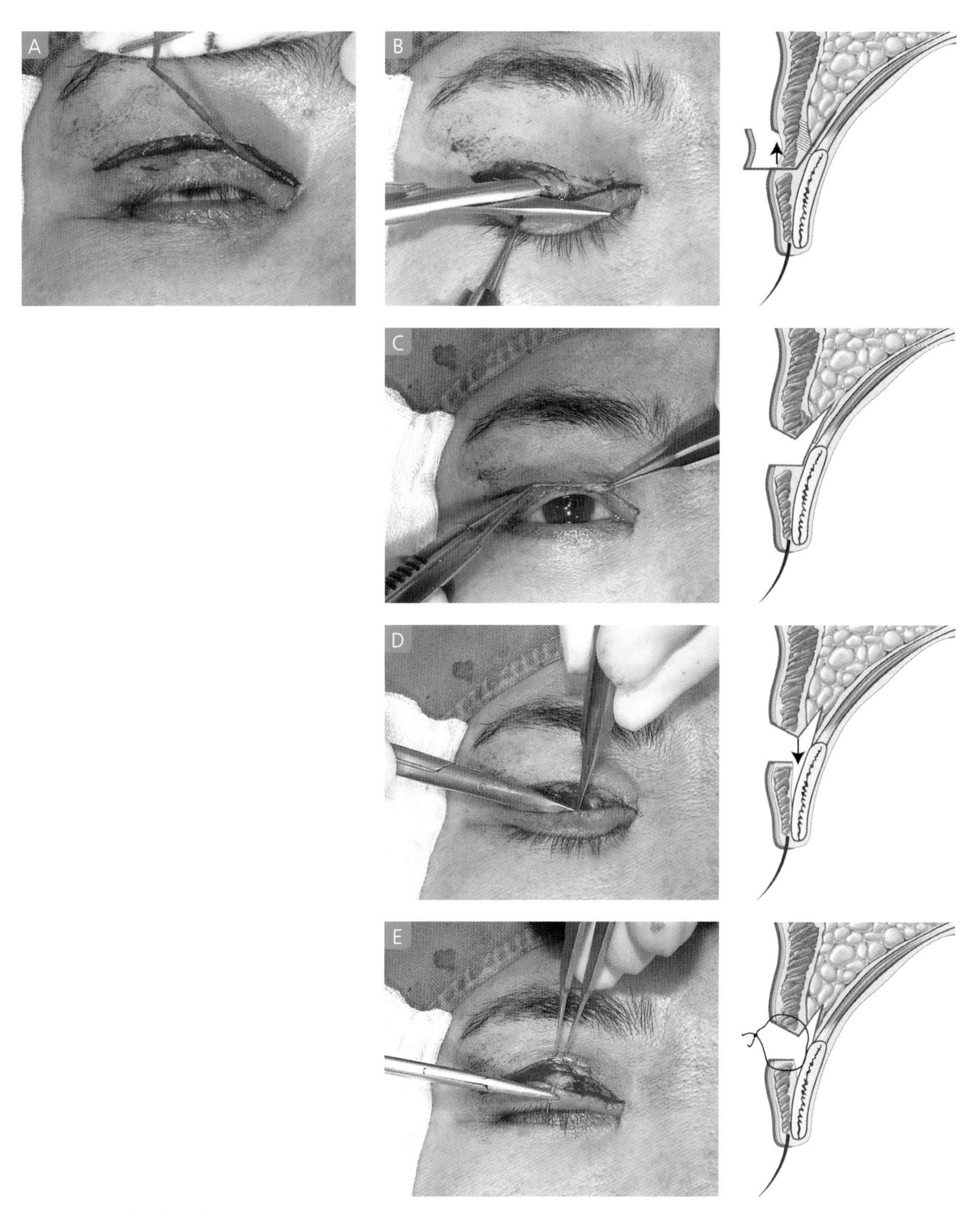

图3-17 **过宽双眼皮修复术**

A. 切除新旧两条双眼皮线之间的皮肤，只切除皮肤，不切除包括疤痕组织在内的其它组织。

B. 分离提上睑肌腱膜前层(preaponeurosis)的粘连

C. 完全分离粘连组织后，在拉住上皮瓣的状态下，能够睁开眼睛，皮下组织变厚。

D. 如果仍有外翻，要剥离下皮瓣

E. 在较低处固定下皮瓣，同时进行缝合

深双眼皮或外翻症的修复根据其严重程度可分成三个级别：

- 第一级：如果折皱高且深，为了使原有双眼皮线消失，要在提上睑肌腱膜前层(preaponeurotic layer)彻底剥离原有双眼皮线上的粘连组织，剥离后如果折皱变浅，在较低位置上进行固定即可。但如果剥离后睑外翻现象仍然存在，说明这是由于下皮瓣上存在粘连现象而引起的，需实施第二级措施。
- 第二级：须先将下皮瓣上的粘连组织剥离后，再做低位固定。大部分外翻症虽然能够在前两个阶段解决，但如果不行就需要实施第三级措施。
- 第三级：应实施睑板楔型切开(Scoring incision)(图3-16)。

可是实际在临床，重要的是手术当时即使看起来没有完全解决外翻症，但一段时间后会有大部分的情况得到改善。因此在手术当中即使有少量外翻，如果看起来会好转，可慎重决定进行下一个步骤。在第三阶段手术过程中，如果想完全解决外翻，可能会造成术后内翻(entropion)因此需要做轻微的低矫正。需要第三阶段手术是老年性外翻症(senile ectropion)和五年以上的严重外翻症，还有大部份外翻症都是双眼皮线下方的皮肤(lower flap)被伸展开(stretching)，如果这部分的皮肤没被伸展，也会需要第三阶段手术。

如果折皱较高但深度正常，就无须对已存在的粘连组织进行任何处理。这种情况，只要将重新设计的双眼皮线与原有双眼皮线之间的皮肤切除后缝合即可，是一种非常简单的手术。

高而浅的折皱(宽而浅的双眼皮)也无须剥离原有的粘连组织，用同样的方法将双眼皮线下方的皮肤切除后做高位固定即可。如果在皮瓣上形成严重粘连的情况下折皱变浅，这种折皱在修复后仍然非常容易出现继发性的变浅，消失现象。因此，这种情况要先剥离下皮瓣上的粘连后，再做高位固定。

但是根据之前的经验显示，在双眼皮线的不同位置上，会有不同深度折皱的存在。一般是内侧偏浅，中间偏深，而外侧正常的形态。一般不会有内侧过深的问题，因此没有必要剥离内侧粘连。即使内侧有外翻，因不是自身外翻而是中间的外翻带来的间接性外翻，所以只要解决中间部位的外翻，内侧的外翻也会自行得到改善。

如果把高位双眼皮线降低，实际的双眼皮宽度会减少多少？

因为经由切除皮肤的量改变双眼皮的高度，能够变化双眼皮宽度效果的作用为1/2左右。如果把新的双眼皮切口线降低某个高度，双眼皮实际减少的宽度会是这个高度数量的1-1/2。

高位双眼皮(宽双眼皮)修复失败

在对高位双眼皮进行修复时，如果方法不得当就很容易导致手术失败。其原因可能是没有果彻底地剥离掉前一次手术形成的粘连组织。即使剥离做得比较彻底，如不采取充分的预防措施，原有粘连处仍然会非常容易再次形成粘连。高位双眼皮在修复失败后会出现如下两种结果。

外翻症: 粘连区域没有被彻底地分离，分离后再次在原有位置形成粘连或因皮肤量不足而导致修复失败。若有睑外翻，虽然高位双眼皮在修复后闭眼时比原先低，但在睁眼时由于睑外翻引起的皮肤紧绷，使得双眼皮看起来并没有变窄，印象也会变得不柔合(图3-18A)。

三眼皮: 这是因为原有高位后层(posterior lamella)上的原先粘连部位与前层上的组织形成新的粘连而发生(图3-18B)。为了避免引发上述并发症，最重要的是使手术部位上的组织量始终维持在较充足的状况，并且要防止组织之间形成新的粘连。

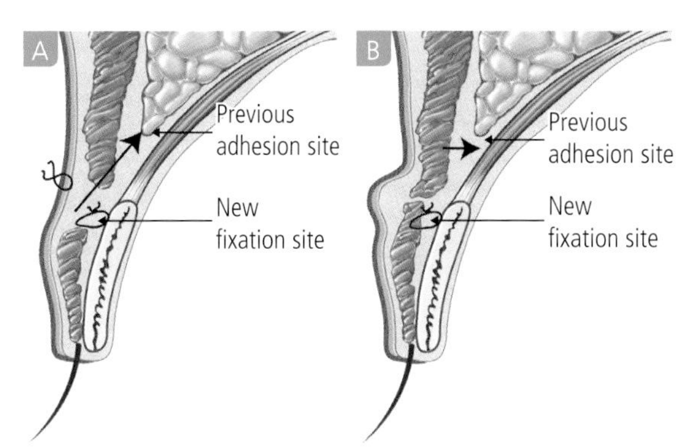

图3-18 修复宽双眼皮修复失败后的案例

A. 外翻症: 原有粘连组织没有被完全分离。下皮瓣被向上牵拉后形成继发性粘连反应。**B.** 三眼皮:原有粘连部位与同一高度上的前皮瓣形成继发性粘连。

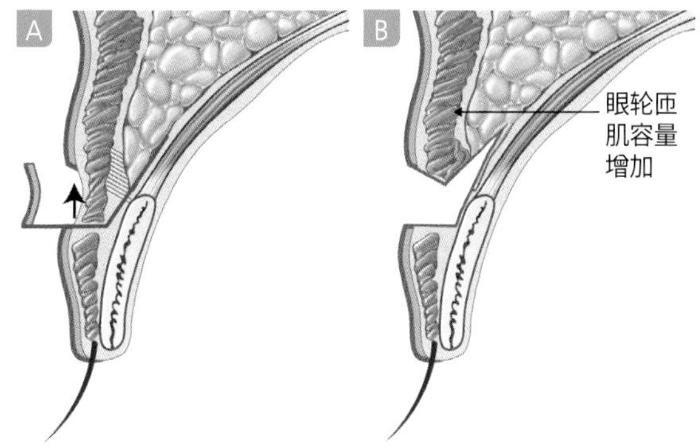

图3-19 按照缩窄量切除皮肤

A. 分离皮肤切开部位及粘连部位 **B.** 上皮瓣容积增加的状态。按照想要缩减的量切除皮肤，且对其他软组织不做任何切除，从而使上皮瓣容积增加。

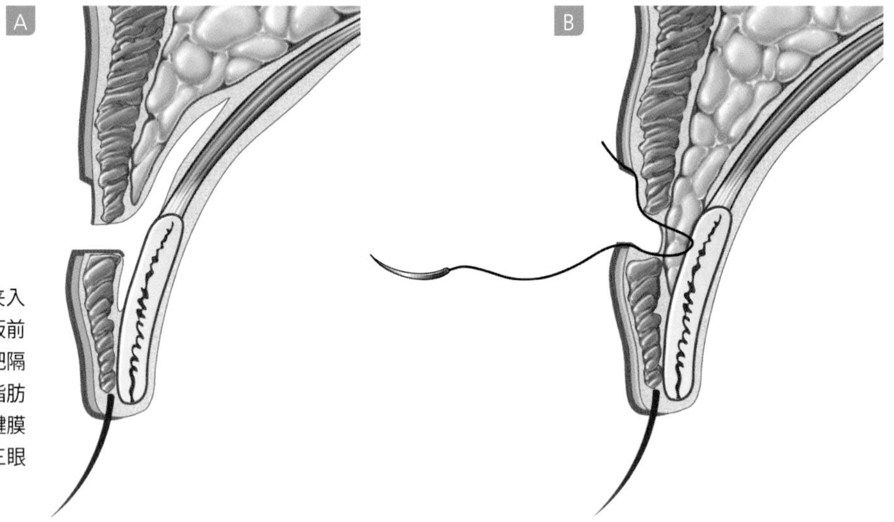

图3-20

A. 腱膜前分离 **B.** 将眶脂肪夹入眼轮匝肌和睑板之间，在睑板前软组织缺少的情况下，可以把隔膜与眶肌肪拉下来。包绕眶脂肪的隔膜能够阻碍眼轮匝肌与腱膜之间粘连的形成，并且预防三眼皮的出现。

· 首先，切除时只切除疤痕性表皮或皮肤，其余的疤痕性结缔组织要全部留在上皮瓣上，补充上皮瓣软组织的量(图3-17A，3-19)。

· 眼皮组织量不足时可将眶脂肪和隔膜一起下拉。这不仅可以增加容量，眼轮匝肌和腱膜之间的隔膜可起到滑膜（gliding membrane）的作用防止粘连的产生。处理好隔膜，对预防新的粘连现象，进而形成三眼皮，有举足轻重的作用(图3-20)。

· 如果没有足够量的眼眶脂肪和眼轮匝肌，可以考虑做一个ROOF组织瓣。如果这也不能满足手术所需的组织量，可以进行游离脂肪移植或真皮脂肪移植，在容易形成粘连的眼轮匝肌周围进行脂肪移植也会得到相当良好的效果。

· 将容易产生粘连部位的眼轮匝肌下拉来增加组织量(图3-21)。同时，眼轮匝肌被拉下来后，原有粘连部位上被剥离的两个部位之间会发生错位效应，能够有效修复三眼皮。这种方法如果用在可能发生三眼皮的部位上，同样也会有非常良好的预防效果。

· 缝合后，将皮肤和眼轮匝肌做成一个圆柱卷形凸起(roll)也是一种非常有效的方法。实际操作方法是，穿过双眼皮线下方的皮肤后，使缝合针从眼轮匝肌下方穿过上皮瓣将的眼轮匝肌，再穿回到皮肤外侧。这时，要将上皮瓣上的皮肤和眼轮匝肌拉成圆柱卷后再打结，以使容易形成三眼皮的部位稍稍隆起(图3-22)。

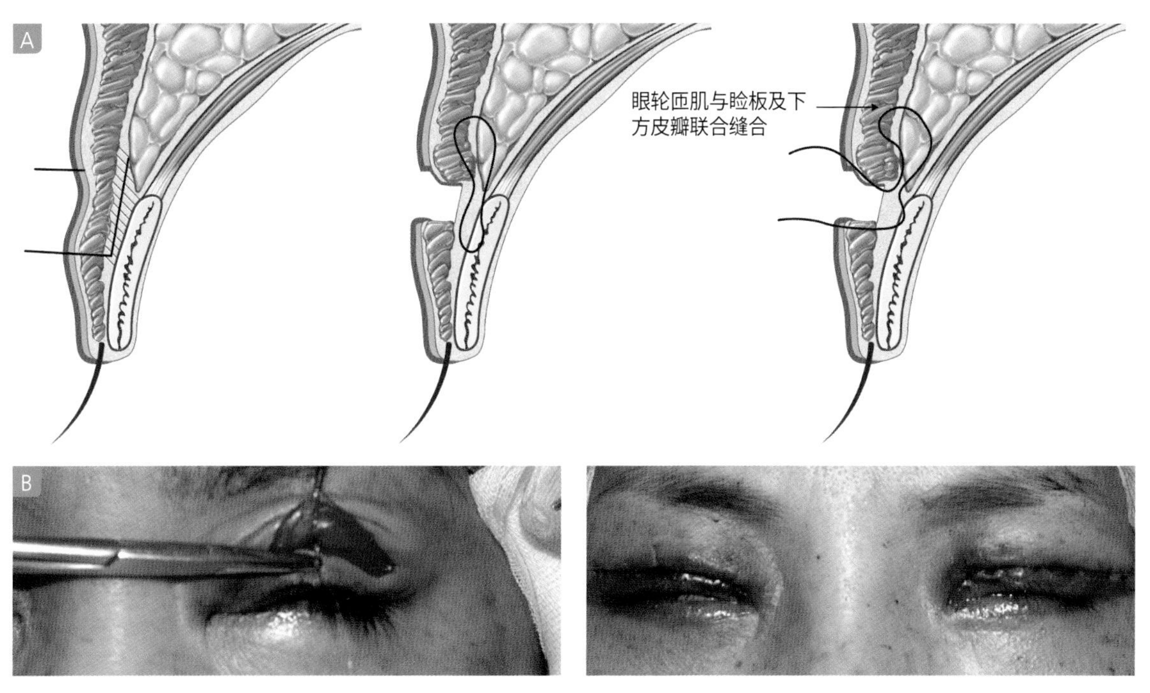

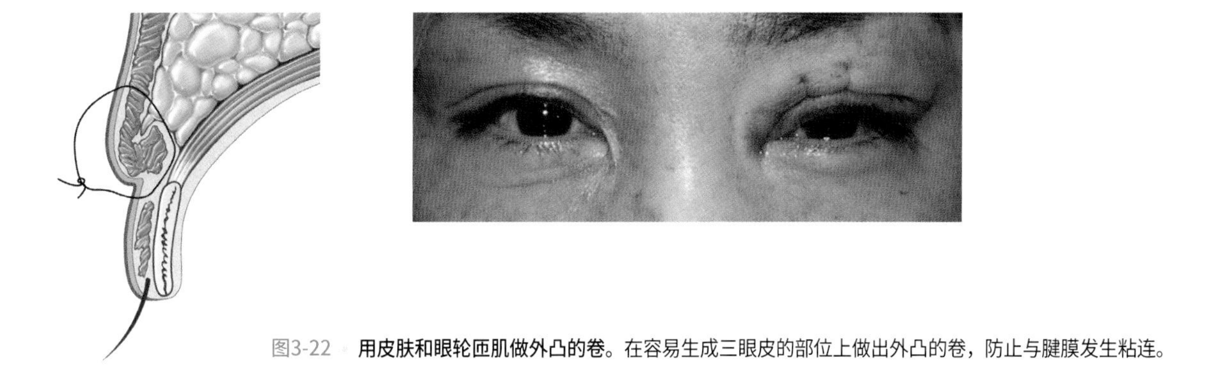

图3-21 **A.** 将上方的眼轮匝肌拉到睑板上固定，防止出现三眼皮。**B.** 临床照片，下拉眼轮匝肌与术后即刻。

图3-22 **用皮肤和眼轮匝肌做外凸的卷。**在容易生成三眼皮的部位上做出外凸的卷，防止与腱膜发生粘连。

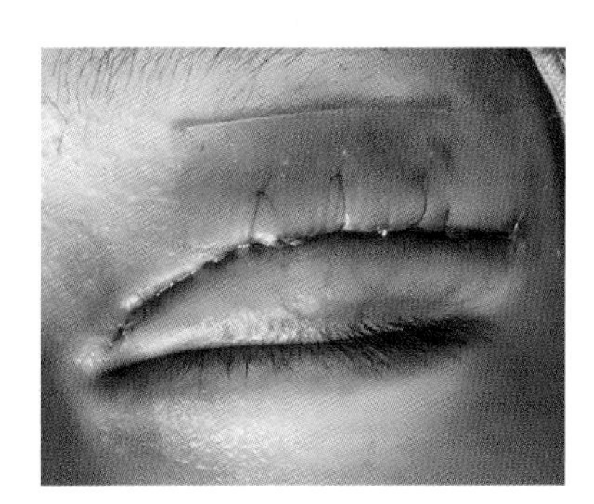

图3-23 贴粘 douderm 后在其上方 rolling suture

· 手术后贴胶布或duoderm，可以对皮肤产生类似石膏的固定作用，也能够在一定程度上防止形成三眼皮(图3-23)。

· 如果组织粘连牢固，难以修复睑外翻，可将类固醇稀释液滴洒或注射到下皮瓣上。

· 如果皮肤量不足，即使固定位置很低，也会在缝合切口上缘时，下面的皮肤被牵拉上来，而形成睑外翻。为避免出现睑外翻，皮肤缝合时需将下皮瓣穿过部分厚度的睑板下方部位缝合。这样可预防因皮肤不足而在缝合后出现双眼皮线下方皮肤被上牵而形成外翻(图3-17E，3-24)。

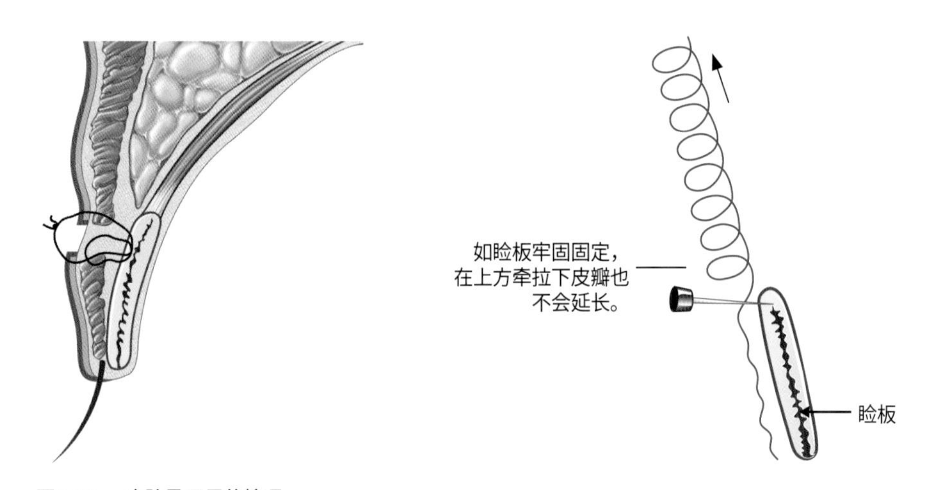

图3-24 **皮肤量不足的情况**

用缝合部分厚度睑板(partial thickness)方法将下皮瓣固定到睑板上，以防止皮肤缺损导致皮瓣牵张(stretching)，进而形成睑外翻。

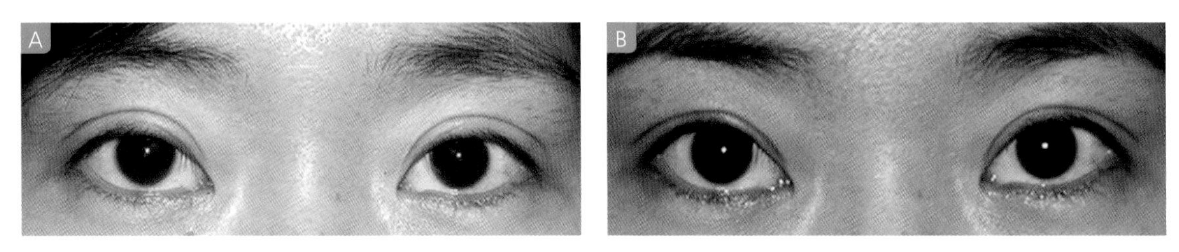

图3-25 **降低切口线的高度，修复高位双眼皮(宽双眼皮)。A. 术前 B. 术后**

皮肤量不足时，采用不切除皮肤的方法修复宽双眼皮(图3-29)

在修复宽双眼皮时，皮肤量不足的情况下，如果切除皮肤就会出现无法闭眼，睁眼睡觉的问题出现，此时应在原有双眼皮线的下方做出新的双眼皮线，并剥离原有双眼皮线使其消失。术后因原有疤痕没有切除会存在，但疤痕不会像有双眼皮时那么明显。不切除皮肤在原有双眼皮下方做出新折皱线，会存在形成三眼皮的风险，所以要同时运用矫正三眼皮的手术方法。

手术方法

· 在原有双眼皮线下方做切开。

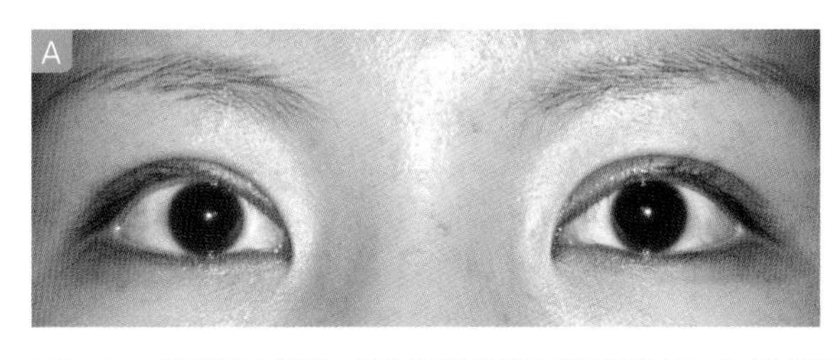

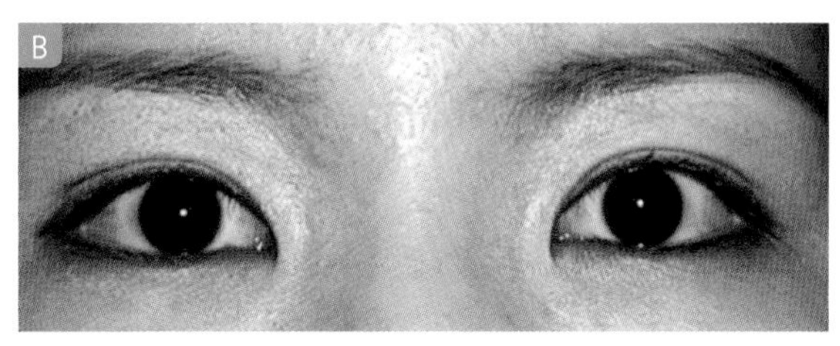

图3-26 **降低固定位置，修复高位双眼皮(宽双眼皮)。A.** 手术前 **B.** 手术后

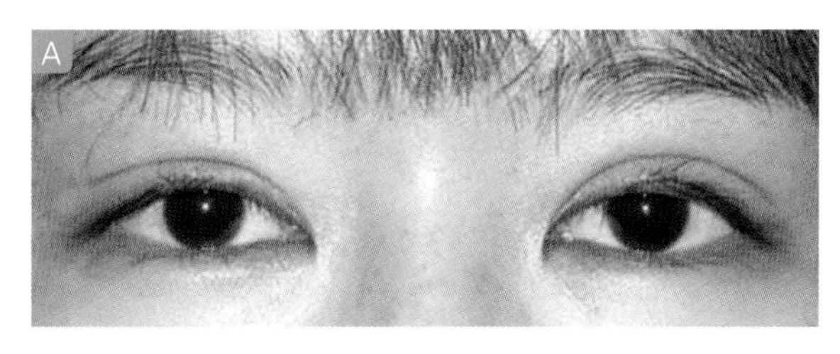

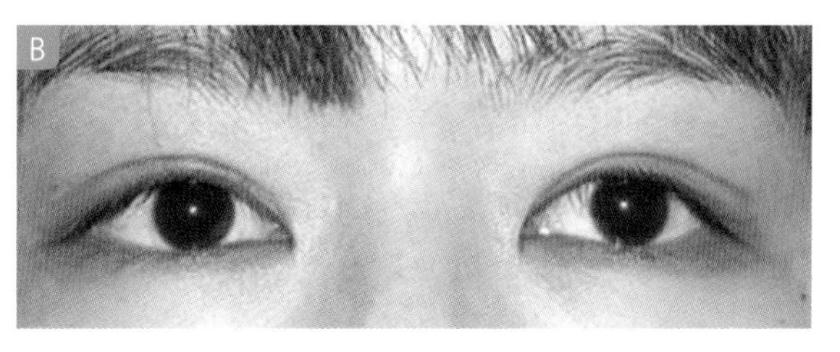

图3-27 **经由上睑下垂矫正手术修复高位双眼皮(宽双眼皮) A.** 手术前 **B.** 手术后

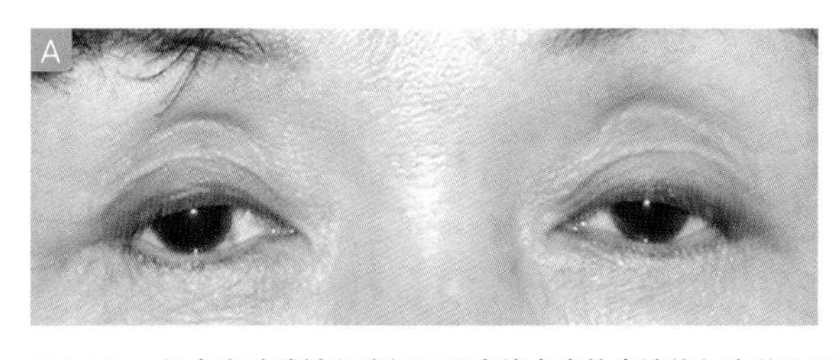

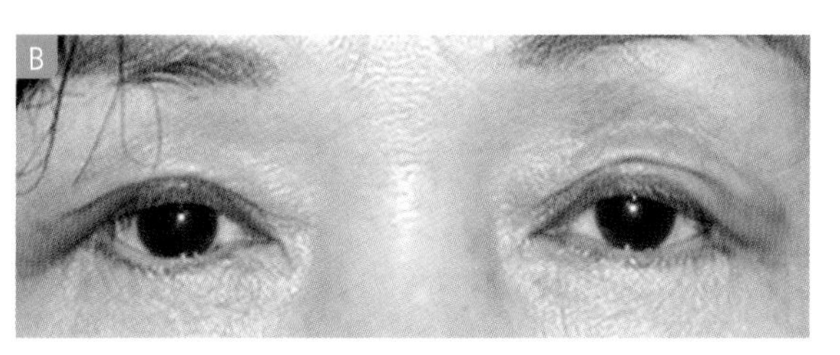

图3-28 **经由脂肪移植和降低双眼皮线高度的方法修复高位双眼皮。A.** 手术前 **B.** 手术后

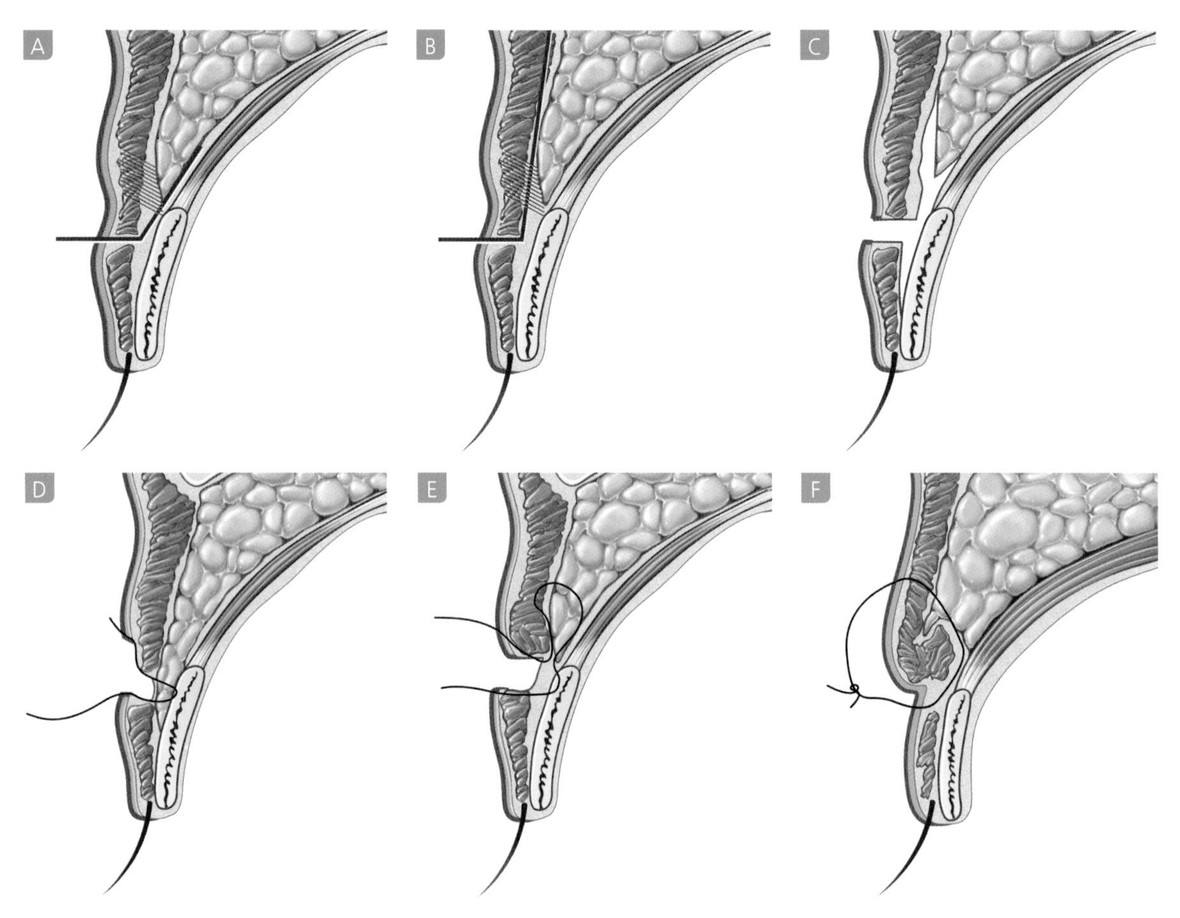

图3-29 **A.** 腱膜前层剥离 **B.** 隔膜前层剥离 **C.** 腱膜前层和隔膜前层剥离 **D.** 眶脂肪移入 **E.** 强化眼轮匝肌 **F.** 皮肤和眼轮匝肌roll缝合

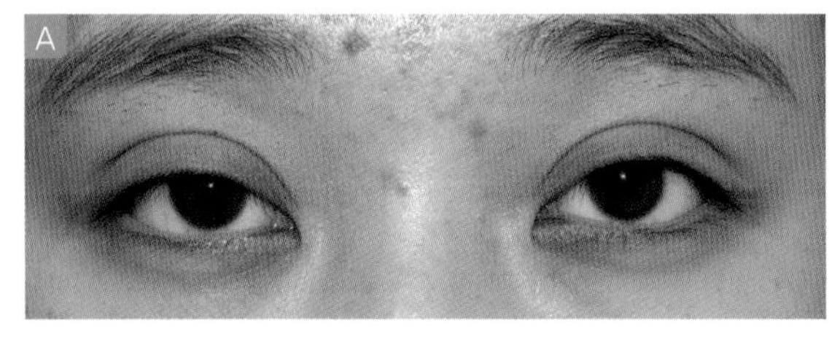

图3-30 **不去除皮肤修复过宽双眼皮**

A. 术前

B. 能看到高位双眼皮线与重新设计的双眼皮线

C. 术后

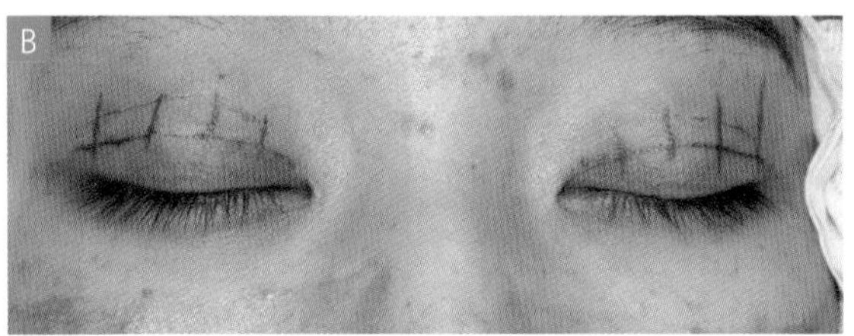

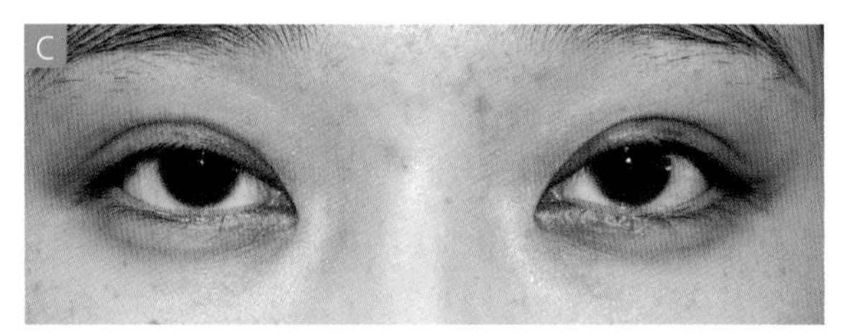

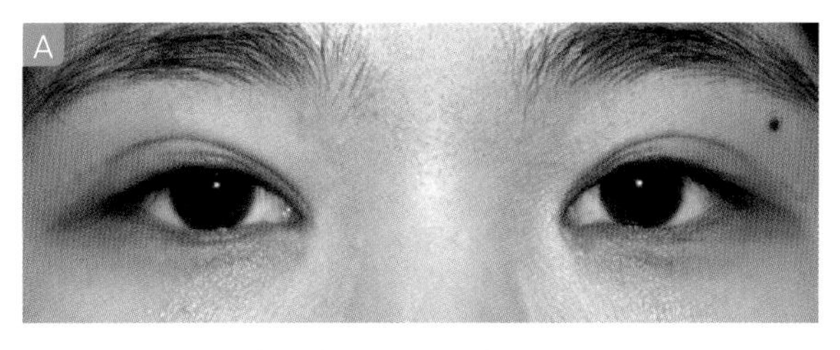
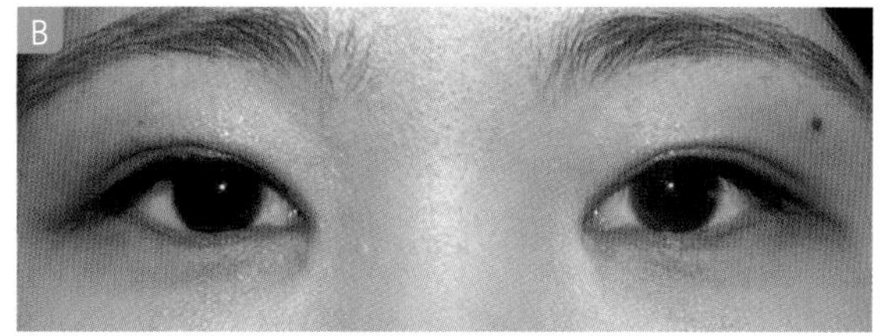

图3-31 不去除皮肤修复过宽双眼皮 **A.** 术前 **B.** 术后

· 切开眼轮匝肌直到固定双眼皮的睑板为止。

· 在腱膜前层(preaponeurotic layer)剥离原双眼皮粘连。剥离后，若双眼皮依然存在，需剥离隔膜前层(preseptal layer)。原有的双眼皮疤痕会涉及到皮肤，眼轮匝肌，眶隔膜，提上睑肌甚至睑板各层，因此粘连现象可能发生在各个层次。眶隔膜前层(preseptal layer)的剥离是为了重塑(redraping)结构而实行，因此需要剥离到高位。

· 之后为了避免复发，应采取预防措施。为此需要实施以下手术操作: 眶脂肪插入术，上眼睑轮匝肌下拉术，在眼轮匝肌皮瓣上缝合做出外凸卷(roll)，用胶帖外固定皮肤等技术(图3-30，31)。

修复局部高重位双眼皮的方法

局部修复高位双眼皮线时，很容易出现设计错误的问题。如果在原有双眼皮线上做局部修复会改变双眼皮线曲率(curvature)。举个例子，只想缩短内侧双眼皮线宽度的时候，如果只是修改想要修改的部分，就很容易出现外侧上扬的效果。因此设计线应长一些。

睑板前臃肿肥厚(Pretarsal Fullness)

肥厚症的原理

一般来说，双眼皮折皱的幅度越大(即双眼皮越宽)，睑板前臃肿肥厚现象越严重。肥厚症指的是双眼皮下皮瓣像香肠一样突起的现象。

即使是相同幅度的折皱，其肥厚程度也会因每个人的眼皮特点而不同。折皱幅度不算大而肥厚现象比较明显的患者，要把折皱幅度做得比一般人更窄一些。而皮肤薄，眼轮匝肌少，皱纹较多的患者，即使折皱幅度较大，也不会显得折皱特别臃肿。

肥厚度与双眼皮睁眼折皱幅度的平方成正比。因此，即使折皱幅度变化不大，但其肥厚度的差异会很大(图3-32)。举个例子来说，在正面平视时的折皱幅度为4毫米，将这折皱幅度缩小为3毫米之后，虽然幅度只有1毫米的变化，肥厚度却变

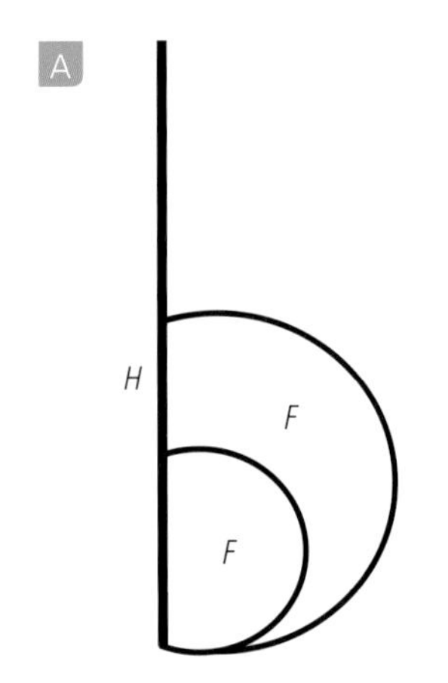

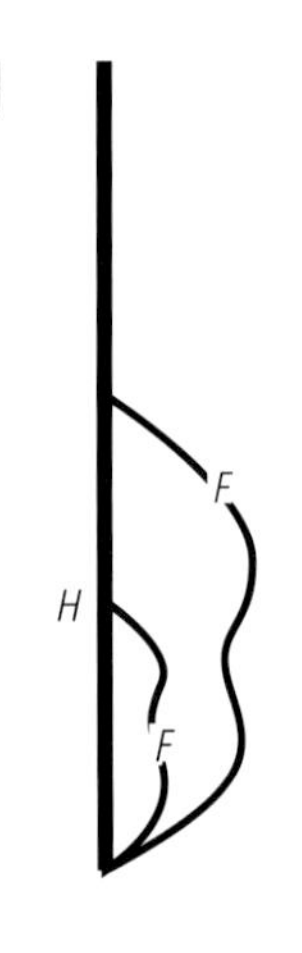

$F=\partial H^2$

F：fullness；肥厚度

∂：变数

H：Height; 折皱高度

图3-32 · 双眼皮褶皱的幅度与肥厚度之间的关系。肥厚度与其幅度的平方成正比。变数依据每一名患者皮肤的特点而变化。一般来说，皮肤越厚，眼论匝肌越多，a的值就越大。A ，B 肥厚症形成倾向高的眼睛与倾向低的眼睛。

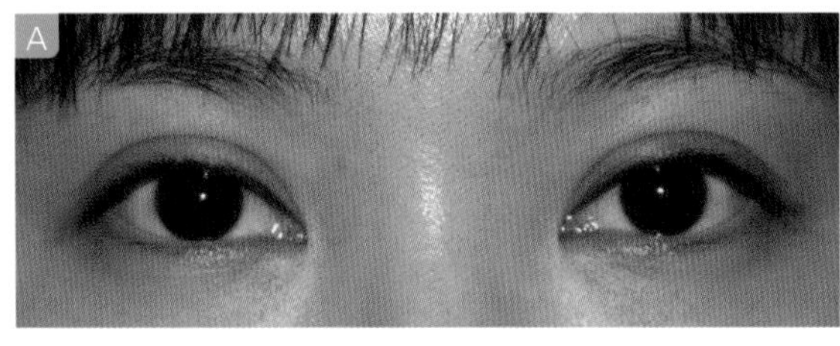

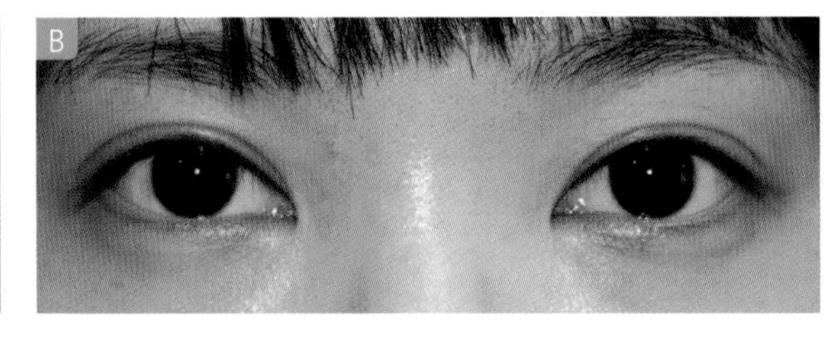

图3-33 · **双眼皮肥厚症修复案例**

A. 术前 **B.** 术后，经由缩短双眼皮宽度改善肥厚症问题。

成原有数值的9/16，将近缩小了一半，变化非常明显。对术后折皱变肥厚的可能性较大的患者，要在手术前用探条进行测试，并应适当地将折皱幅度做小一些。

还有一种原因可导致折皱肥厚，即在修复手术中双眼皮线下方的皮瓣上留下了过多的疤痕组织。这种情况是因为在下皮瓣上做了过度剥离或切除了过多的眼轮匝肌。

双眼皮肥厚症矫正

为了解决双眼皮线下方肥厚的问题，需要缩短双眼皮宽度。有时会认为不去缩短双眼皮宽度，而去切除双眼皮下方眼轮匝肌等软组织，就能够解决肥厚症的问题。但事实上效果并不是很明显。其原因是 1，在切除组织的位置，疤痕性纤维组织增生而补充了空隙，2，纤维组织会成为双眼皮形成的阻力，失去了睁眼时的手风琴效应，使得肥厚加重。3，如果实际睁眼时的双眼皮宽度是2-4mm左右，想要切除此部分的软组织是非常困难的，这是因为在此处存在睫毛根与睑缘动脉环(marginal arterial arcade)。

双眼皮肥厚症的修复方法，其实与修复过高双眼皮的方法是一样的，因此可以把肥厚症的修复看作为宽变窄的修复。

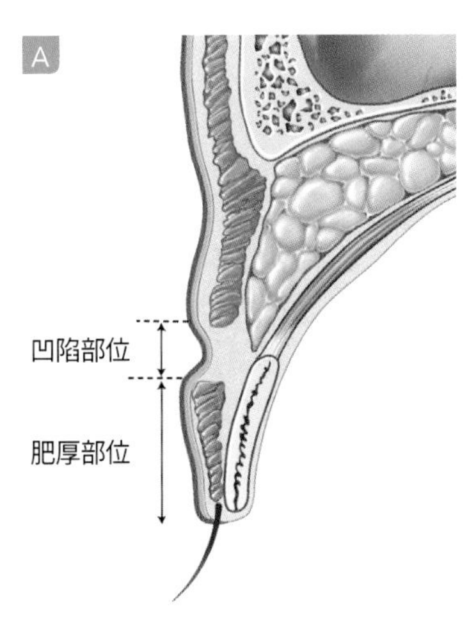

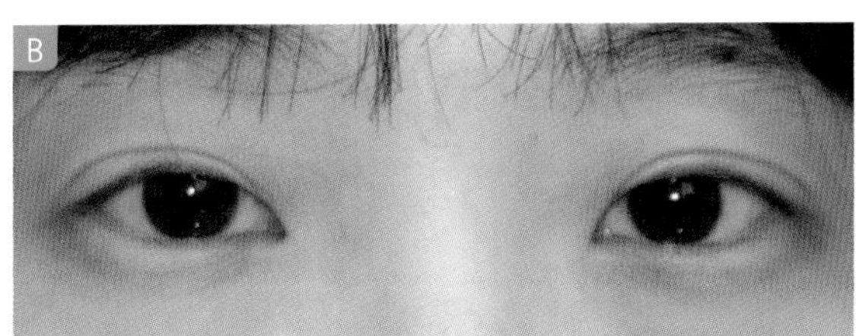

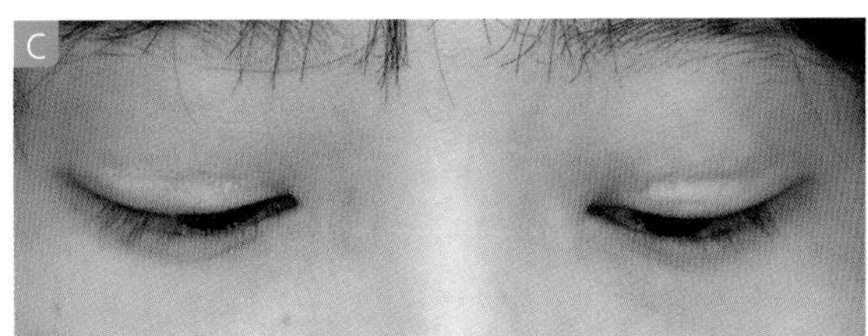

图3-34 由于切除下皮瓣的眼轮匝肌过多，而导致了双眼皮线下方肥厚症：向下看时，双眼皮线下方2-3mm处眼轮匝肌缺失。

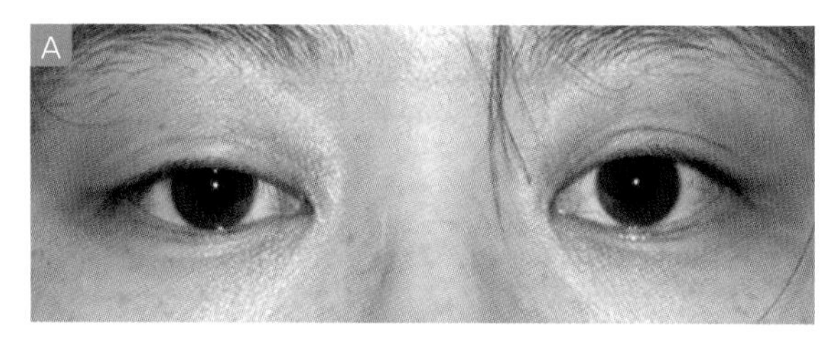

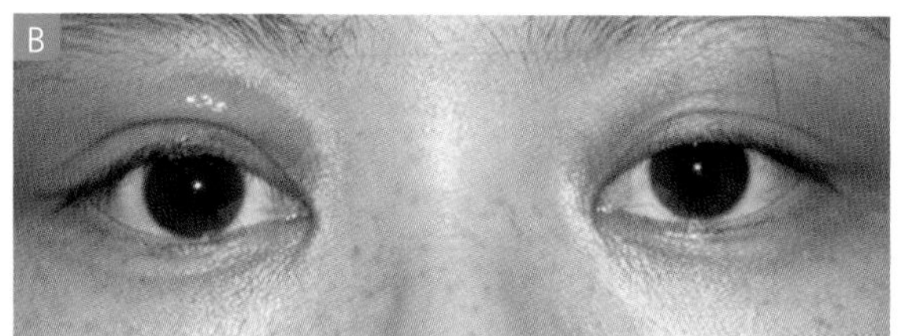

图3-35 **因睁眼力量的不同，眼睛大小也不同。**术前术后

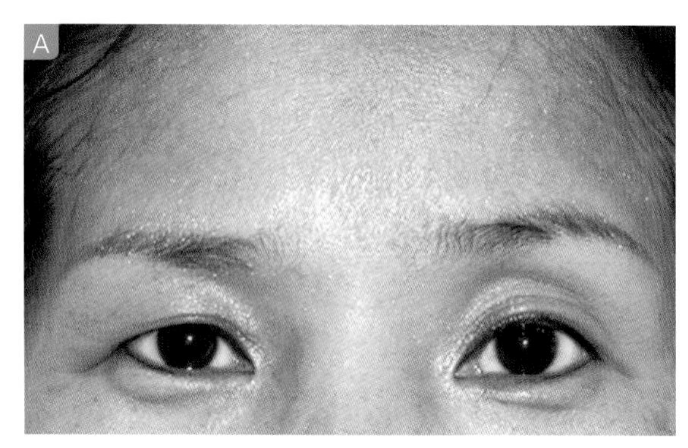

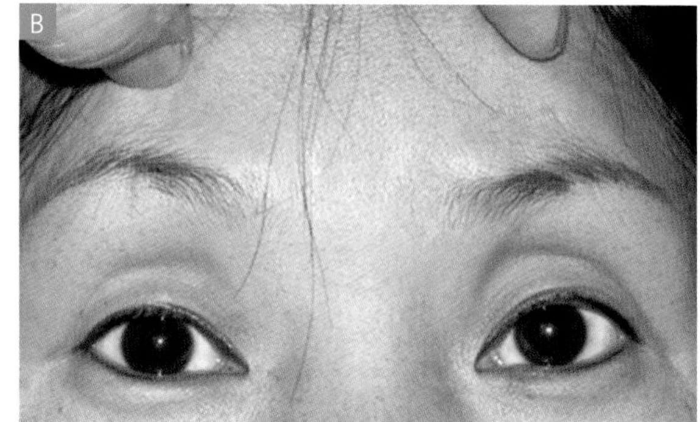

图3-36 **A.** 眉毛位置不同，眼睑凹陷程度不同等会影响双眼皮的大小。**B.** 将两侧眉毛提到相同高度后，双眼的外观大小大致相同。

双眼皮不对称(Asymmetry Of Double Eyelid)

原因

- 手术前的不对称(非手术因素)：大多数情况是因为医生在手术前没有注意到患者的左右眼睑存在差异而导致的。因此，有必要在手术前就患者眼睛的大小，眼皮的下垂程度，眉毛的高度，隐性双眼皮是否对称等问题进行检测。
- 手术导致的不对称(手术因素)：也有一部分情况是在手术过程中出现问题而导致的。包括在术前设计，皮肤切除，软组织切除，固定等整个手术的过程中，或在恢复过程中两侧的差异等，都有可能导致不理想的结果。

术前不对称

如果患者的眼睛在手术前就大小不对称，要根据不同原因采取不同方法予以修复。手术前患者眼睛存在不对称的原因有以下几种：

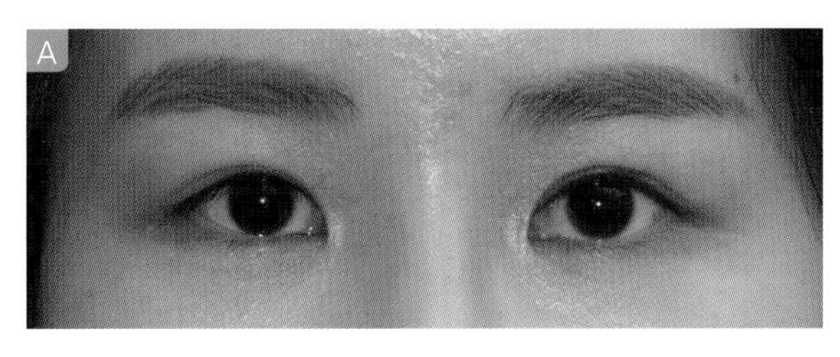
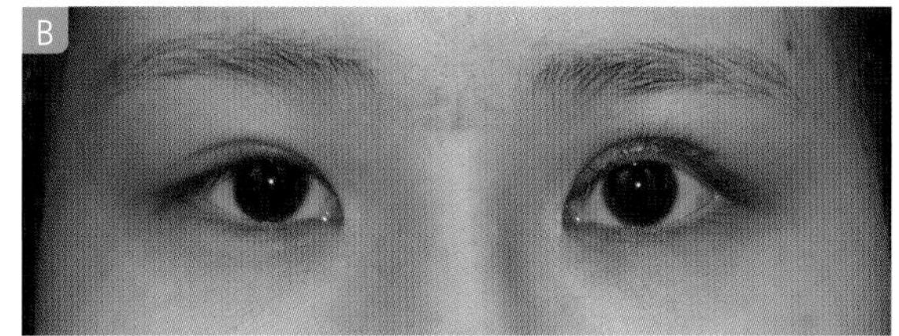

图3-37 由于双眼皮深度不同，双眼皮宽度不同的情况

睁眼的幅度即睑裂不同(上睑下垂)(图3-35)

这是因为提上睑肌的功能差异所致。这种情况需先对睑裂较小一侧的眼睛实施上睑下垂矫正手术，使眼睛大小一致后再进行双眼皮手术。如果两眼的差异细微，患者不愿接受上睑下垂矫正手术，可对较小一侧的眼睛设计较低的双眼皮线，使两侧的幅度相对更接近。临床上经验证明，大多数患者更为关心及反应更敏感的，并非眼睛大小的不对称，而是双眼皮折皱幅度(双眼皮宽度)的不对称。

上眼睑皮肤松垂程度不同

对于这类患者，要先设计同样高度的双眼皮线。在手术过程中，在下垂较多一侧的眼睛上切除更多的皮肤，以使两侧双眼皮保持相同大小。也有人对左右两侧眼睛分别设计不同高度的双眼皮线，想以此矫正双眼的不对称，但这不是一种值得推荐的方法。因为这种方法首先在技术上存在难度。即使能够在眼位平视状态(primary position)下使两侧重睑线的高度相一致，但在下方注视(downgaze)或上方注视(upgaze)时却不可能一致。下方注视时，设计较高一侧眼睛的双眼皮线会显得比另外一侧更高，而会存在睑板前肥厚的问题。

眉毛位置不同的情况(图3-36)

原则上需要先矫正眉毛高度后再进行双眼皮手术。但如果觉得这样做比较困难，可以采用上眼睑皮肤松弛程度不同时所介绍的方法，眉毛低的一侧需切除更多的皮肤。这时最大的问题是闭眼状态下两侧眉毛高度相同，但睁眼状态下却不同。睁眼状态下眉毛高度不同时，如在闭眼状态下设计，术后的结果不对称的可能性会很大。所以这种情况需在患者睁眼状态下进行设计。

双眼皮深度不同的情况(图3-37)。

同一宽度的双眼皮如深度存在差距，深的一侧双眼皮因皮肤伸展会看着更宽一些。这种情况无需矫正双眼皮宽度，只要矫正深度即可。

眼球凹陷，突出的程度不同的情况。眼球突出的一侧双眼皮会更宽一些，设计时突起的一侧要设计的更低一些。

三层眼皮(三眼皮)(Triple Fold)

原因

与手术无关，自然形成的情况(primary)

双眼皮线上方的皮下脂肪或其他脂肪组织减少。呈多层像皱纹一样的双眼皮。

第一次手术后形成的情况(after primary operation)

· 过多地切除了上皮瓣上的眼轮匝肌和ROOF等软组织(图3-38)

· 眼睑后层(posterior lamella)，即睑板或提上睑肌腱膜前组织的切除部位高于固定位置(图3-39，40)。因此不应切除高于固定位置以上的软组织。

二次手术后(after secondary operation)

· 高位双眼皮或深的双眼皮修复术后

· 上眼睑退缩修复术后

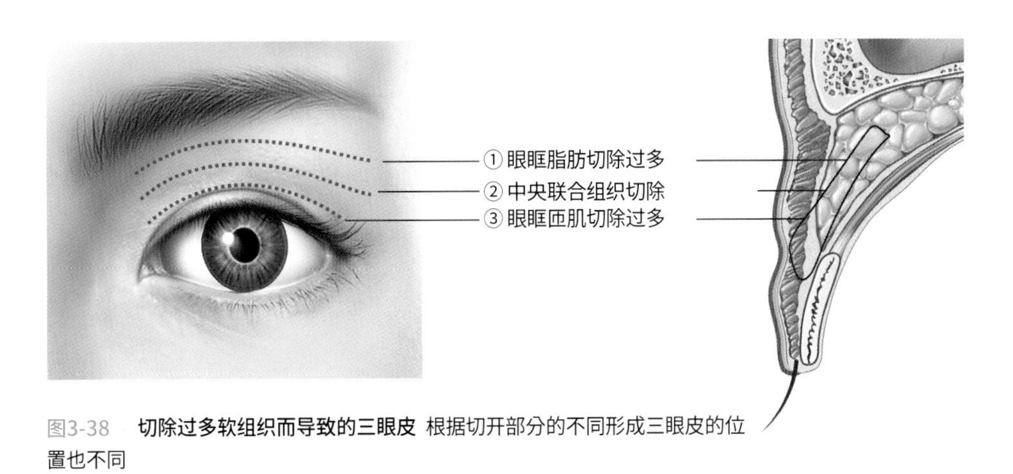

图3-38 **切除过多软组织而导致的三眼皮** 根据切开部分的不同形成三眼皮的位置也不同

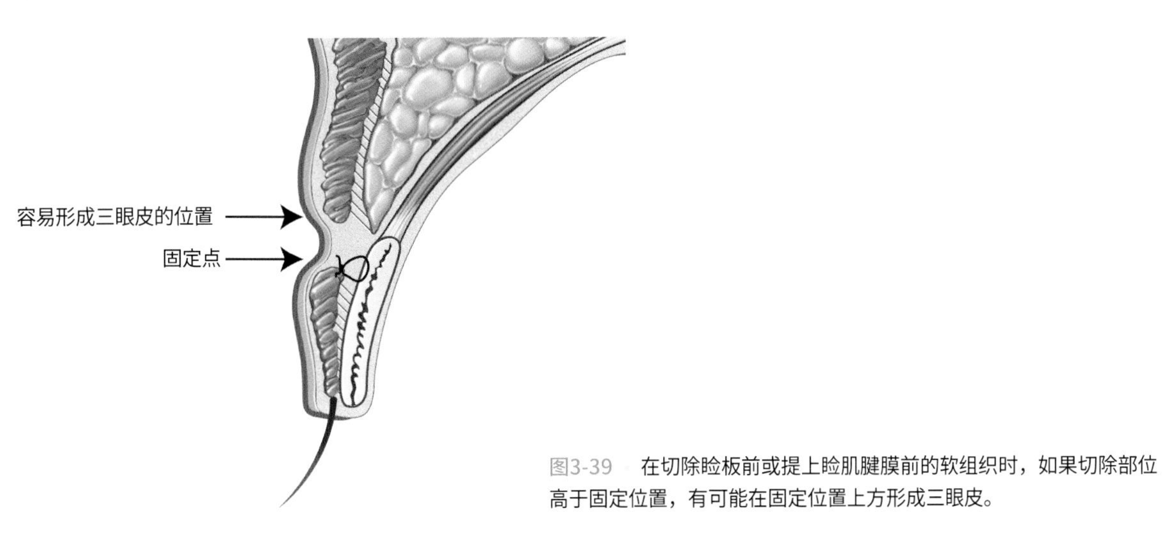

图3-39 在切除睑板前或提上睑肌腱膜前的软组织时，如果切除部位高于固定位置，有可能在固定位置上方形成三眼皮。

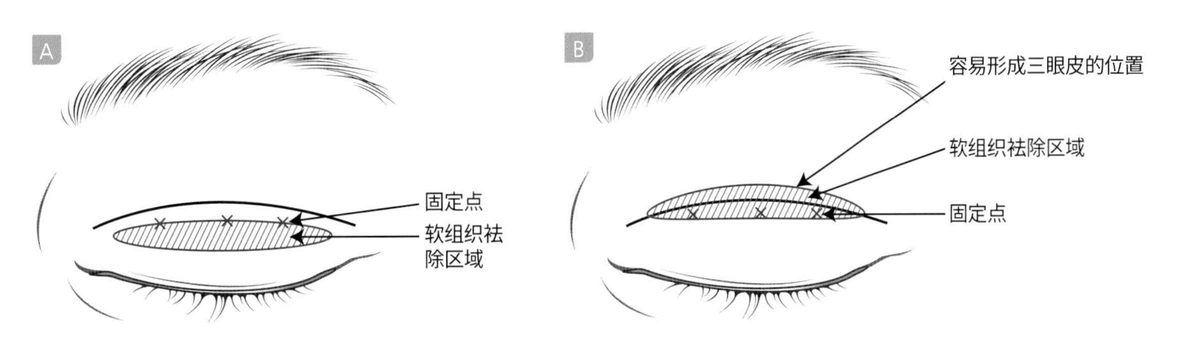

图3-40 **软组织切除部位高于固定位置，容易形成三眼皮。**

A.. 在软组织切除部位的最上端做固定。**B.** 如果在软组织切除部位的下方固定，可能在软组织切除部位上形成三眼皮。

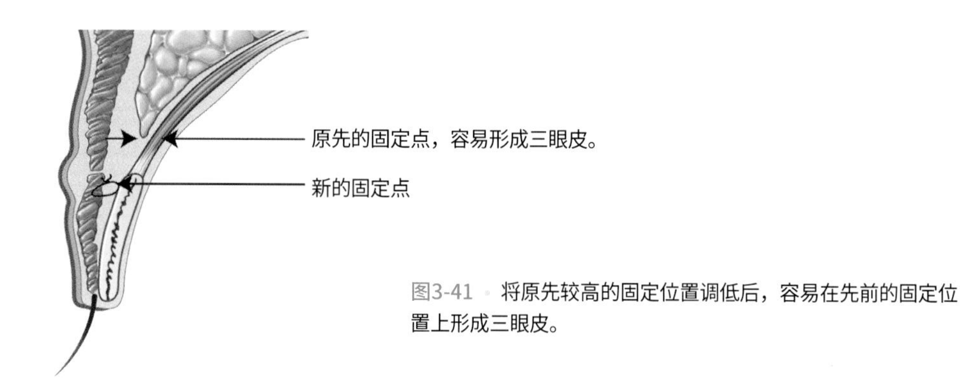

图3-41 将原先较高的固定位置调低后，容易在先前的固定位置上形成三眼皮。

三眼皮形成的原因: ①自然形成的三眼皮 ②第一次手术后形成 ③修复手术后形成。

① 自然形成三眼皮是由于眼皮的皮下脂肪或其他脂肪减少，在原有双眼皮线的上方形成了一道新的双眼皮线。因眼眶脂肪减少而形成的三眼皮有时很难与上睑凹陷相区分。

② 第一次手术后形成三眼皮是因为在手术中过多地切除了切口线上方上皮瓣上的软组织。被切除的软组织所处部位不同，三眼皮的高度也会不同。由于切除软组织导致组织缺损的部位由下到上依次为：眼轮匝肌，中央结缔组织，眼轮匝肌下的脂肪(ROOF)，眼眶脂肪。由这些部位上的组织缺损引起的三眼皮，其高度层层递增，逐一升高(图3-38)。在切除ROOF时，由于中央部位和内眦一侧比外眦一侧更容易形成三眼皮，因此切除时一定要慎重。尽可能少量切除内眦一侧及中央部位的ROOF。

第一次手术后形成三眼皮的另外一个原因与固定位置有关。在双眼皮手术中，为防止折皱线变浅甚至消失，通常都会切除睑板前或提上睑肌腱膜前方部位上的软组织，以促进形成粘连。此时，如果切除固定位置上方部位上的软组织，就有可能在固定位置的上面形成粘连，而出现三眼皮。因此，一定要注意不能过多地切除固定位置上方部位上的软组织(图3-39，40)。

③ 修复手术后形成三眼皮的现象也比较常见，特别是在接受宽改窄，深改浅修复后，常常会在原有固定位置形成三眼皮。另外接受上睑退缩也容易出现三眼皮。原因是因为先前的粘连部位在修复手术后被提到双眼皮线上方，并形成新的粘连(图3-41，42)。(参照高折皱的修复失败原因)

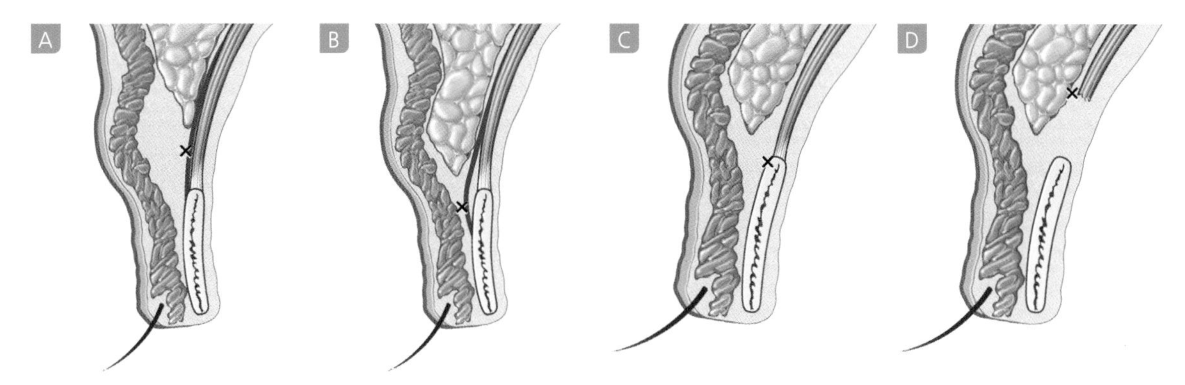

图3-42 **A.** 上睑下垂矫正术前 **B.** 上睑下垂矫正术后，矫正上睑下垂以后，双眼皮修复部位(x点)下移，能够很容易的修复三双眼皮，并预防复发。**C.** 睑退缩矫正手术前 **D.** 睑退缩矫正手术后。同样的原理，相反的在眼睑退缩手术时，提上睑肌后退(recession)，固定位置(x 点)上移，上移的点容易形成三眼皮。

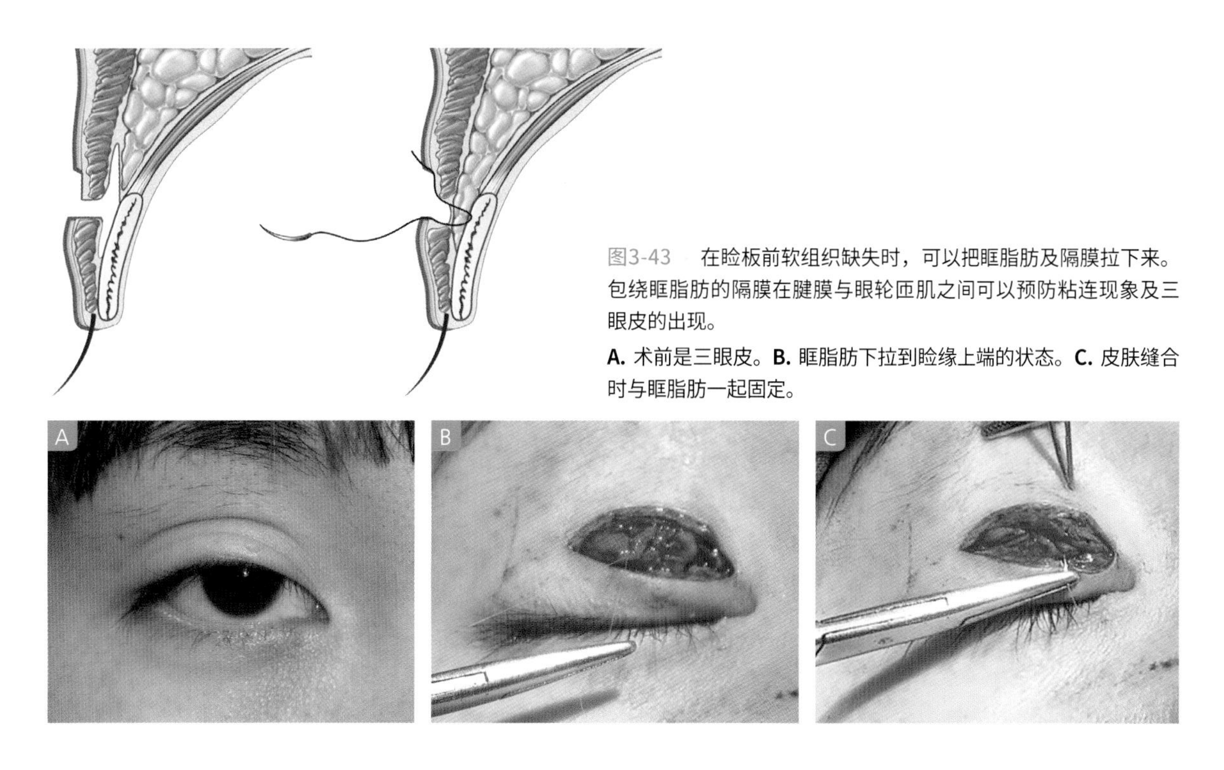

图3-43 在睑板前软组织缺失时，可以把眶脂肪及隔膜拉下来。包绕眶脂肪的隔膜在腱膜与眼轮匝肌之间可以预防粘连现象及三眼皮的出现。

A. 术前是三眼皮。**B.** 眶脂肪下拉到睑缘上端的状态。**C.** 皮肤缝合时与眶脂肪一起固定。

修复方法

如果三眼皮较浅，不明显，表示导致三眼皮形成的粘连比较轻。这样的情况只要沿着三眼皮线注射脂肪就能达到修复效果。在大部分情况下，三眼皮的修复需要先打开切口，将粘连组织分离后，采取防止发生继发性粘连的各种预防措施。

手术方法

- 首先剥离粘连部位
- 剥离提上睑肌腱膜和隔膜，使原有的粘连被完全分离。如果三眼皮仍不消失，要继续剥离眼轮匝肌后筋膜(postorbicularis fascia)和隔膜，剥离时要向上剥离，且剥离范围要广。

为预防继发性粘连而实施的必要工作

- 将隔膜和眶脂肪下拉到睑板下眼轮匝肌和提上睑肌之间，即在前层(anterior lamella)及后层(posterior lamella)之间形成滑动(gliding)层，来预防继发性粘连现象(图3-43)。
- 在之前形成粘连的部位，同时将眼轮匝肌后筋膜(postorbicularis fascia)与眼轮匝肌下拉到睑板上固定(图3-44)。
- 把上方的眼轮匝肌和肌皮瓣做成圆柱卷(roll)，也有防止继发性三眼皮的效果。做成圆柱卷的方法是：皮肤缝合后，使缝合针从切口下方紧沿着切口的地方穿进眼轮匝肌下层，之后再经由上皮瓣穿出皮肤，这时皮瓣要有一个鼓起(图3-45)。
- 皮肤缝合后在易形成三眼皮的部位贴厚一些的胶布，也有预防三眼皮的作用。通常情况下，在贴了厚胶带以后，把上方肌皮瓣做成圆柱卷(roll)，此方法由于可以在胶布上方做结扎(tie)，因此效果比较理想(图3-46)。

  正如前面所提到过的一样，上睑退缩(retraction)后，很容易形成三眼皮。而之相反，如果在进行三眼皮修复手术的同时做上睑下垂修复手术，能非常有效地防止继发性的三眼皮。因此，即使患者上睑下垂的程度不严重，尽可能与上睑下垂同时进行矫正会有很大的帮助。

注意

穿串。

韩国民俗饮食中的肉串，是用竹签将各种肉类和蔬菜穿在一起，预防三眼皮时与穿肉串一样，用针同时穿过包含脂肪，隔膜，眼轮匝肌，眼轮匝肌筋膜(posterior orbicularis fascia)，疤痕组织等周围各种软组织，让上皮瓣(upper flap)下方最大限度地丰满。是预防三眼皮出现的很有效的方法(图3-44)。

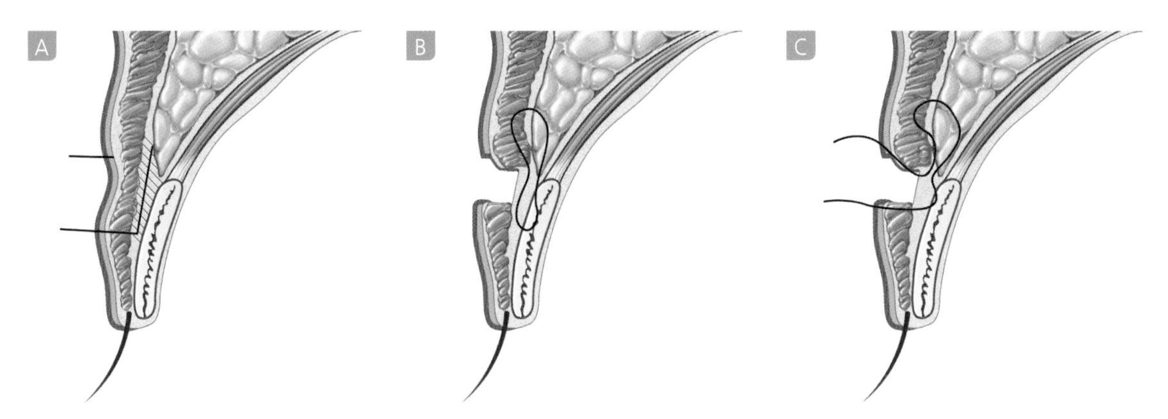

图3-44 三眼皮预防或修复法

A. Preaponeurotic dissection. **B.** Oculi muscle and orbital fat interposition. **C.** Oculi muscle and orbital fat interposition during skin suture.

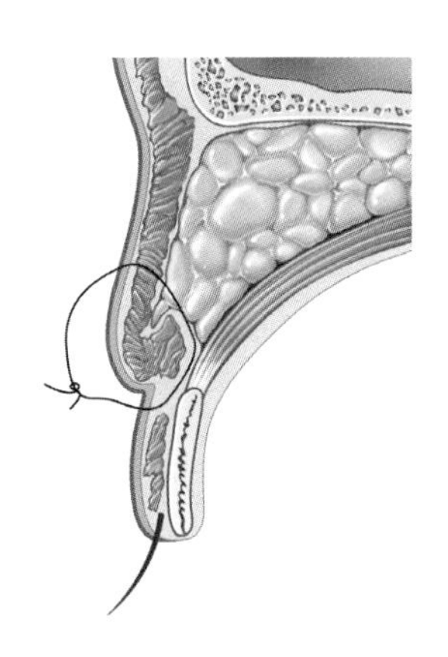

图3-45 三眼皮预防或修复法

眼轮匝肌和皮肤的皮瓣做成图柱卷(roll)

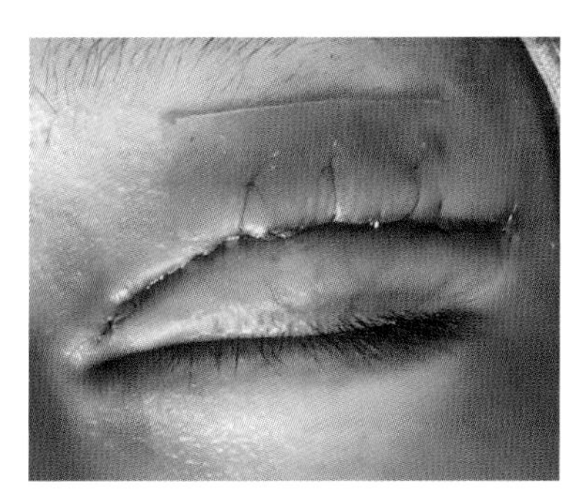

图3-46 在容易出现三眼皮的地方粘贴胶布，在其上方实施roll的缝合。

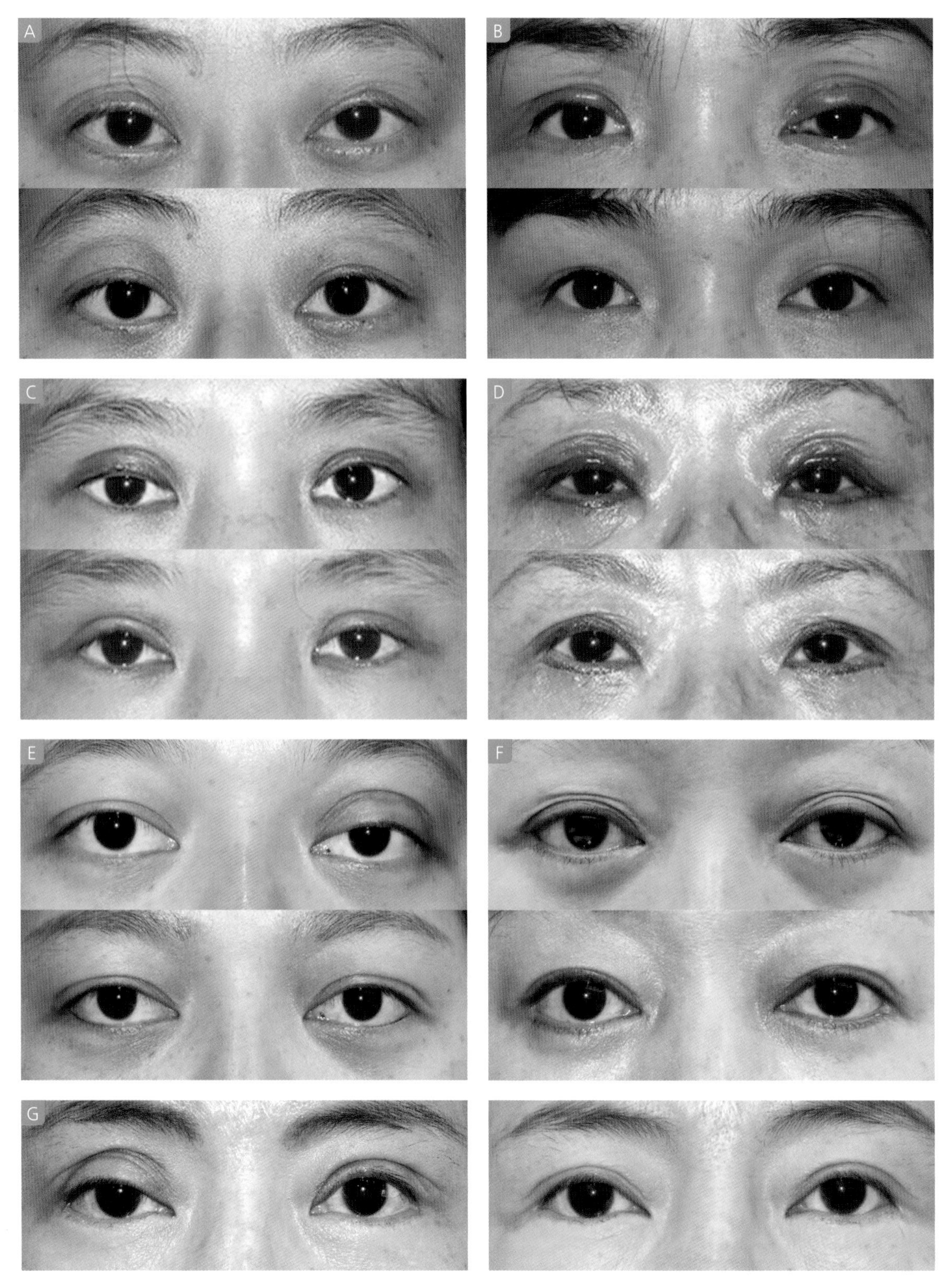

图3-47 手术导致的三眼皮 修复术前术后

术后护理

三眼皮矫正后复发性高的患者或较宽，较深等双眼皮矫正后，有复发的可能性的患者，需在手术当天尽量保持睁眼状态，也不可冷敷。术后肿胀时无三眼皮但随着消肿形成三眼皮时，三眼皮很浅时长期贴胶布或按摩对于术后的恢复有很大的帮助。

上睑凹陷和三眼皮(Sunken Eyelid And Triple Fold)

上睑凹陷

形成上睑凹陷的主要原因是眶脂肪不足。此外，在手术中大量切除脂肪，或表层组织与深层组织之间发生粘连，也会导致上睑凹陷。上睑凹陷具有阻碍双眼皮折皱形成的特点，因此形成上睑凹陷后折皱比较容易变浅，变得不明显。在个别情况下，上睑凹陷还有可能变身成为三眼皮。

手术方法

修复上睑凹陷的方法主要是组织移植，包括脂肪，真皮脂肪以及筋膜等在内的自体软组织。移植部位和移植方法包括：将脂肪移植到眼轮匝肌或结缔组织内;真皮脂肪移植或将颞筋膜等自体组织移植到隔膜前或隔膜后(图3-48)。

移植到眼轮匝肌后方的组织中(ROOF)

将脂肪移植到眼轮匝肌和隔膜之间，可以降低表面凹凸不平的可能性。这时要注意不能将脂肪注射到提上睑肌里，让其引发上睑下垂。脂肪被注射到ROOF后，由于其自身重量的原因，会在手术后一段时间里出现上睑下垂现象。这种暂时性的上睑下垂现象会在一定时间以后自行消失。注射脂肪时要让患者睁大眼睛，使提上睑肌进入到眼窝里，同时用手上拉皮肤，并注射在此提拉部位的骨膜上，这样能够最大限度地减少脂肪重量的影响(图3-49)。脂肪移植后最常见的并发症为睁眼时凹陷，但闭眼时突起。为了防止此问题产生同样要在患者睁大眼睛的状态下进行脂肪移植。

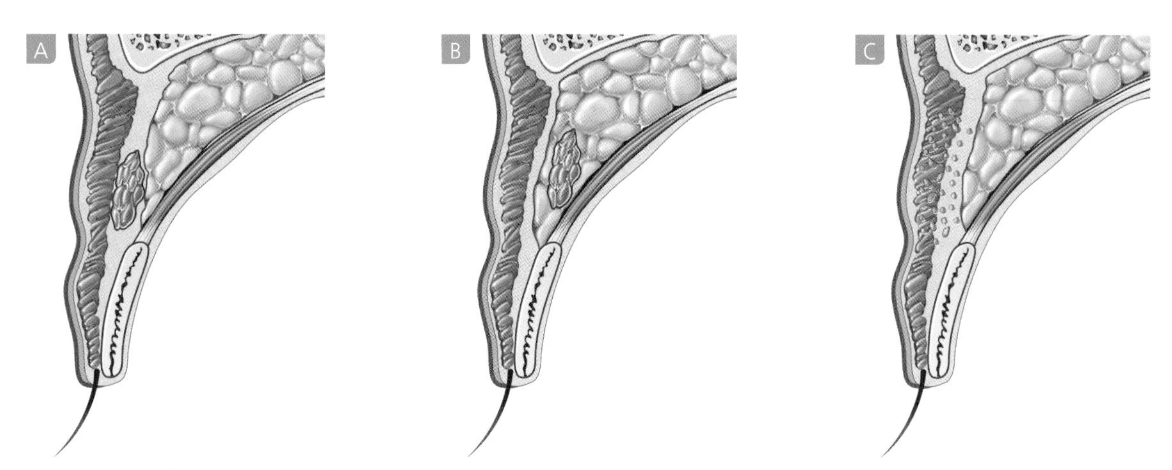

图3-48 **上眼睑凹陷时，注射脂肪的位置.**

A. 在眼轮匝肌组织下移植游离真皮脂肪或脂肪 **B.** 隔膜后方脂肪移植 **C.** 在眼轮匝肌下组织注射游离脂肪

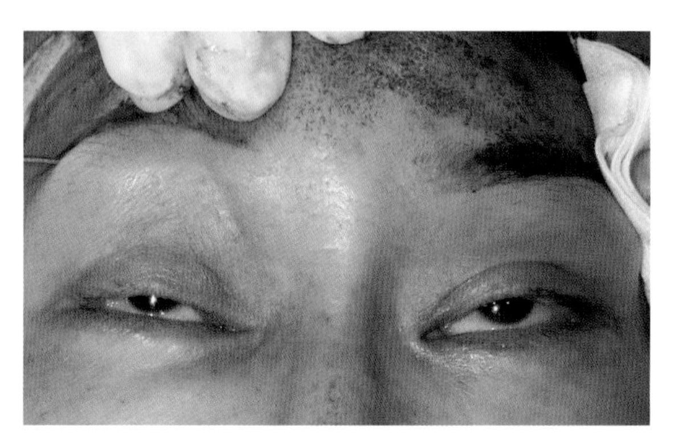

图3-49 **ROOF组织注射脂肪的方法**

让患者注视上方，使提上睑肌进入眼窝里，在用手向上拉眼皮的状态下注射在骨膜上方，此时要注意不可将脂肪注射到提上睑肌里。

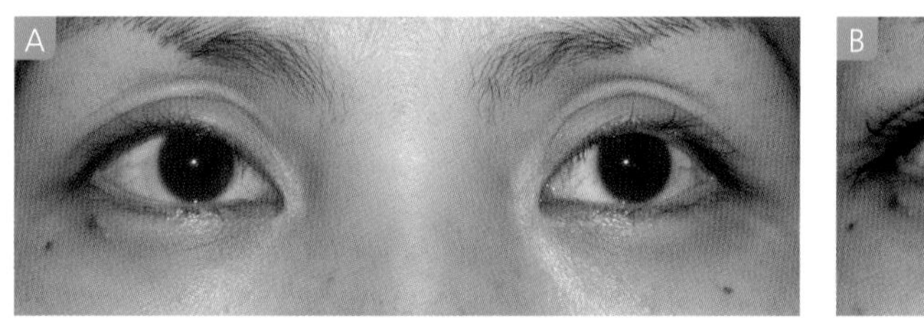

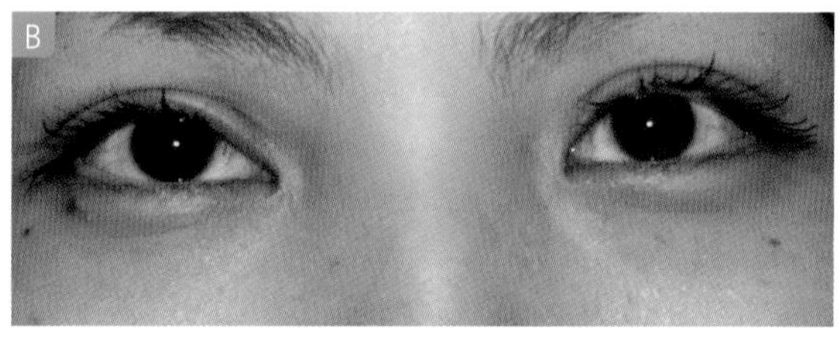

图3-50 **利用脂肪注射法修复睑凹陷 A.** 手术前 **B.** 手术后

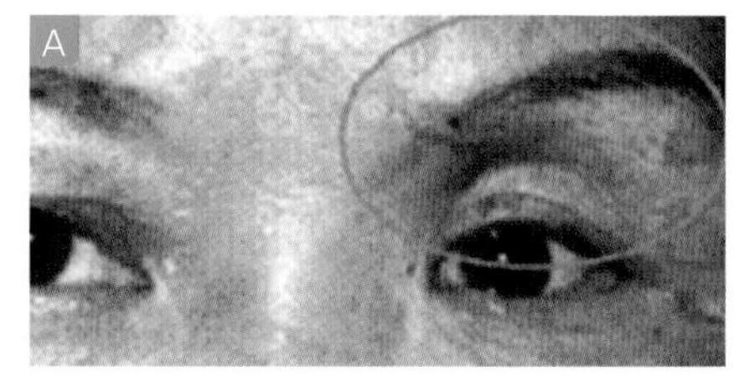

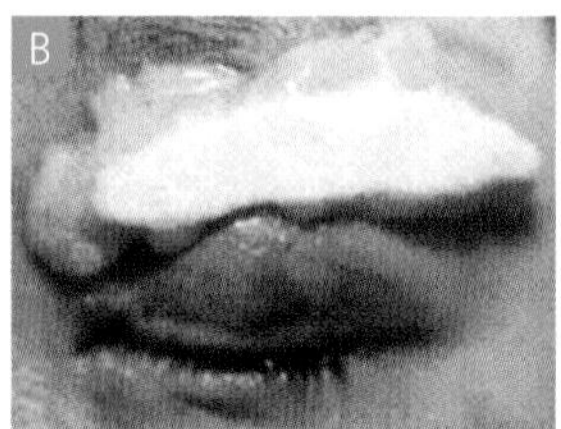

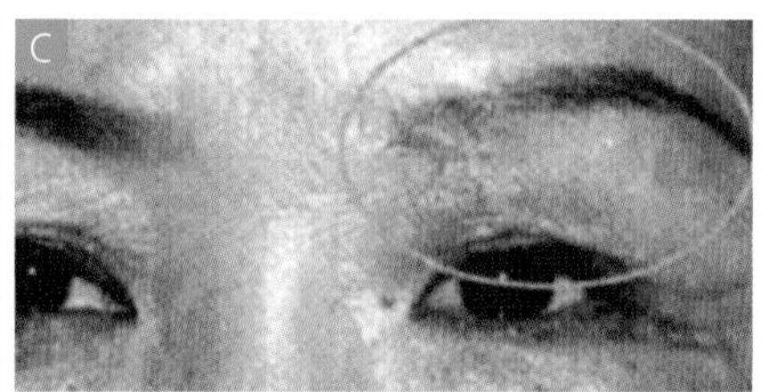

图3-51 **利用真皮脂肪移植法修复上睑凹陷 A.** 手术前 **B.** 手术中 **C.** 手术后

直接把脂肪注射到眼轮匝肌中

将脂肪注射到眼轮匝肌里的方法，效果一般都不太理想。这种方法在修复因皮下浅层或眼轮匝肌层发生粘连而形成的三眼皮时具有一定效果。但在通常情况下，注射脂肪后眼部皮肤的表面会变得凹凸不平(图3-50)。

在隔膜后方注射脂肪的方法

此方法是在隔膜后方注射脂肪。经由切口到达隔膜，并穿过隔膜注射在眶骨顶端的下方。这一方法的优点在于再生效果好，注射后皮肤表面平整，闭合眼睛时皮肤鼓胀的现象不太明显。但是由于离提上睑肌比较近，只要有轻微的粘连就会导致上睑下垂。

上睑下垂

患者在接受上眼睑整形手术后，可能因肿胀一时性的出现轻度或中度的上睑下垂。但是，如果在手术后经过数日仍存在较明显的上睑下垂现象，要考虑是否在手术过程中损伤到了提上睑肌或切断了提上睑肌腱膜(图3-52)。

除此之外，由于点状出血引起的纤维化或粘连等间接原因也可能导致上睑下

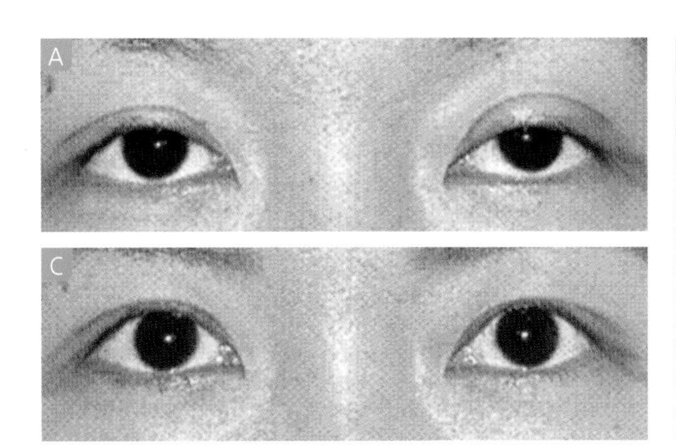

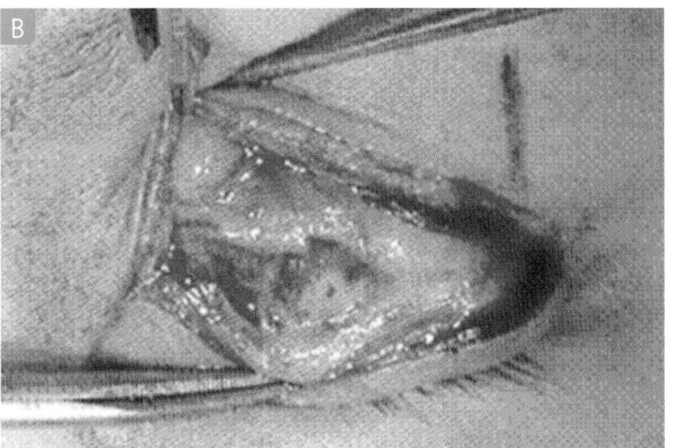

图3-52 双侧外伤性上睑下垂的修复前后对比

A. 术前 **B.** 手术中提上睑肌离退的状态 **C.** 术后

垂。有时，上睑下垂可能在接受手术几年后才出现。比如，在重睑手术中常常会在切除睑板上的软组织以助形成粘连时，同时切除一部分提上睑肌腱膜。此时，切除睑板下端的提上睑肌腱膜不会留下问题，但是切除睑板上端的提上睑肌腱膜，可能使腱膜从睑板上脱落。虽然由于米勒氏肌的支撑作用，手术后并不会马上出现上睑下垂。但是随着时间的推移，米勒氏肌会逐渐拉长，变薄，这时上睑下垂也会随之出现。因此，在切除睑板上方的提上睑肌腱膜时一定要慎重。

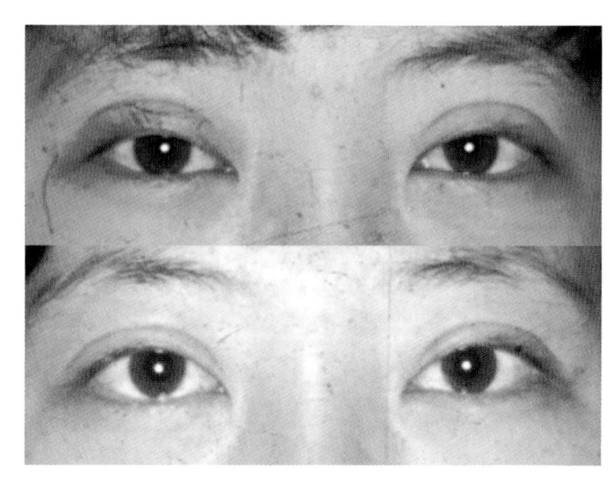

图3-53 剥离上端隔膜周围的粘连组织后，能够看到眼睛变大的效果。

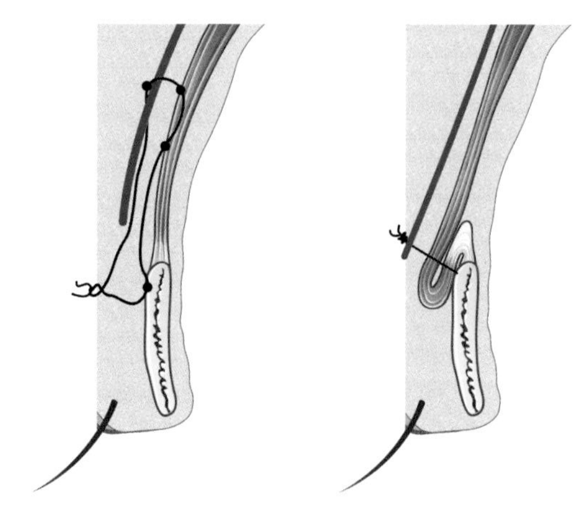

图3-54 **上睑下垂手术中米勒氏肌量重叠法和提上睑肌腱膜前徙法。红色标识组织一提上睑肌腱膜，黄脉标识组织一米勒氏肌。**

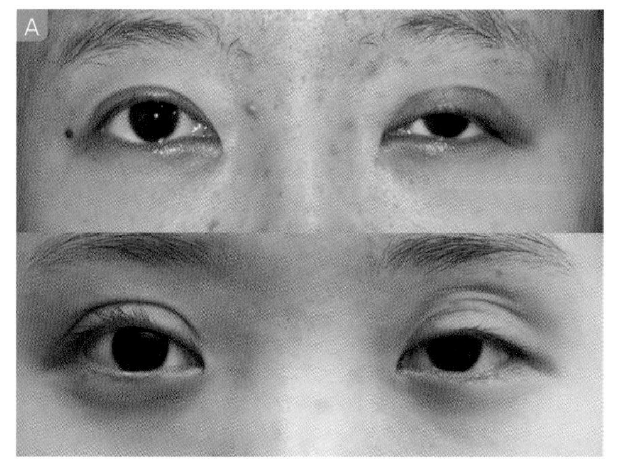

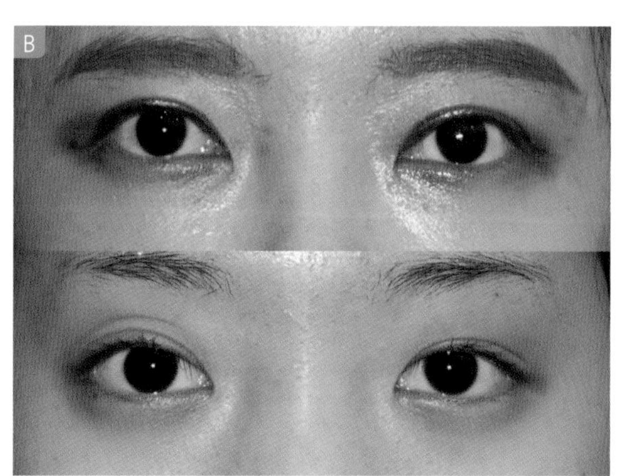

图3-55 **手术引起的上睑下垂修复前后对比 A.** 手术前 **B.** 手术后

随着年龄的增长，提上睑肌的功能会减弱，并引起轻微的上睑下垂。这种情况很容易与眼皮下垂相混淆，患者本人也常常会浑然不知。尤其是当额肌在很大程度上代替了提上睑肌的功能时，上睑下垂更容易被忽视，直至双眼皮手术后上睑下垂一侧的双眼皮折皱变大，导致左右双眼的折皱不对称后才会被察觉出来。因此，为年龄较大的患者做手术时，先要用手将下垂的眼皮提上去后，检查提上睑肌的功能，并就是否属于上睑下垂做出判断。尤其对老年患者，一定要准确区分眼皮下垂导致的睑裂变小现象与上睑下垂导致的睑裂变小现象。如果是手术过程中损伤到提上睑肌而引起的上睑下垂，要视下垂程度，慎重决定提升什么组织，提升多少的问题。提升时，由于提上睑肌或米勒氏肌被拉开，提到相对较高的位置上，因此需要将全层准确地拉下来后做彻底的缝合。且缝合时不能只简单地缝合，而是要考虑到上一次手术后米勒氏肌可能被拉长的因素。因此，常常需要在缝合时将提上睑肌稍微重叠起来，使其缩短。如果最上端的隔膜周边组织形成粘连，使其运动发生障碍，也会引起上睑下垂。这种情况只需分离粘连组织后在下方做固定就能使提上睑肌的活动不再受到阻碍，眼睛也就自然地随之变大(图3-53)。

接受手术出现的上睑下垂，其修复方法与一般性上睑下垂的修复方法相同。但不同点是先天性上睑下垂从病理学上看是提上睑肌的纤维化，是一种质的上睑下垂。而手术引起的外伤性上睑下垂是提上睑肌破裂，是一种机械性上睑下垂。因与提上睑肌外伤纤维化是同一种质的病态混合，所以要根据是损伤严重还是纤维化严重决定前徙的程度。

比较

· 先天性上睑下垂: 提上睑肌在病理上有异常
· 手术导致的外伤性上睑下垂：有外伤性纤维化(质的异常)与腱膜破裂两种原因，要准确分辨出哪个是主要原因。
· 老年性上睑下垂: 如果破裂是主要原因，可能会伴有一些质的变化。

另外还需指出的是，手术引起外伤性上睑下垂后，提上睑肌因疤痕组织形成纤维化其功能会减退，其活动量(range of motion，levator function)也会随之减少。因此，这类患者眼睛大小会在术后得到改善，但可能出现眼睑运动迟滞(lid lag)或兔眼症(lagophthalmos)等常见于先天性上睑下垂修复手术的并发症。

修复方法，如患者的症状比较轻，主要采用提上睑肌复合体折叠术(levator plicaion，under through technique)；也可采用米勒氏肌重叠法和提上睑肌腱膜前徙法(Müller tuck and aponeurosis advancement)(图3-54)。疤痕组织较多时要采用更牢固且复发率低的提上睑肌缩短术。

注意

双眼皮手术中产生上睑下垂，这时需要矫正上睑下垂吗?

双眼皮手术中产生的上睑下垂，大部分是因为局部麻醉或术中肿胀所引起。即使提上睑肌复合体的一部分有裂伤，上睑下垂也不会马上出现。腱膜裂伤产生上睑下垂需要数年的时间，米勒氏肌50%的厚度存在裂伤时上睑下垂也不会马上出现，出现需要一天或比此更多的时间。提上睑肌复合体有裂伤时，手术当时是不会出现上睑下垂的。

松解双眼皮

患者在接受双眼皮手术后，有时因对手术结果不满意，可能要求松解双眼皮。这时，首先要对患者说明松解双眼皮将会带来的问题。

松解双眼皮后可能出现的问题

- 由于双眼皮不存在，手术留下的疤痕会在睁眼时裸露出来
- 随着时间的推移，双眼皮可能会再次出现
- 双眼皮线位置上由于留有疤痕组织，可能引发眼睑肥厚等。尤其是为了防止重新形成双眼皮，常常要把眼眶脂肪，隔膜调整到容易出现粘连的组织之间，或者需要进行脂肪移植，而这些方式都会引起眼睑肥厚。还要让患者清楚的知道松解双眼皮也不可能回到跟术前一样的样子。

为了挽回这些不足，作者通常以设计几乎看不见的隐性双眼皮的方法来代替上述措施。

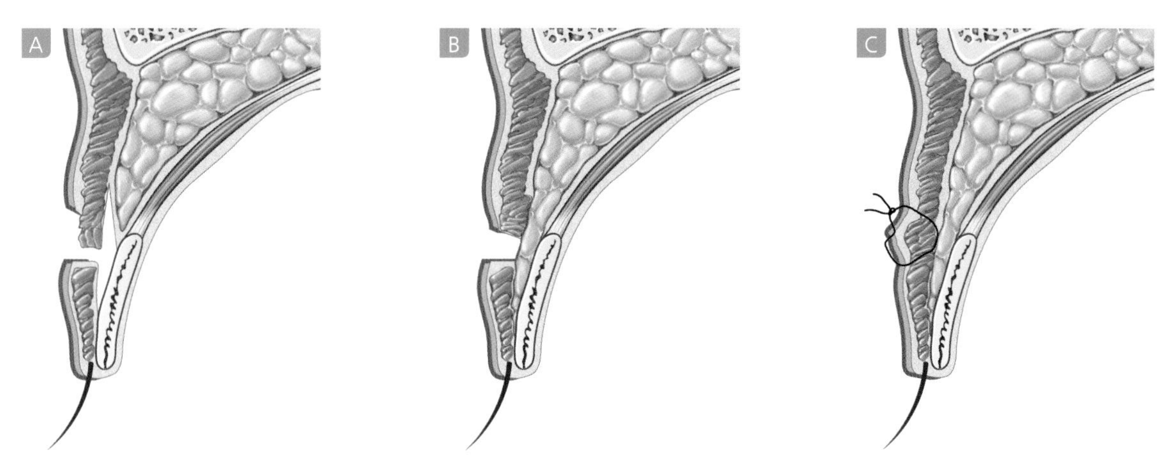

图3-56 **松解双眼皮的方法**

A. 切除疤痕组织 **B.** 剥离粘连组织，插入眶脂肪等方法预防再次粘连。**C.** 皮肤与眼轮匝肌做垂直褥式缝合(vertical mattress suture)

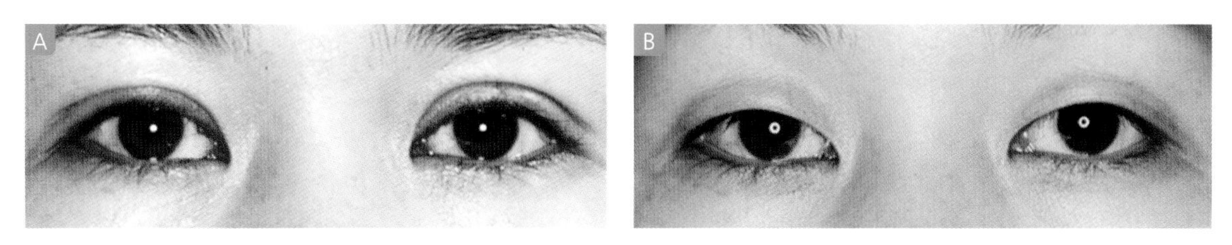

图3-57 **松解双眼皮，术前术后对比 A.** 术前 **B.** 术后

手术方法(图3-56)

- 沿着双眼皮线切开，如果皮肤量充足，可以尽可能的把双眼皮线降低，并切除之间的皮肤。
- 分离折皱固定位置上的粘连组织，其方法与高折皱的修复方法一样。
- 为防止重新形成双眼皮，采用在"三眼皮矫正"中讲解的多种方法。
- 皮肤要做外翻(eversion)缝合。手术后还要在缝合部位上贴2周以上的胶布。
- 做皮肤按摩(图3-57)。

不满意的双眼皮之早期矫正手术(图3-58)

之所以上眼睑手术不易实施是因为上眼睑比任何器官都活动频繁。上眼睑形态也是在术后一段时间内变化最多的器官，而其变化也会随着患者及手术方法的不同而变化。因此要提前考虑此变化。

二次手术一般在首次手术6个月后，即伤口已经成熟(wound maturation)时做修复手术。对于一些拥有特殊体质及反复实施了多次手术的患者需要在术后7-8个月后或一年后待伤口处红色消失，疤痕软化后才能再次手术。要避开在伤口未完全恢复时进行手术的原因如下：如果在伤口未完全恢复时进行手术，容易出现肥厚性瘢痕。而此现象不仅会出现在皮肤上，内部组织也会出现。与肥厚症一同收缩功能也会变强。由于未完全恢复的组织僵硬，弹性消失，肿胀而不容易操作。上睑下垂早期矫正时，因组织容易松脱，很容易形成低矫。由于过分的收缩作用，也会使外翻更加严重。另外，因麻醉效果需注射大量的麻醉，受此影响双眼皮形态会发生变化。在伤口未完全恢复的状态下，其结果是难以预测的。因此正确的做法是在伤口完全恢复后再实施修复手术。但在患者眼部状态严重，已经影响到了正常的生活及精神上负担过大，而无法等待六个月情况下，也有进行早期修复的情况出现。

早期修复的优点在于，根据并发症的不同有时能够便于找到导致并发症的原因且手术实施起来会更便利。由于术后时间短，在早期修复的时候可以不使用剪刀，而仅采用镊子直接对组织进行剥离，在技术上容易找到手术失败的原因。术后一个月到一个半月之前可以用镊子剥离。特别是在上睑下垂矫正及上眼睑退缩矫正术后的2周内眼睛的大小已经基本定形。在组织完全粘连之前，拆除手术缝线，调整前徙量不仅手术实施起来比较简单，也更有利于得到满意的手术结果。三眼皮的情况下，如果在切口还未完全恢复的情况下实施手术，即使充分剥离粘连的组织，三眼皮复发的几率会非常高，实施早期修复的失败率比较高。但如果与上睑下垂矫正术一同实施因其成功率会相对高很多，而常被使用。

早期修复的概括

· 容易导致肥厚症。内部也出现大量肥厚性组织，而不柔和。为了避免肥厚症的形成，喷洒稀释后的类固醇。

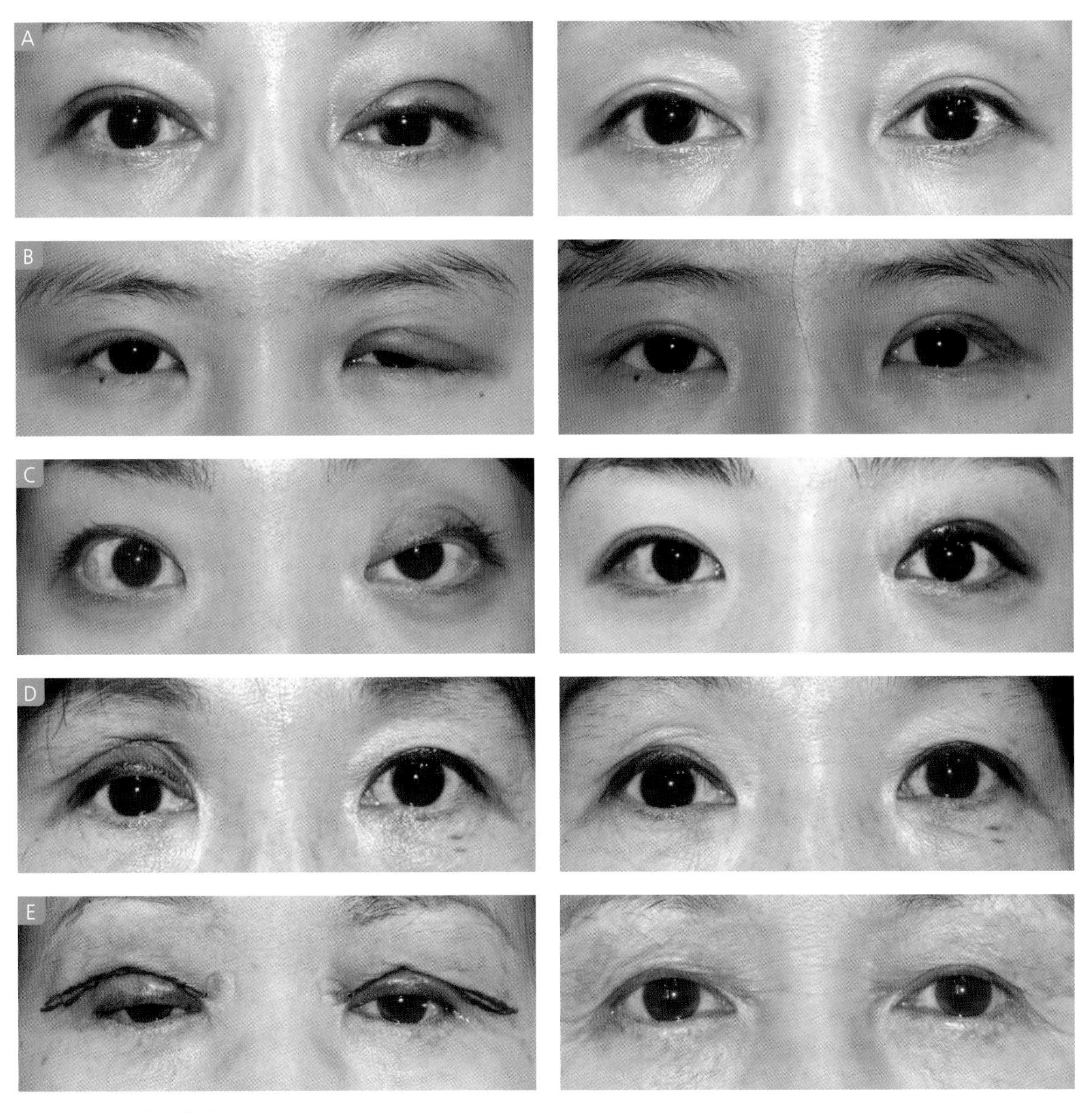

图3-58 **早期修复案例**
左侧手术前，右侧手术后。

· 组织弹性低而不容易操作，弹性减弱，肿胀使组织容易松脱。因此在矫正上睑下垂时，要进行过矫。

· 有时也会因组织收缩导致双眼皮变深。因此如果外翻不是非常严重，并不会好转反而会恶化。

· 术后一个月到一个半月内不使用组织剥离剪，而使用镊子对眼部组织进行剥离，就能容易够掌握前次手术的情况。此后因组织粘连严重，无法使用镊子剥离。

· 上睑退缩时如果不尽早矫正会导致眼疾，并由于提上睑肌缩短可能会使兔眼永久存在。满期矫正时需使用提上睑肌延长术，但在早期修复中，只要移除缝合，把前移的组织后退即可，存在绝对的优势。

· 消除三眼皮粘连后，再次形成粘连的机率非常高。但与上睑下垂矫正术共同实施时，会提高手术的成功率。

参考文献

1. Kim YW, Park HJ, Kim S : Secondary correction of unsatisfactory blepharoplasty : Removing multi-laminated septal structures and grafting of preaponeurotic fat. Plast Reconstr Surg 106:1399, 2000
2. Chen WP : The concept of a glide zone as it relates to upper lid crease, lid fold, and application in upper blepharoplasty. Plast Reconstr Surg 119:379, 2007
3. Kim YW, Park HJ, Kim S : Revision of unfavorable double eyelid operation by repositioning of preaponeurotic fat. J Korean Soc Plast Reconstr Surg 27:99, 2000
4. Yoon DJ, Kang CV, Bae YC : Correction of sunken upper eyelids using incisional double eyelid-plasty and autologous microfat grafting into orbital septum, Archives of aesthetic Plastic Surgery 139-144, 2008
5. Choi Y, Eo S : A new crease. Fixation technique for double eyelidplasty using mini-flaps derived from pretarsal levator tissues. Plast Reconstr Surg 126;1048-1057, 2010
6. Kim DH, Kang JH, Cho IC : Correction of multiple upper eyelid fold in East Asians. Plast Reconstr Surg 127:1232, 2011

CHAPTER

04

内眼角矫正术

EPICANTHOPLASTY

- 手术适应症
- 手术方法
- 内眼角修复手术(Revision Epicanthoplasty)
- 外眼角(Aesthetic Lateral Canthoplasty)

如果有明显内眦赘皮(epicanthal fold)，就会显得眼睛内侧外观缺少灵气，眼间距大，显得眼裂(palpebral fissure)横径短，眼裂内侧呈圆弧状。

手术适应症

1. 目的是为了延长睑裂的长度，使眼睛看起来更大方，更灵活的美容手术
2. 眼间距过宽者
3. 有蒙古皱折者

在决定睑裂的延长长度时，应考虑以下几点因素

1. 泪阜的暴露量
2. 两眼之间的内眦间距
3. 泪阜的形状，颜色

泪阜的暴露量

泪阜的暴露程度是多样的，暴露的少会显眼睛看起来不够灵活，而暴露过多则会显得凶，显得老。泪阜包含扁平的泪湖(lacrimal lake)，内侧隆起的泪乳头(caruncle)(图4-1)。一般情况下，泪乳头表面的1/3左右被遮住，或整体泪阜露出80-90%为正常。根据泪阜暴露的形状其暴露量也会有所不同。

两眼之间的间距

内眦整形手术并非缩短内眦间距的(intercanthal distance)的手术，而是缩短外观上可以看得见的内眦赘皮之间距离(interepicanthal distance)的手术(图4-2)。

均衡且适当的两眼内眦间距与每个人的眼睛大小和面部宽窄密切相关。但是，一般来说35毫米左右的内眦间距被视为比较合适。最近因为受到欧美文化的影

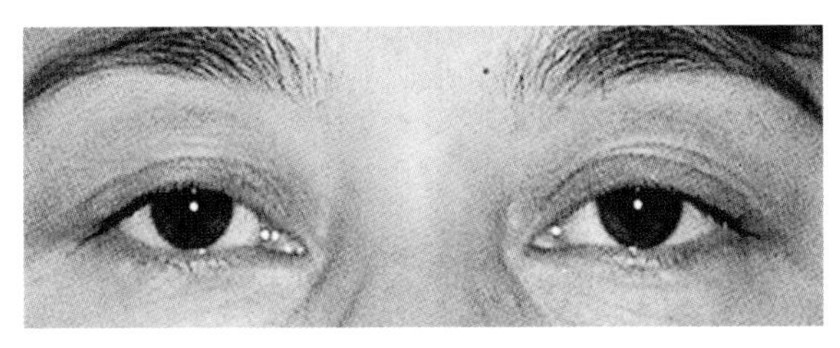

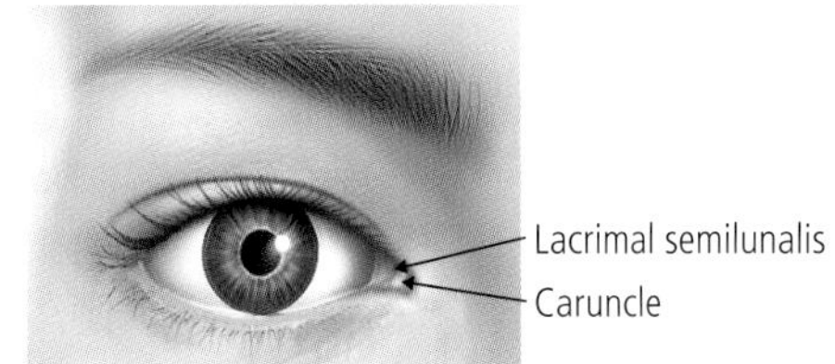

图4-1 先天性泪乳头完全暴露的眼睛

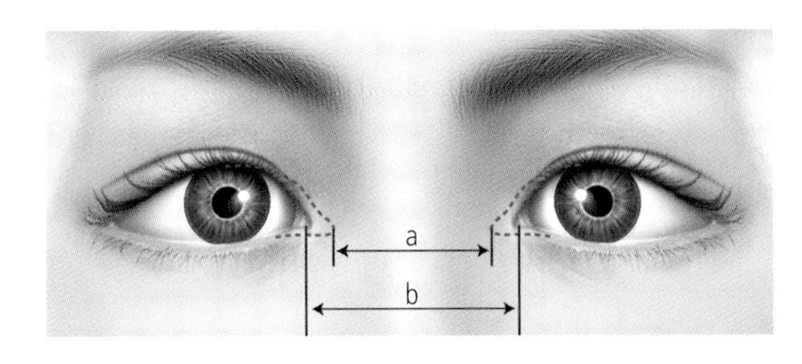

图4-2 **眼间距 a.** 内眦角间隔(intercanthal distance). **b.** 内眦赘皮间隔(interepicanthal distance).

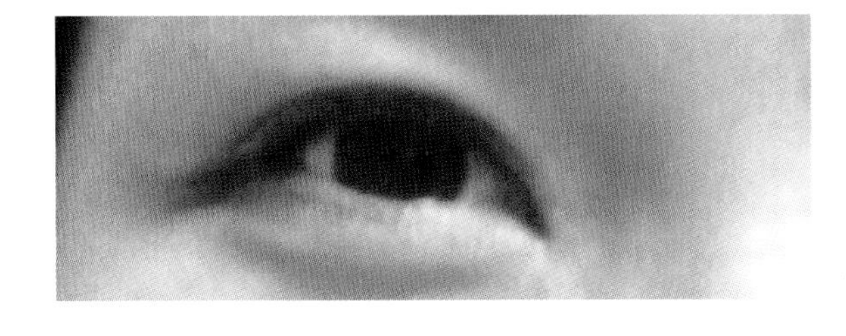

图4-3 泪阜呈鱼钩状。这种患者在接受内眦开大手术时，要开得小一些。

响，越来越多的人开始欣赏内眦间距较小的形象。但无论怎样，内眦间距在30毫米以下，就会给人两眼靠得太近的感觉。

泪阜形态

如果泪阜不漂亮，比如泪阜的颜色特别红或者特别黑，泪乳头(caruncle)的隆起特别明显，泪阜的形状呈鱼钩样，内眦不应开得太大(图4-3)。

手术方法

好的手术方法首先应该能够满足下面条件
1. 手术后留下的疤痕少
2. 能够简单而充分地消除内眦赘皮
3. 整体形状自然

要减少疤痕，就要满足下面几个条件。
1. 切口线不能太长，能短则短
2. 切口线最好在不易被发现的地方
3. 如果有皮瓣，其设计最好要简单易行，较复杂的皮瓣设计方法不能视为好的方法(比如 Mustard的方法)

作者认为，既能够满足上述有关疤痕的要求，还能够充分消除蒙古皱折的方法是Dr.Oh所宣导的手术方法。如果患者的蒙古皱折比较少，且只打算开大一点的时候，作者则主要采用 Hiraga提倡的方法。

Dr. Oh的方法

· 切口线与皮肤张力的走向(pericilliary incision) 相一致，使得疤痕不太明显。
· 切除蒙古皱折的方法比较简单，将分布于皮肤至眼轮匝肌层之间，并包围着蒙古皱折的纤维组织(fibrous connective tissue)从眼轮匝肌层上分离出来即可。这样，既切除了蒙古皱折，又可对皮肤进行重置(redraping)。
另外，切除纤维组织并不需要切出太长的切口线。因此，蒙古皱折长并不意味着疤痕也会长。

手术方法

设计(图4-5A)

将内眦赘皮向鼻侧拉伸，使泪阜完全露出来，在此状态下，把泪阜的端点处标

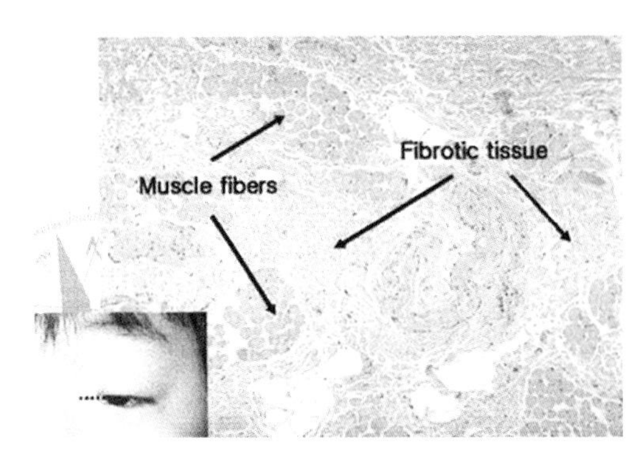

图4-4 蒙古皱折周围的纤维组织(出处：朴宰佑 Medial epicanthal fold (cross section))
纤维性组织分布在皮下层和眼轮匝肌层之间。

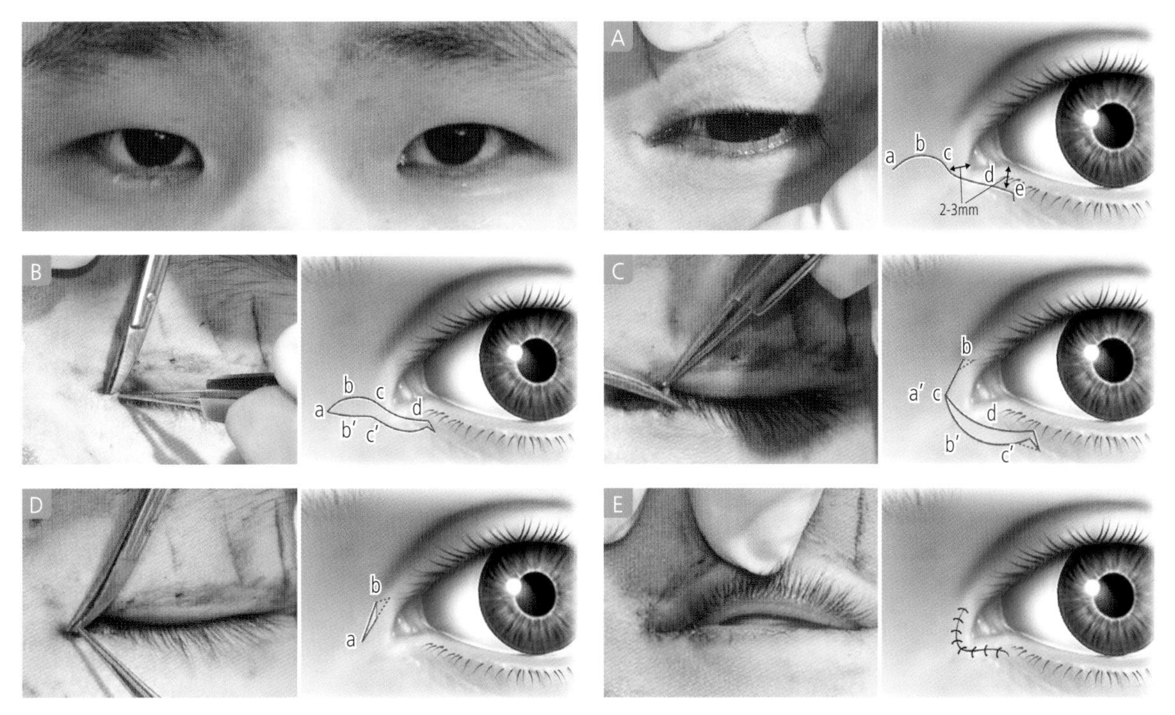

图4-5 手术设计图，内眼角矫正术

记为c点。放下拉住的赘皮使其回到原状，把遮盖注c点的对应的赘皮皮肤点作为a点。由a-c点的长度来决定矫正内眦的程度。一般在此情况下，应注意要确保a-c点之间形成自然的对合缝合。如果在缺少组织的状态下，对其进行拉伸缝合，不仅容易引起肥厚性疤痕，还会导致泪阜暴露过多。但相反的，如果在皮肤过剩的状态下进行缝合则会出现矫正不足的问题。a-b-c三点并不是水平的而是呈拱形向上。切开下方皮瓣向外侧移动缝合皮肤不会出现紧张感，皮肤有很大的操作空间。在c点沿着下眼睑线设计。a-b-c切开线不要过分靠近上沿向左侧切开，应在下眼睑上缘下留有2-3mm的距离。要考虑缝合皮肤时首先减少皮肤张力，从而确定切开线。c点也不要太接近眼角，留大约2mm的距离在泪点前后以角度约为110度做2-3mm的回切口。内眼角开的越大，c-d-e水平线越长。

切开及剥离(图4-5B)

沿着设计好的切口线切开皮肤后，从切口线下方的肌肉层内进行剥离，剥离掉蒙古皱折周边的纤维组织，使蒙古皱折伸展开来。比起做皮下剥离，带有一些眼轮匝肌的剥离对组织的伤害比较小。剥离时要注意不能损伤到泪管(lacrimal canaliculus)。充分释放(release)蒙古皱折周围的纤维组织并抚平蒙古皱折。泪管的走行方向是：正对泪点(lacrimal punctum)垂直向下2mm，然后向内侧方向延伸6-7mm，直至连接鼻腔(nasal cavity)。在此方法中的切开线是从mucocutaneous junction下方约2mm切开，在此部位，从皮肤到泪管的垂直距离(vertical segment)大约是1mm以上(1.11±0.16mm)。水平距离(vertical segment)2mm以上(2.08-2.74mm)。要特别注意的是在泪点下方部位剥离时要小心一些。这一部位上的剥离最好是做撑开(spreading)分离，而不是切断(cutting)。

缝合 (图4-5C，4-5E)

缝合a-c之间的切口。然后将上面的皮肤和已被剥离的下面皮肤对齐，并进行重置(redraping)缝合。之后在回切口部位(backcut)将下方皮瓣以三角形的形状切除，并对齐之后缝合。

处理上眼睑 (图4-5D)

上眼睑处多出来的组织(dog ear)，只要切除2-3毫米的皮肤即可解决。

此手术的并发症

1. 矫正不足(undercorrection)或过度矫正(泪阜暴露过多)
2. 泪阜从垂直方向过度暴露或内则下睑平凹(medial pretarsal flatness or depression)(图4-6)
3. 黑色素沉淀

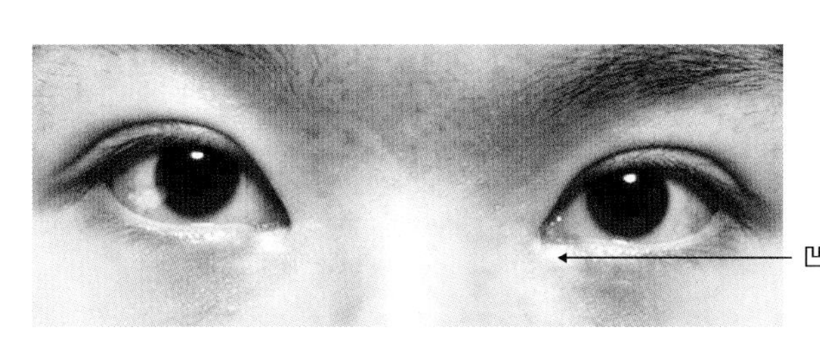

图4-6 **垂直且水平方向泪阜暴露过多**
由于泪阜下眼睑皮肤量不足而导致的滑梯状顿斜凹槽

4. 疤痕
5. 切开线两端隆起
6. 下眼睑内侧退缩(retraction or scleral show)

泪阜暴露量应该以缝合皮肤a-c点时，皮肤既没有紧绷感也没有松弛感才是最好的。因此在水平切开时，应避免一刀切到底的做法，先试探性的切开再慢慢的对照着一点点的切开这样才是最安全的方式。泪阜向下过度暴露在并发症中是非常麻烦的，导致此问题的原因是水平切开部位一直处于紧张状态，就会使皮肤向外挤压并向下移动，从而在皮肤缝合过程中出现皮肤的紧张感。

想要避免泪阜的垂直方向暴露，应该注意以下几点。

1. 内眦的内侧水准切口线(即a-c)应该向上弯曲，而非呈直线。这样可以在缝合皮肤时，减少垂直方向的张力，缝合起来也更容易(图4-5A)。相反，如同眼睑赘皮(epiblepharon)存在时一样，皮肤比较充分或下睑内翻(entropion)时。这时就要切除多出的皮肤，但是也要保留余地。
2. 泪阜下方的切口线不应该紧贴灰线，而应该留有2-3毫米左右的距离，这样才能在缝合皮肤时，避免泪阜在垂直方向暴露。
3. 在距离下睑缘c点2mm左右的泪阜下方延长切开线，才能避免鼻子周围出现凹陷。
4. 由于d点容易出现沉陷，因此在此点不做肌肉的提升，而是做浅层皮瓣剥离。

注意

在眼部端点距离多少的地方进行切开才合适呢?

就像下睑缘切口距离下睑缘2mm切开一样，也是选择距离眼角2mm切开才能保证眼角向鼻侧方向的自由度不被牵拉而更加自然。

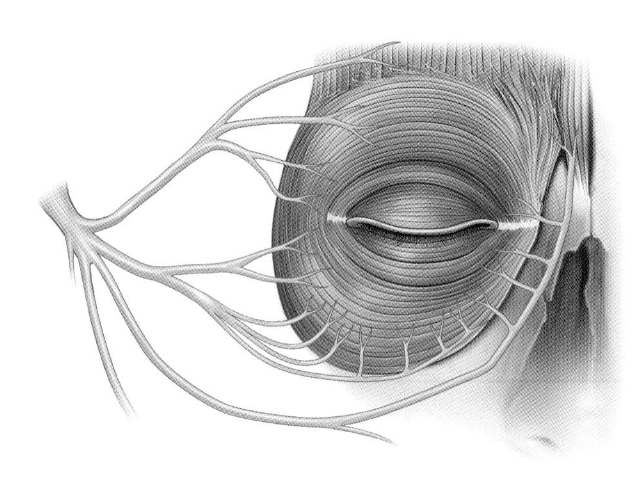

图4-7 **面神经颊支通过内眦，往面上部行走。**

如何防止内眼角皮肤的色素沉着?

1. 不做皮下剥离，要做肌肉层剥离(intramuscular dissection)
2. 要注意由于血肿引起的血色素(hemosiderin)沉淀。

作者在剥离时候，尽可能不做皮下的浅层剥离，而选择较深层次的肌肉层，此处与较坚固的结缔组织相连。由于此处皮肤很薄，在进行皮下剥离时，容易对皮肤造成创伤，而使皮肤变色。特别是在容易出现凹陷的部分，应注意皮瓣下不要去除肌肉组织。

面神经的颊分支(buccal branch)从内眦韧带内侧通过，在切除赘皮手术中，水平切开蒙古皱褶皮肤时，会同时切开相同长度的眼轮匝肌，此时要注意不要因切割眼轮匝肌而造成神经损伤。如果神经损伤了，睡眠时会因一定程度的泪阜暴露而导致轻微兔眼的出现。兔眼会在大概三个月内消夫。此种兔眼的形成一般是在患者接受泪囊鼻腔吻合术(dacryocystorhinostomy)出现的。水平切开的部位过

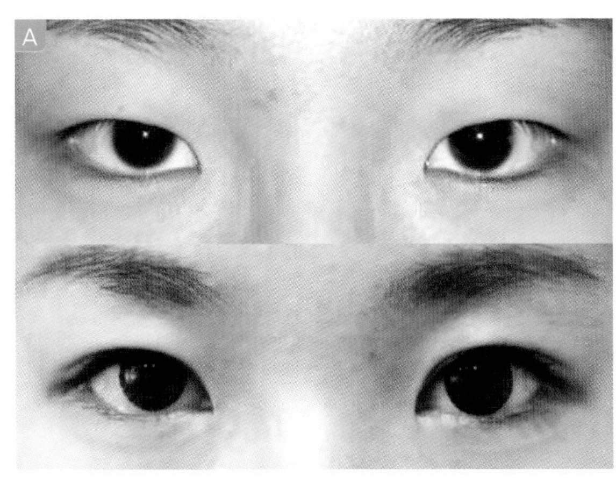
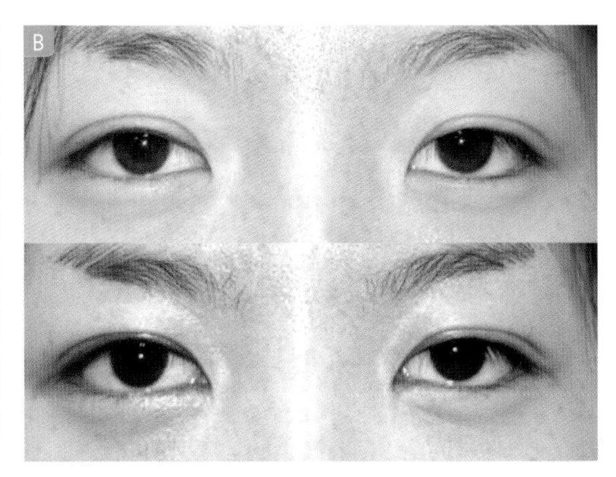

图4-8 内眼角矫正术前术后对比

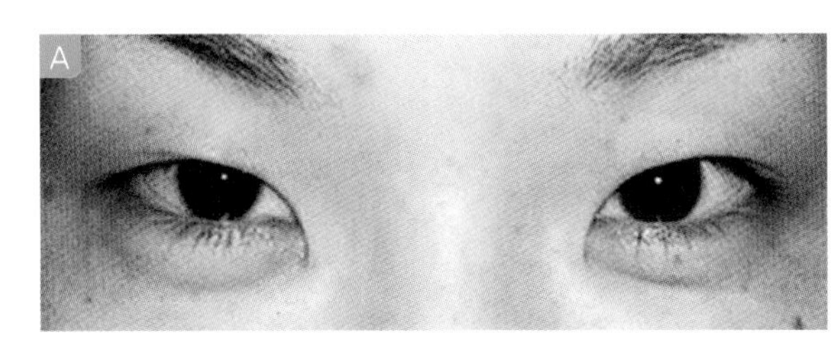
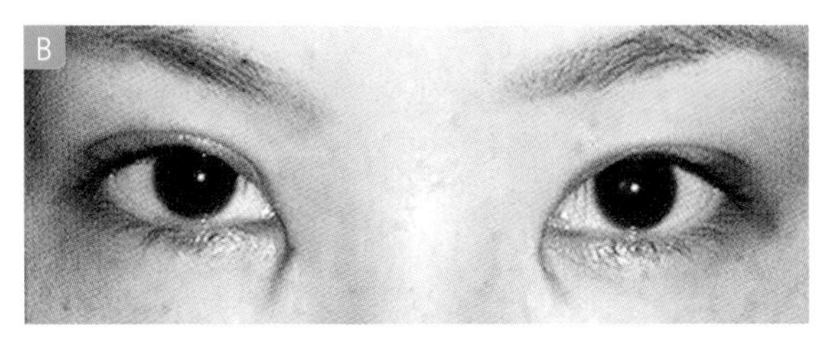

图4-9 用其他方法实施内眦开大手术和双眼皮手术后，睑裂的水平长度和垂直高度均有所增加，但蒙古皱摺却变得更严重。

分切除过多的眼轮匝肌，会导致下眼睑下移，内侧巩膜外露(sclera show)。此现象是由于眼轮匝肌起点离断，眼轮匝肌的肌肉强度(tonicity)减弱，导致下眼睑下移。

注意在下眼睑位置不要对泪管造成伤害。泪管的走向是从泪点垂直向下延伸2mm，再水平向内延伸。开始垂直延伸时，始终保持在表面移动，而在水平延伸时，深入到皮肤深处2mm左右，最后延伸至内眦韧带后侧。为了避免伤及泪管，一定要在剥离垂直向下延伸的部位时更加留意(图4-8)。

这种手术方法的应用

这种手术方法在以下几种情况会进行应用。

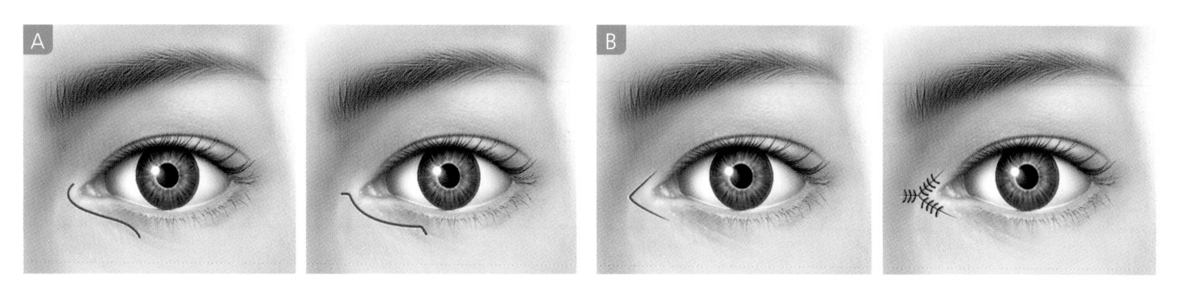

图4-10 · 不开大内眼角只切除蒙古皱褶方法示意图

A. 内侧的线向上延长或较短设计 **B.** 通过内眼角修复设计去除内眦赘皮(内眦赘皮严重时)

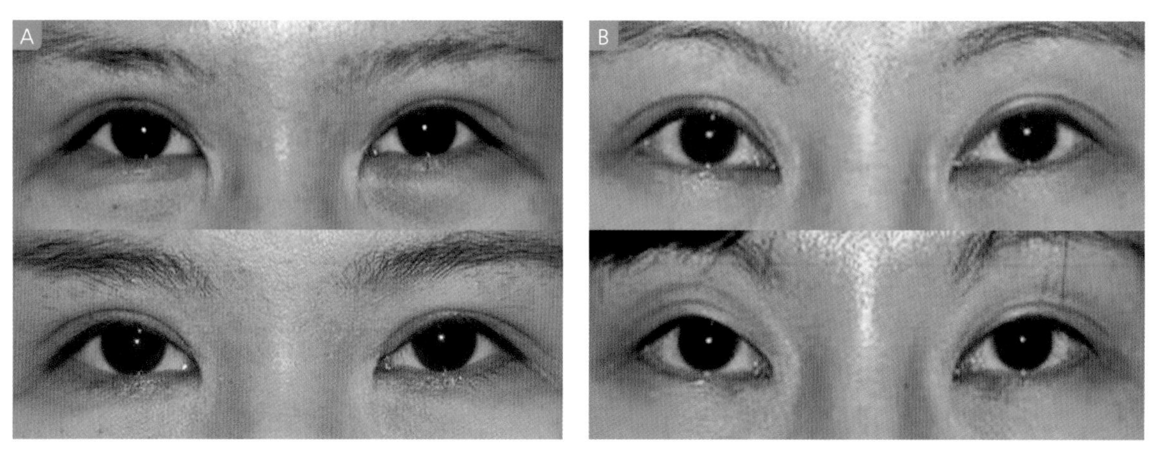

图4-11 · 术前术后对比 **A.** 未做内眼角开大，只切除了蒙古皱褶 **B.** 内眼角修复设计去除蒙古褶皱

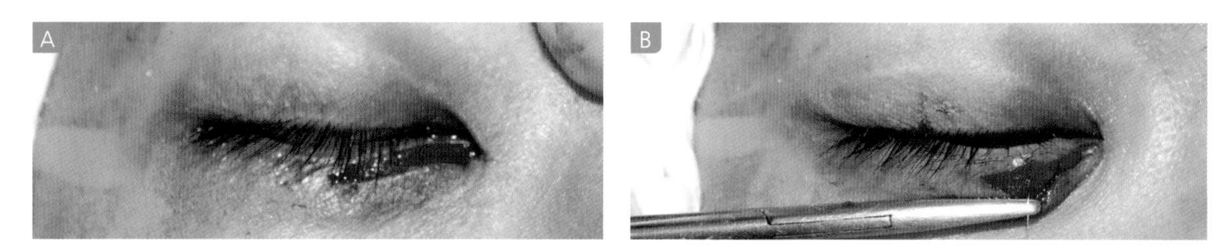

图4-12 · 同时存在蒙古皱纹和下眼睑内翻时。

A. 切开是从内眼角到内翻症结束的地方 **B.** 把上皮瓣的眼轮匝肌固定在睑板上

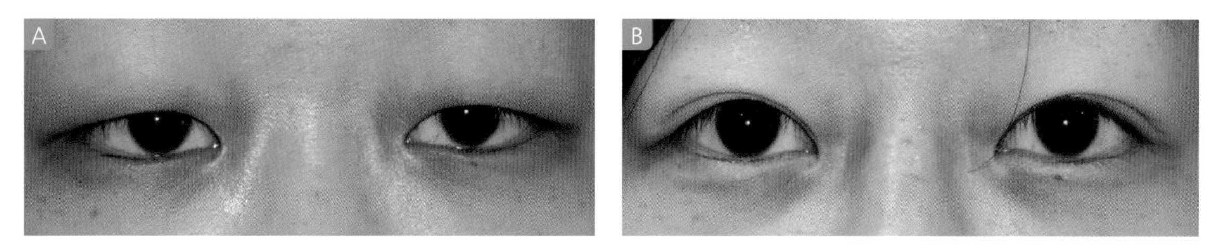

图4-13 · 术前术后对比，内眼角和内翻矫正术

有蒙古皱纹但泪阜暴露比较多的情况

一般来说，切除蒙古皱纹的手术和开大内眼角，使泪阜的暴露面积变大的手术基本上是同义词。但是，偶尔会有极个别的患者泪阜暴露比较充分，只要求切除蒙古皱纹。这时的手术方法(图4-9)是在前面介绍的手术方法中省略掉在内眦内侧拉开水平切口线的步骤，而代之以将切口线向上延伸，并充分将纤维组织进行剥离(图4-10，11)。

同时存在蒙古皱纹及下眼睑内翻症的情况 (图4-12，4-13)

有时会遇到蒙古皱纹和下眼睑内翻症的情况并存，且内翻症一般在下睑内侧比外侧严重。

手术方法

此时像DR. Oh方法一样，在矫正内眼角时把subcilliary incision稍微向外多延伸一些。内翻症矫正的内容在第六章详细介绍

· 内眼角到泪点(lacrimal punctum)位置并没有睫毛，因此不必担心内翻的问题，只要采用上面的方法就可以。
· 切到外侧有内翻症的位置，延着眼睫毛下方2mm处切开。
· 剥离眼轮匝肌时，要做到露出睑板为止。
· 像做双眼皮手术一样，把上皮瓣眼轮匝肌固定在睑板上，使上皮瓣形成外翻。
· 缝合皮肤

不切除眼轮匝肌，如果切除 眼轮匝肌pretarsal fullness就会消失(图4-12，13)。

Hiraga 方法的内眼角整形术(图4-14) (图4-15)

适应症

1. 没有蒙古皱纹或者蒙古皱纹比较少，只想开一点内眼角的患者。
2. 在前一次内眼角整形手术后效果不佳，想稍微再打开一点内眼角的患者。与一

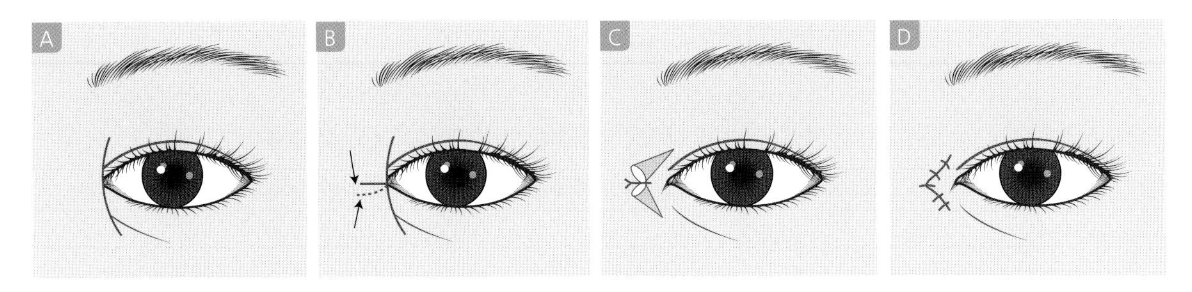

图4-14 **Hiraga方式**

A. 手术前 **B.** 切开适当长度的水平切口线。水平切割的方法已在前面进行过说明。**C.** 缝合水平切口线两端的皮肤，将缝合处上下的多余皮肤切除。**D.** 手术后

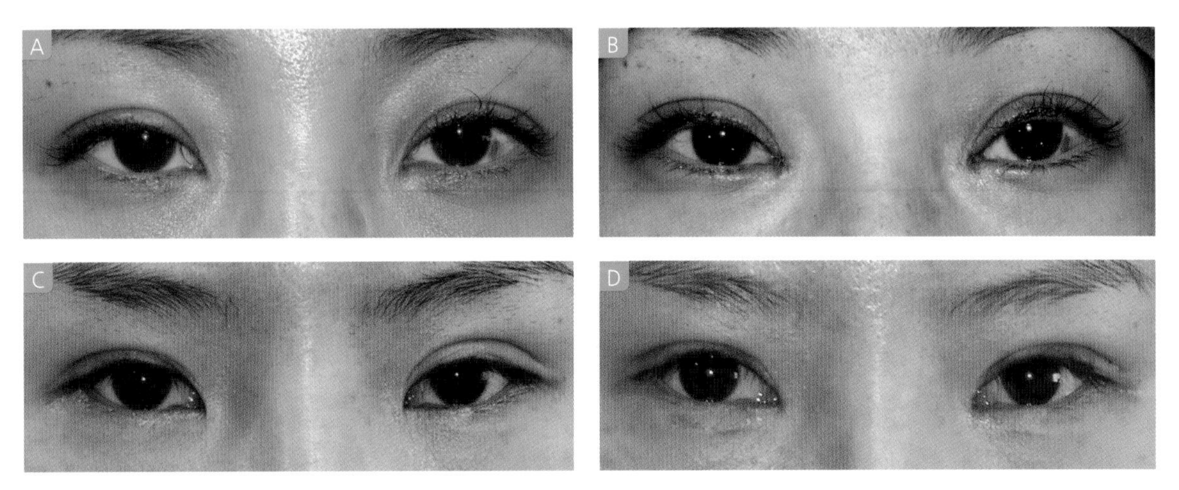

图4-15 **Hiraga方式术前后**

蒙古皱纹，不是很明显的情况下，该手术方式很容易实施并且术后不会形成疤痕

般的内眼角整形手术相比，上面介绍的Dr. Oh方式简单且疤痕也少，但是在稍微打开一点内眼角而言，比起用Dr. Oh方式，采用 Hiraga 方式更简单，疤痕会更少。也用于蒙古皱纹矫正不足的情况。手术方法是：根据手术需要，在内眦赘皮上打开适当长度的水平切口，将切口线两侧的皮肤缝合后，将缝合处上下的多余皮肤(dog ear)切除即可。

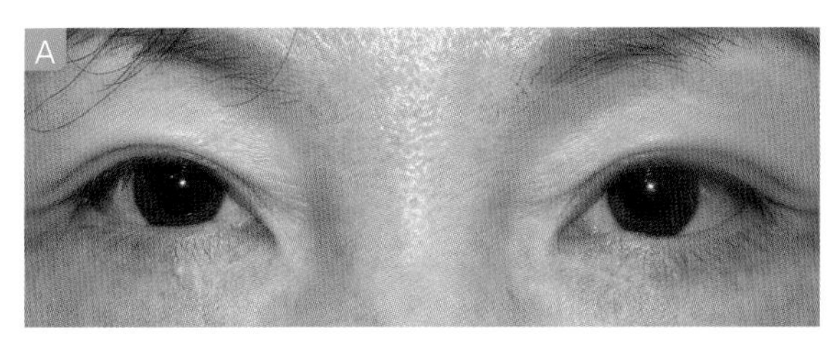

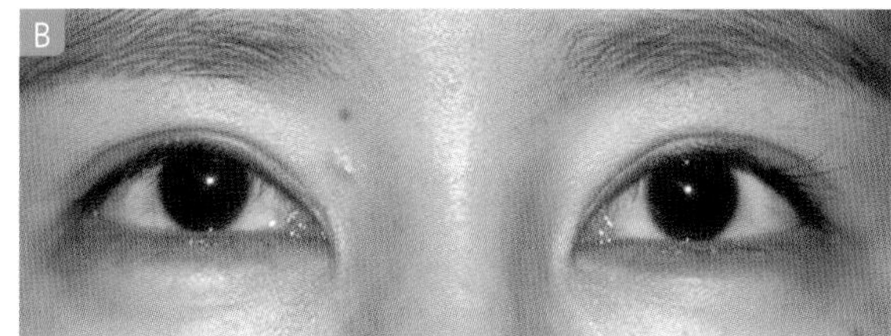

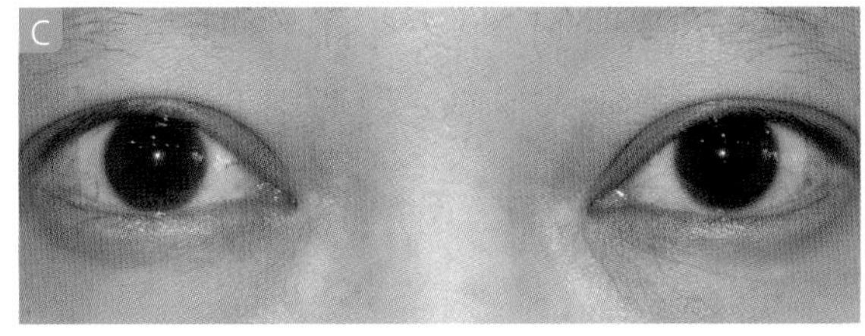

图4-16 先天性泪阜暴露过多

问题

Q 内眼角整形手术后，睑裂的纵向幅度能否变大?

A 睑裂会变大。因为内眼角整形手术后，蒙古皱纹的垂直张力会消失。因此，根据其垂直张力的不同，手术后纵向幅度变大的程度也不同。手术前也可以预测到睑裂变大的效果。方法是，将形成垂直张力的赘皮用手提到上面，使张力消失之后再观察患者睁眼时的睑裂纵向幅度。

内眼角修复手术(Revision Epicanthoplasty)(图4-18)

由于泪阜暴露过多，外观看起来凶的患者，或者因泪阜暴露太多而看起来较老的患者可以实施内眼角修复手术，导致泪阜暴露过多的最主要原因是内眼角整形手术。偶尔还会有其他眼部手术或外伤引起的情况，以及先天性患者(图4-16)。提到泪阜暴露过多，往往只会想到水平方向的暴露过多，但在实际上除水平方向的暴露过多以外，还有垂直方向的暴露过多或下眼睑内侧软组织不足引起的阶梯状凹陷等比较严重的症状(图4-6)，这种情况要将下睑上提，补充不足的软组织。

手术方法1:V-Y 推进法 (图4-17A,B,C)

1. 沿之前的切口瘢痕设计V形切口
2. 做V-Y推进时，做皮下的缝合更为保险

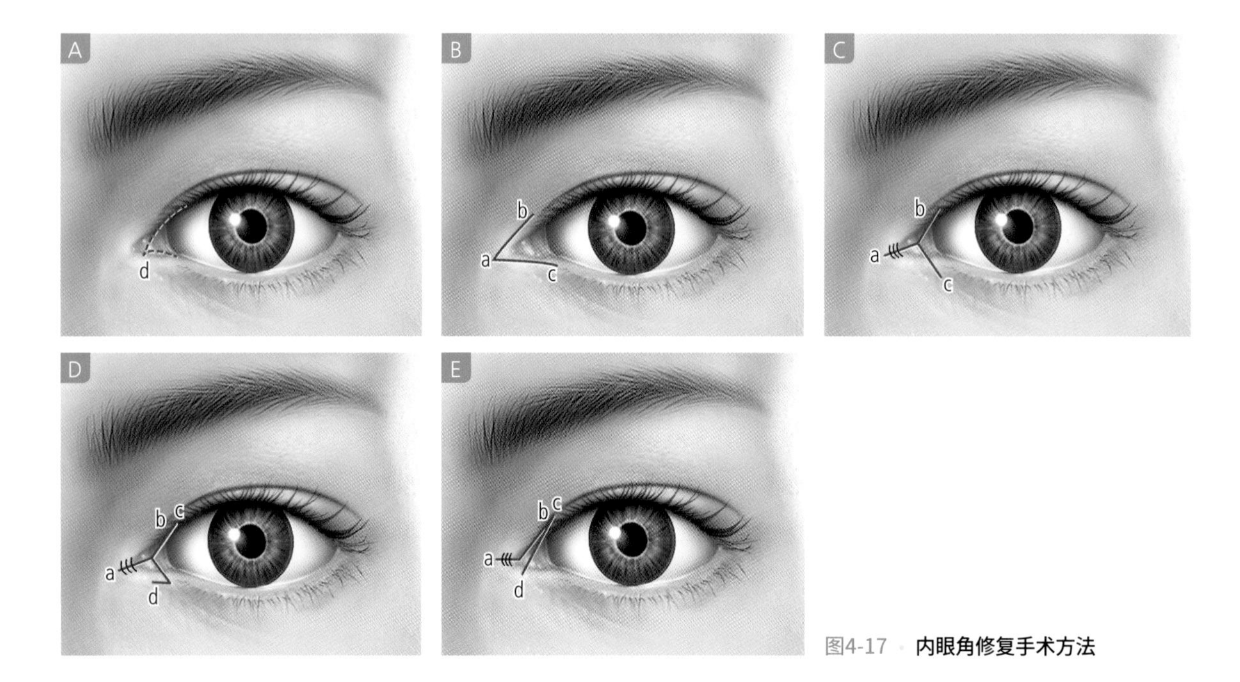

图4-17 · 内眼角修复手术方法

3. 三角形的皮瓣要部分切除
4. 皮肤缝合

这个手术的关键是在于包多少，以及包成什么形状。要包多少可以根据V-Y推进时，泪阜暴露的程度来决定。根据想要包的程度可以在Y形态时停止。三角瓣的尖端按情况剪小。为了防止Y缝合后眼角过度上抬，V皮瓣的上方进行较大的剥离，而下方不进行剥离。但即使这样也出现眼角抬高的话，可以加入back-cut。如果眼角上抬时没有做back-cut则眼角会随着时间越来越圆钝(图4-18)。另外为了防止术后瘢痕明显则需做到V-Y缝合时不要产生凹陷型瘢痕。没有凹陷性瘢痕则可以认为瘢痕是不明显的，为了防止凹陷，做V-Y缝合时皮下缝合减少皮肤张力，并且做水平褥式缝合以达到切口外翻的目的。

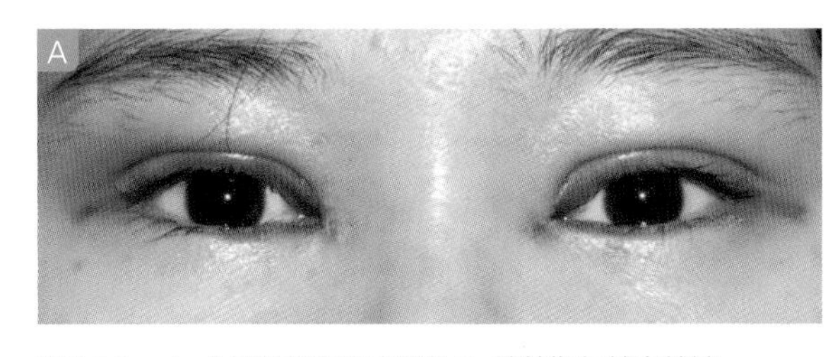

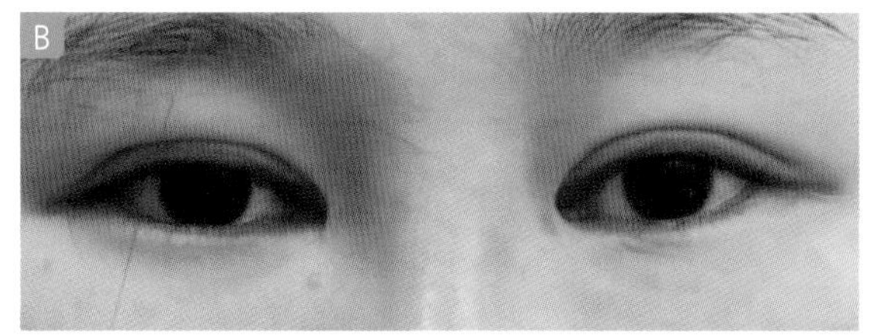

图4-18 **A.** 术后即刻内眦成锐角 **B.** 随着恢复越来越钝

手术方法2:V-Y推进法以及back-cut (图4-17)

1. 设计术后目标。术后会出现一定程度的蒙古皱纹，其末端d与图片D中的back-cut 结束点 d是同一点，以此点为基准进行设计会比较容易一些。
2. 首先在眼角内侧部位做V或W型切口。首次可以把设计想像成 V-Y 推进术，会比较容易理解。为了减少实施V切口而导致鼻子部位出现疤痕的问题，有时会实施W型切口。一般的应尽量靠近眼睑缘做切口，但为了隐藏疤痕有时需要沿着疤痕出现的方向做切口。V型切开线的长度随闭合程度的大小进行变化，闭合量越大切开线越长。用11号手术刀切开后，从切开线里面做下剥离，剥离时可以带有一些眼轮匝肌，相对的剥离得厚一些，并稍微剥离此时形成的三角形皮瓣，使其成为翻转皮瓣turnover flap。

3. V-Y推进缝合，通过这个缝合决定包多少，缝合到想要包的程度，此时先用7-0的pds做皮下缝合，皮肤用7-0尼龙线缝合。做皮下缝合时要与下方的组织一起缝合从而关闭死腔(不做back-cut的 V-Y 推进 图4-17C)
4. V-Y推进后如果下方皮瓣上抬明显的话则要做back-cut(做back-cut的V-Y推进)。在c点对准着a-c切开线做做back-cut。back-cut的终点d点将成为蒙古赘皮的终点，因此尤为的重要，back-cut的长度为V-Y缝合后V的长度，此时

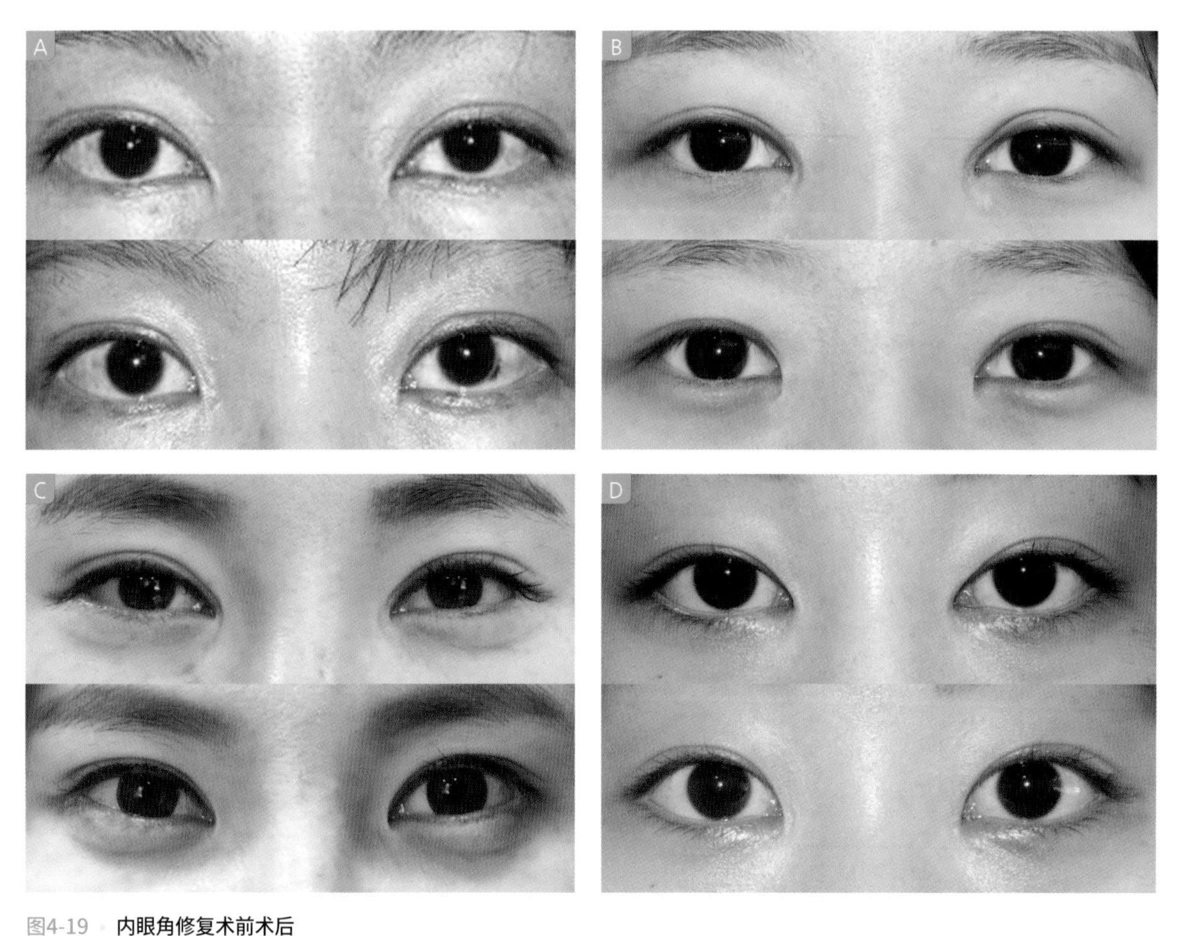

图4-19 **内眼角修复术前术后**

内眼角修复术后，泪阜部分被遮盖，两眼间距离变远，印象柔和很多。此外随着下眼睑上移解决了下眼睑阶梯状凹陷(concave slope)，(A-D)图中，经过内眼角修复术后，同时改善了蒙古皱纹。上图术前，下图术后

做back-cut的角度大的话，则上睑下来的多，下睑缘上去的少，会形成蒙古皱纹，角度小的话则相反。此时因为形成了皮瓣，所以需要进行Z-plasty(图4-17B)。

5. 实施Z-plasty(图4-17E)。

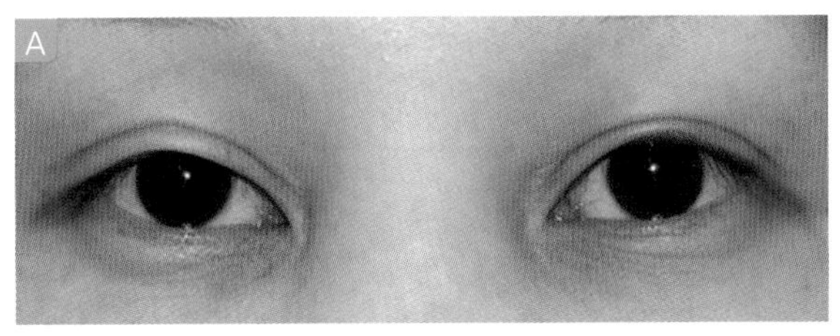

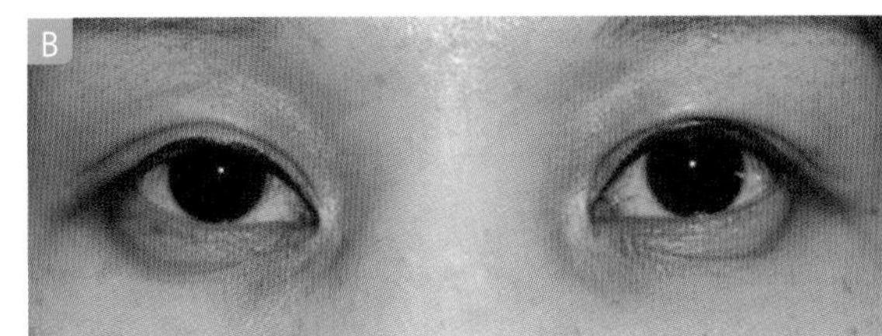

图4-20 内眼角修复后外折双眼皮变成了接近内折的双眼皮。

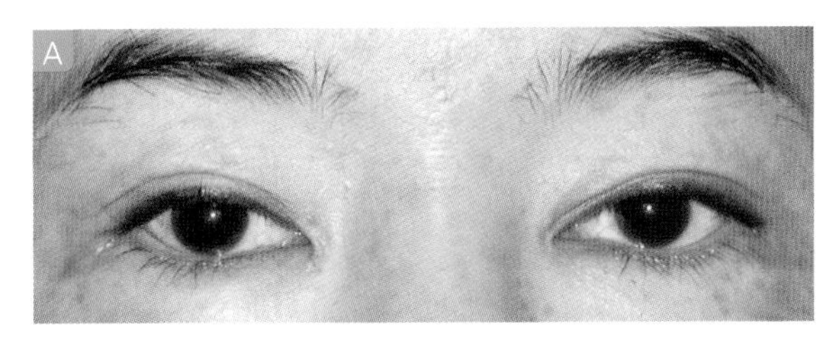

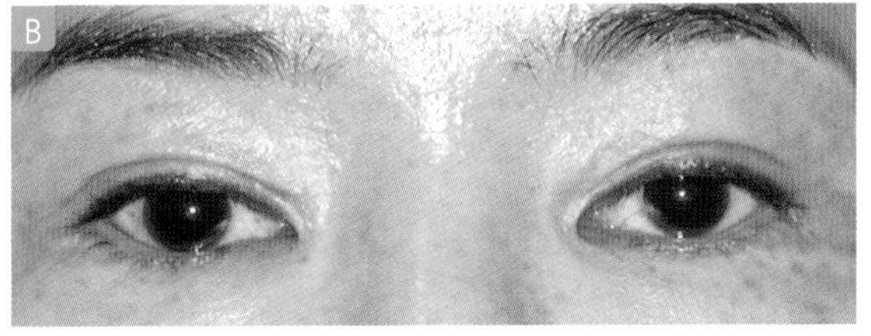

图4-21 内眼角修复的同时去除蒙古皱纹的手术前后对比。

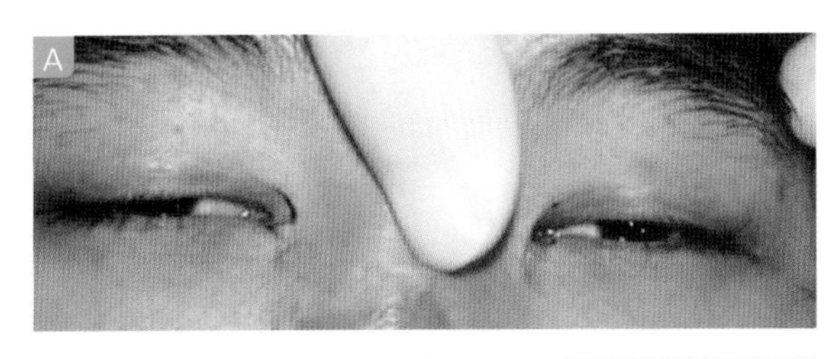

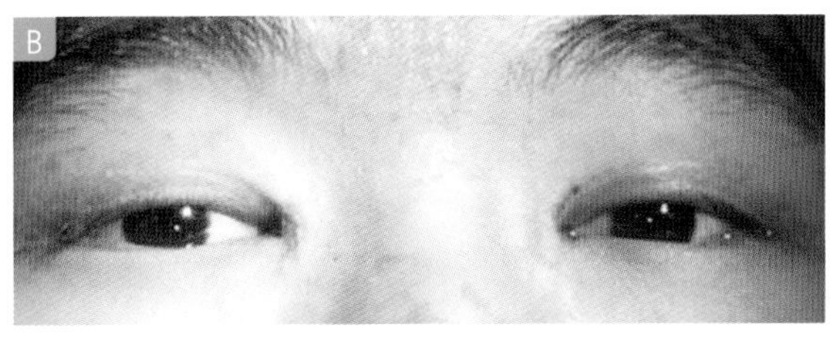

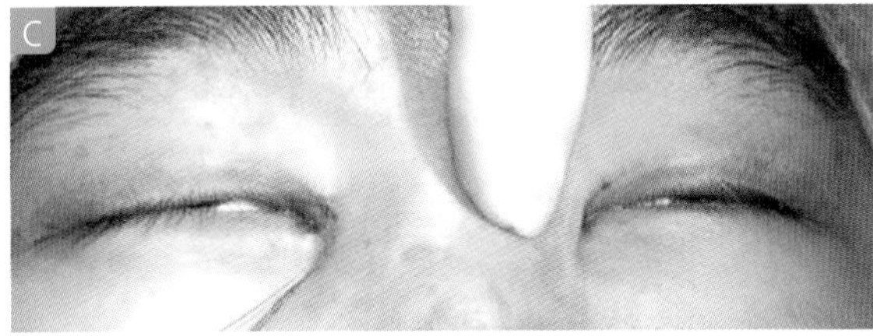

图4-22 内眼角有凹陷疤痕时的设计。沿着凹陷疤痕设计V切开线。

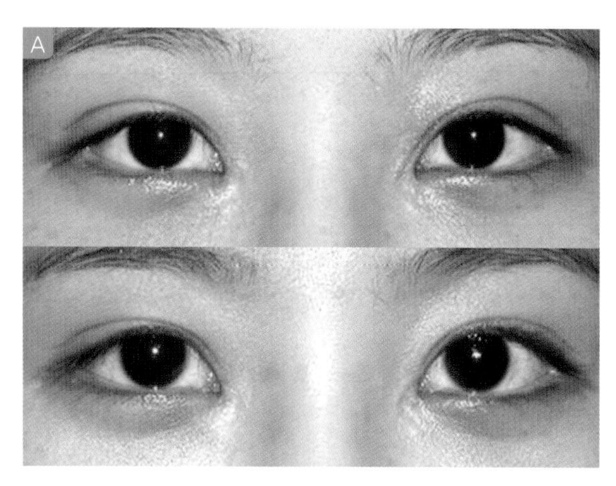

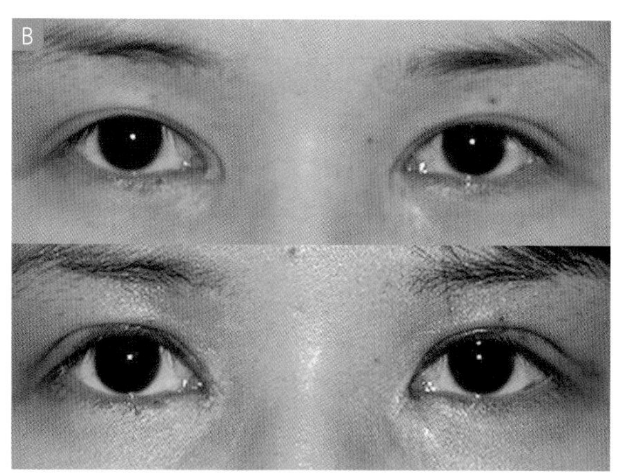

图4-23 手术案例。内眼角疤痕凹陷明显。凹陷疤痕被藏在赘皮内侧。夸张的外折双眼皮得到改善。

特殊的内眼角修复病例

在修复内眼角的同时，消除蒙古皱纹

通常为了祛除蒙古皱纹会露出部分泪阜，但有时会出现泪阜暴露多度而蒙古皱纹仍然存在的情况。此时可以做蒙古皱纹修复术。

消除蒙古皱纹的方法采用上面所提到的内眼角修复术，但其中不同的是要在皮肤切开线做皮下剥离，同时释放(release)连接蒙古皱纹的纤维组织，从而达到消除蒙古皱纹的目的，其他步骤按照内眼角修复术来实施(图4-19，4-21)。

开内眼角后出现严重凹陷性疤痕时

修复内眼角手术方法，一般切口线的设计位置离眼睑缘较近，但在疤痕严重的情况下，要随着疤痕形成的位置做V型设计。使疤痕内折而得到隐藏疤痕的效果，使外折双眼皮(out fold)变为内折双眼皮(in fold)(图4-20)。

参考文献

1. Oh YH, Seul CH, Yoo WM : Medial epicanthoplasty using the skin redraping method. Plast Reconstr Surg 119;2:703, 2007.
2. Hwang K, Kim DJ, Hwang SH : Anatomy of lower lacrimal canaliculus relative to epicanthoplasty. J Craniofac Surg 16:949, 2005.

外眼角(Aesthetic Lateral Canthoplasty)

| 辛容镐 |

序论

越来越多的东方人希望眼睛从内眦处到外眦处变长。Lateral canthoplasty是指所有能改变外眼角形态的手术总称。尤其在外文文献中报道的lateral canthoplasty是主要解决canthal laxity的手术方法，其目的是改善下眼睑以及中面部的松弛老化。而在东方人常说的外眼角开大术也是lateral canthoplasty中的一种，更确切的表达应该是外眼角部位的扩大术，既expansion of lateral canthal angle area。

因为眼球是球形的，所以眼睑的构造越靠近外侧越是向眶缘的方向形成三维的环绕。所以外眦开大术不仅是水平方向拉长了下眼睑，还要增加外眼角的深度(posterior deepening)，这样才可以使眼睑与眼球贴附并起到扩大外眼角的作用。单从水平方向上拉扯外眼角的话会产生睑球分离，矫正此种畸形时需要在眶外缘的骨头上钻洞，并将眼睑向内侧固定，此时值得注意的是，如果钻洞过深，则牵拉眼睑张力过大会导致睁眼变小。

术前评价与手术结果好的适应症(Preoperative evaluation & good Indication)

像其他手术一样，外眼角手术术前也要检查患者的情况。依据眼球的突出程度以及眶骨缘的位置以及睫毛的位置，有适合做手术的患者，反之，也存在不适合手术的患者，要注意区分。一般来说，比起凹陷的眼球，突出的眼球在术后眼睑和眼球贴和的更好，从正面看来开大的效果更明显。对于外眼角与lateral orbital rim过近的患者，术后水平位的拉长效果会减弱，随之满意度会下降。因为外眼角手术是向外，向后，向下的手术，这些方位的张力增大，并存在阻碍睁眼的可能，所以对于存在重度上睑下垂的患者，不建议施行外眼角及下至手术。

作者认为的适应症。

好的适应症

- 眼球突出的患者
- 眼睑的外眼角距离眶骨缘（lateral orbital rim）4mm以上的情况
- lateral fornix的深度在3mm以上的情况

不好的适应症

- 眼球凹陷的情况
- 眼睑的外眼角距离眶骨缘（lateral orbital rim）4mm以下的情况
- lateral fornix的深度在3mm以下的情况
- 因为之前的外眼角手术使得下睑缘灰线不连续的情况
- 对手术存在过高期望的患者

外眼角手术方法

文献中的方法

外文文献报道过为了使外眼角水平扩大而采用此种手术方法，但不是以美容为目的，而是为了治疗睑裂狭小blepharophimosis，即从修复重建的角度而存在的术式。对于东方人，从美容角度出发的话，此种术式是不适当的。

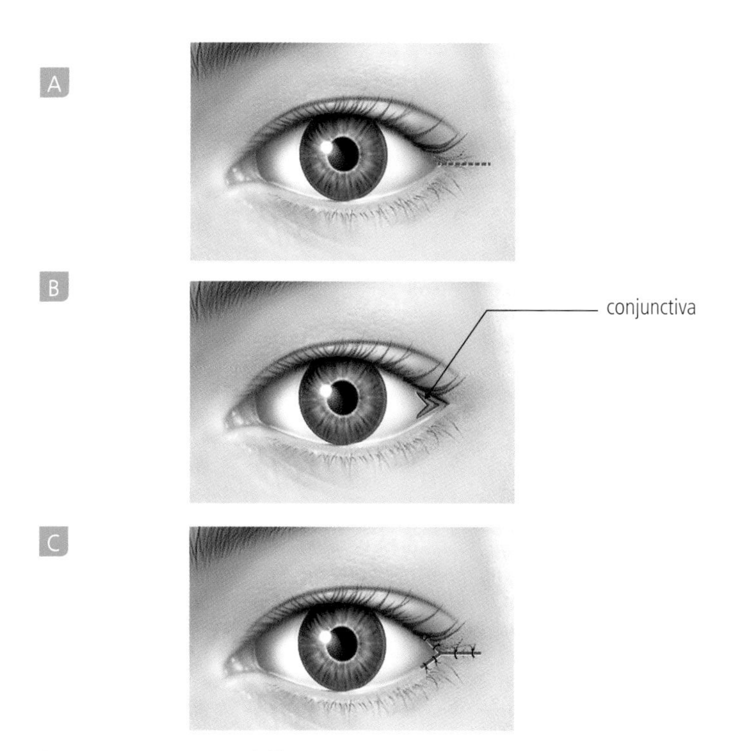

图4-24 Von-ammon 方法
A. 在外眼角做canthotomy。**B.** 剥离结膜并向外侧牵拉。**C.** 将结膜缝合在皮肤上。

Von-ammon 方法

外眼角延长方面的术式很早之前就被发明并在东方人眼睛上运用，水平切开(horizontal canthotomy)外眦至想要延长的止点，从外侧止点向内侧分离结膜瓣，向外牵拉结膜瓣并将其与上下皮肤对位缝合，为了防止新的fornix失去深度变平且为了使其保持原有深度，用双针线通过外眼角处结膜并通过皮肤，与peg缝合在一起。虽然此种术式存在操作简单的优点，但是过度的分离结膜会使黏膜

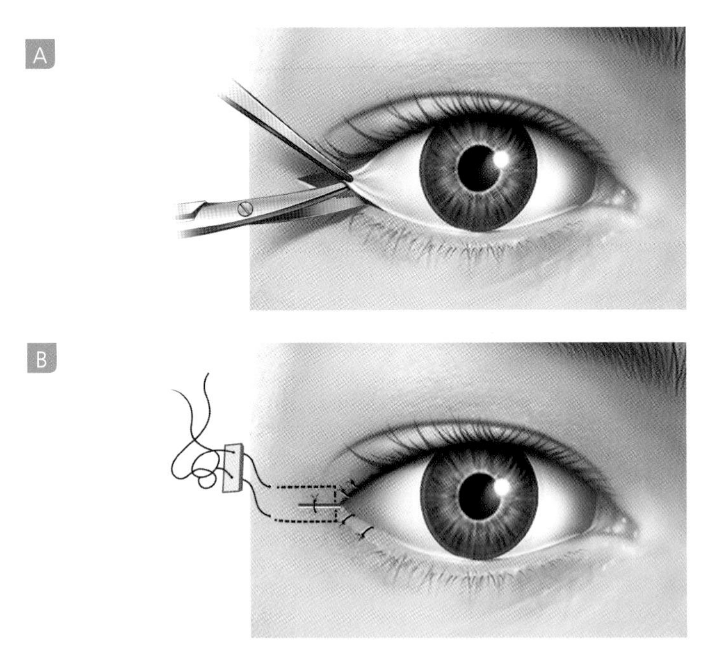

图4-25 Von Ammon方法中，结膜与皮肤缝合时使用peg的详细图解。

漏出，并且会在下睑缘外侧留下瘢痕。在white sclera做水平canthotomy使得水平方向的长度增加则会影响上下方向的宽度，此时需要做oblique canthotomy来矫正，为了使外眼角下方打开效果增大，可以使用Von-ammon方式，详见后文。

Blaskovics 方法

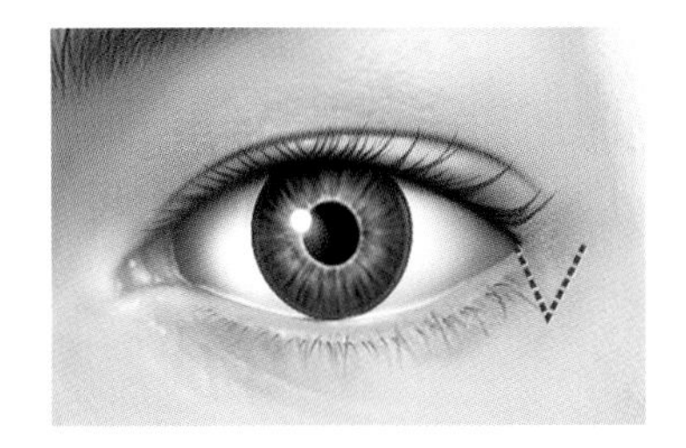

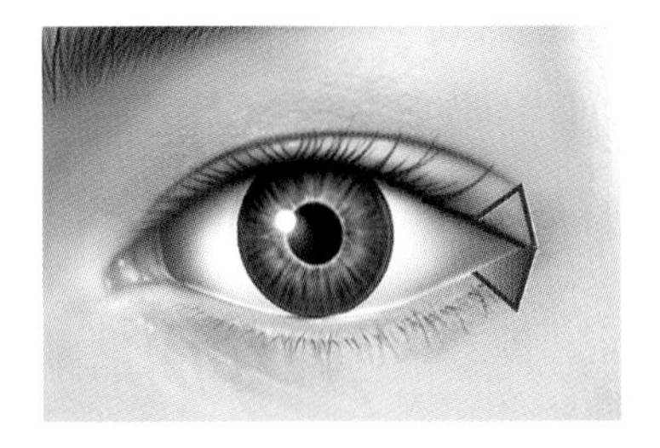

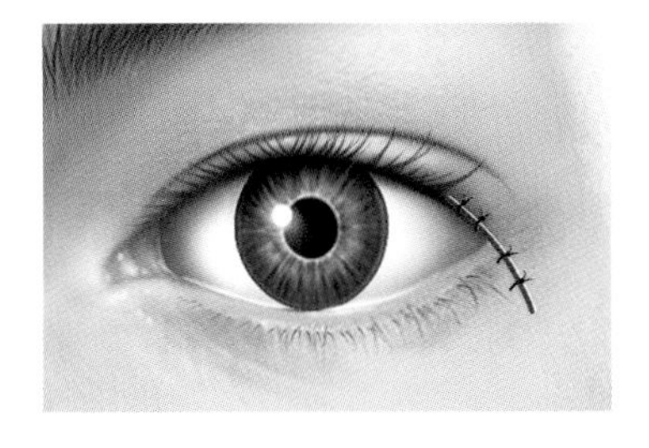

图4-26 **Blaskovic 方法**

A. 在外眦出做出向下的V形皮瓣。**B.** 将皮瓣向上翻折并水平切开外眼角。**C.** 下眼睑处楔形对位缝合，将上睑皮瓣适度修短并缝合。

在外眼角处做V形皮瓣，并将其向上掀起，同von ammon法，将外眼角水平全层切开。将皮瓣翻转反转后形成的楔形切口对位缝合。适当的切除皮瓣，并将皮瓣与上睑缘缝合。此方法运用的是皮肤的张力，所以对外眼角开大收效甚微。

Fox方法

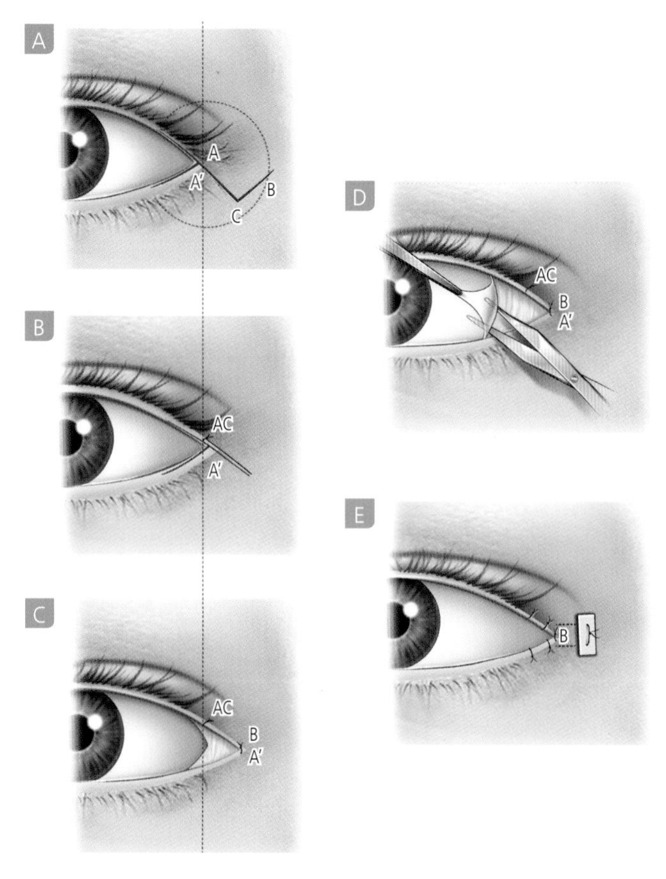

图4-27 A. 将B点设为延长的点 B. 将A与C缝合 C. 将A与B缝合 D. 将结膜皮瓣拉起 E. 结膜皮瓣的缝合

在外眼角(AA')的外侧依据想要开大的距离(例4mm)设计(B)点，分离上下睑板外侧1/4的外层与内层，沿上眼睑劈开方向向下做4mm延长切线标记点(C)。将ABC形成的皮瓣分离并将C点缝合于A点。将下眼睑A'点缝合于B点。由外向内分离大小适度的结膜瓣并固定在B点。用peg将皮肤与1/4睑缘固定。比起von ammon法，此法没有切段外眼角外侧连接点，但是由于向外的张力，会使得睁眼变得稍小。

Shin's method

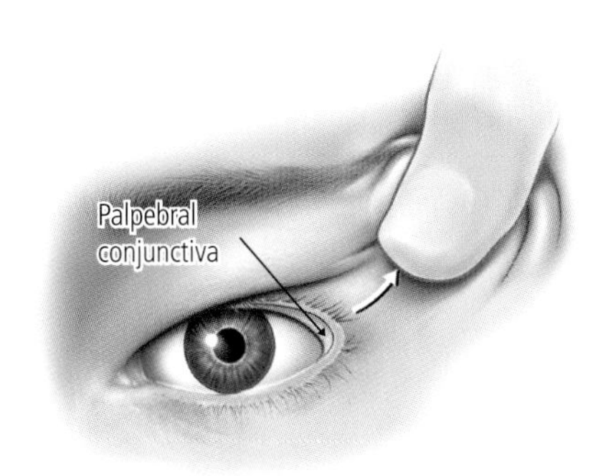

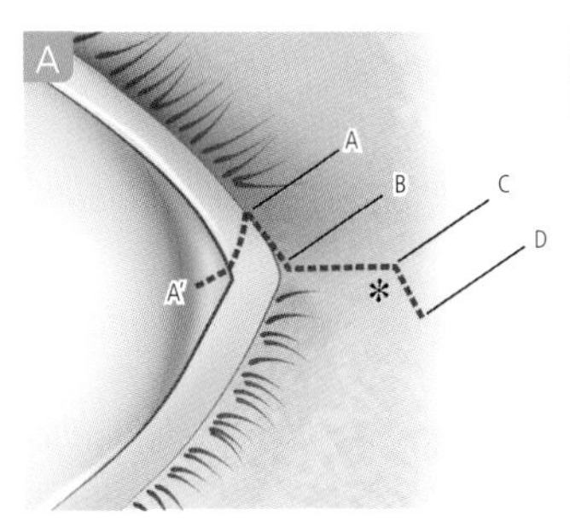

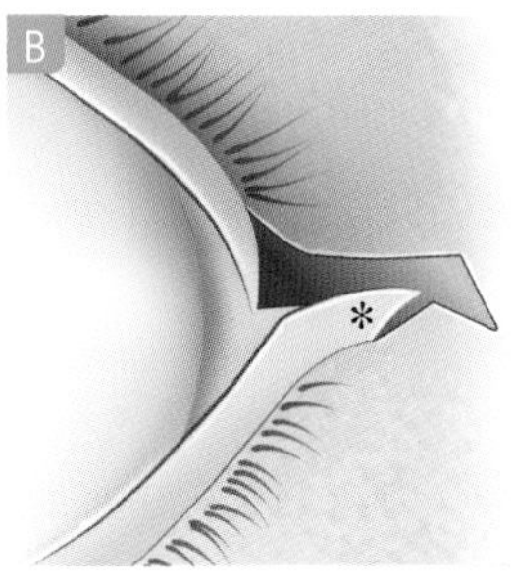

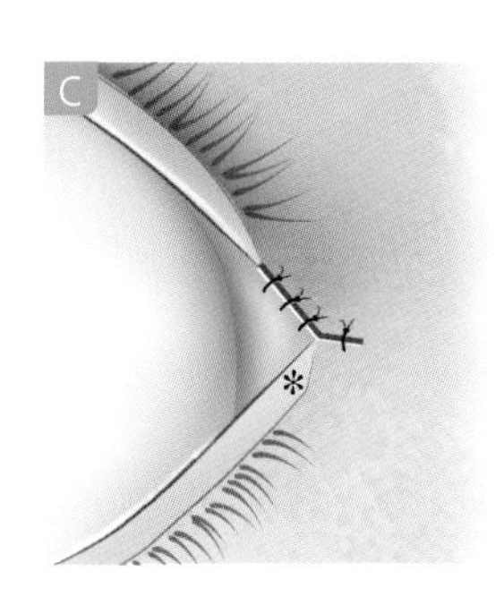

图4-28 **Shin's方法**
A. 做A'AB的三角皮瓣
B. 翻转皮瓣
C. 用7-0Black silk缝合

手术方法

首先在外眼角上方cilia line内测设计A点，距离比点2-3mm与外眼角成水平位置上设计B点。此前手术留有疤痕或外眼角睫毛稀少是可果断放弃A点，不做三角形皮瓣，直接从B点开始。AA' 点三角皮瓣的下端要尽可能黏膜，而A'点附近则要尽可能包含一些黏膜，由此来预防黏膜暴露问题。

要延长外眼角外侧时在BC点做4mm以下的切口，确认fornix的深度，一般以深度的一半左右进行操作。眼球突起时BC间距变远，外眼角效果好。如眼球凹陷BC的间距要短到1－2mm或有时BC不存在任何的间距。严重的眼球凹陷CD的方向也要垂直进行。眼球越凹陷外眼角效果越少。因mongolian slant眼尾上扬看起来不友善时BC的间距要小于2mm,CD也做4mm左右的接近垂直的切开是外眼角位置下移。这样既可以延长外眼角长度也可以让下方的白眼球露的更多一些。

在上睑外侧睫毛消失的部位用接近三角形的形状提升包含皮肤和结膜的皮瓣。此时最少化黏膜的包含量，皮肤皮瓣外侧要薄，内测要厚。提升的皮瓣在外侧翻转将其成为下眼睑的延长部位。三角皮瓣的下方用7-0的尼龙线固定在骨膜上，以此可使皮瓣的位置向后方深处转移，实现外眦角的posterior deepening才能使下眼睑和眼球接触变好。皮瓣提升的切口部位用7-0black silk线缝合皮肤和结膜，翻转固定的皮瓣与周围皮肤缝合。皮瓣转移后周围皮肤的dog ear以三角形切除或不明显时可用电气灼烧器处理后贴5天的再生贴。皮肤，黏膜皮瓣提升时如含有太多的结膜，术后可能出线黏膜外露，皮瓣包含的结膜，量极少时，全层向皮肤缝合，让黏膜不要暴露出来。

手术的优缺点

不在下睑缘grey line 上遗留瘢痕并且保证了外眼角的深度是此法的优点。但是在上睑缘睫毛止点过长时，无法形成足够长的皮瓣使之达到眶骨缘以及手术比较难以掌握是此方法的缺点。

对于无法做上睑缘皮瓣的患者也可以顺着上睑缘的弧度向下切开并按上述方法做外眼角手术也是可行的。(Lateral oblique canthotomy 方法)。

Lateral oblique canthotomy 术后的缝合方法

在无法做三角皮瓣的情况下，沿着上睑弧度做个类似的切口，并将其缝合于眶骨外缘，通过这种方法将外侧向下后旋转。

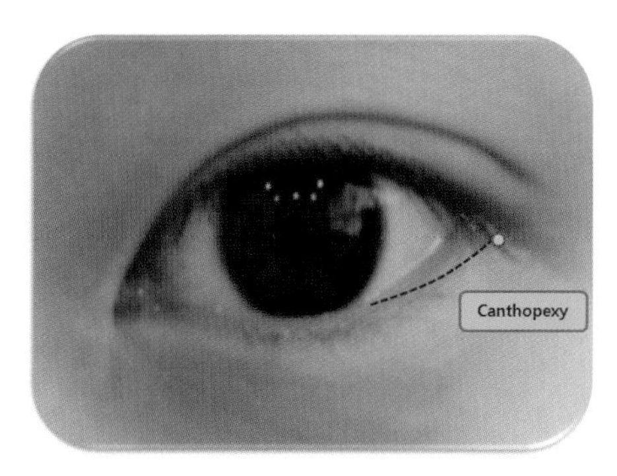

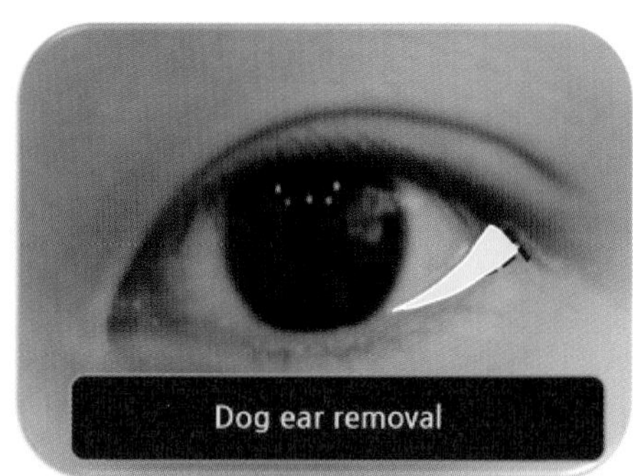

图4-29 Lateral oblique canthotomy and primary clousure

手术方法

将外眼角上方的切口用皮肤黏膜缝合的方法关闭，将下眼睑用7-0尼龙缝合于眶骨外缘，通过这种方法将外侧向下后旋转。

手术的优缺点

虽然此术式有将患者的外眼角向下移动的缺点，但是较容易掌握并且并发症较少。

向下矫正Mongoloid slant的外眼角手术。(下至和外眼角)

同时矫正蒙古吊眼梢及开外眼角的适应症

与西方人相比，东方人存在吊眼梢，这种mongoloid slant会给人凶的印象，对于这种患者，单纯的外眼角手术会显得术后效果不足，甚至会出现眼尾更加上扬，引发患者不满。眼尾上扬的患者做外眼角的同时，矫正mongoloid slant，使之水平，这样不仅使眼睛看起来柔和也会增加开外眼角的效果。对于存在

mongoloid slant的患者，比起单纯的外眦开大术，加上下至手术会使得患者的满意度增大。

手术概要

以延长外眼角为主要目的，在上睑外侧做三角皮瓣，并将上扬的眼尾下至的手术。

对于做过外眼角手术的患者，因为瘢痕的原因很难再做三角形皮瓣的情况很多，即使是初次，也存在因外眼角上睑缘处末端睫毛与外眼角很近，甚至一直存在睫毛而难以做三角瓣的情况。

首先在外眼角处做lateral oblique canthotomy，在通过结膜入路在眶隔脂

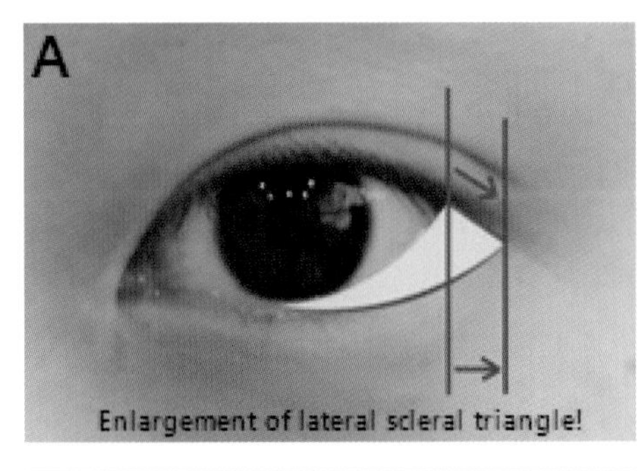

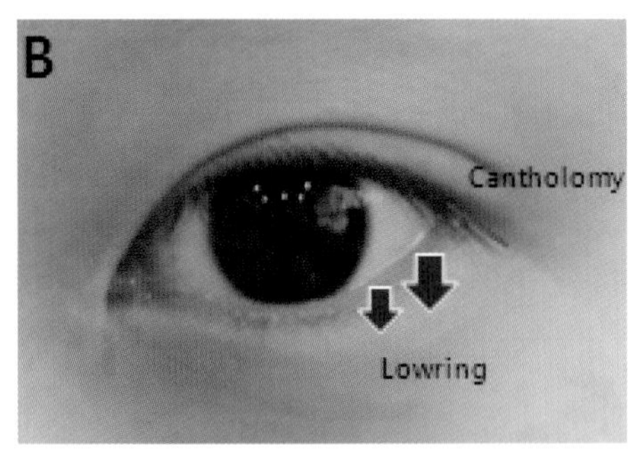

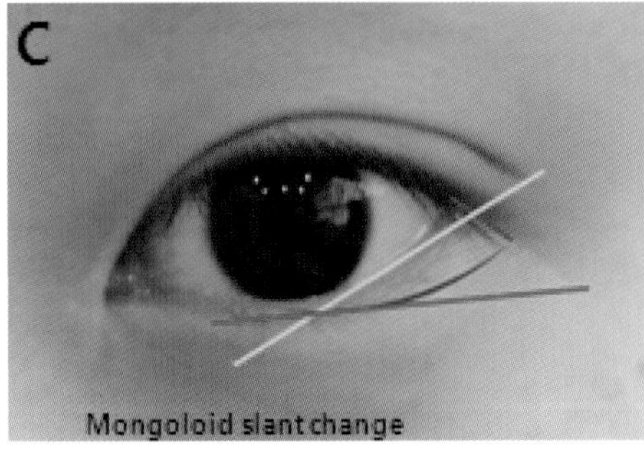

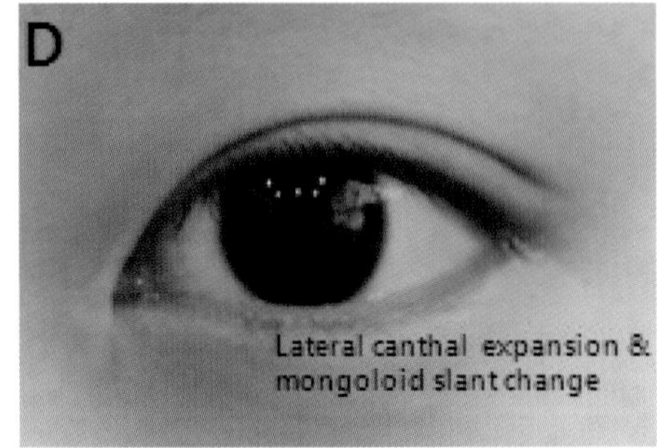

图4-30

A. 沿着上睑的弧度做lateral oblique canthotomy，并通过结膜入路做preseptal dissection

B. 将外侧下睑板与cpf(capsulopalpebral facia)用7-0的尼龙做两处固定，使眼尾下至

C. 将外眼角用6-0尼龙固定在想要形成新的外眼角的骨膜上。术后lateral sclera的增加面积为黄色的三角区域面积，与术前（黄线）相比，术后（粉线）的倾斜角度有所降低。

D. 外眼角的外侧得以下降。

肪(preseptal dissection)前做剥离，将外侧睑板(lateral tarsus)与下方的CPF (capsulopapebral fascia)缝合相连，使外侧的mongoloid slant得以下降，起到下至的效果。超过2毫米的上睑下垂患者不建议做这个手术，因为超过2毫米以上上睑下垂患者使用arcuate expansion of Clifford ligament会使上睑下垂加重。

做lateral oblique canthotomy后，将露出的睑板末端向下牵拉并用7-0尼龙缝合于下方的骨膜予以固定(lateral canthopexy)，形成新的外眼角，如果做了三角瓣，可将三角瓣的基底部用7-0尼龙固定到骨膜上。

lateral oblique canthotomy 及 mongoloid slant的详细过程

lateral oblique canthotomy

在外眼角处，沿着上眼睑的弧度，进行全层切开(oblique canthotomy)，一般切开4-5mm的长度，根据所要延长的长度需求，可以切的长一点或者短一点。

将倾斜的mongoloid slant向下的方法

在下眼睑睑板下方1-2毫米结膜处，做长度约为1cm的水平切开。可以用电刀提前将可见的血管止血。在眼轮匝肌后层与lateral orbital septum前层进行剥离，暴露orbital fat septum并由助手拽出，切开暴露lateral orbital fat。此时助手将lateral orbital fat向下牵拉，并暴露orbital fat后方的CPF(capsulopalpebral facia)，确认组织后用镊子夹住。用7-0尼龙线先缝合CPF，并于想要下至的位置将其与睑板下端左右进针并缝合到一起。为了更准确的固定及预防复发，有时会像埋线双眼皮一样贯通睑板缝合固定。可以根据下至的量决定睑板缝合的高低位置。一般将CPF(capsulopalpebral facis)在睑板上做两处固定。

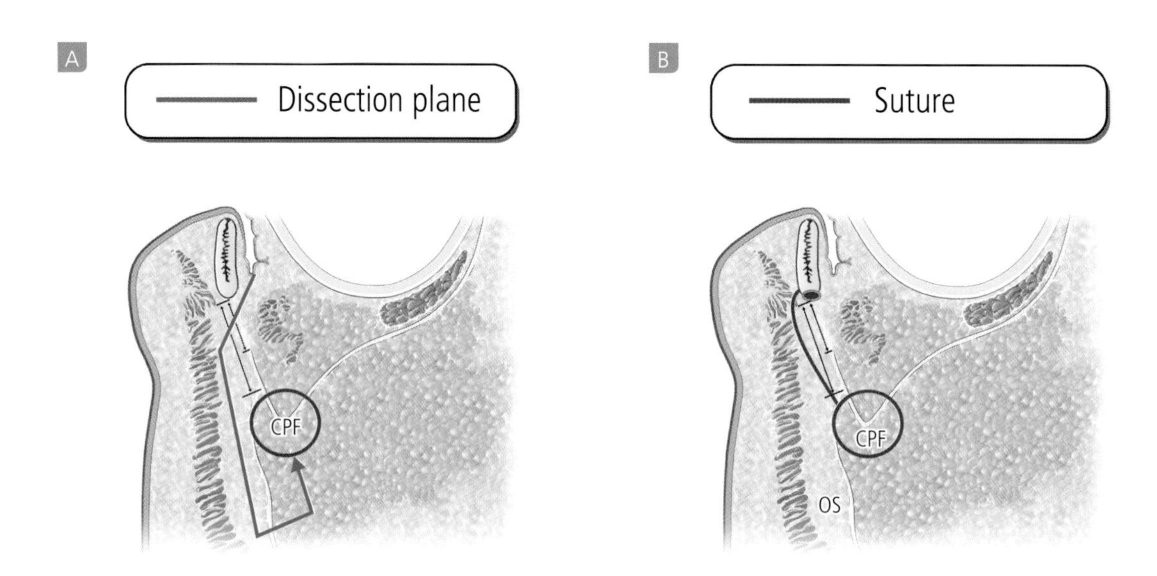

图4-31 · **下至手术**

A. transconjunctival prespetal approach入路并打开lateral orbital septum找到CPF

B. 用7-0尼龙将CPF与tarsus lower border进行固定

外眼角及canthopexy

canthopexy是将露出的上眼睑边缘切口缝合，将下眼睑尾端用6-0尼龙线缝合到lateral orbital rim。术后确定新的外眼角位置是否为术前想要达到的位置。

为了切除外眦周围所产生的dog ear，沿着下睑缘睫毛方向做最小化的皮肤切除并进行皮肤缝合。

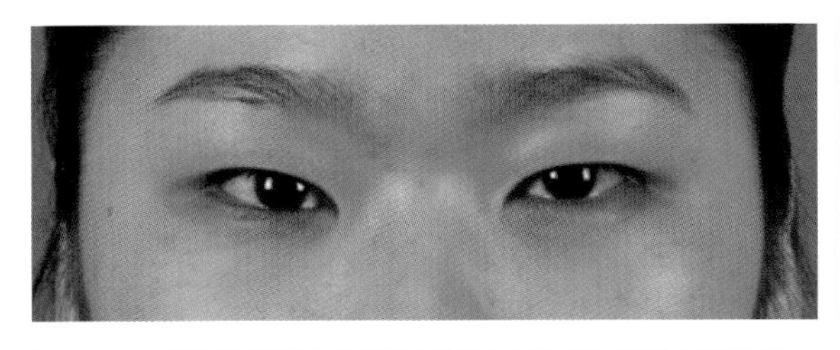
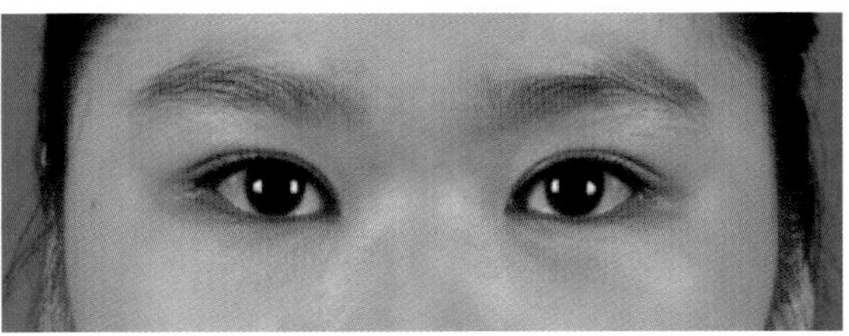

图4-32 外眼角及蒙古倾斜矫正形及同时实施双眼皮的案例

术后管理

外眼角处不仅换药困难而且很难维持换药，手术部位没有明显问题的话，涂上眼膏即可，术后7-8天拆线。

参考文献

1. Shin YH, Hwang K Cosmetic lateral canthoplasty. Aesthetic Plast surg 2004; 28: 317-320,
2. 백봉수, 박대환 : 안성형외과학, 3rd Ed, pp300-300 군자출판사. 2007
3. Hwang K, Choi HK, Nam YS, Kim DJ Anatomy of Arcuate Expansion of CapsulopalpebralFascia. J of Craniofacial Surgery 2010; 21: 239-242
4. Fox S.A. Ophthalmic Plastic Surgery, 5th Ed, New York : Grune&Stratton, 1976:. 223-225,
5. Von Ammon FA: Klinishe darstellungen der angehorenen Krankheiten und Bildlungsfhler des Menschlichen der auges und der augenlider. G. Reimer. Berlin, p 6. 1841
6. Knize DM. The Superficial Lateral Canthal Tendon: Anatomic Study and Clinical Application to Lateral Canthopexy. PLASTIC AND RECONSTRUCTIVE SURGERY 2002; 109: 1149-1157
7. Hwang K, Kim DJ, Hwang SH, Chung IH. The Relationship of Capsulopalpebral Fascia With Orbital Septum of the Lower Eyelid: An Anatomic Study Under Magnification. J OF CRANIOFACIAL SURGERY 2006; 17: 1118-1120
8. Park DH. Anthropometric analysis of the slant of palpebral fissures. Plast Reconstr Surg 2007; 119: 1624
9. Hirohi T, Yoshimura K. Vertical enlargement of the palpebral aperture by static shortening of the anterior and posterior lamellae of the lower eyelid: a cosmetic option for asian eyelids. Plast Reconstr Surg 2011; 127: 396

CHAPTER

05

上睑下垂

BLEPHAROPTOSIS

正常的眼裂高度是在平视状态下，上眼皮遮盖角膜上边缘1-2mm。上睑缘(upper eyelid margin)遮住角膜上缘(corneal upper limbus)2毫米以上，或MRD1(marginal reflex distance)在4毫米以下的即可看做是上睑下垂。这是由于先天性或后天性，提起眼睑的肌肉提上睑肌(levator palpebrae superioris muscle)或Müller肌出现的运动障碍而导致的。

一般而言，上睑下垂患者需要接受矫正手术，但并非只有上睑下垂患者才会接受这种手术。有些睑裂大小正常的人为了拥有一双更大的眼睛，也会接受上睑下垂矫正手术。一般的看起来比较舒服的眼睛是，年轻人遮盖角膜1mm左右，年纪较大的人遮盖2mm左右。

上睑下垂的分类

对于上睑下垂的类型，有很多种分类法，在这里介绍的是Beard的分类法。

1. 先天性上睑下垂(congenital ptosis)

a. 上直肌功能正常的上睑下垂-单纯型(simple ptosis)

b. 上直肌功能减退的上睑下垂

c. 睑裂狭小症(blepharophimosis syndrome)

d. 联动性上睑下垂(synkinetic ptosis)

颌动瞬目性上睑下垂(Marcus-Gunn jaw wingking ptosis)

第三脑神经误导性(麻痹性)上睑下垂(misdirected third cranial nerve ptosis)

2. 后天性上睑下垂

a. 神经性(neurogenic)

b. 肌原性(myogenic)

c. 外伤性(traumatic)

d. 机械性(mechanical)

3. 假性上睑下垂(Pseudoptosis)

a. 无眼畸形(anophthalmia)，小眼畸形(microphthalmia)，眼球痨(phthisis bulbi)

b. 下斜视(hypotropia)

c. 皮肤松弛症(dermochalasis)

术前检查

- 上睑下垂的程度
- 提上睑肌功能
- 动眼神经与Bell氏现象(Bell's phenomenon)
- 眼部干燥症，角膜感知能力(corneal sensitivity)
- 联动性肌肉运动(synkinetic movement)
- 重症肌无力检查(myasthenia gravis)
- 视力检查
- Hering's law test 等

测量眼裂垂直高度法(图5-1)

眼睛平视状态下，测量上睑缘与下睑缘之间的距离。

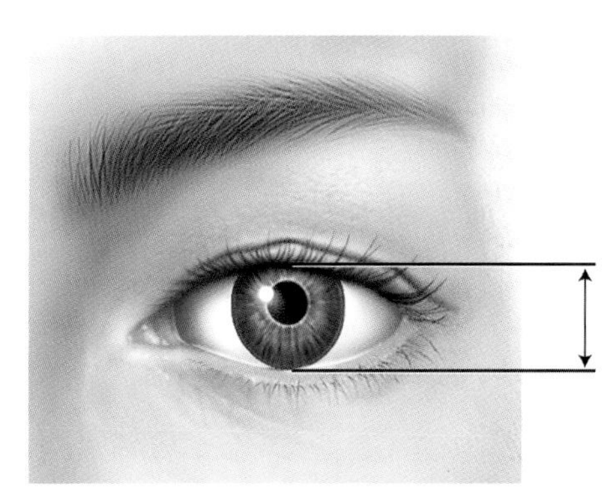

图5-1 睑裂高度
(Palpebral fissure height)

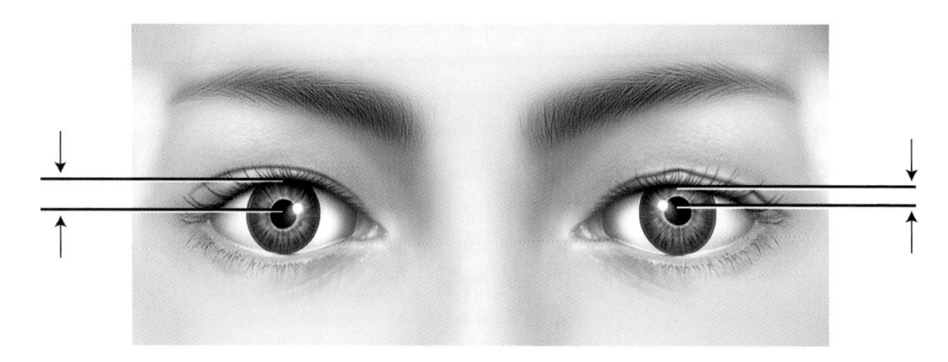

图5-2 MRD1 正常值为3-5mm。正常眼睛与上睑下垂的眼睛

在正常人中，韩国人的睑裂高度是8-8.5mm，白人是10mm(Fox，1966)在此需要注意，如果上眼缘被下垂的上眼睑皮肤遮盖，要提起此部分皮肤后，测量的数值才比较准确。可以选择做双眼皮或提起眉毛的方式来达到提起下垂皮肤的目的，但提眉有时候会使上眼睑向上牵拉，造成比实际眼裂变大的误差。

此测量方法是随着下眼睑位置的不同，此距离会发生相应的变化，这也是与其他方法不同点之一。

MRD1(marginal reflex distance 1)测量方法 (图5-2)

从角膜光反射点(corneal light reflex)到上睑缘的距离。如果上睑缘位置在反射点下方则用(-)来标记。正常值为3-5mm，40岁以后会慢慢变小，一般低于3mm被视为上睑下垂。调查显示西洋人的距离为4.5mm(Putterman，1980)。但角膜直径比较大的人，即使MRD在3mm以上也会显得没精神。一般上眼皮如位于角膜上端和瞳孔中央之间，假设角膜直径为10mm，MRD1为2.5mm。

测量提上睑肌功能

常见的测量提上睑肌功能的方法有Berke 法及 MLD(marginal limbal distance)法。

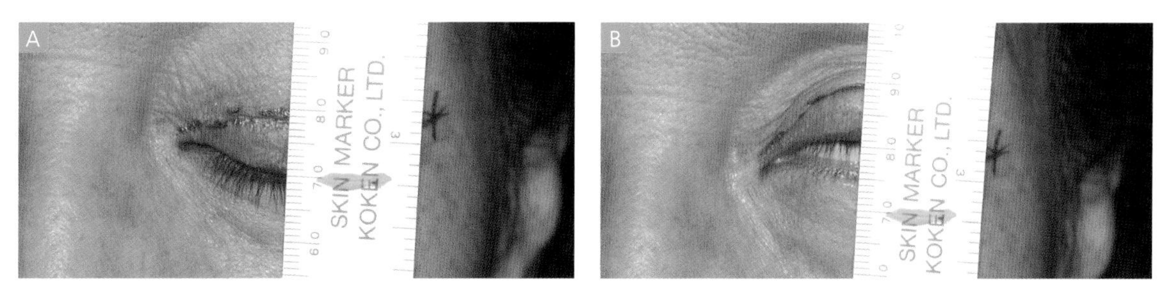

图5-3 **测算提肌功能(levator function)的方法**
向下看(A)与向上看(B)之间上睑缘运动的距离。此患者的提肌功能是10mm 左右。

Berke 法 (图5-3)

为了防止额肌带动上眼睑，要用手按住眉毛，测量患者在向上看与向下看时眼睑缘的最大移动距离(range of motion，excursion)。有双眼皮的患者测量起来比较容易，但是单眼皮的患者由于上眼皮遮盖了眼睑缘，因此需要让助手通过探条暂时做出双眼皮的样子，且要按住眉毛，使上眼睑缘露出再做测量。作者独自一人测量时，为了提高准确性，在固定好眉毛的状态下，首先测量最大限度向上向下看时眼睑缘移动的距离，再测量最大限度向上看时眼皮遮盖眼睑缘的距离，最后将两个数值相加得出肌力。

有时会看到一些医生是经由测量闭眼与最大限度向上看时两者之间的距离来测算提上睑肌的功能，这种方法是错误的。因为向下看时的眼皮位置比闭眼时的低。韩国人平均提上睑肌肌力是14-16mm(朴东满等，1990)，12mm 以下会出现上睑下垂的症状，白人平均值是15-18mm(Putterman，1980)。

MLD(marginal limbal distance)方法

承上所述，在固定额肌的情况下测量患者最大限度向上看时眼裂的垂直距离。此法在上睑下垂矫正手术中也被用做测量两眼是否对称的方法。白人的平均 MLD 是 9mm。

手术禁忌

- 第三脑神经麻痹，上直肌麻痹，无Bell现象时
- 改变角膜曲率手术后患者(例:镭射视力矫正手术)
- 眼球干燥症患者
- 角膜知觉功能低下(corneal sensitivity)
- 闭眼功能低下

以上这类患者如果接受上睑下垂矫正手术，很可能暴露性角膜炎恶化，应避免接受手术。不得已要接受手术时，也应降低目标，局限于部分矫正为主。

暴露性角膜炎是上睑睑下垂矫正术后常见也是非常严重并发症，受此问题的限制，有时上睑下垂矫正时不能矫正到患者满意的程度。在临床上，要特别注意的一点是，上睑下垂程度相同的患者，即使进行同程度的矫正术，也会因为患者个体差异和手术方法的不同，产生不同程度的兔眼，且在产生相同程度的兔眼情况下适应能力也会不同。对于完全失去上睑提肌功能的患者，也有从手术即刻就可以完全闭眼并且眼睛的大小也像正常人一样得到充分的矫正案例。相反地，还有些轻度上睑下垂的患者，轻度增大眼睛大小情况下发生角膜暴露，也因轻微的角膜暴露非常难受，还会导致视力下降的情况也有发生过。一般年轻的患者比年龄大的患者有更强的适应能力。

上睑下垂患者提上睑肌因为肌肉纤维少，纤维化严重的组织学上特征，所以组织弹性会减弱，向下看时会出现眼睑迟滞(lid lag)现象，有此种现象的患者术后出现兔眼(lagophthalmos)的可能性很高。在上睑下垂手术中闭眼的功能也是非常重要的一部分。在某些上睑下垂患者中，术前就存在先天性眼轮匝肌的闭眼机能低下，而睡觉时轻度睁眼的患者。在多次实施双眼皮手术的患者中也可以看到此现象，过度切除眼睑皮肤或睑板前眼轮匝肌是导致此现象的原因。像这样闭眼功能较差的患者，术前一定要将术后可能会睁眼睡觉的问题给予说明。眼轮匝肌的功能在闭眼功能中有最重要的作用，所以在实施各种上眼睑手术中要注意进行保护。

保护患者正常的闭眼能力是上睑下垂手术中的一个重要内容，而睑板前眼轮匝肌(pretarsal oculi muscle)在闭眼动作中是相当重要。因此，在各种上眼睑手术中要注意保护好睑板前眼轮匝肌，不对其进行切除。

眼球运动障碍

大部分上睑下垂的患者不会同时伴有眼外肌(extraocular muscle)的障碍。但从胚胎学来看，提上睑肌(levator muscle)和上直肌(superior rectus muscle)是从相同的中胚层(mesodermal bud)形成，因此5-6%的患者会伴有同侧上直肌异常。这种患者睡觉时Bell现象是不会出现的，所以是上睑下垂手术时一定要考虑到的重要事项。

上睑下垂与视力之间的关系

在先天性上睑下垂患者当中，视力低下现象比较普遍，而斜视，折射异常，散光，弱视等也与先天性上睑下垂有一定的关联。

弱视(Amblyopia)

正常人中出现弱视的频率为3.2%，而在先天性上睑下垂患者中则是大约20-30%都伴有弱视的问题(Anderson 20%，Merriam 29%，Bennish 32%)。

上睑下垂的程度越重，形成弱视的频率越大。从原因上来讲，屈光参差(Anisometropia)为13-15%，比正常人的7-8%要高，还有斜视散光和封闭性。弱视患者中把不伴有斜视及屈光参差的上睑下垂情况叫做isolated ptosis，其中16.7%会出现弱视。

斜视(Strabismus)

导致弱视的原因中斜视占12%-36%(16%Lin，36%Anderson，34%Yoon，26% Berke)。其中外斜视占有很大一部分比例，16%都存在上直肌麻痹。

散光(Astigmatism)

45%的上睑下垂患者患有1.0屈光度以上的散光，比正常人的发病率要高出两倍左右。眼睑接触角膜的时间及力度增加，也是导致散光的原因之一。直散光占绝大部分比例。在矫正上睑下垂后由于对角膜的压迫力发生了变化，因此散光的程度也随之改变。

近视(Myopia)

频率和正常人差不多。

先天性上睑下垂的手术时机与术后的视力变化

对于先天性上睑下垂患者的最佳手术时机，存在很多分歧。做为手术的前提条件，医生首先必须能够从患者那里了解实际临床情况，同时还需要在一定程度上得到患者的协助与配合。基于此，大多数都认为先天性上睑下垂患者的最佳手术时机为2-3岁或4-5岁以后。

关于手术的最佳时机，Duke-Elder认为是3岁左右，Scheie认为是3-4岁，Stallard则认为假如患儿不仰头也可以看东西的话应在5岁手术，而如果患儿有遮盖视线而影响视功能发育的可能时则要2岁就矫正上睑下垂，fax认为2岁以后就可以做手术，但由于儿童时期筋膜(fascia)发育不全，可以利用外界材料(例:尼龙，硅胶线)暂时性的提起，等待时机再利用其它手术方法进行矫正。

先天性上睑下垂的早期矫正对视力的变化存在一定的分歧。Merriam等报告在矫正术后，15%的患者由于散光而导致弱视，报告显示该组患者接受矫正手术的平均年龄为1.6岁，为了避免此问题，建议5岁以后进行矫正手术。另一方面Hornblass 与 Lin 等研究认为对于严重性上睑下垂，早期矫正对弱视有很好的改善效果；相反不做手术任其发展就会使弱视更加严重。Lin等研究显示严重性上睑下垂在出生后的2个月到8岁之间做矫正，就能降低弱视发生的几率(37.5% 缩减到5%)。

一般儿时的视力1岁为0.3,5-6岁为1.0,在此发育过程中如视野得不到保障，发育过程会受到阻碍，所以视野有没有被限制也是决定手术时机的重要因素之一。在临床上常见成人提上睑肌功能基本丧失，但视力正常的情况。这是由于在年少时就开始使用额肌等其他肌肉提起眼皮，并未对眼部视力的发育造成影响。因此只要在儿时时刻注意孩子观察视物的姿势，使其不阻碍正常的视野即可，如果不存在弱视的问题就没必要急着做矫正。

在成人上眼睑成形术及上睑下垂手术后，也不缺乏有因散光而导致的视力变化的情况发生，这是由于上眼睑对角膜的压力发生改变所导致的，这种情况在上睑下垂矫正术后比单纯的上眼睑成形术后更容易出现。一般在术后2-3个月内会因散光的原因导致轻微视力的变化，但一年之后，出现0.3diopter以上程度散光的患者不足10%。另外，有关重症上睑下垂患者在接受矫正后可能出现暴露性角膜炎及由此引发的视力下降问题，需要医生慎重考虑。一般认为上睑下垂越严重，矫正量越大，术后角膜的暴露程度就越严重；而角膜暴露越多，角膜炎也就越严重。但其实并非如此。即使是同一矫正量的患者在术后出现的暴露程度是不同的，角膜在暴露后患者表现出的耐受力也是因人而异。因此，要充分考虑各种因素后再决定上睑下垂的矫正量。术后，为了避免暴露性角膜炎应在睡觉前滴入人工泪液或药膏，在严重的情况下可使用眼罩。

关于上睑下垂患者上睑提肌的组织学分析

米勒氏肌

- **先天性**：在先天性上睑下垂患者当中，脂肪浸润(fatty infiltration)现象比较明显。有研究结果表明，先天性上睑下垂患者大多没有肌肉细胞异常或萎缩atrophy的问题。但Berke，郑和善等认为三分之二的先天性上睑下垂患者不存在萎缩atrophy，而三分之一的人显示存在轻微的萎缩atrophy。
- **后天性**：至于后天性上睑下垂患者，其肌肉量比较丰富(Berke)，但可能出现肌肉变薄及退行性病变。

提上睑肌

先天性上睑下垂主要是提上睑肌(levator muscle)肌肉发育不良(dystrophy)所致。出现了发育停止(atrophy)及纤维变性(fibrosis)(atrophy70-95%，fibrosis 42%(Hueck))。从外观上看发育停止的提上睑肌显得灰白(pale)且松弛(flabby)，组织学检查显示肌纤维玻璃样变性(hyaline degeneration)，液泡化(vacuolization)，大小不规则，也有肌肉细胞缺失的情况。也有报导指出，脂肪浸润(fatty infiltration)的出现率为25%。提上睑肌的横纹肌异常程度和功能低下程度一致，既后天性上睑下垂以及轻度的上睑下垂我们可以看到横纹肌。但肌力为“0”的情况我们看不到横纹肌纤维，取而代之的时松散的蜂窝状组织，所以大量的前徙这种组织会存在严重的复发，并且会造成兔眼，所以不能说是好的方法。

老年性上睑下垂虽然存在提肌腱膜的破裂，但也会伴随有肌肉的退行性病变。

有报道后天性上睑下垂的横纹肌是正常的(Berke et al)。

提上睑肌腱膜(Levator aponeurosis)

平均厚度为0.2 毫米左右，与正常人不存在明显的差异。

上睑下垂患者手术记录

登记号	姓名	年龄/性别
诊断名		
C.C	现有的不满	
PH	手术史，病史	
PI	眼部不适点，服用的药，有无眼干症，是否为疤痕体质	
PEx		
上睑下垂状态		
	右侧	左侧
MRD1		
上睑下垂程度		
眼裂(palpebral fissue)		
提上睑肌肌能(levator function)		
眼裂形状		
主视眼		
视力		
动眼筋		
睑迟滞(lid lag)		
眼干症		
其他特殊事项		
术后预想的问题点	兔眼，向上或向下看时两眼不对称，不对称	

手术记录

手术名	腱膜，提上睑肌复合体，CFS，折叠术，前徙，额肌瓣悬吊等
上睑下垂程度	
麻醉方法	睡眠麻醉，局部麻醉位置，用量，有无肾上腺素稀释
局麻后眼睛大小变化	有无，变化程度，关于变化的应对法
剥离位置及范围	腱膜前层，米勒肌和结膜之间
前徙组织， 前徙量， 前徙位置，线种类，睑板固定方法	腱膜，米勒氏肌，提上睑肌复合体等
前徙后变化， 有无过矫（过矫量）	
双眼皮手术	固定方式
术后眼睛大小的变化	

根据不同手术方法划分的上睑下垂分类法

根据手术方法的不同，作者将上睑下垂划分为生物性上睑下垂和机械性上睑下垂两种。生物性上睑下垂是睁眼肌肉的组织学上存在易常，机械性上睑下垂比起组织学的变化，更多源于外界的变化。两者进行矫正时前进的量存在很大的差易，所以术前一定要对此有充分的理解。

生物性上睑下垂(biological ptosis)

· 先天性上睑下垂
· 外伤性上睑下垂

从生物学，组织学的角度上看，提上睑肌复合体(levator complex)存在异的，即为生物性上睑下垂。这里所指的异常包括纤维化(fibrosis)，发育不良(hypotrophy)，营养失调(dystrophy)，脂肪浸润(fatty infiltration)等。主要由提上睑肌复合体的组织学性变化引起的上睑下垂，包括先天性上睑下垂和提上睑肌受到外伤引起的上睑下垂(即外伤性上睑下垂)。

先天性上睑下垂相对于退行性上睑下垂(senile ptosis)，提上睑肌复合体在组织学角度上的异常更加明显，因此被归类为生物性上睑下垂。有些患者在接受上睑手术后，因提上睑肌复合体，即腱膜，米勒氏肌，提上睑肌等直接受到外伤而出现纤维化(fibrosis)或疤痕形成(scarring)，导致肌肉组织病变(myopathic problem)进而减弱提上睑肌的功能(levator function)。无论从组织学的角度还是从手术方法及手术后遗症等方面考虑，这种情况与先天性上睑下垂存在很多相似之处。因此，作者也将其归类于生物性上睑下垂。但是在没有疤痕形成(scarring)，单纯因外伤使提上睑肌从睑板腱断裂(disinsertion)的情况，可以叫做机械性上睑下垂。

机械性上睑下垂(Mechanical ptosis)

提上睑肌复合体没有组织学上的病变，只是出现了断裂(disinsertion)裂开(dehiscence)等机械性变化引起的上睑下垂即属于机械性上睑下垂。腱膜性上睑下垂(aponeurotic ptosis)便是其中之一。由提上睑肌断裂(disinsertion)引起的外伤性上睑下垂也属于机械性上睑下垂。

需要指出的是，没有100%纯粹的机械性上睑下垂。在退行性上睑下垂中，有时病情不亚于实际的腱膜断裂，以提肌自身的退行性变化为主要原因的情况也不在少数。在腱膜断裂为主要原因的情况下，由于腱膜长期处于断裂状态，就必然会出现米勒氏肌变薄(thinning)，变弱(attenuation)，疏松(rarefaction)，纤维化(fibrosis)，脂肪浸润(fatty infiltration)等质上的变化。

在矫正手术中与先天性上睑下垂的不同点是机械性上睑下垂质地上的变化少，手术主要是恢复断裂的量，所以手术时比起先天性上睑下垂前进的量要少。

腱膜性上睑下垂(Aponeurotic ptosis)

退化性上睑下垂(involutional ptosis)属于后天性上睑下垂的范畴。

腱膜性上睑下垂是因提上睑肌腱膜拉长(stretching)，变薄(thinning)，与睑板裂开(dehiscence)，睑板附着部位腱膜断裂(disinsertion)等，导致提上睑肌力量无法充分传递到睑板，或因米勒氏肌提上睑肌力度变弱。

腱膜性上睑下垂是提肌末端(terminal)与睑板之间连接的部位存在缺陷。在上睑下垂非常严重的状态下，提肌功能却相对比较好(图5-5)。

在手术中确定提上睑肌矫正量时，要了解上睑下垂的程度及上提肌复合体的功能(levator function)。上提肌的功能是经由上提肌的运动范围(range of motion)来确定的，来提示肌肉的弹性，纤维化(fibrosis)，萎缩(atrophy)，脂肪浸润(fatty infiltration)等质地(quality)的异常程度。若上提肌功能下降是因肌肉的质地发生了很大的变化，在矫正时即便上睑下垂的程度不是很严重，却需要进行较大量的矫正；相反的，即使上睑下垂的程度比较大，如果提肌的功能好，可以减少调整的量。

腱膜性上睑下垂主要是提上睑肌复合体因腱断裂(disinsertion)，裂开(dehiscence)等机械性变化(mechanical change)所导致，比起生物性变化(biological change)，其质地变化是次要的，因此属于机械性上睑下垂的范畴。在此情况下，即使上睑下垂严重，提肌功能仍相对良好(图5-5)，在矫正时，比起在先天性上睑下垂可以减少提升的量(图5-8)，但是老年性上睑下垂也不全是腱膜性上睑下垂，应注意提肌自身的退行性变化，意即，质地的变化因素在发病原因中占得比较多。除此之外在老年性上睑下垂中先天性提肌功能比较弱的患者，引起复合型(combination)的情况也比较多。所以即使是老年性的上睑下垂，需要大量做调整的情况也是很多见的，因此调整提肌的矫正量需同时考虑上睑下垂的程度及提肌的功能。

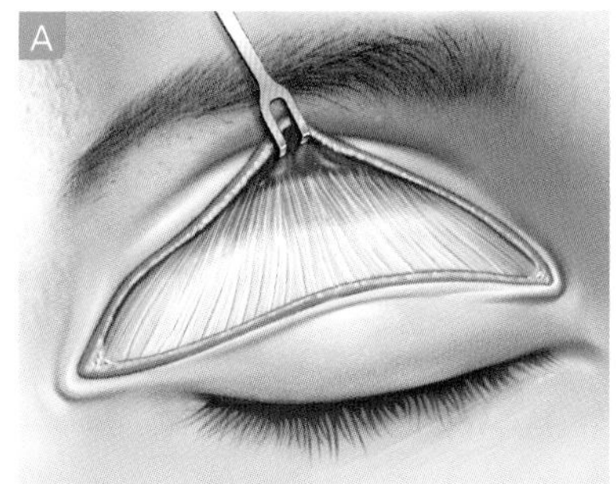

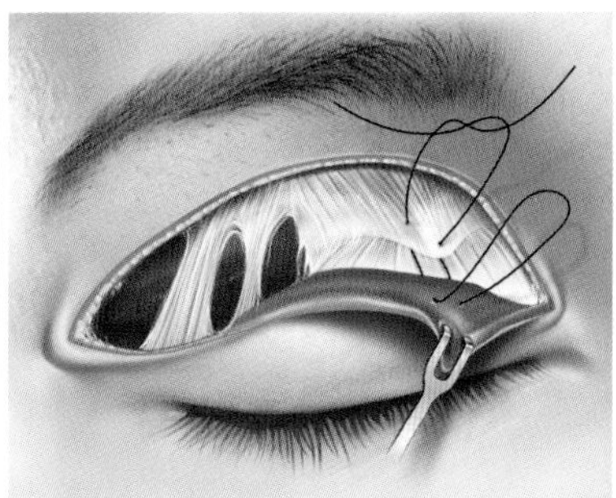
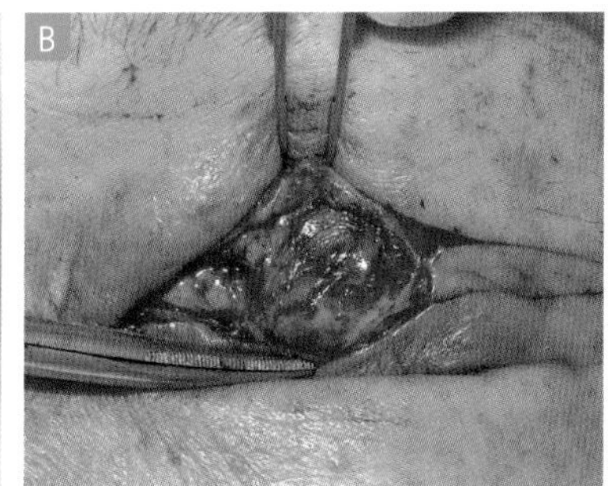

图5-4 **A.** 暴露出提上睑肌的状态及前徙缝合 **B.** 腱膜与米勒氏肌分离状态的临床照片

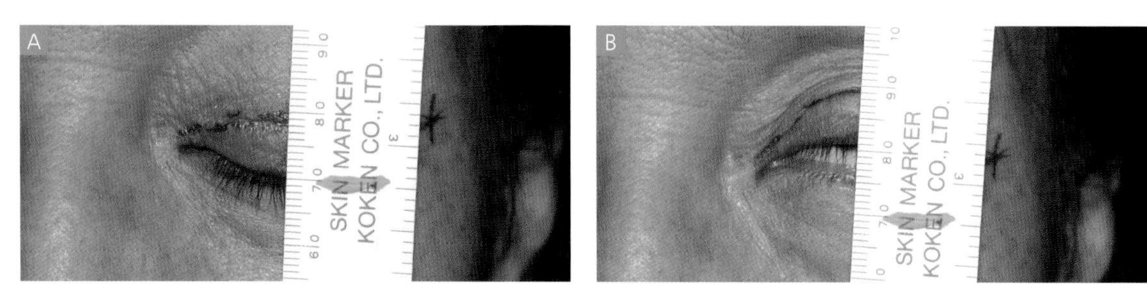

图5-5 **老年性提上睑肌功能测定**

与图5-3是同一位患者。**A.** 最大程度向下看时睑缘的高度。**B.** 最大程的向上看时睑缘的高度。提上睑肌肌力10mm，与严重上睑下垂相比，提上睑肌功能好很多。

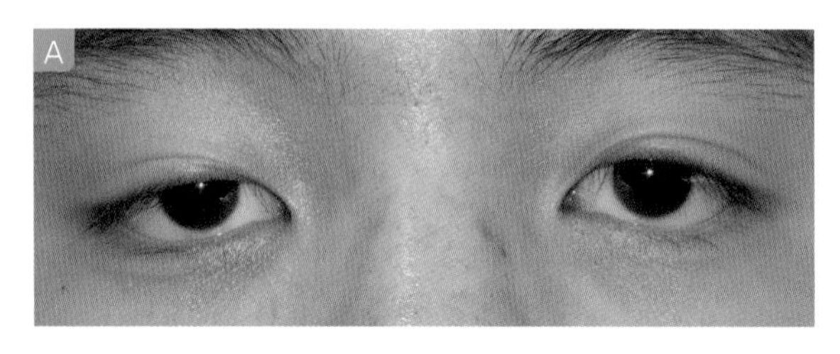

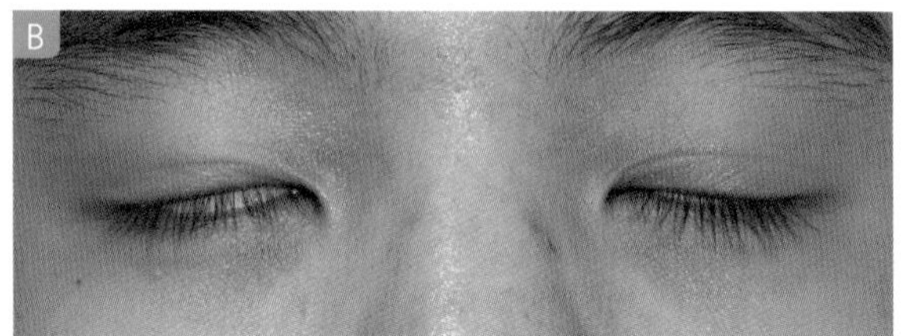

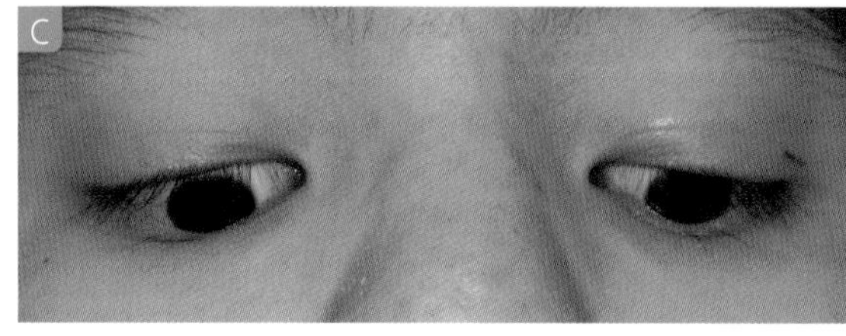

图5-6 **先天性右侧上睑下垂lid lag(眼睑闭合延迟)(术前)**

向下看时有上睑下垂的一侧眼睛略大一些

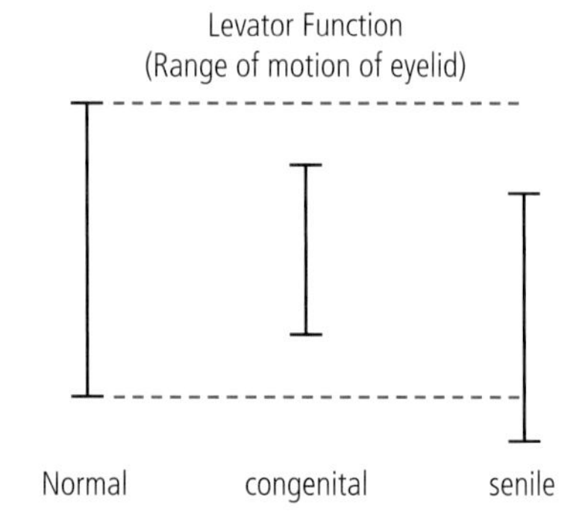

图5-7 **提上肌功能(levator function)来比较，注视上方及下方注视时的眼皮位置。**

先天性上睑下垂患者下方注视时眼睑位置比正常位置高(lid lag)，而腱膜性上睑下垂状态下，则比正常位置要低。

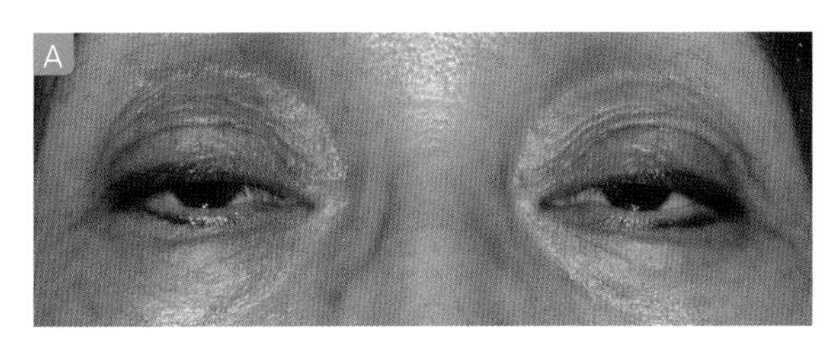

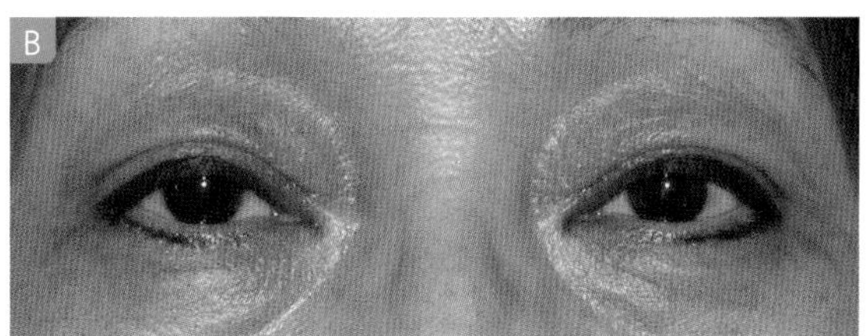

图5-8 **老年性上睑下垂术前术后(senlie ptosis，involutional ptosis)**

A. 术前眼睑凹陷，双眼皮浅且宽。术后矫正了双眼皮宽度及眼睑凹陷的问题。

B. 5mm的上睑下垂量，通过6mm的上睑提肌前徙得以矫正，比先天性上睑下垂的矫正量要少，比起严重的上睑下垂术后产生兔眼的概率也低。

TABLE 5-1 **先天性上睑下垂与腱膜性上睑下垂的鉴别诊断** (图5-8，5-9)

	先天性	腱膜性
提肌功能	严重低下	稍低下
提上睑肌矫正量	多	少
下方注视	lid lag (+，-)	出现下垂症状
视力低下(伴随弱视，散光，斜视等)	比正常多	与正常人一样
导致复合性上睑下垂的几率(动眼肌肉异常，synkinetie 运动)	+	-
双眼皮	+，-	本身有双眼皮会变High fold 或loss of fold
进行性	-	+
病理学意见	提上睑肌退行萎缩 (levator muscle dystrophy)	提上睑肌腱膜，米勒氏肌分裂，拆卸 (dehiscence，disinsertion)
其他		sunken，thin eyelid tarsus lateral shifting

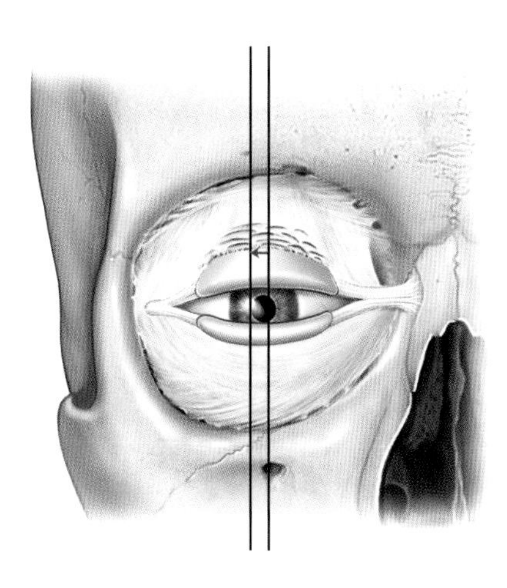

图5-9 **老年性上睑下垂提上睑肌腱膜内侧角断裂(disinsertion)导致睑板横向转移(tarsus lateral shifting)**

原因

· 老年性(involutional ptosis)
· 上眼睑手术后
· 眼睑松弛症(blepharochalasis)
· 眼睑痉挛(blepharospasm)
· 长期使用隐形眼镜
· 皮肤过敏等皮肤炎，习惯性揉眼睛
· 眼科手术(白内障，青光眼等手术)
· 怀孕
· 严重水肿
· 甲状腺机能亢进
· 因腱膜裂开导致的外伤性上睑下垂

腱膜性上睑下垂多见于老年患者。长期使用隐形眼镜的患者以及因过敏性皮肤炎等皮肤疾病惯性地揉眼睛的患者，因其腱膜被拉长，裂开甚至退化，进而形成上睑下垂。外伤或上眼睑手术时腱膜被划破，也会导致上睑下垂(图5-4)。

此外交通事故，癌症治疗或产后眼皮过度肿胀等也能成为导致此问题的原因。但是在上眼睑手术时，即使腱膜从睑板上断裂，因前期米勒氏肌没有易常，所以不会马上就出现上睑下垂。但随着米勒氏肌遂渐变薄,退化(thinning or attenuation),数年后可能出现上睑下垂。因此，腱膜性上睑下患者的腱膜薄得比较明显，而先天性上睑下患者却并非如此。接受白内障或青光眼手术，3-13%的人群会因为提上睑肌腱膜破裂而导致上睑下垂。这种情况可能是由于手术因素及术后炎症引起的，也可能是手术中使用的悬吊引起。此外，反复出现严重水肿的患者，患有甲状腺亢进的患者，以及怀孕等，也可能是出现上睑下垂的原因。

腱膜性上睑下垂患者的病史一般与先天性上睑下垂患者存在差异，但偶尔也存在病史比较模糊的腱膜性上睑下垂。有些轻度的先天性上睑下垂患者在额肌的上提作用下，年轻时并无上睑下垂症状。但到了一定年龄，不再使用额肌后，出现上睑下垂症状。有时还会出现伴有老年性上睑下垂的复合体症状。

老年性上睑下垂的特征有以下几点。首先，左右两眼的上睑下垂症状大多不会同时出现;其次，病情表现为进行性;第三，不伴有眼球运动障碍斜视。必要时，要通过腾喜龙(tensilon)药物试验，对老年性上睑下垂和重度肌无力症，霍纳综台症(Horner's)等予以鉴别。

临床特征

与先天性上睑下垂相比，腱膜性上睑下垂具有如下特点。首先，症状较严重的腱膜性上睑下垂患者，其提上睑肌的功能却往往比较正常(图5-5)。其次，先天性上睑下垂患者的提上睑肌因纤维化弹性较弱，上方注视和下方注视动作均受到限制，尤其在下方注视时上眼睑可能出现眼睑迟滞(lid lag)现象(图5-6)。腱膜性上睑下垂患者在下方注视时，上睑下垂症状也同样严重，以致阅读时非常容易感觉疲劳，甚至有些患者下方注视的时间一长会伴随头痛现象，下楼梯也比较困难(图5-7)。第三，腱膜性上睑下垂患者可能出现上睑凹陷(sunken eyelid)。这是因为腱膜断裂后从睑板上脱离并被拉到上面时，附着在腱膜上的眼眶脂肪也同时被拉到上方，进入到眼眶而引起的。上睑下垂导致眉毛上提也是形成上睑凹陷的原因之一。第四，患腱膜性上睑下垂后，可能出现重睑折皱变高或消失(high fold or loss of fold)的现象，有时还可以观察到患者的眼睑，尤其是睑板上板部位变薄的现象(图5-8)。老年性上睑下垂的另一特征是内角裂开与睑板外侧分离(图5-9)。因此在矫正老年性上睑下垂后，上述例举的症状:眼睛疲劳，头痛，眼窝凹陷，高位双眼皮，双眼皮消失，睑板脱离等都能够同时被解决。

腱膜性上睑下垂的手术方法

· 腱膜前徙术
· 米勒氏肌折叠及腱膜前徙术
· 提上睑肌复合体折叠术(levator complex plication)

先天性上睑下垂(congenital blepharoptosis)

先天性上睑下垂是因提上睑肌复合体(levator complex)发育不全所致，从组织学及病理学上看其米勒氏肌与提肌有萎缩(atrophy)，营养不良(dystrophy)，纤维化(fibrosis)，稀薄化(rarefaction)，脂肪浸润(fatty infitration)等特征性异常。先天性重度上睑下垂的提上睑肌的肌肉纤维不规则或多数情况下没有肌纤维，10%为常染色体显性遗传(autosomal dominant inheritance)。先天性上睑下垂大部分不会同时伴随眼外肌麻痹，但提上睑肌和上直肌是从同一中胚层形成所以5-7%会伴随上直肌麻痹。

外伤性上睑下垂或上眼睑手术后导致的上睑下垂与腱膜性上睑下垂有所不同，前者病因是由于外伤所导致的肌肉纤维化(fibrosis)，与先天性上睑下垂中提肌存在病理异常有相似之处，因此在临床上睑肌组织纤维化严重的外伤性或术后导致的上睑下垂患者中，上睑下垂的程度和提肌功能严重减弱的状态，更接近先天性上睑下垂的范畴，而不是腱膜性上睑下垂。所以在手术中，我们会发现这些患者在术中确定需调整提上睑肌的量，以及术后发生眼睑迟滞(lid lag)的程度与先天性上睑下垂类似。

适应的手术方法种类

· 米勒氏肌前徒术
· 提上睑肌复合体折叠术
· 提上睑肌缩短术
· CFS悬吊术或提上睑肌缩短复合CFS悬吊手术
· 额肌瓣转移术

有些人主张过在轻度的上睑下垂情况下，经由腱膜手术(aponeurosis surgery)也能有一定的效果。但如果是先天性的上睑下垂，即使是轻度的，由于容易复发，作者不建议使用此方法。腱膜性上睑下垂（老年性上睑下垂，长期使用隐形眼镜所造成的上睑下垂）可使用此方法。在此不会对睑板结膜切除术(Fasanella-sevat)进行任何的说明。因为此方法会对正常的睑板构造造成损伤，术后会出现兔眼，睑板腺易常，眼皮形态易常等负作用。

目前存在的上睑下垂矫正手术方法可分为以下几种:

上睑下垂手术方法

提上睑肌复合体手术(图5-10)

- 提上睑肌腱膜手术(aponeurosis surgery)
- 米勒氏肌折叠及提上睑肌腱膜手术(Müller tuck and aponeurosis surgery)
- 提上睑肌复合体折叠术(levator plication or levctor complex plication)
- 提上睑肌缩短术(levator shortening surgery)

check韧带和提上睑肌缩短术

- Check ligament (CFS) + or - levator shortening surgery

额肌手术(frontalis surgery)

- 额肌转移术(frontalis transfer)
- 额肌悬吊术(frontalis sling)

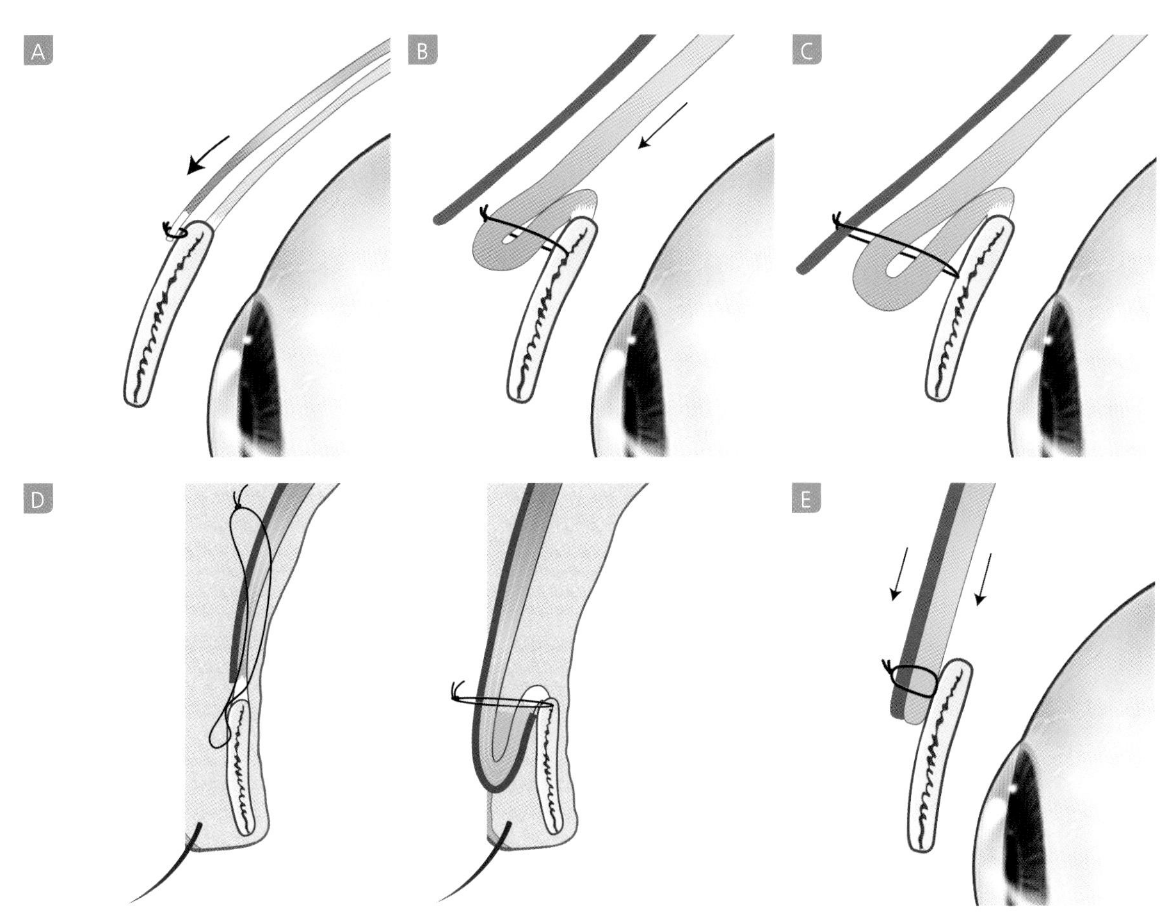

图5-10 **各种提上睑肌手术的图片比较**

A. 腱膜前徙术 **B.** 米勒氏肌折叠术 **C.** 米勒氏肌及腱膜前徙术 **D.** 提上睑肌复合体折叠术 **E.** 提上睑肌缩短术
A,B,C. 剥离腱膜和米勒氏肌间剥离 **D.** 提上睑肌复合体无需剥离 **E.** 米勒氏肌+提上睑肌和结膜之间的剥离

手术方法

提上睑肌腱膜前徙术(Levator aponeurosis advancement)

提上睑肌腱膜前徙术对于解决腱膜性上睑下垂是很有效的。腱膜性上睑下垂与先天性上睑下垂存在诸多不同之处，手术方法当然也各有区别。

腱膜性上睑下垂(aponeurotic ptosis)的主要发病机理是提上睑肌腱膜从睑板上被拉开，裂开(dehiscence)，断裂(disinsertion)，或者是位于腱膜下方的米勒氏肌被拉开变薄或萎缩所致。换言之，如果说先天性上睑下垂属于肌肉的生物性质地(biological muscle quality)异常，腱膜性上睑下垂则属于机械性异常(mechanical abnormality)。

在腱膜性上睑下垂中学习腱膜手术的方法和技巧，重要的是要充分理解其中的原理。腱膜断裂了多少，被拉长了多少，手术中就应将腱膜矫正到相同的量，并在睑板上方做固定。与此同时如腱膜下方的米勒氏肌已经变薄或萎缩，手术中应把矫正的量稍微加大一些。

由此可见，腱膜性上睑下垂与先天性上睑下垂相比，矫正时的破坏性更小，调整量也更少。换言之，在一般的先天性上睑下垂手术中，需要上提的提上睑肌量达到上睑下垂程度的3-4倍，甚至更多。而在腱膜性上睑下垂手术中，不仅手术方法本身的破坏性更小，提上睑肌的调整量也不多，手术时一定要牢记这一点。

即退行性上睑下垂中如腱膜被拉长或断裂是主要原因，前徒量不必过多，但如腱膜没有断裂，肌肉的萎缩和与其相同质地上的变化是主要原因的话，前徒量就会多一些。

手术时，采取局部麻醉有助于在手术过程中随时确认眼睛的形状和睁眼高度。当患者症状为单侧上睑下垂时，采取局部麻醉非常有助于双眼对照。麻醉剂的配置方法是，在1-2%的利多卡因溶液里加1:100,000的肾上腺素。局部麻醉剂可使提上睑肌和米勒氏肌暂时失去功能，相反如作用到眼轮匝肌上眼睛会变大，闭眼机能降低。而肾上腺素作用到米勒氏肌后还会引起眼睑退缩(lid retraction)。因此，在使用麻醉剂时应注意最大限度地减少其对眼皮带来的变化。

手术过程

设计双眼皮后进行麻醉。在轻度睡眠麻醉的情况下再进行局部麻醉。

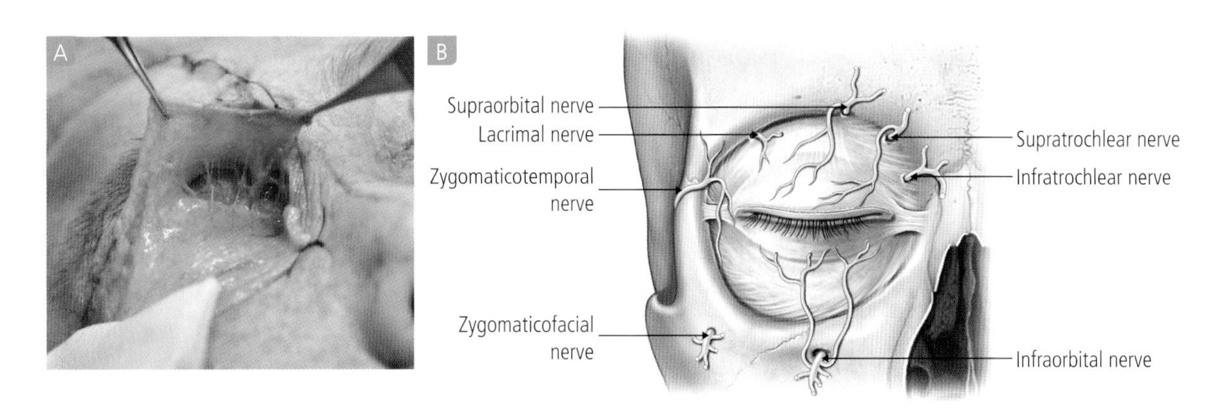

图5-11 **感觉神经随着隔膜向下的样子，眼窝周围神经。**
眶上神经，滑车上神经，滑车下神经，泪腺神经。

麻醉后，根据患者所要求的双眼皮折皱高度，在适当位置上切开，分开眼轮匝肌并找出眶隔。之后，将眶隔从提上睑肌腱膜上分离出去，使腱膜暴露出来。手术中如果患者感觉疼痛，可以在需要提升部分的中央睑板及眶隔膜上少量注射未添加肾上腺素的利多卡因，这是因为感觉神经是随着眶隔膜从上到下延伸的(图5-11)。将丁卡因等滴眼液滴到暴露在外的手术部位或结膜部位上，这也能达到减缓疼痛的作用。在有些情况下，麻醉剂的注射量并不大，患者的两眼大小却出现差别。这时在较大一侧的眼睛上注射适量未添加肾上腺素的利多卡因，以使双眼大小对称。

此外，可能在手术过程中致使眼皮位置和形状发生变化的因素还包括血肿，手术引起的过多外伤，以及水肿等，手术中应特别留意这些因素的变化。手术时间延长会加重肿胀，肿胀的加重会降低睁眼机能，所以尽可能快一些结束手术会更有利一些。

如腱膜暴露出来，需要考虑腱膜破裂或松弛的程度，下方米勒氏肌的松弛程度

知识点

为什么要在睑板上缘下 2-3mm 做固定?

因在睑板上缘下 1mm 范围存在 peripheral arterial arcade的分支，会在缝合时引起出血。如果在睑板的固定位置过低就会引起外翻症，而像之前讲过的一样，缝合时固定在睑板上端就会使线结刺激眼球。因此作者会选择在睑板上端2mm下方固定。

及上睑下垂的程度，将上方腱膜拉出来，并用7-0尼龙线或6-0尼龙线，以褥式缝合法将腱膜固定到睑板上缘2毫米下方的位置上。

在睑板固定的时候，切除睑板前脂肪以便于提肌的粘连。特别在内侧睑板前脂肪(pretarsal fat)比较多。在睑板上做固定时，应使缝合线以部分厚度(partial thickness)穿过睑板。这样能够防止上提后固定在睑板上的腱膜被挤到上面，重新形成上睑下垂。在作者亲身经历过的手术当中，术后复发严重上睑下垂的最常见原因是因为在手术中没有确实稳固地穿过睑板并进行缝合。

矫正的程度是睑缘稍微遮盖角膜上缘(upper limbus)。眼皮高度的确定要在坐姿及仰躺两种状态下来确定，并要注意避免两侧眉毛高低不同的情况。

一般认为眼皮遮盖角膜上缘1-1.5毫米的效果最为理想。但是，考虑到在术后一段时间内眼皮通常稍微下垂的情况，手术中应该做适度的过度矫正。至于高龄患者，有眼部干燥症的患者或眩目症患者等，矫正幅度应比理想值稍微少一些，这样既有助于美观，也有助于机能。

一般来说，术后复发的概率与医生的手术方法，以及缝合多少次等因素有关。但是在很多情况下，腱膜前徙手术比米勒氏肌手术或提上睑肌切除手术等其他手术更容易引起复发。

实际上，腱膜是从Whitnall's ligament开始，垂直长度为12mm左右，其平均厚度为0.2mm左右，提上睑肌和腱膜的连接部位(Musculo-aponeurosis junction)位于睑板上缘5-7mm处，其上方的腱膜厚度非常较薄，所以分离其上方组织前徒是没有效果的。腱膜性上睑下垂属于一种老化现象，因老化具有持续性所以手术时需少量的过度矫正。如果上提后固定的部位没有准确地垂直向上，而是斜着向上，就应该考虑是否为固定方向错误所引起的现象。

在上睑下垂手术中手术是否能够成功与麻醉有很大关系

在上睑下垂手术中如果不存在因麻醉导致的眼睛大小变化的问题，手术的准确性会大大提高。作者的麻醉方法总结:

因局部麻醉影响眼睛大小发生变化时

手术中眼睛受局部麻醉影响发生变化时，因此变化是一时性的，所以此变化要一直维持到手术结束。例术中眼睛受利多卡因影响变小1mm，手术后眼睛大小要比最终目标小1mm。因浮肿及血肿发生的变化也要如此处理。因肾上腺素影响眼睛大小发生变化时也可像上述方法处理，此种情况下也可在变大的眼睛上注射利多卡因，待眼睛变回原来大小再进行手术(图5-12)。

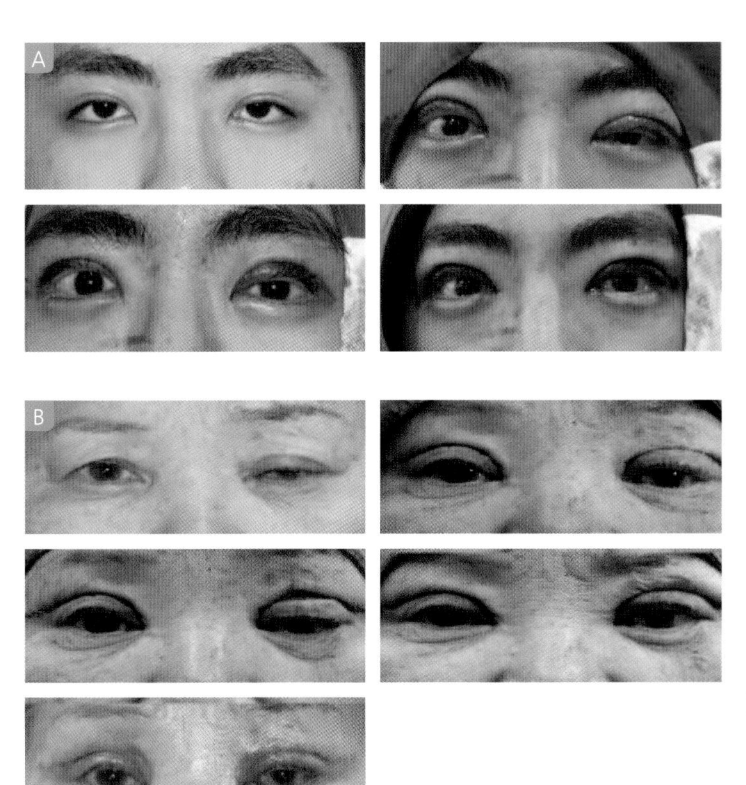

图5-12

A. 因局部麻醉左侧眼睛变小，此大小差距做上睑下垂时也维持，术后两眼大小一样。

B. 左眼的血管肿已渗透到结膜，局部麻醉后左眼变大，在左侧眼皮注射利多卡因让眼睛变回原来大小后进行上睑下垂手术。

但双眼皮手术后眼睛大小发生变化时，因此变化是永久性的需进行调整。因赫林氏定律眼睛大小发生变化时也是需要调整。两侧双眼皮形状近似时先做上睑下垂手术后做双眼皮手术会更便利，但两侧双眼皮形状有差异时则需先做双眼皮手术后再做上睑下垂手术。因为这种方法可以最少化双眼皮手术给眼睛大小带来的变化。另外主视眼比反方向提肌前徒量少的情况是很常见的。手术中因患者的精神状态，睡眠麻醉等影响眼睛大小发生变化的情况时有发生，所以一定要牢记患者术前眼睛大小。

区域麻醉(Regional block)

把1%的利多卡因lidocaine与1:100,000的肾上腺素混合，注射阻断眶上神经(supraobital nerve)，滑车上神经(supratrochlear nerve)，滑车下神姬(infratrochlear nerve)，泪腺神经(lacrimal nerve)。在外眦正上方眼眶缘上方注射0.5-1ml左右，以阻断泪神经。其次代替泪腺神经阻断，可在眼尾处注射局部麻醉剂。在此处做局部麻醉，眼皮的变化不会很明显。由于感觉神经是随着隔膜向下延伸的，因此其麻醉深度应在眼轮匝肌下层进行注射。用左手手指按压住上眼眶缘(orbital rim)，在高于上眼眶缘10mm左右处进行注射，麻醉液渗透(infiltration)到眶上神经核及滑车神经出口，以避免对提肌复合体(levator complex)造成影响。睑板上方是对麻醉药最敏感的部位，此处麻醉应在皮下注射，尤其是二次手术的患者因眼轮匝肌的缺失更为敏感(图5-13)。

局部麻醉(Local anesthesia)

沿着重睑线上方注射没有添加肾上腺素的利多卡因，沿着重睑线在下方注射添加了肾上腺素的利多卡因。切口线部位，即睑板上端对局麻敏感，注射时避开此处(图5-14)。修复手术时因眼轮匝肌有损伤，对麻药非常敏感。有出血症状的情况下也可用混有1：100,000肾上腺素的麻醉液。睑板对痛症比较敏感，可在手术中在睑板组织和腱膜上(pretarsal tissue)追加注射少量未添加肾上腺素的利多卡因，有时也可使用麻醉滴眼液滴在结膜上来缓解疼痛。

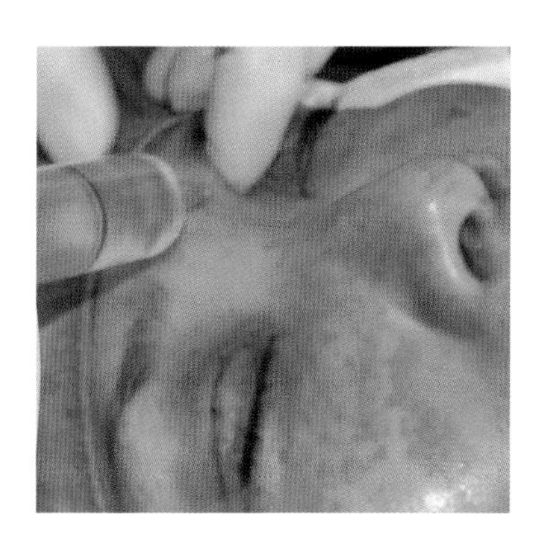

图5-13 Regional block
Regional block注射用左手按住眼窝缘,在眼窝缘上方进行注射，使麻醉液对提肌的影响最小化。

提肌腱膜手术(levator aponeurosis operation)的适应症

提上睑肌腱膜手术广泛适用于各种程度的腱膜性上睑下垂患者，尤其适用于提上睑肌功能在8毫米以上的患者。这种手术方法偶尔还可适用于轻度的先天性上睑下垂患者。但在另一方面，腱膜手术的效果不够稳定，有人甚至认为在腱膜性上睑下垂的矫正中也不应使用这种方法。特别是腱膜已经退变(degenerative)的患者接受这种手术后特别容易引起复发。对于轻度的先天性上睑下垂手术，作者也很少采用此方法(图5-15)。

腱膜折叠术(levator aponeurosis plication)与腱膜前徙术(levator aponeurosis)

在做腱膜前徙手术时，不把腱膜从米勒氏肌上剥离出来的手术叫做腱膜折叠术(aponeurosis plication)，而如果把腱膜从米勒氏肌上剥离出来的则被叫做腱膜前徙术。由于前徙术与折叠术的粘连程度有所不同，对腱膜折叠术后的手术结果并不好预测(unpredictable)。这是由于腱膜是一种滑动膜(gliding membrane)粘连性比较弱。因此如果腱膜没有创伤，滑动(gliding)性强的状态下，粘连性小就容易复发，而创伤(trauma)多，粘连性大就不易复发，所以术后结果被认为是不可预知的(unpredictable)。折叠(plication)腱膜时，可以只做腱膜层的折叠，也可把米勒氏肌层或提上睑肌一同进行折叠，这两种方法术后结果差异不大。根据参考文献，Everbusch(1883), Jhonson(1954), Harris(1995), Dortzbach(1975), Fox(1979)等医生对提上睑肌折叠术的效果都是否定的。

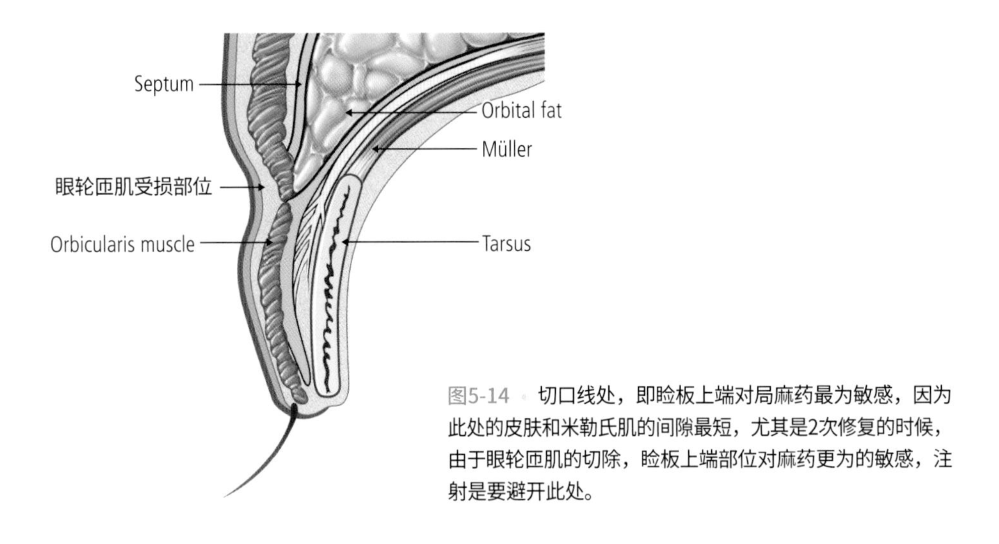

图5-14 切口线处，即睑板上端对局麻药最为敏感，因为此处的皮肤和米勒氏肌的间隙最短，尤其是2次修复的时候，由于眼轮匝肌的切除，睑板上端部位对麻药更为的敏感，注射是要避开此处。

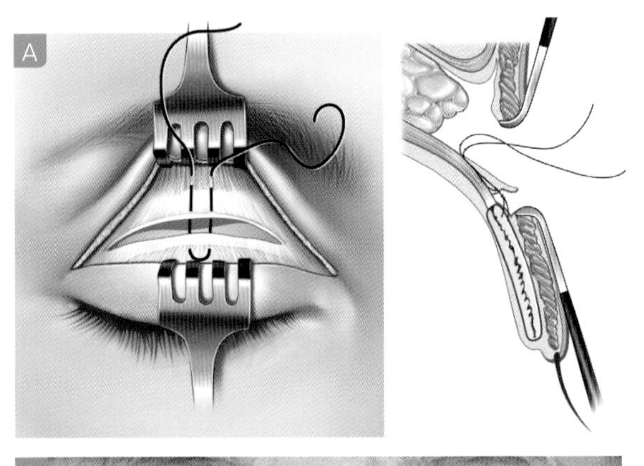

图5-15

A. 腱膜性上睑下垂的腱膜前徙术

B. 腱膜折叠术手术案例对比；上图术前;下图术后

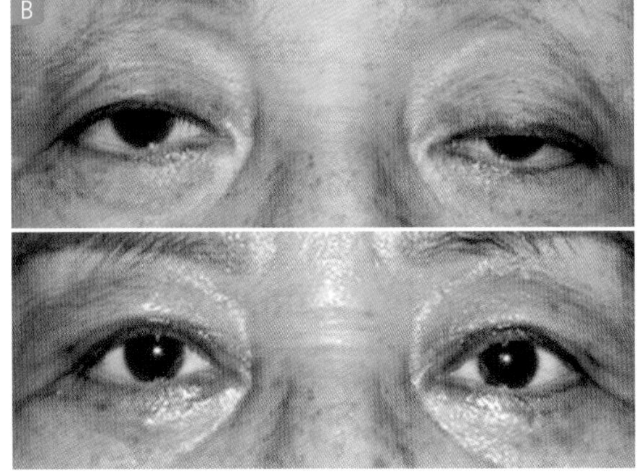

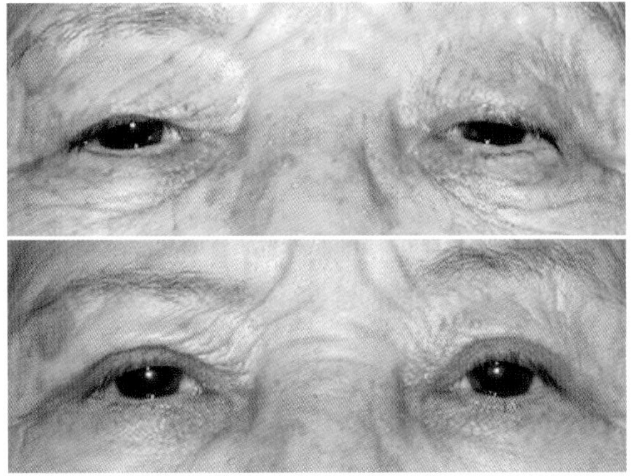

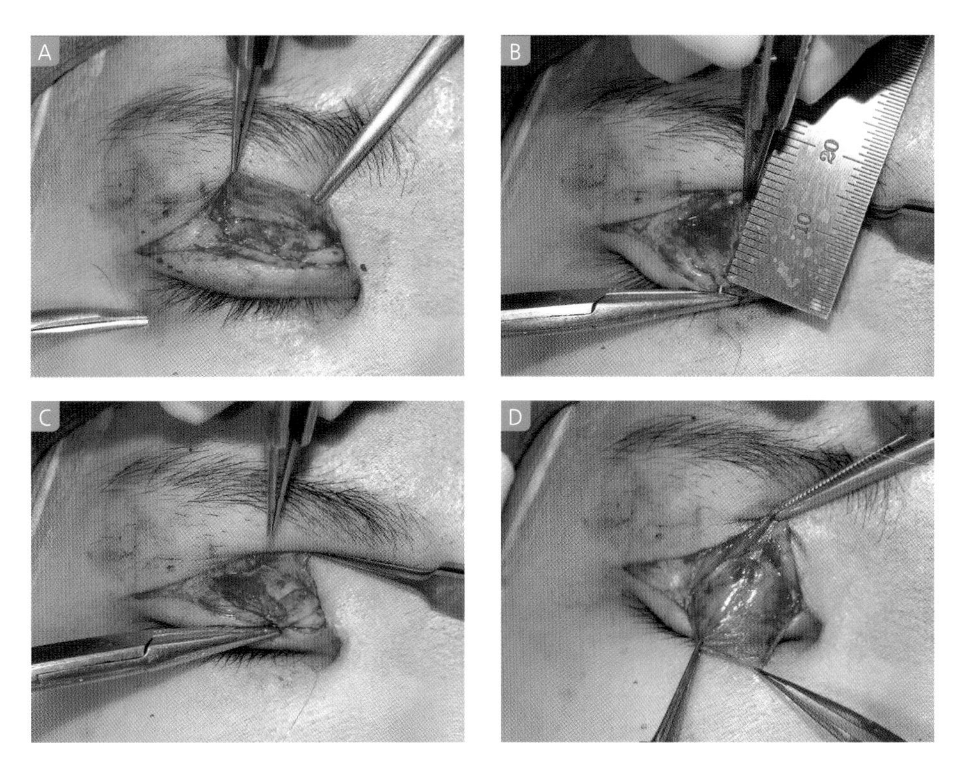

图5-16 **Müller tuck and aponeurosis advancement 术中照片**
A. 在aponeurosis 与 müller 之间做剥离的状态。**B.** 从睑板到提升的米勒氏肌为止，测量其距离。
C. müller plication suture **D.** aponeurosis advancement suture

Johns，liu等医生说此方法对于先天性上睑下垂效果少，对老年性上睑下垂效果多，McCord，Cordner 也发表了相同的观点，但Buman,Hussian认为对先天性上睑下垂也是有效果的。

作者认为不管是先天性上睑下垂还是老年性上睑下垂比起利用腱膜的手术，提上睑肌复合体折叠术要更牢固且简单。

米勒氏肌折叠术及腱膜前徙术
(Müller muscle plication and levator aponeurosis advancement)

米勒氏肌折叠手术的提倡者是日本的西条先生。作者为了弥补单纯的米勒氏肌折叠术容易引起术后复发的缺陷，常把这一方法与腱膜前徙手术联合使用。

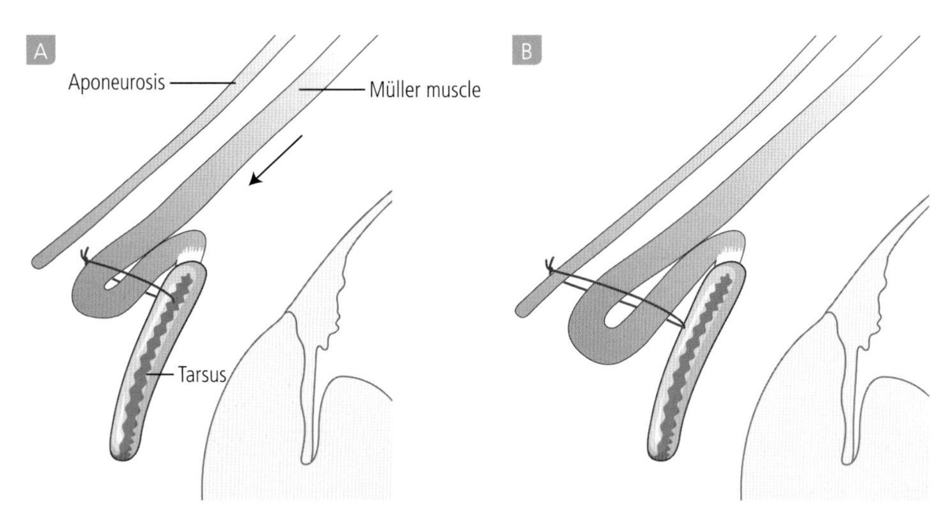

图5-17 **A.** Müller plication. **B.** Müller plication and aponeurosis advancement.

这种联合手术方法的效果比单纯的腱膜前徒手术或米勒氏肌筋膜前徒效果更加牢固，稳定。因为腱膜能够预防米勒氏肌松弛，变薄(thining)，破裂等。因此比起单纯腱膜前徙术结果更易预知(predictable)。

适应症

· 腱膜性上睑下垂，即使是重度也依然有效。
· 轻中度先天性上睑下垂。
· 外伤性上睑下垂。

腱膜性上睑下垂和下垂程度无关，此方法都会有作用，2mm以下的轻度或中度先天性上睑下垂也是有用的，并广泛应用于各种上眼睑手术引起的上睑下垂或其他外伤性上睑下垂(图5-16)。但3mm以上的先天性上睑下垂要用提肌缩短术(levator shortening)等其他手术方法。

手术方法

首先切开皮肤，做眼轮匝肌切开，并将腱膜从米勒氏肌上剥离，剥离方法与腱膜前徙手术中所介绍的方法相同。剥离时要注意不能损伤上部的末梢动脉弓(peripheral arterial arcade)，末梢动脉弓位于睑板上端1mm上方，米勒氏肌前，所以从米勒氏肌上剥离腱膜时很容易伤到此组织。剥离后对米勒氏肌进行折叠缝合，同时将腱膜前徒至睑板上进行固定。米勒氏肌和腱膜的前徙量可以相同，也可以有所差别。作者认为米勒肌和腱膜的前徙量应相同，此方法可以减少手术初期因米勒氏肌拉长给眼睛带来的复发量，由于腱膜是没有弹性的组织，腱膜的前徙量如果比米勒氏肌的折叠量少，能够使眼皮的滑动显得更自然，引发兔眼症(lagophthalmos)的可能性也更少。

根据上睑下垂的程度，适量的把米勒氏肌折叠，先在中央即瞳孔位置，随后内，外侧进行调整，在睑板上端下方2mm处用7-0号或6-0尼龙线固定缝合。

在手术过程中，每当进行逐个缝合时，都要做折叠(plication)米勒氏肌的动作，同时要调整腱膜。但作者偏好先做米勒氏肌折叠术后(3-5个左右的缝合)，再做腱膜前徙，然后做睑板固定缝合。如果同时对米勒氏肌及腱膜进缝合会影响手术视野，进而对下一部分的缝合造成影响(图5-18，19，20)。

米勒氏肌属于不随意肌(involuntary muscle)。虽然睁眼闭眼有时是有意识的，但大多数情况下都是无意识下的动作。因此一定要注意在米勒氏肌有一定机能的情况下，不能作对其功能的消除或削弱，比如在 levator resection 时一定要慎重。米勒氏肌的长度大约在10-14mm，厚度约为0.7±0.5mm 左右，如果提升所有的米勒氏肌，眼皮会上升2mm左右，在眼睑退缩中，如切除全部的米勒氏肌(total müllectomy)，眼皮会下降2mm左右(图5-21)。

与提上睑肌切除手术相比，腱膜手术法和腱膜及米勒氏肌折叠法最大的优点是无需注射大量的局部麻醉，从而减少麻醉后能出现的上睑位置或形状变化，有利于手术过程中对眼睛大小做出准确的判断与调整，也可减少手术对提上睑肌米勒氏肌或结膜等组织造成的损伤。举例说明如术中怀疑眼睛大小受麻醉影响发生了变化，折叠法可松解前徙固定的线和原来的眼皮位置做比较，进而判断局麻给眼睛带来的影响。但提上睑肌切除术没有办法确认麻醉给眼睛带来的影响。

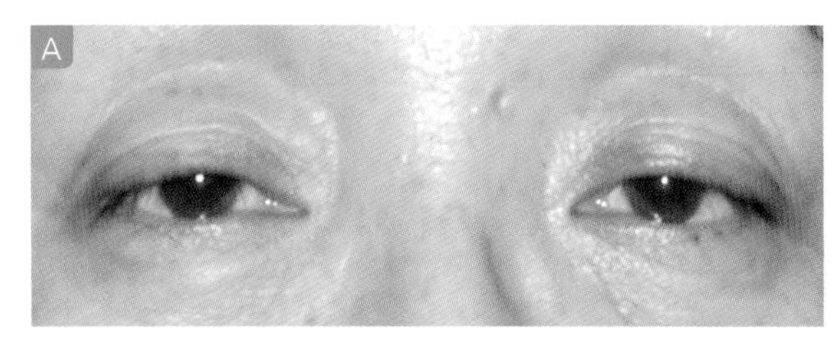

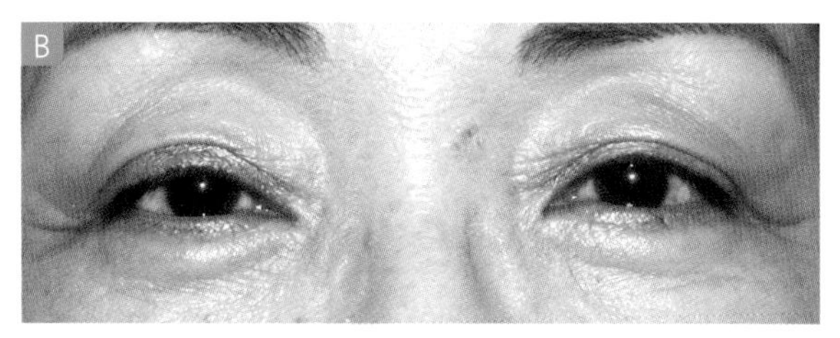

图5-18 通过米勒氏肌折叠及腱膜前徙术矫正的老年性上睑下垂 术前术后

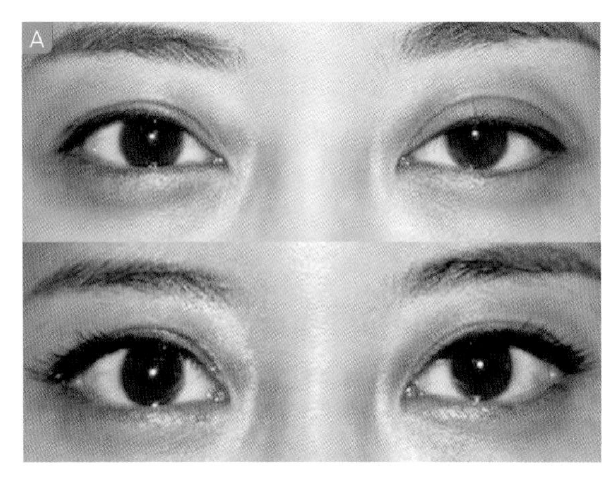

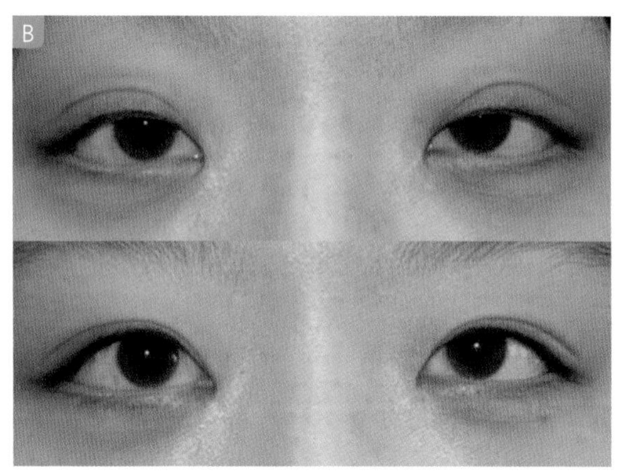

图5-19 在先天性上睑下垂中，采用米勒氏肌折叠术联合腱膜前徙术 术前术后

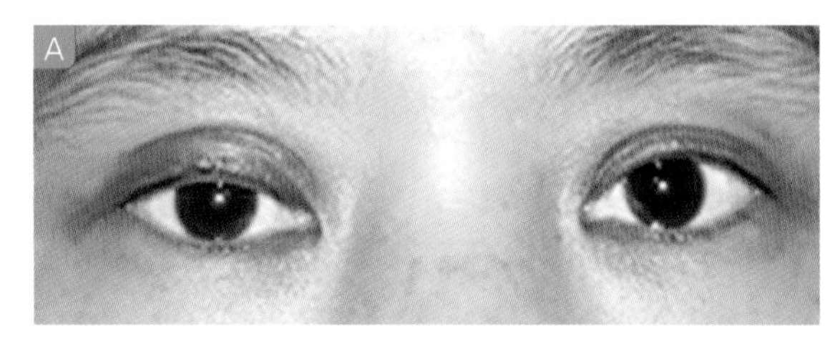

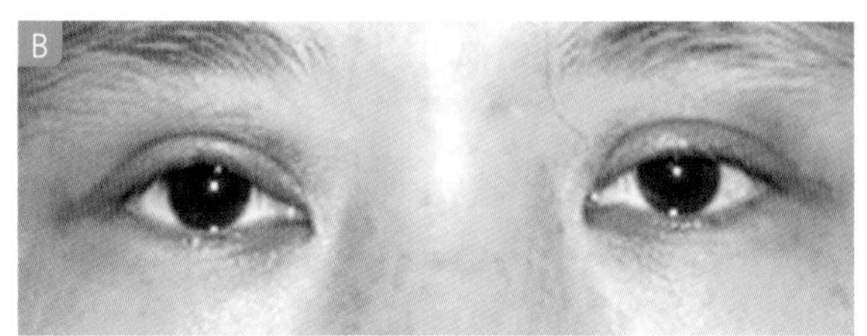

图5-20 在手术导致的上睑下垂中，使用米勒氏肌折叠联合腱膜前徙术 术前术后

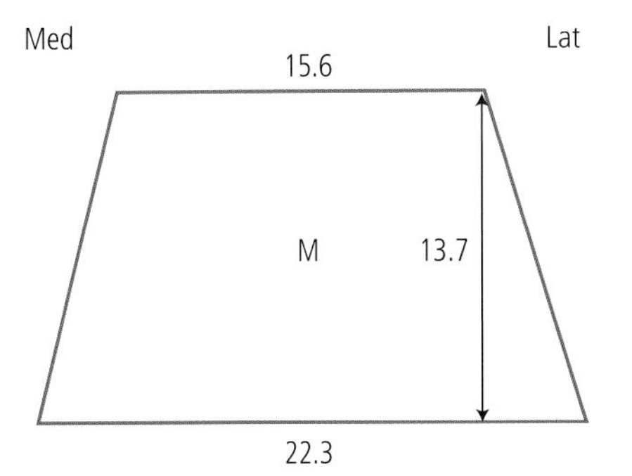

图5-21 米勒氏肌(黄健)

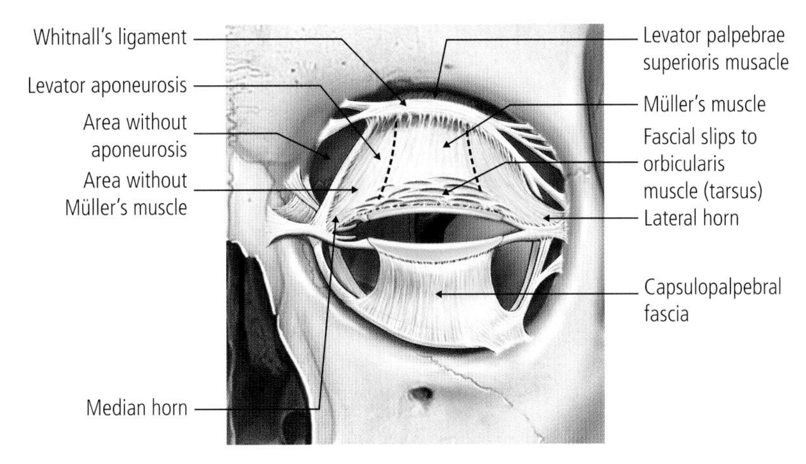

图5-22 米勒氏肌与腱膜，腱膜包绕着米勒氏肌。

知识点

腱膜折叠术与米勒氏肌折叠术(APONEUROSIS PLICATION VS MÜLLER PLICATION)

折叠术是指在未剥离下方组织的情况下，直接对组织进行折叠后提升矫正。米勒氏肌折叠术很常用，但为什么不常使用腱膜折叠术呢? 这是因为组织的质地的差别，而导致的粘连程度的不同。腱膜由筋膜(fascia)成分构成，被鞘膜(sheath)覆盖，属于比较光滑的组织，因此不容易形成粘连。相对的米勒氏肌是属于容易形成粘连的组织。因此组织在质地上的差异会影响手术结果。腱膜折叠术是Anderson指出的，因缺乏创伤的表面，矫正折叠后的组织粘连并不规则。但万一腱膜受到过分伤害或腱膜过薄，也会得到意想不到的效果。因此腱膜折叠术是存在很多不定偏差，不易被预测，因此应避之。

提上睑肌复合体折叠术(Levator complex plication)

腱膜上折叠法(传统提上睑肌折叠法)与腱膜下折叠法
(作者的方法，Under through technique of levator complex plication)

提上睑肌复合体，不剥离米勒氏肌与提肌腱膜(levator aponeurosis)，不从结膜上剥离，经由缝线做出像手风琴一样的褶皱前徒，这种手术方法被叫做提上睑肌复合体折叠术。传统的腱膜折叠术，由于复发的变数大，不易(unpredictable)预测手术效果而被舍弃(方法1；图5-23)。所以作者在轻度上睑下垂中，提倡采用结果是可以被预测的方法。作者的方法中线是从米勒氏肌下方通过，被命名为“Under through technique of levator complex plication”(图5-24)。levator complex plication 操作中，不同于只把上睑提肌腱膜(levator

提上睑肌复合体折叠术 方法 1 – 腱膜上折叠术

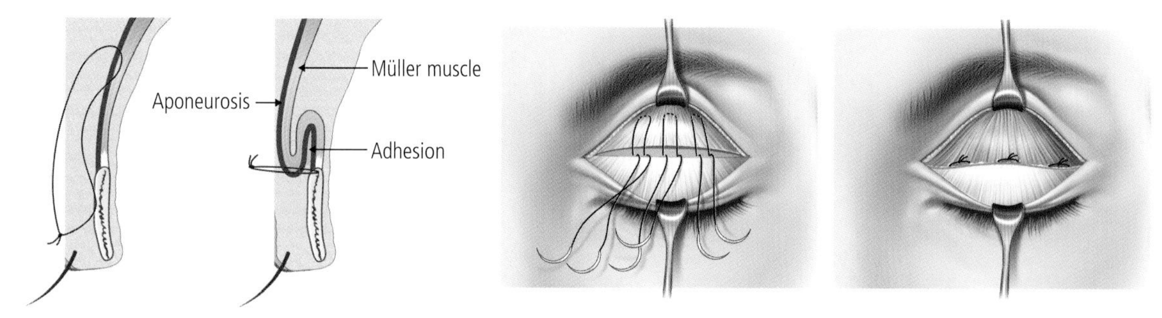

图5-23 腱膜上折叠后腱膜之间形成粘连，由于其粘连量不同而无法预测结果。

提上睑肌复合体折叠法 方法 2 – 腱膜下折叠法(Under through technique)

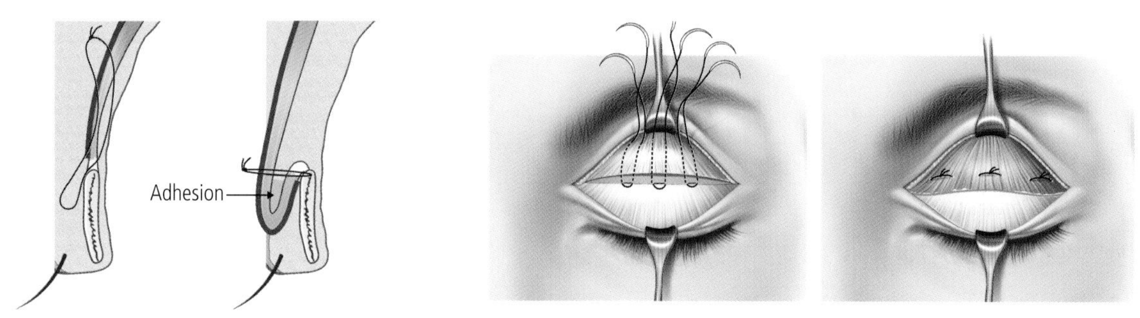

图5-24 腱膜下折叠后与米勒氏肌之间形成粘连，粘连程度相对一致，因此可以预测其结果。

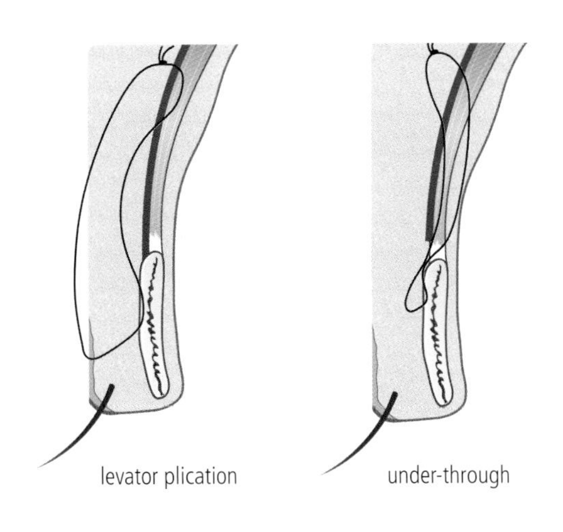

图5-25 传统的 levator plication 和 under-through plication technique 比较

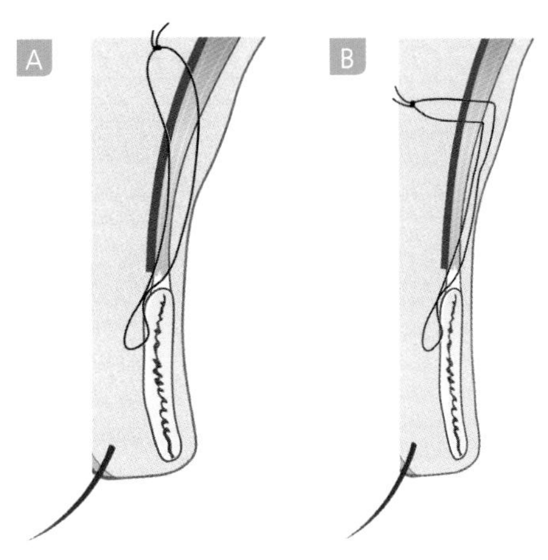

图5-26 under-through plication technique **A.** 比起提肌，米勒氏肌的缝合量会小。**B.** 提肌和米勒氏肌的缝合量一致

aponeurosis)折叠(plicate)，而是连同腱膜(aponeurosis)，米勒氏肌，甚至于上提肌(levator muscle)的一部分也一起做折叠(plicate)，要区分其不同。

简单总结这两种手术方法的区别在于 ① 腱膜之间形成粘连的方法 ② 米勒氏肌之间的粘连方法的不同(图5-25)。

提上睑肌复合体折叠术—腱膜及米勒氏肌下折叠法(Under through plication) (图5-24)

Under through technique of leavtor complex plication 的特点是腱膜与米勒氏肌之间，米勒氏肌与结膜之间无剥离，因此使用的局部麻醉剂比较少，相对的是一项无损伤的(atraumatic)手术方法。出现血肿(hematoma)的几率低，并能够缩短手术时间。在上睑下垂手术中，缩短手术时间，减少因血肿导致的眼皮变化是非常重要的。把腱膜与米勒氏肌或提肌作为一个整体的组织做调整，相对的比其他方法要牢固很多。虽然不如下面要介绍的提上睑肌缩短术(levator shortening)牢固，但却是一项接近于提上睑肌缩短术的手术方法。

与提上睑肌缩短术在手术技术上的不同点是后者需要从睑板上端切断腱膜与米勒氏肌，也就是不做睑板上端分离，不切断腱膜与米勒氏肌，因不受麻醉，浮肿等原因造成的眼皮变化的影响而变得方便。比起提上睑肌缩短术其缺点是米勒氏肌前徒缩短术是全层，而折叠术层是接近全层，加上折叠术存在的一般性特点质量效应，在实际操作中需要比缩短术多矫正提升几毫米。

腱膜上折叠术(traditional plication technique)与腱膜米勒氏肌下折叠术(under through plication technique)的差别

组织在质地上的差距。腱膜是滑膜的组织(smoth gliding tissue)，术后不会形成纤维化(fibrosis)，在睑板与腱膜之间，腱膜与腱膜之间形成的粘连是不规则的，因此术后复发的程度也不一致。其次，腱膜自身弱化(rarefied aponeurosis)的情况，效果也会减弱。由此Fox(1979)，Harris and Dorzback(1975)与 Berlin and Vestal(1989)等认为腱膜折叠术的术后效果是令人失望的。但在腱膜机能减少的老年性上睑下垂等腱膜性上睑下垂中其效果还是比较理想的(Johns 等Liu)。

在先天性轻度上验下垂中也有认为腱膜折叠术是有效果的报告(Burman Ibrar Hussain)，但在作者的经验中，在出现令人失望的结果。

腱膜与米勒氏肌下折叠法与此不同，利用米勒氏肌折叠术的方法与腱膜上折叠法是不同的，根据折叠的是哪种组织其结果会不同。腱膜与米勒氏肌下折叠法，在米勒氏肌折叠方面其结果与米勒氏肌折叠法类似。

提上睑肌缩短术(Levator shortening)

在提上睑肌缩短术中所说的提上睑肌复合体，包含腱膜，米勒氏肌，提肌，在严重上睑下垂中如果做大量缩短矫正时，提肌也会被缩短，但如果是轻度矫正时，可能只是单纯的缩短了米勒氏肌，这种情况也被叫做提上睑肌复合体缩短术

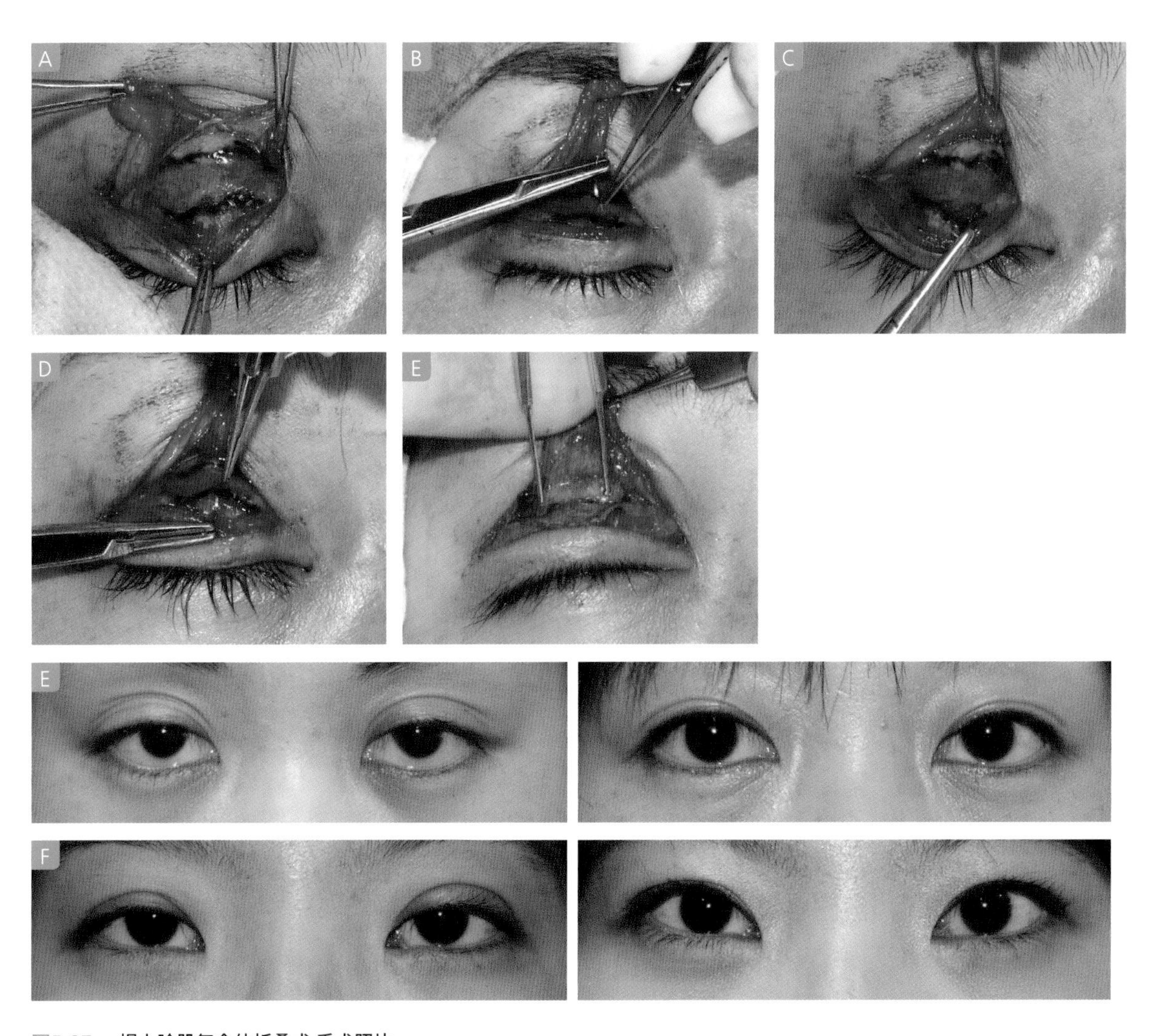

图5-27 提上睑肌复合体折叠术 手术照片

折叠量为9mm **A.** 下线—睑板上端下方 2mm，上线—睑板上端上方 7mm。**B.** 从腱膜开始，穿过结膜下方。**C.** 沿着下线，手术针水平方向穿过部分睑板。**D.** 手术针在睑板上米勒氏肌下方穿到上线，并同时穿过腱膜。**E.** 打结后

(图5-25)。因此很多情况下会被其名称所误导。有些人认为不将提肌缩短的情况可以分离出来单独命名为米勒氏肌及腱膜缩短术，这种主张是有道理的。但米勒氏肌与提肌并未存在清晰的分界线，由于二者形成了十指交叉而无法判断是单独缩短了米勒氏肌还是连同提肌一同缩短了，所以说二者只是存在缩短长度上的差

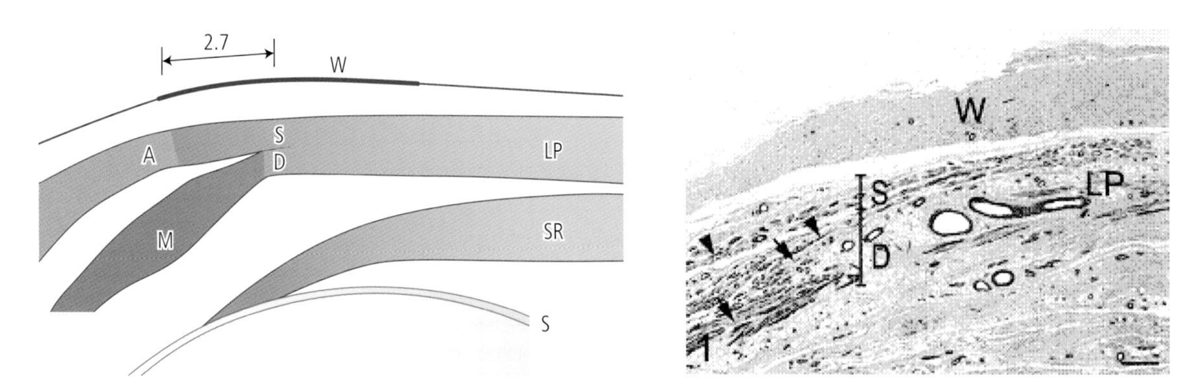

图5-28 在提上睑肌与米勒氏肌交界处，夹杂着平滑肌肉细胞(smoth muscle cell(箭头所指)与 横纹肌细胞(striated muscle cell(箭头所指)。
LP: levator aponeurosis，S: superficial，D: deep，M: Müller's muscle，SR: superior rectus.(Histology reprinted with permission from Hwang)

别，而手术方法都是一样的，所以都可以命名为提肌缩短术。此时只要把提肌理解为提上睑肌复合体就不会混淆。

手术方法

设计

根据需要做出的双眼皮高度来确定切开线的高度。上睑下垂术后因眼睛变大，会使双眼皮变窄，设计时要考虑到的双眼皮中央部位变窄的多一些，外侧变窄的少一些的问题。为了事先了解上睑下垂术后双眼皮的形状，可在固定眉毛的状态下通过探条做出双眼皮线。但有时在此可能会出现眼皮提起困难的情况。

局部麻醉

使用1%的利多卡因及1/100,000的肾上腺素进行局部麻醉。此手术针对提上睑肌功能严重缺失的眼睛，由于提上睑肌对麻醉液的敏感度较低，需要像在其他上眼睑手术中一样做充分麻醉。

皮肤切开及剥离

切开皮肤后，打开眼轮匝肌并从腱膜上剥离隔膜，露出腱膜，到此的方法与上面所讲的方法是一样的。然后在米勒氏肌与结膜之间，注入用生理盐水三倍稀

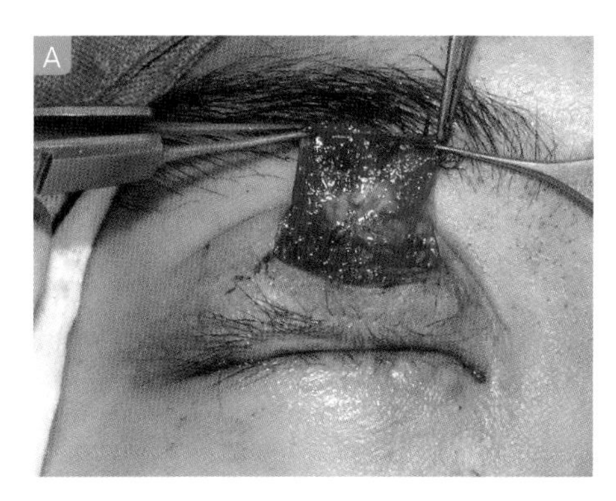
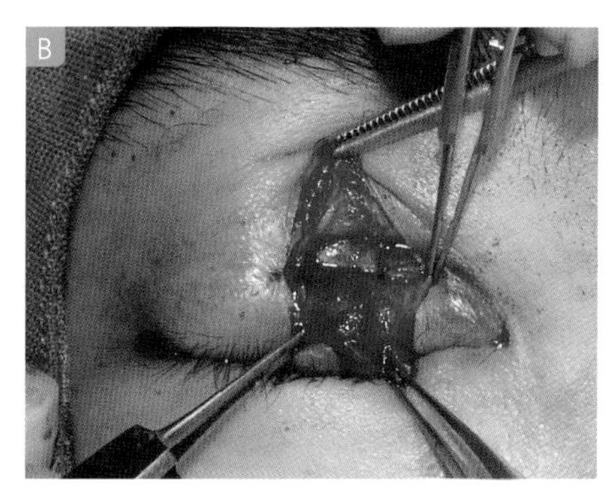

图5-29 **A.** 把提肌从结膜上分离 **B.** 把分离后的提肌提升固定在睑板上。

释的局部麻醉剂，使其膨胀。有时也在结膜囊上滴局部麻醉浸润液(表面麻醉剂)，单独通过注射生理盐水使隔膜膨胀。要注意peripheral arterial arcade，从睑板切断提上睑肌复合体(腱膜及米勒氏肌)后，从结膜下开始剥离，剥离结膜时注意不要撕破，万一结膜被撕破，在提升提上睑肌时应缝合结膜破损处，但注意不要在结膜面留下线结(knot)。如果不能使结膜对齐缝合，很容易出现粘膜囊肿(mucoid cyst)。在需要缩短的量多的时候，也可能切断两侧的角(horn)，但大部分情况下还是会做保留，只切断外侧角(lateral horn)。这是因为内侧角(Medial horn)相对地存在一些弹性。向上方根据上睑下垂的程度做高位剥离。虽然切断了角(horn)就存在需要缩短更多的提上睑肌的缺点，但因弹性变好从而减少眼睑迟滞(lid lag)的几率(图5-29A)。我个人是尽可能不切 horn。

提上睑肌缩短

此手术方法比前面所讲的手术方法，更适用于重度上睑下垂，因此为了使在睑板上的粘连更加牢固，需要彻底切除睑板前组织，并在其后经由调整前徙提上睑肌的量，使上缘睑上升到角膜上缘。首先在睑板上三个位置即腱膜的正中央，鼻侧，外侧用6-0号的尼龙线固定缝合。在睑板上的固定位置，像之前说明的那样在睑板上沿下方2mm处做深层缝合。睑板固定一定要稳固，术后才不会因松脱而导致复发。在睑板过薄或过窄的情况下，需要做两次穿透性缝合才会坚固。提上睑肌缩短后多余的提肌如果不是很多就不必理会，而如果比较多，为防止睑板前肥厚(pretarsal fullness)可以切除一些(图5-29B)。

注意

1. 因多次手术而导致的提上睑肌与结膜分离困难时，不必困扰要如何进行剥离，可把提上睑肌与结膜作为一体一同切除，这是一种方法。此情况下不会导致结膜脱垂(prolapse)。
2. 把米勒氏肌从睑板上分离时，可以直接从睑板上端分离，也可以在其上端几毫米处开始分离。在此我们需要注意的是米勒氏肌的结构。米勒氏肌是从近端(proximal)的0.7±0.5mm 左右厚度向下方延伸，越到睑板上端周围越薄，在睑板上端 2mm 处经由坚固的纤维结缔组织与睑板形成连接，也叫做米勒氏肌腱。Müller tendon的长度平均2.56mm(1.40-5.64mm)厚度是0.27mm(0.08-0.88mm)。因此如果从睑板上端1mm处切开剥离，可以清楚看到被切断的组织，而在睑板上端几毫米处切开，则切开面呈不规则状，从而影响测量提升的长度(图5-27)。

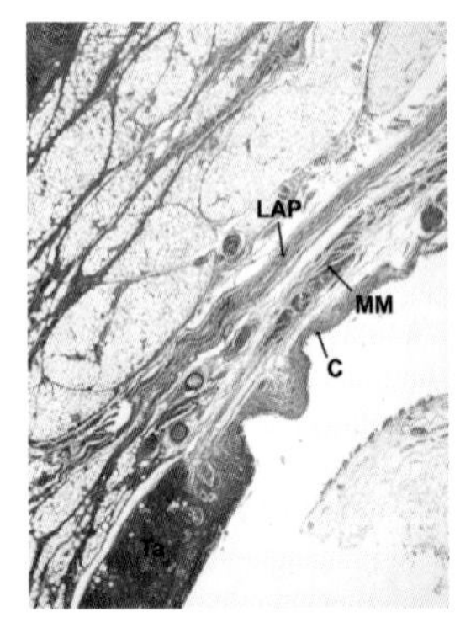

图5-30 显微镜下的米勒氏肌

米勒氏肌(MM)呈多枝节状平滑肌束(smooth muscle bundle)显现，存在于提上睑肌(LAP)与结膜(C)之间。在与睑板交汇的 1mm 部分，经由坚固的纤维结缔组织(fibrous connective tissue)得到连接。而在上端虽然能够看到腱膜与米勒氏肌之间存在缝隙(postaponerotic space)，下方则没有缝隙只有纤维组织。因此在下端剥离并不容易，相反的上端却很容易剥离。米勒氏肌在近端(proximal)位置比较厚，而越往睑板延伸变得越薄。Ta: tarsus MT: müller tendon

最大极限的提上睑肌切除术(maximum levator resection)缩短量是25mm左右，超大极限(super maxinmum)则是30mm左右。肌肉的弹性与缩短量呈一定比例关系，一旦超过某个界限，相对于提拉的量其弹性反而会下降，由此会产生兔眼(lagophthalmos)，且眼睑牵拉感也会急剧增加。这是由于相对肌肉伸长程度的增加，而张力也会急剧的增加(stress)(图5-31)。因此越是严重的上睑下垂，提上睑肌功能在4mm以下的，通常都会使用额肌进行手术。但是与此不同的是，也有主张在严重性上睑下垂中使用提上睑肌缩短术。Berke等主张在提上睑肌功能几乎丧失的情况下使用提上睑肌缩短术，是因为此手术方法更具生理性，美容性，功能性。Mauriello在矫正提肌功能在2mm以下，上睑下垂4mm以上重度上睑下垂时，在切除了25mm左右的提上睑肌的情况下，大部分(32人中的28人)都得到了好的结果。但是肌力低于2mm以下时，提肌的肌肉成分低，松软的结缔组织成分高，所以组织脆弱易松脱。另外如果提肌剥离到20mm以上时，可能损伤到后方的上直肌和上斜肌，上直肌和提肌通过共同筋膜相连，过度的牵拉提肌上直肌也会被拉下来从而导致下斜视，所以要小心剥离上直肌和提肌间隙。作者在重度上睑下垂时，不会过度的牵拉提肌，最多牵拉15mm，其余的通过共同筋膜或者Whitnall韧带的牵拉来达到治疗的目的(图5-32)

注意

复发与兔眼(RELAPSE & LAGOPHTHALMOS)

在矫治重度上睑下垂过程中最为苦恼的问题，首先是复发及复发量不固定，因而导致要求的过矫正量不固定。其次是闭眼不全，因而出现暴露性腱膜炎(exposure keratitis)等眼疾。因此在重度上睑下垂矫正手术中，判断哪种手术方法(Levator shortening operation，Check ligament operation，Frontalis sling or transfer operation 等)最适用，应选择引起这两种问题最少的方法。另外在相同程度的重度上睑下垂中，术后即使眼睛大小相同，其闭眼不全的程度是不同的。非常令人遗憾的是在临床中经常遇到的问题是在不该引起兔眼的轻度上睑下垂中，竟也引起了兔眼的问题。而在不得已出现兔眼的重度上睑下垂中，需要把兔眼的程度降到最低。

在相同的眼部状态下，导致眼睛闭合不全程度大的原因:

1. 眼轮匝肌的闭眼功能弱。在上睑下垂中，先天性眼轮匝肌功能下降，甚至没有接受过上睑下垂的矫正手术的情况下，也有一些患者存在闭眼不全的问题。这是由于提上睑肌的纤维化(fibrosis)引起的弹性减弱所导致的。另外前次手术时因切除睑板前眼轮匝肌而使眼轮匝肌力量减弱所导致。因此在眼轮匝肌中，睑板前眼轮匝肌(pretarsal orbicularis muscle)是不能切除的。
2. 在上睑下垂手术中，相对于弹性较好的米勒氏肌，用弹性较弱的提上睑肌腱膜(aponeurosis)做大量提升调整时，兔眼相对严重。所以在做米勒氏肌折叠术(müller plication)时，尽量发挥米勒氏肌折叠的作用，不应把全部提升仅依赖于提上睑肌腱膜上。
3. 由于提上睑肌与隔膜等周围组织一同被牵拉提升，提上睑肌与其周围的组织能自由移动是最好的。
4. 由于手术提上睑肌受损而导致弹性减弱，所以要尽可能做无创伤性手术(atraumatic surgery)。
5. 提上睑肌缩短术时，使用全层(full layer)提上睑肌会降低兔眼的发生率。使用部分提上睑肌则容易导致上睑下垂出现低矫正，兔眼问题加重的情况，在临床上很常见。
6. 比起单纯经由一个组织提升作用，最好是选择多个组织协同的提升作用。举个例子，比起单独做提上睑肌缩短术，同时采用共同筋膜(check ligament)与提上睑肌缩短术，对降低兔眼程度有很大的帮助。
7. 由内向外做更多的前徙。

 注意

为何重度上睑下垂不使用 UNDERTHROUGH LEVATOR PLICATION

滞后效应与粘连牢固的问题。使用Levator resection 方法前徒的肌肉基本不会有滞后效应，但Plication方法提拉的肌肉越多，出现滞后效应的可能性就越大。另外它的粘连牢固性要比提上睑肌缩短术低。

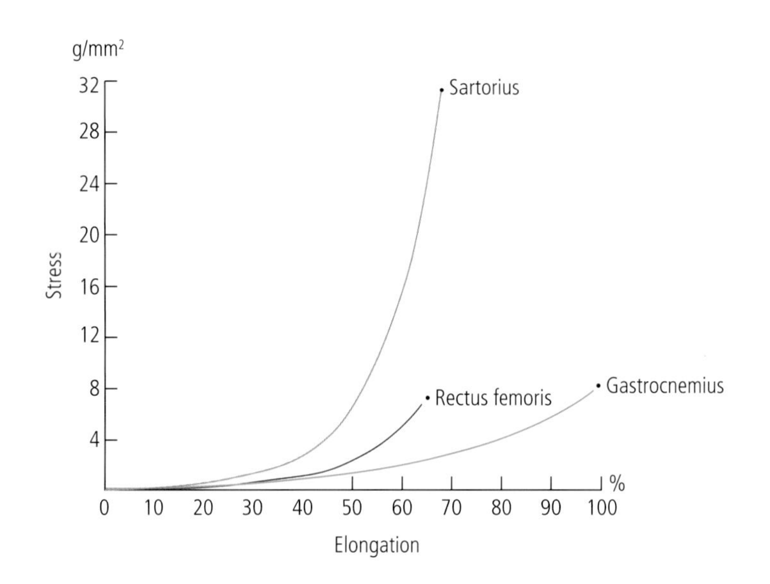

图5-31

Relation of muscle elongation and stress

肌肉越伸长肌张力越大;特点是张力在一定范围内会缓慢增加，而超过一定范围时则表现为急剧增加。

做双眼皮

· 把眼轮匝肌固定在睑板。内侧及中央部分容易做出双眼皮，但没有做提上睑肌调整的外侧部分双眼皮容易消失或不明显。另外外侧双眼皮外观容易变得过宽是因为外侧的上睑下垂手术通常是被省略掉的。为了得到自然的双眼皮，不应只把眼轮匝肌固定在睑板上，而是应把外侧的腱膜也一同固定，把腱膜像做上睑下垂手术一样充分下拉固定使双眼皮线不易消失。如果只在中间做上睑下垂矫正术而内侧没有。则需要在内侧同样在与睑板相同高度上固定腱膜。

· 缝合皮肤

· 角膜暴露严重的情况下，在下眼睑做暂时性边缘缝合(Frost suture)遮盖角

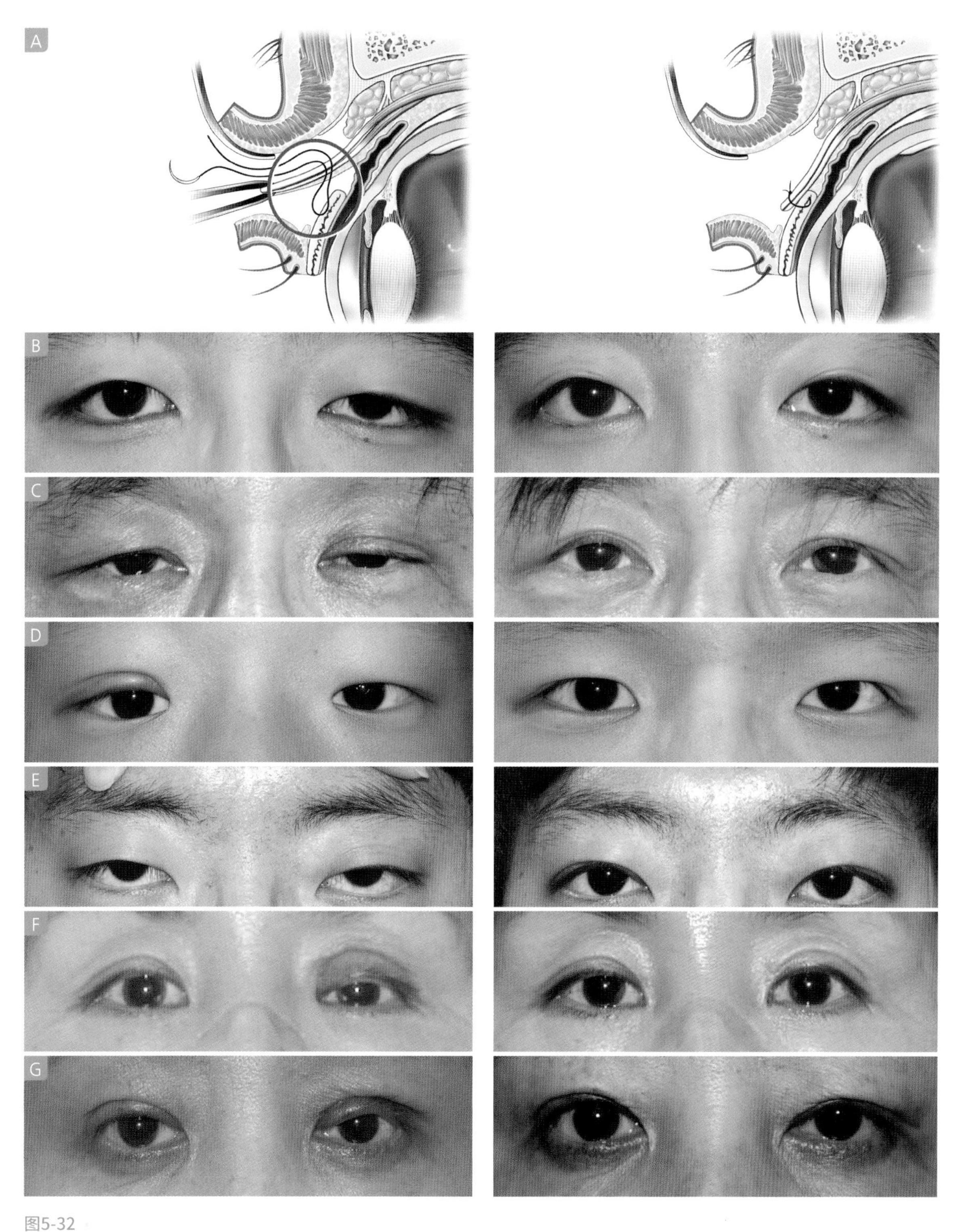

图5-32

A-E. 中度先天性上睑下垂上提肌短缩前后照片

F，G. 外伤性中度上睑下垂上提肌短缩前后照片

膜。这样做一方面是为了保护角膜，另一方面也能预防因闭眼力量拉扯，导致组织松弛的问题。

此手术方式是需要切开提上睑肌的手术，从其缺点上来讲，比米勒氏肌折叠术对组织的伤害比较大，把提上睑肌从睑板上分离，在其功能并未得到维持的情况下进行手术。为了与结膜分离使用过多的局部麻醉剂，也会导致肌肉功能在一段时间内变化过大。但从其优点上来看，首先由于其属于固定牢固(secure)的手术，对减少复发率有很大帮助。其次，此手术不仅使米勒氏肌得到提升，连提上睑肌也得到了一定的提升，因此对严重的上睑下垂也有很好的矫正效果。作者一般使用此手术方法来矫正2-3mm以上的上睑下垂。虽然此手术方法也可以用于2mm以下轻度上睑下垂的问题中，但由于此法相对比较复杂，因此作者在矫正轻度上睑下垂时，更多的多采用提上睑肌复合体折叠术(Under through technique of levator complex plication)。但即使是轻度上睑下垂，在修复时为了减少因周围组织的瘢痕产生的高复发率，可使用在睑板上端1-2mm外把从米勒氏肌结膜分离的缩短方法。

适应症

· 中等到重度上睑下垂(moderate to severe ptosis)
· 轻度上睑下垂中疤痕组织比较多的修复手术

各种提上睑肌手术的比较

A. 腱膜前徙术:主要运用于后天性上睑下垂及腱膜性上睑下垂，在先天性中虽然也适用于轻度上睑下垂，但因复发率高而被认为不是很适合。
B. 米勒氏肌折叠及腱膜前徙术：比A方法复发率低。适用于先天性及后天性多种上睑下垂。但用在疤痕组织较多的修复时，复发率比较高。
C. 提上睑肌复合体折叠术:比A方法复发率低。与B方法品质效应(mass effect)相似。适用于先天性及后天性多种上睑下垂。与B方法相比是一项无创伤的(atraumatic)的手术方法。运用在疤痕组织较多的修复手术中，可附加上一些简单的剥离。

D. 提上睑肌缩短术：在四种手术中复发率最低。适用于重度上睑下垂。

运用提上睑肌的上睑下垂手术中，提上睑肌缩短术最大的不同点在于，其他手术是在维持提上睑肌功能的状态下进行手术，而提上睑肌缩短术则是在切除提上睑肌一段，在其功能减弱或消失的情况下实施手术。此不同之所以存在重要意义是，手术中因麻醉剂及浮肿导致肌肉功能变化。此时为了测定变化的程度，折叠法手术中可将前徙的线松解来恢复到原状态，并与术前做比较来确定变化的程度，但在提上睑肌缩短术中，已经把米勒氏肌从睑板上分离了下来，不能恢复到分离前的状态，所以很难测量术中引起的变化量。

提肌短缩术(Levator shortening)和提肌复合体手术(underthrough plication technique)的混合方式

上睑下垂程度不严重，但睑板周围因之前的手术造成的瘢痕较严重的情况，这时候如采用单纯的折叠术会存在复发的可能。但也没到做短缩术的地步，这时将睑板上端的米勒氏肌从隔膜剥离2-3mm，之后按照折叠法进行手术，会得到更确切的效果。

结膜脱垂(prolapse)

把提肌从结膜上以较大的宽度分离出来后，如果提上睑肌缩短10mm以上，多余结膜可能出现下垂的情况。如果症状较轻，等到浮肿消失，结膜收缩后下垂的结膜会逐渐自愈。但是结膜下垂现象如果持续很长时间，不仅有碍美观，下垂的结膜还可能压迫到角膜，并引发角膜溃疡。因此，当结膜下垂持续较长时间时，须留意观察。

预防此问题最简单的方法是，在穹窿(fornix)附近，夹住结膜把其拉向皮肤外侧做减张缝合(pull out bolster suture)(图5-33)。此时的结扎要避免对提上睑肌的运动造成障碍。

另外也可以直接在露出的结膜上注射透明质酸酶(hyaluronidase)，也有预防作用。但在提起提睑肌较多的情况下，应切除部分结膜。而对切开后的结膜边缘(edge)应对齐缝合，才能避免黏液性囊肿的产生。如果担心结膜脱垂(prolapse)

的问题，作者会选择不切除结膜，首先在上端做pull-out suture之后，万一以后出现结膜脱垂的问题，可以切除外侧可看到部分的结膜，因结膜边缘会自行对齐，没有必要做繁琐的结膜缝合。如果在手术结束几天后才发现结膜脱垂，由于这时结膜上已经形成了粘连，简单的拉出皮肤外的方式，并不能解决问题。这时可以采用单纯的切除法来予以解决(图5-34)。

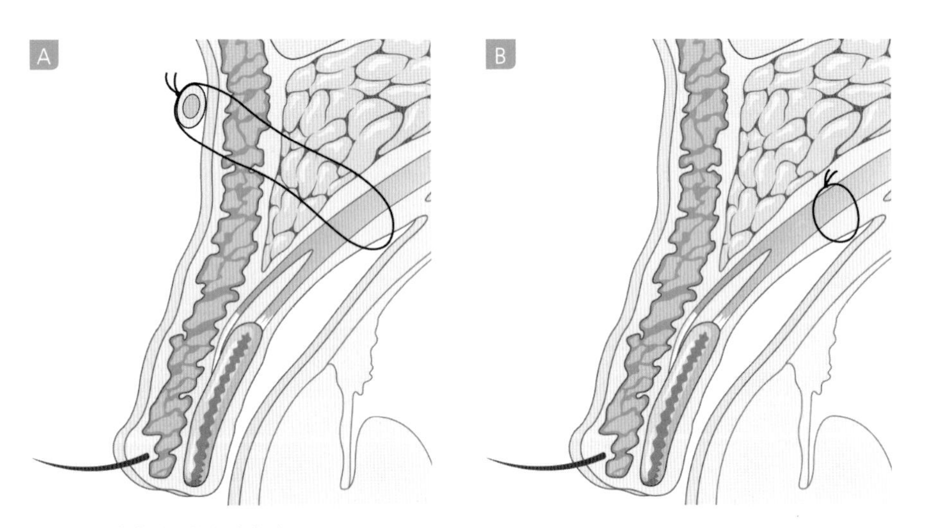

图5-33 **结膜脱垂的解决方法**
A. 使用减张缝合 **B.** 穿过提上睑肌后在腱膜上方做固定的方法

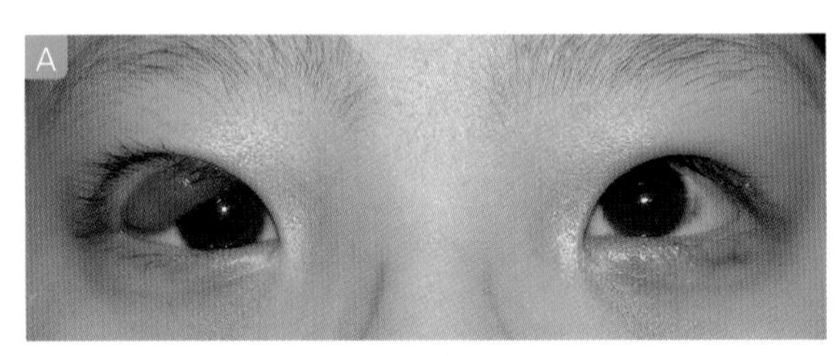

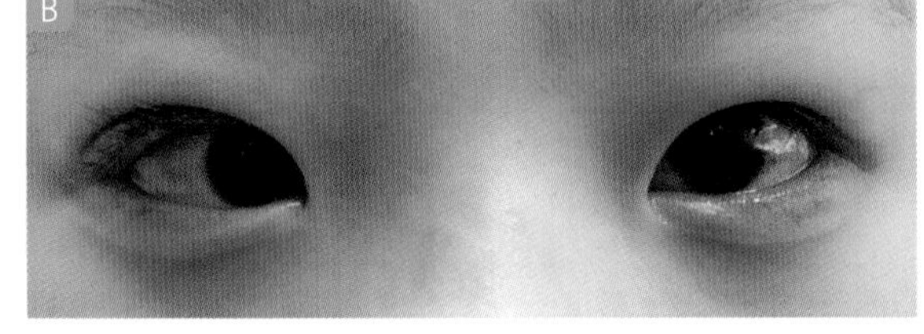

图5-34 **结膜脱垂的状态与结膜切除术后**

TABLE 5-2 提上睑肌复合体折叠术(Under through technique of levator complex plication)与提上睑肌缩短术(Levator shortening)

	提上睑肌复合体折叠术	提上睑肌缩短术
使用的上睑下垂程度	轻度或中度	中，重度上睑下垂
创伤程度	相对小	相对大
手术中的差异	保持提上睑肌功能的状态下提升眼睑	失去提上睑肌功能的状态下提升眼睑
对局部麻醉剂的敏感程度	敏感	不敏感
结膜脱垂的问题	无	有时有
在修复手术中的复发程度(security)	不是非常稳固，存在一定复发率	复发率非常低

The difference between levator complex plication and levator shortening. *提上睑肌复合体折叠术与提上睑肌缩短术不同的是在米勒氏肌与睑板粘连的状态下直接实施手术。

注意

提上睑肌复合体包括 UNDER THROUGH TECHNIQUE 无法像提上睑肌缩短术一样，使用在严重眼睑下垂的原因?

因为Jam effect 或是 Mass effect. Jam effect 是指 plication 方法中，提上睑肌复合体被拉下来之后，停滞在睑板上方，在plication 量小于10mm时没有问题，但超过10mm时，停滞的量变严重，即使再前进，也没有什么差别。

共同筋膜(Check ligament), conjoined fascial sheath (CFS) 手术

在这一方法诞生以前，上睑下垂手术方法在很长一段时间内没有出现过大的变化。可以说，这一方法的出现具有里程碑式的意义。2002年，瑞典医学家Dr. Holmström博士在医学界首次发表了这一全新的手术方法。这是一种将结膜囊上方穹窿的 check 韧带(check ligament of the superior fornix of conjunctival sac)固定到睑板上的矫正手术。此组织有很多名称，但是为了表达对手术创始者的尊重，Check ligament被称为CFS。

在韩国，黄健，辛容镐等人从解剖学的观点上对CFS进行了详尽的描述，并介绍了手术方法。

作者在矫正重度上睑下垂时会在悬吊CFS的同时上提提上睑肌，这样可以得到更为良好的效果。众所周知，组织越被拉长紧绷，弹性就越弱。如果将提上睑肌也同时上提，可以将原本集中在CFS上的重量分散到两处，而使组织的弹性增加。这样可以减少常见于重症上睑下垂的兔眼症(lagophthalmos)及由此引发的其他各种问题(图5-35)。

Check ligament (CFS)

①源自提上睑肌鞘②上直肌(superior rectus muscle)鞘(sheath)及 ③Tenon氏囊(Tenon's capsule)的三处弹性组织的软组织的板(plate of connective tissue)叫做CFS。它具有使上方穹窿(superior fornix)稳定的作用(图5-36)。

位置在穹窿上方球结膜以及睑肌膜移行处之上2mm，此处叫bulbal and palpebral conjunctival extension，在上睑提肌和上直肌之间，前后长度为15-16mm，宽度为34-35mm的上窄下宽的梯形结构，厚度在1.3-1.4mm的有弹力的纤维组织(图5-38)。此组织与上直肌连接，在上睑下垂手术中如果前徙到睑板，向上看时受到上直肌的力量使眼睛提起，而向下看时因松弛眼皮很容易向下。根据上睑下垂的程度，从延长到结膜的最末端(distal)部分(conjuntival extension)到最近端proximal的部分为止，可以根据实际情况调整范围(图5- 37)。

Check ligament 的组织学见解

由大量胶原(collagen)纤维与丰富的弹力(elastic)纤维构成。因存在大量弹力纤

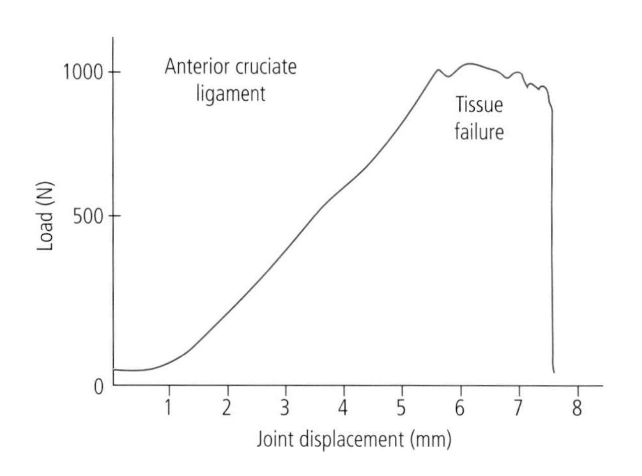

图5-35
韧带的延长与压力的关系，strain与 stress成比例增加。

维，Check ligament是一个弹性极好的组织，没有肌肉细胞(图5-35)。
构成共同筋膜的一部分组织，以发现者的名字命名为辛筋膜(shin's fascia)，无名筋膜(innominated fascia)或特殊肌肉鞘(special muscle sheath)(图5-37)。
临床上看不严重的上睑下垂可使用共同筋膜的下方部位(distal portion)做手术，但严重性上睑下垂如使用一般性的共同筋膜复发率高且容易形成低矫，所以严重性上睑下垂需使用无名筋膜。无名筋膜如上所述，剥离结膜和米勒氏肌，经穹窿

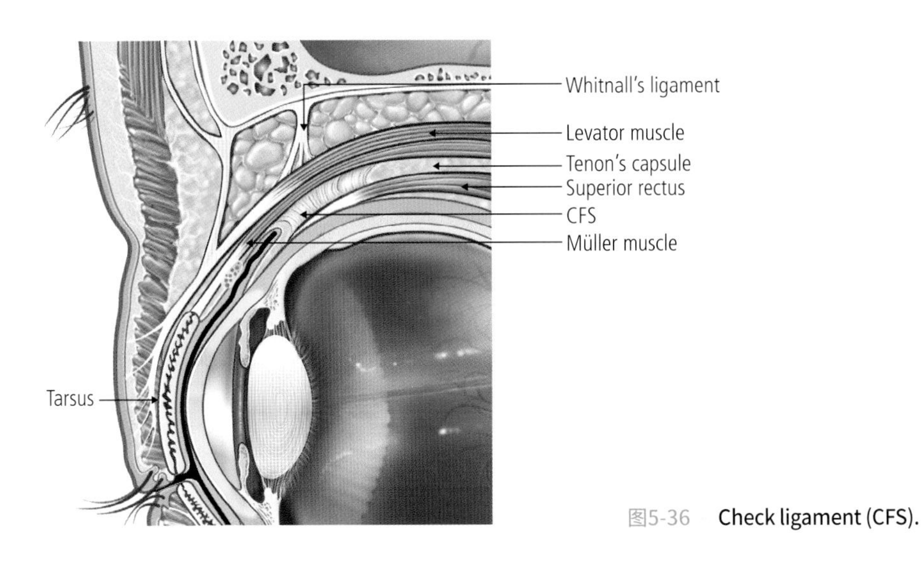

图5-36 Check ligament (CFS).

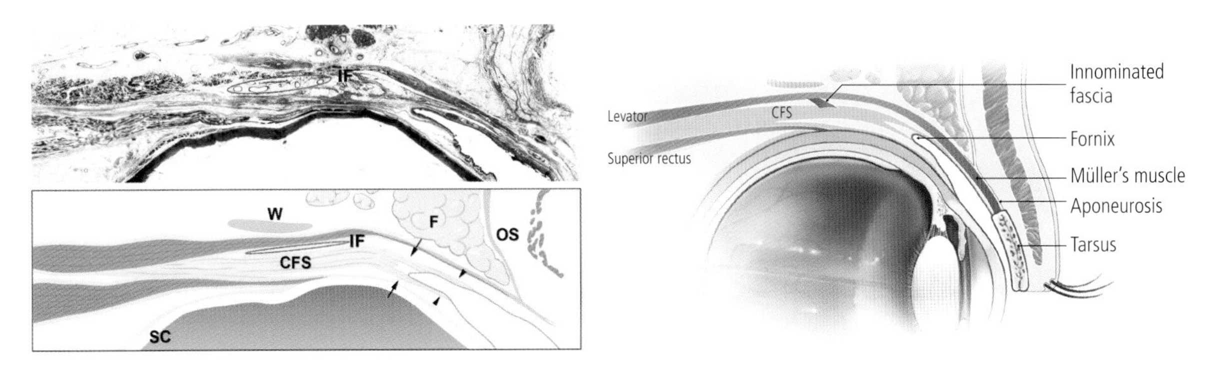

图5-37 **CFS的解剖(黄健)** Microscopic findings and illustrations
上睑旁矢状切面(parasagital section)，瞳孔中线(mid pupillary line)。
放大的照片中红圈所标识的是无名筋膜(Innominated Fascia)。

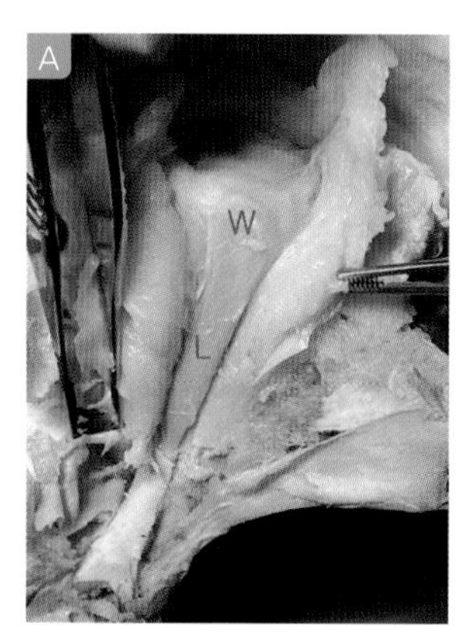

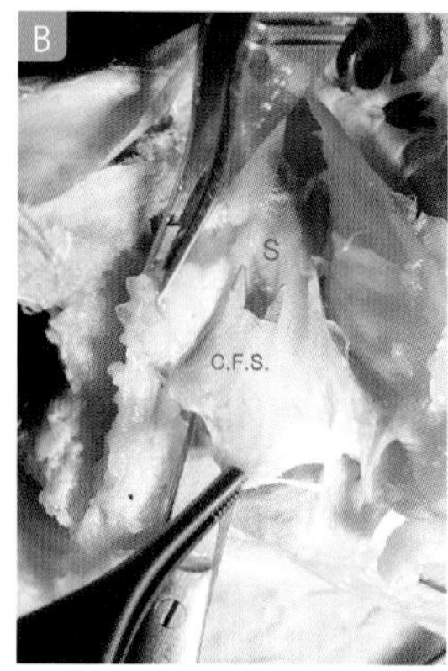

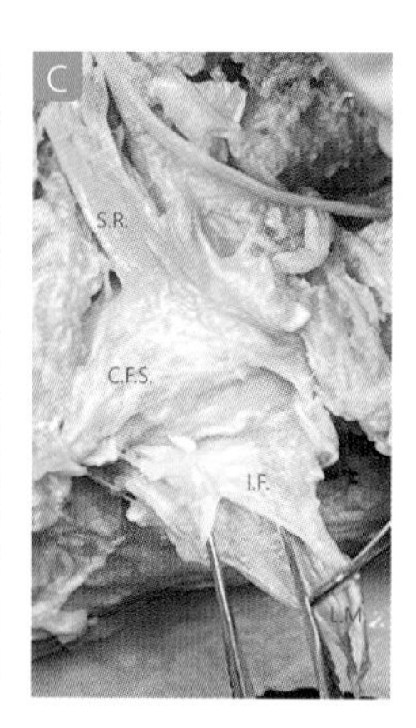

图5-38 CFS 在提上睑肌下呈底部宽的梯形模样

A: 米勒氏肌和上睑提肌腱膜在whitnall's ligament开始变成上睑提肌。**B:** 提上睑肌和上直肌之间能看到梯子状的共同筋膜。切开提上睑肌上部后，向前方牵拉后的照片。**C:** 位于共同筋膜上方和提上睑肌下方的无名筋膜(Innominated Fascia)。(辛容镐)

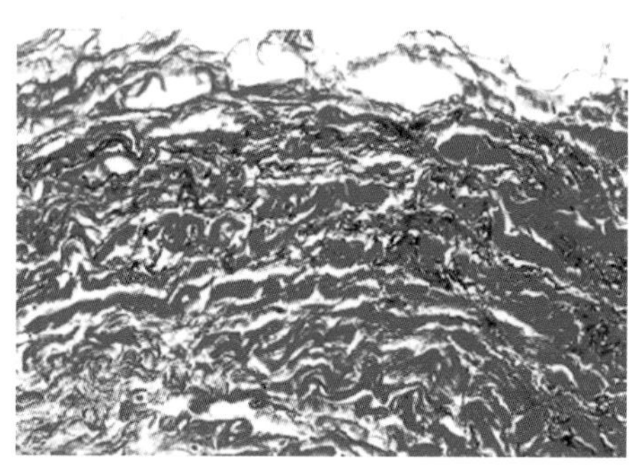

图5-39 **check ligament 的组织图**

red: collagen fiber, blue: elastic fiber

(fornix)后可在共同筋膜和提上睑肌之间找到。如下所述可剥离米勒氏肌和提上睑肌。

共同筋膜(CFS)与无名筋膜(Innominated Fascia)的关系(辛容镐)

无名筋膜指的是存在于共同筋膜和提上睑肌之间的构造物。因人而异厚度为1-3毫米，是附着于提上睑肌和上部的动态构造物。与共同筋膜相比无名筋膜不结实，是易伸展的组织。

上睑下垂手术中找无名筋膜的方法，上睑下垂手术中无名筋膜和共同筋膜的使用频率。

上睑下垂手术时剥离米勒氏肌和结膜，再向上方剥离会露出共同筋膜。剥离米勒氏肌和提上睑肌，再向上方剥离可在提上睑肌下方看到无名筋膜。临床手术中接触的途径是剥离结膜和米勒氏肌之间，向上能看到发白且闪光的共同筋膜。共同筋膜上方是无名筋膜和提上睑肌，剥离两者对手术非常有利。无名筋膜的下方和共同筋膜不做任何的剥离，这样才能在上睑下垂中用做固定物，如上方和下方都进行剥离，因组织很脆弱，固定起来会有难度。

从米勒氏肌上方和提上睑肌下方剥离时，很容易在穹窿上找到无名筋膜。提上睑肌垂直向下剥离时能容易找到，但因每位患者无名筋膜发育的程度不同，很难在术前准确的计划。

临床上看共同筋膜的使用率为15%左右，无名筋膜的使用率为85%左右。

使用共同筋膜进行手术，术后闭不合的程度会较重，因是非动态的构造物，睁眼的程度也相对较少。使用无名筋膜进行手术，因其具有易伸展的特性，闭眼会舒服且因是动态构造物，睁眼程度也会相对较多。

无名筋膜根据患者因人而异，呈现多样化。厚度较厚且发育好的患者，术后的效果和手术结果会更加好。无名筋膜厚度薄且发育不良的15%的患者只能使用共同筋膜进行手术。

作者的手术方法

check 韧带联合提上睑肌缩短术(check ligament，suspension combined with levator shortening)

局部麻醉

这种手术主要适用于重度上睑下垂。由于这类患者的提上睑肌机能（levator function）低下，注入局部麻醉剂后，眼睑高度并不会产生明显的变化。因此，可以使用稀释肾上腺素的麻醉剂。

皮肤切开及剥离

在形成双眼皮折皱线的位置上切开，经由眼轮匝肌和隔膜，使提上睑肌腱膜暴露出来。之后切除睑板前组织(pretarsal tissue)，使睑板露出来。切除时，如果留下较多的睑板前组织，可能在术后引起复发。

切除睑板前组织后，将含1:100,000肾上腺素(epinephrine)的2%利多卡因跟生理

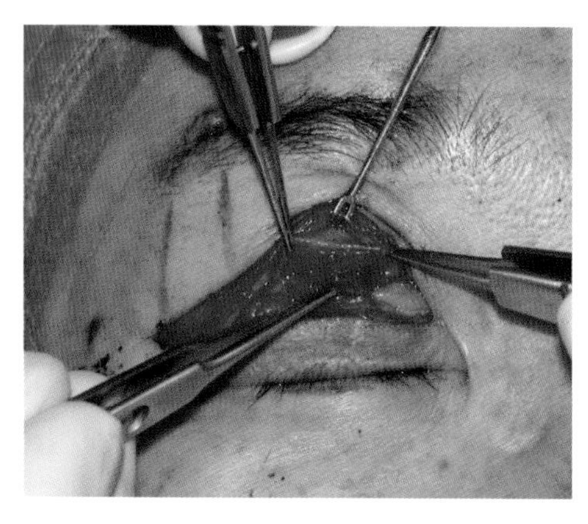

图5-40 上方镊子夹着的是提上睑肌，下方是CFS。

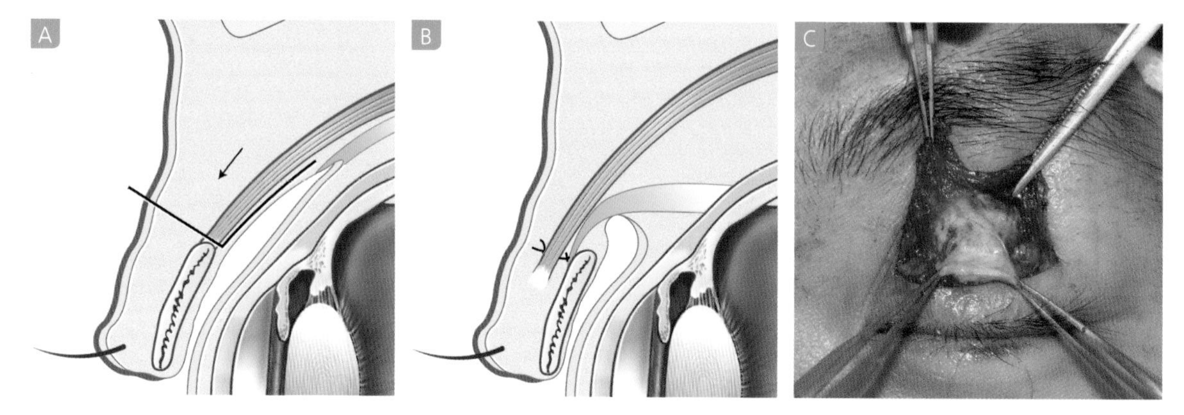

图5-41 **A.** 在提上睑肌与结膜之间做剥离。**B.** 提升CFS固定于睑板上，提升提上睑肌固定。**C.** 术中照片。上面夹住的部分是提上睑肌，下面是 CFS。

盐水三倍稀释后注射到结膜和米勒氏肌之间，使其膨胀(ballooning)起来。此过程被称做水分离术(hydrodissection)。

剥离时一定要小心，不能损伤到睑板上端的末梢动脉弓(peripheral arterial arcade)，此剥离与提上睑肌缩短术一样。

纯性剥离(blunt dissection)后就会在穹窿(fornix) 附近出现光滑的(smooth)，带有白色(whitish)闪光的(glistening)厚膜(membrane)，这即是CFS(图5-40) 提升CFS用6-0尼龙线固定，此时根据提升的check ligament上下位置或固定的睑板上下位置来调整眼睛大小。

穹窿(fornix)附近的check ligament有非常良好的弹性，但术后复发多，很容易形成低矫且往上到达某一点后，这种弹性就变得很弱。因此仅提升到弹性良好的部位，引起兔眼的几率会比较低，越往上到某一点，弹性会急剧下降，而使兔眼的症状更加严重。离上直肌有可能会产生复视。但在重度上睑下垂中如只提升到弹性好的位置会形成矫正不足的问题。所以在重度上睑下垂中，选择CFS中复发低且有一定弹性的中间高度的组织(图5-38B)是非常重要的。作者把check ligament仅提升到弹性良好的部位进行固定，而不足部分则使用已剥离的提上睑肌。提上睑肌也是如此，即使提上睑肌纤维化严重，提肌机能几乎没有的情况下，提升到一定程度弹力良好，而越向上弹性越弱(图5-31)。因此check ligament及提上睑肌的提升量，要考虑这两个组织的弹性，如果能够适当的分配其力量就能减少兔眼的程度(图5-41)。作者会在预计提升的眼皮高度上，用check ligament提升大部分，余下的部分经由提上睑肌来达到想要的眼皮高度。根据各自的组织弹性来决定眼皮高度的变化。在双侧为重度上睑下垂时，首先经由check ligament达到相同的双眼高度，再以提上睑肌的提升量来确定最终的眼皮高度。

眼睛大小最好是在坐姿状态下去确定。此手术方法适用于重度上睑下垂，术后大约会有2mm程度的复发，因此需要做适当的过度矫正。

双眼皮手术

调整好眼睑高度后，用7-0PDS线把眼轮匝肌固定于睑板上，而做出双眼皮。

此时外侧因没有实施上睑下垂的矫正，容易使双眼皮消失或过宽，因此要把切口附近的眼轮匝肌固定在睑板上，并同时固定高于睑板上端5mm左右处的腱膜上(3 point fixation)。

做皮肤缝合，在重度上睑下垂矫正中为了避免严重的双眼皮凹陷，应做外翻缝合(eversion suture)。

为了避免睡觉时的角膜暴露症，应做暂时性边缘缝合(frost suture)(图5-42)。

这种手术的另一明显优点在于，因为悬吊check ligament时结膜的穹窿(fornix)也同时被悬吊，所以引发结膜脱垂(prolapse)的问题比较少(图5-43)。

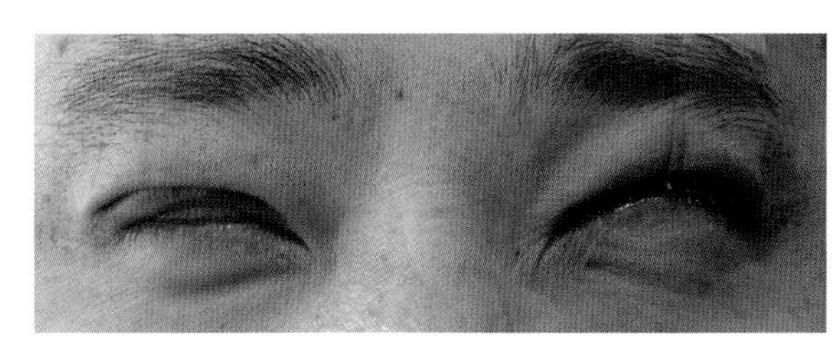

图5-42 Frost suture on left lower lid.

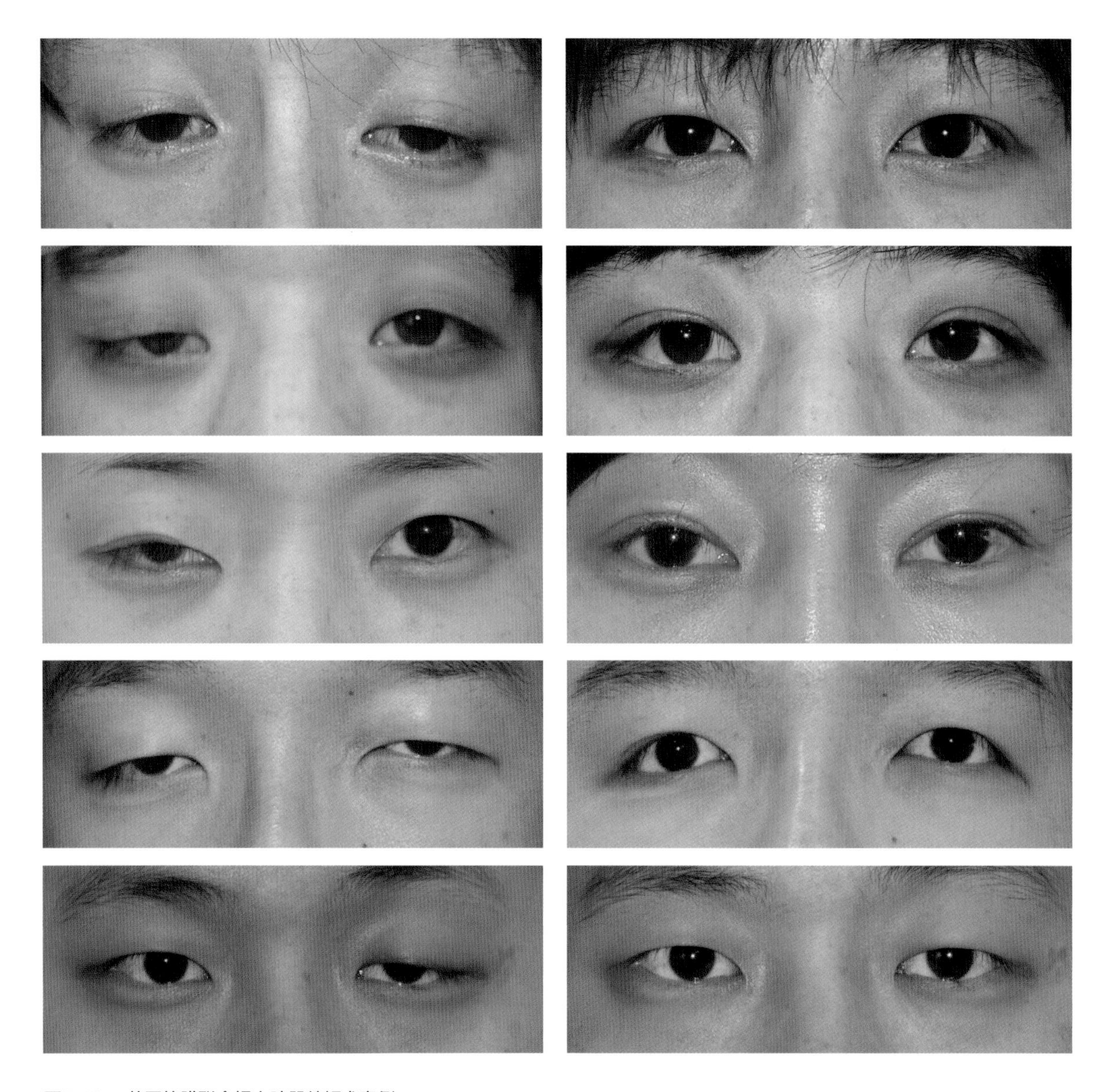

图5-43 共同筋膜联合提上睑肌缩短术案例

额肌瓣手术

① 额肌悬吊术(frontalis sling operation)

② 额肌瓣转移术(frontalis muscle flap transfer)

③ 额肌一筋膜瓣转移术(frontalis myofascial flap transfer)

这个手术适用于提肌没有肌力(4mm以下，上睑下垂4mm以上)的患者，利用额肌运动的手术方法。这个手术额肌运动量大的话，效果会好。双眼都是重度上睑下垂时，因为额肌运动度大，所以效果好，单眼重度上睑下垂时，因为患者主要使用正常的眼睛，所以上睑下垂侧术后额肌动度不大，效果往往不充分。

额肌悬吊术(frontalis sling operation)

是将额肌与睑板相连，通过额肌的运动带动眼皮的手术。在多次提肌短缩术或者使用共同筋膜术后治疗效果仍然欠佳的情况下，也可以复合使用额肌瓣悬吊术。可以用大腿阔筋膜，硅胶，线，supramid等将额肌缝合于睑板上，这当中属大腿阔筋膜最好。阔筋膜是包裹大腿肌肉的腱膜(ternsor fascia lata)，需要切开3cm的切口，3岁以上的阔筋膜是比较发达，可用的。阔筋膜虽有效但因获取过程有一定负担，所以有时会用保存阔筋膜替代，因保存阔筋膜不是活组织，所以很容易产生炎症等问题，长期来看其复发率为40-50%，产生此问题的主要原因是与周围其它组织产生了严重的粘连。

硅胶因为其良好的弹性，可以减轻兔眼症，但是3年后会有20%的复发，并随着时间复发量增大。

额肌- 筋膜瓣转移术(frontalis myofascial flap transfer)

如果是提上睑肌力量几乎不存在的重度上睑下垂，并且额肌的肌力良好到可以在额头做出深层皱纹的患者，可以把额肌拉向睑板后进行固定。此手术是1901年由 Fergus 首次发表了额肌转移术后1982年由 Song & Song 发展起来的手术方法。而之后为了延长额肌，在1988年由 Zhou and Chang 发表了额肌一筋膜瓣转移术的运用。

作者认为比起额肌转移术，因额肌一筋膜瓣转移术的长度更长，需要进行back-cut的情况比较少，除此之外具有更加坚固的特点，而被提倡使用。此手术的缺点首先是在单侧上睑下垂时，很难使双眼对称。其次是利用自体筋膜的情况，会在大腿及额头留下疤痕，并容易引起上睑下垂复发的问题。

手术方法

设计

设计双眼皮线，在眶缘上做切口标记(supraorbital notch)后，做1.5cm左右的水平切开线，注意不要对眶上神经束(supraorbital nerve bundle)造成伤害

额肌一筋膜皮瓣提升

实施局部麻醉后切开眼部皮肤，剥离眼轮匝肌露出睑板。在眉毛下方做1.5cm左长的水平切口，做皮下剥离并露出额肌。从上眶缘上方找到额肌，在额肌筋膜的最下方做2-2.5cm的水平切开，尽量包含多的筋膜组织，然后分离额肌一筋膜瓣，上面在额肌与皮下层之间，下面以额骨骨膜与帽状腱膜层(galea layer)之间进行充分分离。此时要避免伤及眶上神经的深层分支。有时也会省略下层剥离。此外还要注意避免伤及面神经颞分支(temporal branch of facial nerve)。眶上神经深层分支(deep branch of supraorbital nerve)是从眶上切痕通过，向外经过骨膜与帽状腱膜层之间，之后从眶上切痕上方3cm穿过帽状腱膜层。浅支从眶上切迹向上走行，且层次比额肌浅(图5-44)。

在眶上神经外侧的额肌上垂直附加1cm左右的back—cut，并提拉肌瓣(图5-45)。

额肌一筋膜皮瓣转移

在眼轮匝肌与眶隔膜之间做隧道，但要比肌瓣做的窄一些。通过此隧道把额肌一筋膜瓣固定于睑板上，使上睑缘达到角膜上沿(upper corneal limbus)高度。这里需要做2mm 的过度矫正。

双眼皮手术

为了做出双眼皮，应把眼轮匝肌固定于提升后的额肌一筋膜上。由于外侧形成双眼皮比较困难，因此需要同时将眼轮匝肌固定在睑板和高位提上睑肌腱膜上(3-point fixation)。缝合皮肤切口，在额头上缠上压力绷带。

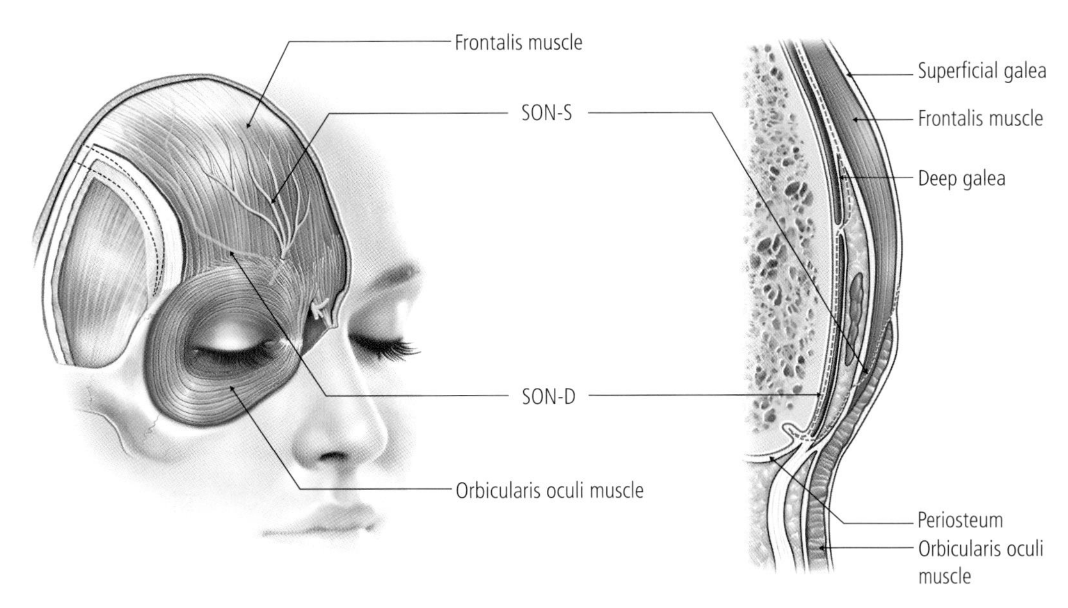

图5-44 **眶上神经(SON，Supraorbital nerve)走行方向。**
SON-S – superficial branches of the nerve. SON-D – deep branches.

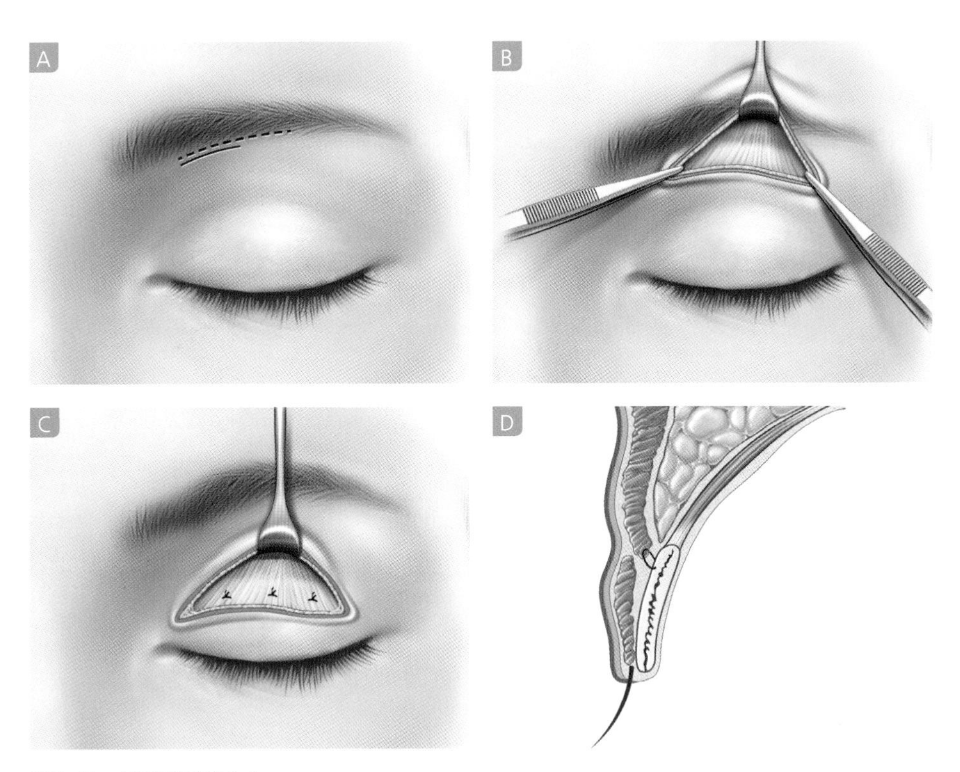

图5-45 **额肌筋膜提升术**
A. 眉毛下 1.5mm 切开线 **B.** 露出眉毛下方额肌 **C，D.** 切开眼睑，额肌一筋膜瓣提升到睑板。

注意

实际上运用额肌筋膜做睑板转移固定时无需做太多的转移。在睁眼状态下是固定于接近睑板上沿的位置。从下眼皮的高度来看，在睁眼高度为7-8mm和固定在睑板上沿2mm下方时，是固定距离下眼皮15mm左右的上方。所以一般转移1cm以上即可。(图5-46中X的标识位置)无需剥离太多的额肌，有时也无需做back-out，也不需要延长除额肌筋膜以外的组织(例眼轮匝肌皮瓣延长等)(图5-46, 5-47)。

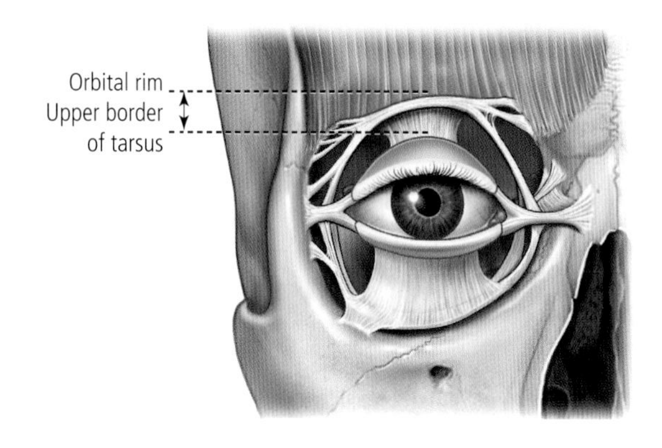

图5-46 **睑板与额肌的距离**
在睁眼状态下睑板上沿与眶缘的距离不超过5mm。

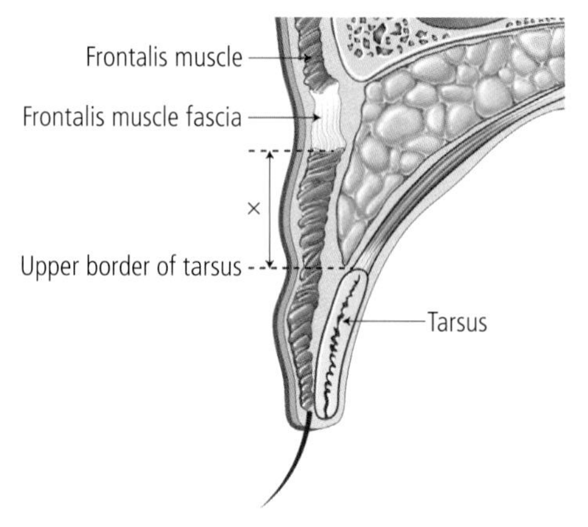

图5-47 **额肌 - 筋膜与睑板位置。**
额肌的筋膜与眶缘相连。在悬吊额肌时，需在睁眼状态下固定于接近睑板上沿的位置。因此下拉额肌 - 筋膜的距离(X标识)，即睁眼时睑板上沿与眶缘的距离不超过10mm。

利用额肌的手术方法与提上睑肌缩短术的差别是，在重度上睑下垂中如采用提上睑肌缩短术，即使采用保守矫正方式(不足矫正)，仍会存在引起兔眼的风险。而在利用额肌的手术方法中，采用保守矫正方式(不足矫正)，就不必过于担心兔眼问题。因此在重度上睑下垂中，抗兔眼能力较弱的患者(例动眼神经麻痹，bell's phenomenon易常，角膜激光手术等)额肌运动活跃时可利用额肌，做

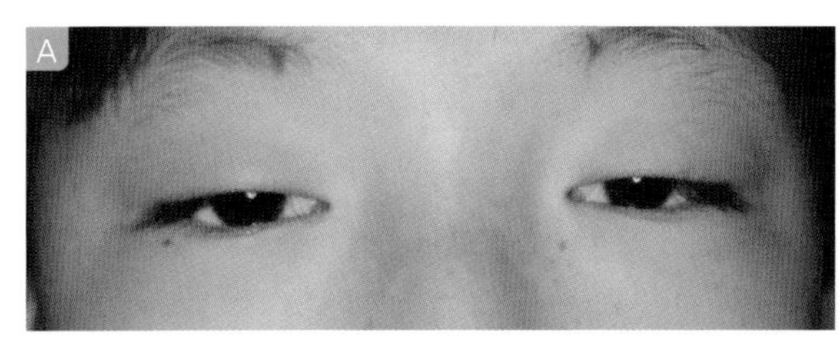

图5-48 额肌转移术 术前术后照片

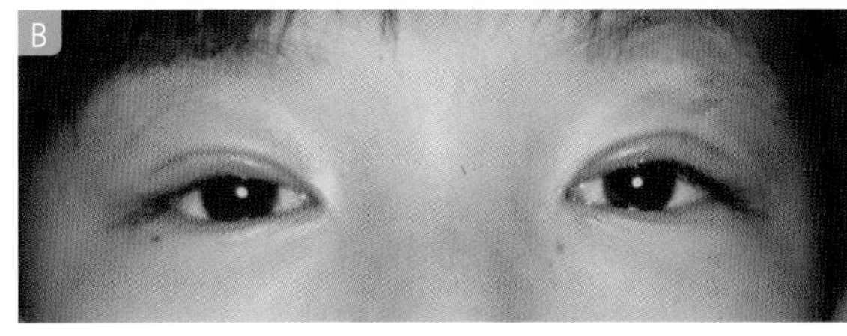

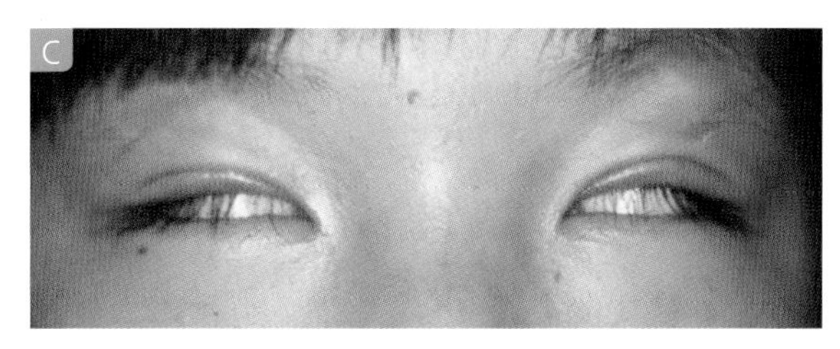

注意

利用额肌转移时需考虑以下几点，会有一定程度的复发。复发的程度取决于组织牢固状态及缝合时的牢固度。这需考虑到额部的活动性，活动性强的患者眼皮提起的少，所以兔眼程度低。最后还要根据患者对于角膜暴露的耐力程度来调整眼睛大小。

保守矫正。经由此方法矫正单侧上睑下垂时，因眉毛的高度不同，随着矫正抬头纹消失，会导致双侧眼睛大小不对称。(图5-48)

其他上睑下垂

颌动瞬目性上睑下垂Jaw-winking ptosis(Marcus-Gunn syndrome)

这种上睑下垂的特点是患侧眼睑会伴随着对侧下颌运动而瞬间性的变大。当患者张嘴，合嘴或下巴向侧面时，下垂的眼皮会随之上提。这类患者占先天性上睑下垂患者总数的4-6%，一般呈单眼性发病，且左眼的发病率比右眼高。这种病是由于第五脑神经与控制提上睑肌运动的第三脑神经分支之间形成异常联系而引起的。一般会与水平斜视，上直肌麻痹，弱视等相伴。

手术方法

手术方法要根据上睑的下垂程度以及咀嚼运动带动上睑上提的情况来决定。上睑下垂程度较轻或咀嚼动作对上睑产生的联动作用不明显时，需采用恢复提上睑肌功能的手术。相反，如果咀嚼动作引起的联动作用明显，提肌机能非常低下时，就要把提上睑肌完全从睑板上剥离并完全切除，使提上睑肌丧失功能，并用提上睑肌以外的组织一如额肌或Check韧带取而代之。在个别情况下，这种异常联带运动(synkinetic movement)症也可能自然好转。

霍纳(Horner)综合症

霍纳综合症属于一种先天性或后天性交感神经病变，因交感神经线路的病变使米勒氏肌麻痹而引起的上睑下垂。

主要症状

① 出现米勒氏肌运动范围2-3毫米左右的上睑下垂，同侧的下睑出现轻微的上升
② 同侧瞳孔缩小(miosis)
③ 眼球凹陷
④ 虹膜色素脱失(depigmentation of the iris)(图5-49A)
⑤ 同侧面部和颈部缺汗症(anhydrosis)

霍纳综合症的发病原因在于交感神经链(symphathetic chain)的路径上出现各种病变而引起。引起各种病变的主要原因包括肿瘤，炎症，动脉瘤(aneurysm)，颈部外伤等。其治疗方法有两种：一是查明发病原因并针对病因治疗；二是直接实施与一般上睑下垂矫正手术相同的手术。霍纳综合症属于米勒氏肌麻痹引起的

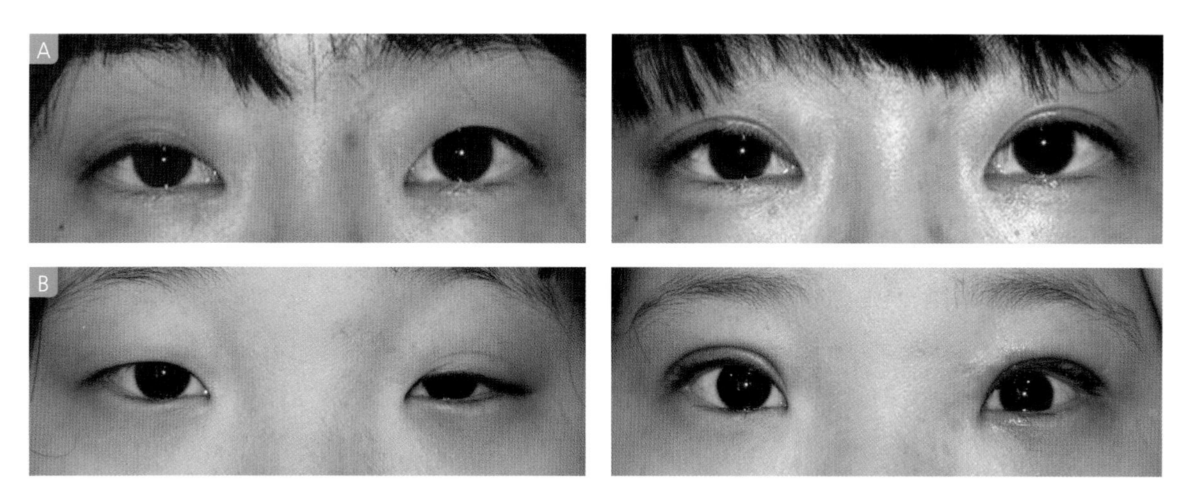

图5-49 Horner综合症 术前术后
A. 可以看到右眼上睑下垂，瞳孔缩小，虹膜色素缺失等症状。**B.** 左眼睑下垂同时同侧下眼睑与另一侧相比呈上升趋势。

上睑下垂，病变部位为节前神经元损伤(preganglionic lesion)。与节后神经元损伤(postganglionic lesion)不同，发生节前神经元损伤后，肌肉与神经的接合部(myoneural junction)的功能仍然正常。因此，即使米勒氏肌已经失去功能，但将肾上腺素(epinephrine)或脱羟肾上腺素(phenylephrine)滴到其上面后，肌肉依然会做出反应。即眼皮会上升，瞳孔也会变大。

简言之，虽然米勒氏肌已经失去功能，但霍纳综合症患者依然对肾上腺素比较敏感。① 即使对于少量的肾上腺素，眼睛也会大到3mm，如忽略此问题很容易形成矫正不足。② 因瞳孔的大小比正常一侧小，比较眼皮在瞳孔上的位置时，实际大小有可能会比反方向的小。③ 下眼睑的上升会使眼缘看着比反方向小(图5-49B)。④ Horner综合症中要做过度矫正。后期眼睛有变小的趋势，原因不详。因此，在霍纳综合症手术中应将肾上腺素使用量降到最低。此外，霍纳综合症患者的上睑下垂为2毫米左右时，与一般的轻，中度上睑下垂相同，需使用提上睑肌缩短术（包括under through 提上睑肌plication方法）。

眼裂狭小症候群(Blepharophimosis)

指的是先天性上睑下垂和眼裂狭小，倒转型内眦赘皮，眼间距远等现象。同时伴随的眼科疾患是斜视，弱视，散光等。也可能会伴有卵巢机能不全。它可能是因常染色体优性遗传产生，其中一半是由父母正常产生。弱视产生的情况也很多。所以视力，折射检查，眼球运动检查，斜视等眼科诊断和治疗非常重要。

需要做内眼角，上睑下垂手术。

上睑下垂的复发程度(RECURRENCE)

上睑下垂的复发程度因术前症状的严重程度及手术方法的不同而异。此外，医生的手术技巧也有一定的影响。即使用同一种方法手术，术前症状严重的患者在术后复发的程度会更严重，矫正方法越稳固，术后复发程度会越轻。

作者认为，如果拿提上睑肌复合体(Levator complex)来进行比较按照腱膜手术(aponeurotic surgery)，腱膜及米勒氏肌折叠手术(müller tuck and aponeurosis advancement)，提上睑肌复合体折叠术，提上睑肌缩短手术(levator resection)的顺序复发率逐渐降低。CFS提升联合提上睑肌缩短术比起CFS提升术，因是一起提升，所以更加牢固，复发率低。

即从结膜上剥离至需要短缩量的位置越充分，复发率低，而折叠法复发率高。另外上睑下垂越重，提肌肌能越差，复发率越高。因为肌力越差，需要提肌量越大，张力越大，组织松脱的越多，另外肌力越差，肌肉纤维越少，松弛的结缔组织越多，脂肪浸润越严重，所以组织更容易松脱。Berke认为上睑下垂达到4mm以上的先天性上睑下垂的提肌没有肌肉细胞，而是松弛的结缔组织，上睑下垂3mm时肌肉细胞为54%，而上睑下垂为2mm以下时肌肉细胞为100%。

即使是相同的手术方法也会因执刀医生的手术技巧不同而出现不同程度的复发状况。

例如，提上睑肌的上提缝合数越多，复发率越少。因此，作者一般在轻度上睑下垂的矫正中做3处缝合，而在中度以上病症的矫正中则做5处左右的固定缝合同时在上提缝合时将睑板前组织(如睑板前眼轮匝肌等)从睑板上分离出去，促使形成稳固粘连，术后复发的程度会较轻;由睑板深处穿过，则复发的可能性就会减少。

作者认为线没有从睑板深处穿过是上睑下垂复发的最大原因。睑板的厚度约1mm左右，为了准确的通过，建议使用6-0尼龙线。

根据上睑下垂原因的不同，复发量也不一样。比起先天性上睑下垂，腱膜性上睑下垂的复发率低，作者因为提上睑肌腱膜折叠术在先天性上睑下垂上复发率高，所以不用此术式，但在腱膜性上睑下垂会使用此方法。腱膜破裂时使用腱膜前徒术需做1-1.5mm的过矫。不单是前徒腱膜，而是加上米勒氏肌一起前徙来降低复发率。

概括来讲，上睑下垂术后复发量

· 上睑下垂越重，复发量越大。
· 比起先天性上睑下垂，腱膜性(老年性) 上睑下垂复发量低。
· 短缩时剥离的越多，复发量越低。
· 固定睑板时固定的越深复发越低。
· 固定缝合越多，复发量越少。

兔眼

上睑下垂术后可能并发兔眼，角膜炎，眼球干燥症，会引起严重不适。重度上睑下垂因为提肌量的增多会更严重，但轻度的上睑下垂也可能出现。

闭眼机能差时，因多次提肌术提肌和米勒氏肌的弹性变差时，有上睑迟滞(lid lag)时，会出现严重的兔眼症。术中切除闭眼功能的眼轮匝肌，也会发生兔眼症，所以一定要注意保护睑板前眼轮匝肌。即使兔眼程度一样，出现症状的程度也会有所不同，小时候做过手术引发兔眼的患者角膜敏感性低，但如眼轮匝肌肌力弱，或者无Bell现象时有会有角膜炎的风险。术前要进行问诊，并对患者充分说明，兔眼时要用眼药水和眼膏，并使用眼罩。

单侧上睑下垂或双侧上睑下垂程度明显不同时的手术方法

在单侧上睑下垂矫正手术中，应注意不要让眼睛的大小因麻醉及浮肿等原因影响手术。在已经变化的情况下，要认真观察计算出变化的量，使双侧眼睛大小相同。如在麻醉后眼睛小了 1mm 就要预想到麻醉效果消失后会变大 1mm。

在单侧上睑下垂手术中，要以正常一侧的眼睛大小为基准，但要注意看正常一侧的眼睛是否在正常睁眼的状态。上睑下垂手术是在正常平视的状态下将两眼大小做到对称，完全放松睁眼时有上睑下垂的一侧大，相反用力睁眼时正常一侧会大。手术中睁眼的大小受患者心情的影响会有所不同。在实施单侧上睑下垂矫正手术时，术前应多次测试正常一侧的眼睛因赫林氏法则(Hering's law)的原因眼睛的大小究竟会缩小多少，这是因为手术中患者因睡眠麻醉等因素而使睁眼变化的幅度不定。如果术中正常一侧睁眼幅度小于平时的睁眼幅度，术后上睑下垂一侧的眼睛会形成矫正不足。尤其如果上睑下垂的一侧是主视眼(dominant eye)时，会受赫林氏法则的影响更多。

两眼的上睑下垂程度明显不同时，严重一侧的复发量会更多。举个例子，如果下垂程度较轻的一侧，做0.5-1毫米左右的过度矫正；下垂程度比较严重的一侧，做2毫米的过度矫正，结果就是较重的一侧比较轻的一侧多过度矫正1-1.5mm(图5-50, 5-51, 5-52)。

眼球的变动给MRD1带来的变化

如受局部麻醉影响上直肌一部分麻痹，眼球会向下旋转MRD1会增加。这时如测量MRDS容易形成低矫，测量眼裂的垂直长度或MLD会有帮助。

双侧上睑下垂程度不同的情况

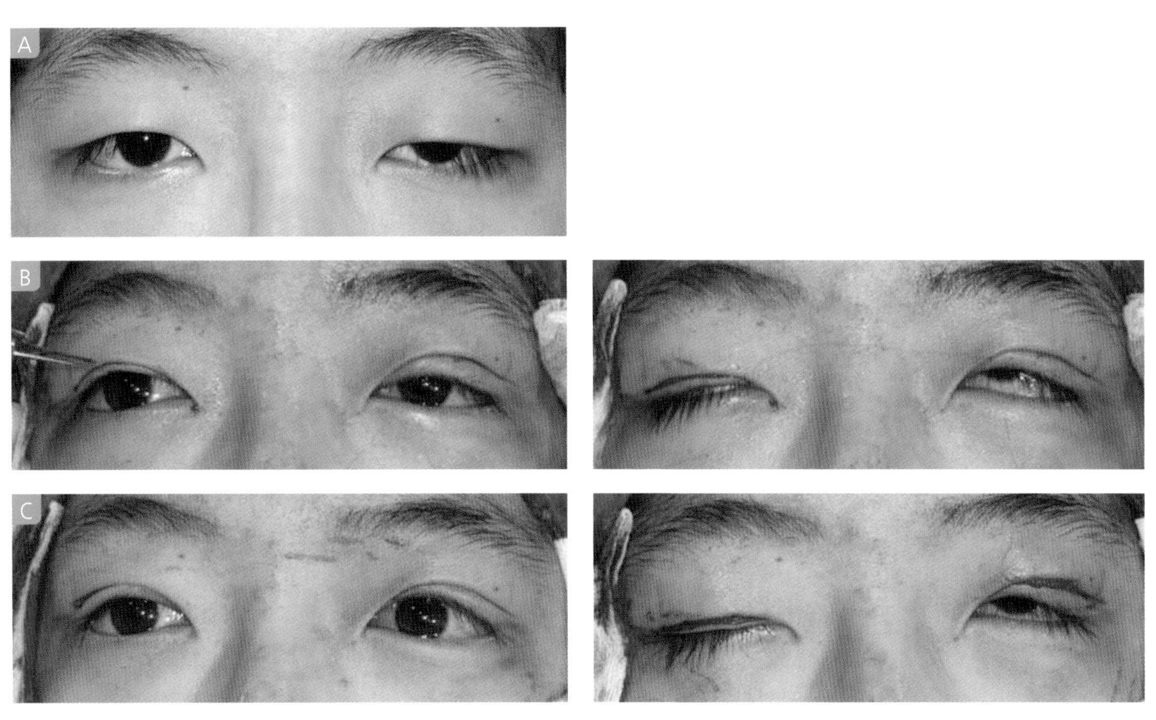

图5-50 **A.** 先天性上睑下垂患者:右侧轻度，左侧较严重。提肌功能 Rt:10mm，Lt: 5-6mm，手术计划:Rt 是 müller tucking+ aponeurosis advancement，Lt. CFS+levator shortening **B.** Rt. 实施了米勒氏肌与腱膜手术，Lt. 只实施check状韧带手术后，在坐姿状态下，双侧眼睛大小与闭眼时兔眼的样子(lagophthalmos)，这时右侧眼睛较大，左侧兔眼比较严重。**C.** 左侧联合实施了 check ligament+levator shortening combine 术后，术后，坐姿状态下，眼睛大小及兔眼样子。check ligament+levator shortening 以 6: 4左右进行了联合(combine)手术。这时左侧眼睛比右侧大。

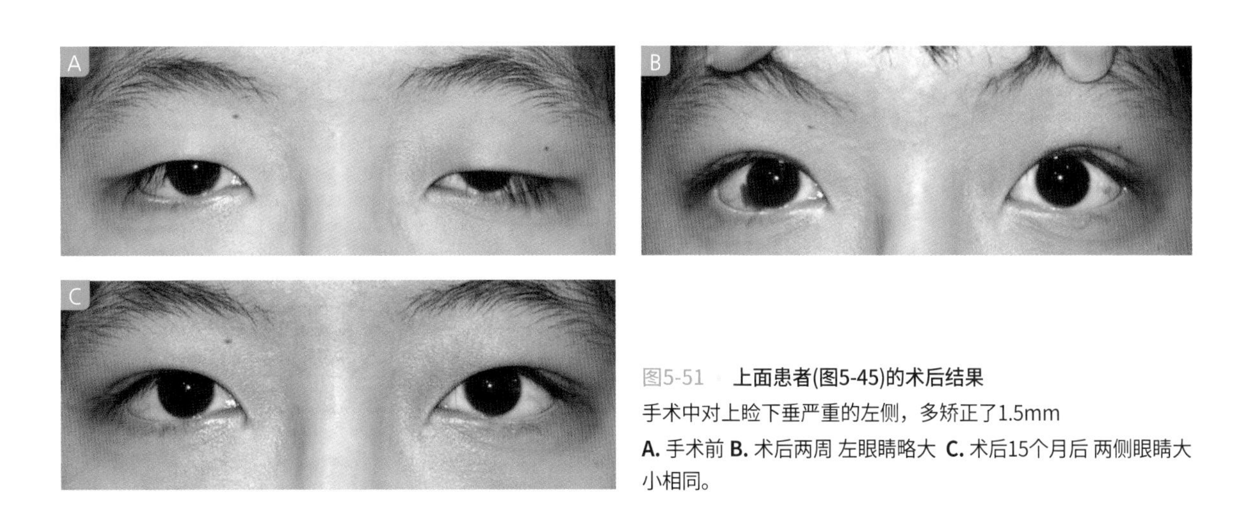

图5-51 **上面患者(图5-45)的术后结果**
手术中对上睑下垂严重的左侧，多矫正了1.5mm
A. 手术前 **B.** 术后两周 左眼睛略大 **C.** 术后15个月后 两侧眼睛大小相同。

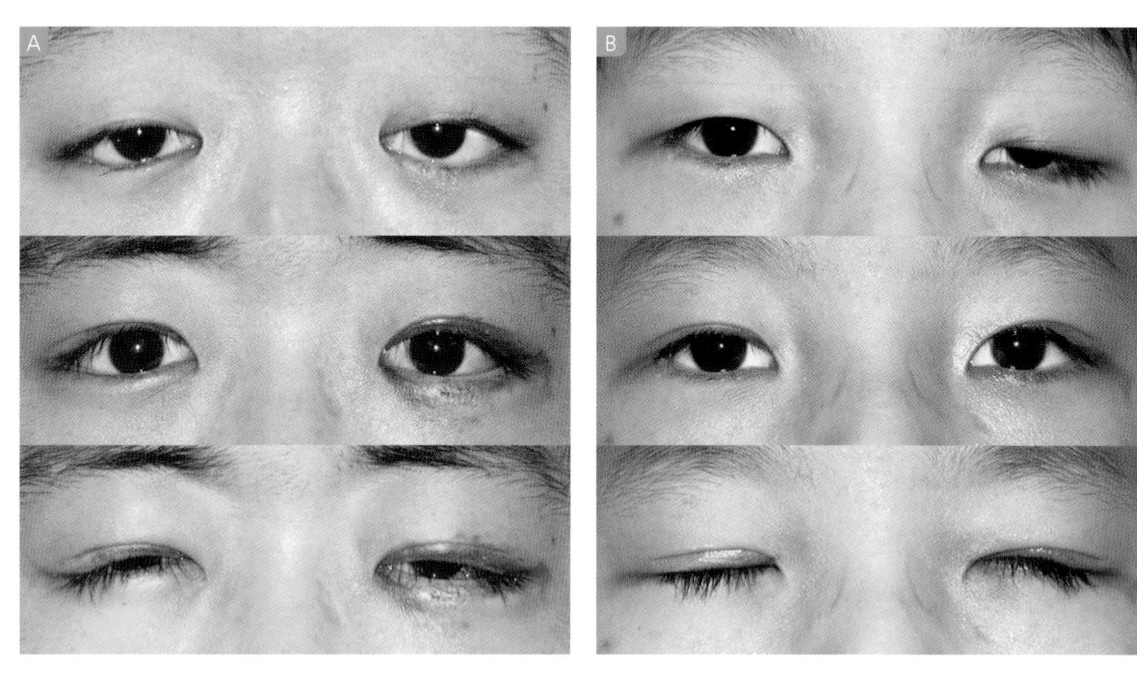

图5-52 **手术案例 A.** 双侧上睑下垂 **B.** 单侧上睑下垂
从上到下:术前，术后睁眼，术后闭眼。
因为左侧上睑下垂更严重，因此术后左侧的兔眼情况更加严重。

部分性严重上睑下垂

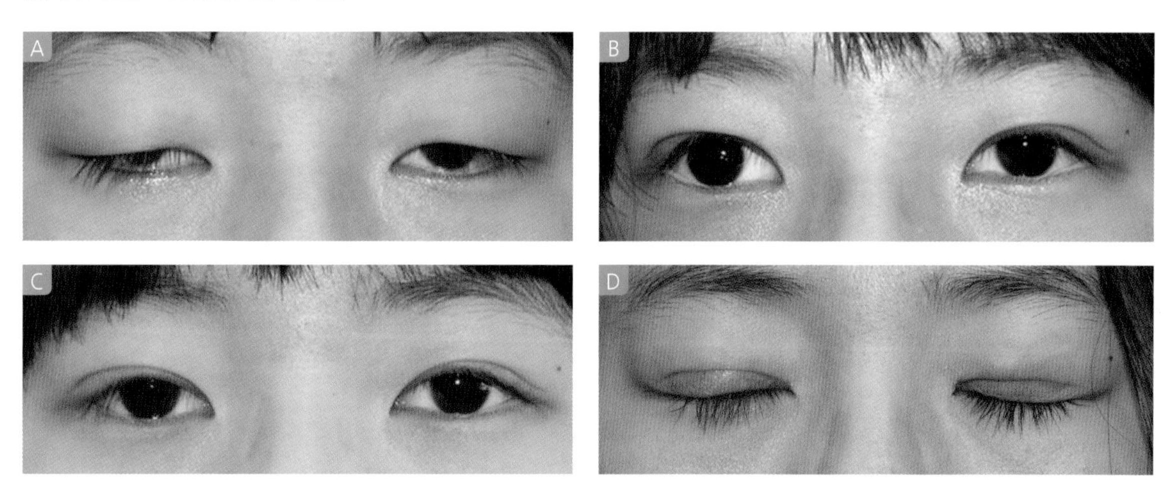

图5-53 **在双侧差异较大的严重上睑下垂中**
A. 术前，右侧更严重 **B.** 术后2周后，右侧更大。**C.** 术后 15 周后，双侧大小相同 **D.** 较严重的右眼，能够看到一些兔眼的症状。

内侧上睑下垂或外侧上睑下垂

图5-54 内侧睑下垂(medial ptosis)被描画为奸诈的形象。

眼睑内侧或外侧存在部分性上睑下垂较重的情况。如果内侧严重则眼睛向内侧倾斜，会显得人很奸诈(在漫画中常被这样描述)(图5-49)；如果外侧严重会显得眼睛无力，没精神。

此时，可以经由提起下垂比较严重部分的提上睑肌，理论上手术很简单。但需要注意的是：如果只矫正内侧，考虑到术后会变小的问题，要对其进行过度矫正。因此术后即刻时应看到内侧提升幅度比外侧的要高出很多。另外重要的一点是提上睑肌为宽广连接运作，所以手术时要连带中央及周边提上睑肌一起提升一点，而不是只提内侧或外侧，这样有助于防止复发。

内侧上睑下垂(medial ptosis)术后容易复发与解剖学及组织结构学有很大关系。①内侧与外侧相比，内侧的空隙部分比外侧要宽。内侧空隙的部分命名为裸区(bare area)所以在没有提上睑肌腱膜及米勒氏肌的部分，单纯将结缔组织固定在睑板上，术后前期虽然有增大眼睛的效果，但很快就会变小(图5-55B)。②内侧睑板比外出弱。③内侧米勒氏肌脂肪浸润(fatty infiltration)严重。④内侧腱膜(medial horn)比外侧水平。

上睑下垂矫正手术难以达到理想效果的原因

上睑下垂之所以有难度，最主要的原因是即使在手术房得到了令人满意的效果，但是随着时间恢复手术结果会发生变化。各种原因眼睛大小发生变化，随着恢复眼睛也会发生变化。

即使将肌肉前徙一定的量，结果也会有可能不一样。全身麻醉时根据麻醉的深度眼睛也会出现大小不同的问题(Brown)。局部麻醉下术中眼睛大小也会发生变化。术中影响眼睛大小的原因有很多种。失败的双眼皮手术造成的粘连有可能会防碍睁眼，进入眼窝的脂肪有可能与提上睑肌形成粘连防碍眼皮运动，这时将眼窝脂肪向外拉出可矫正上睑下垂(图5-57)。

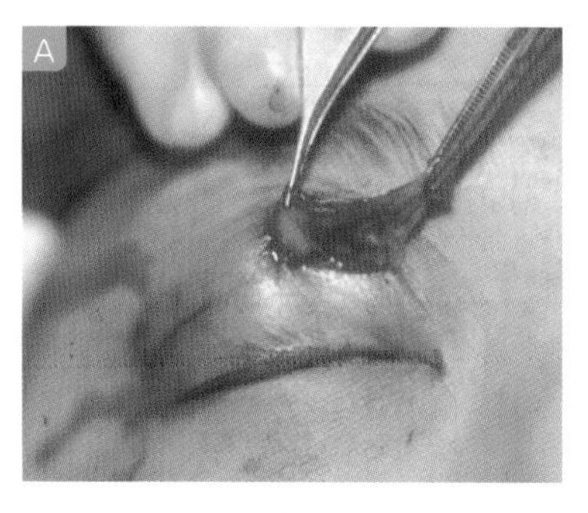

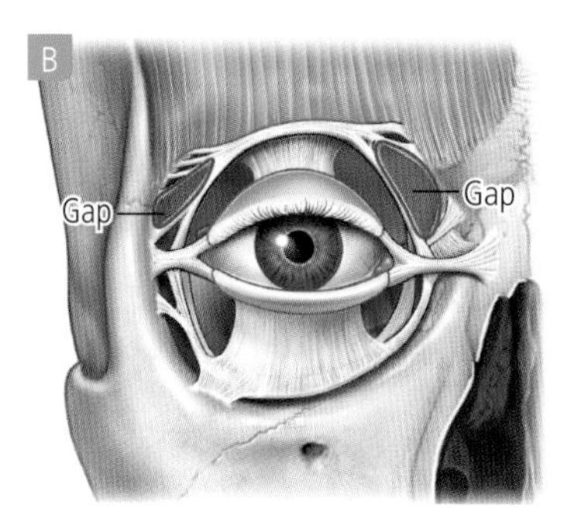

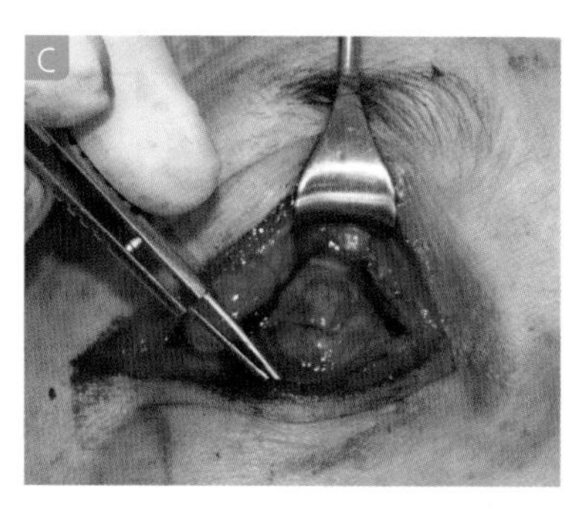

图5-55 **A .** 提上睑肌内侧提升过程 **B.** 如果提拉内侧部分，提拉到间隙(gap)部位，并无提升效果很快会下垂，但是外侧部位间隙少，因此有效果。**C.** 米勒氏肌内侧间隙(gap)大(参考图5-15)。米勒氏肌内侧交界线已用美蓝标识。

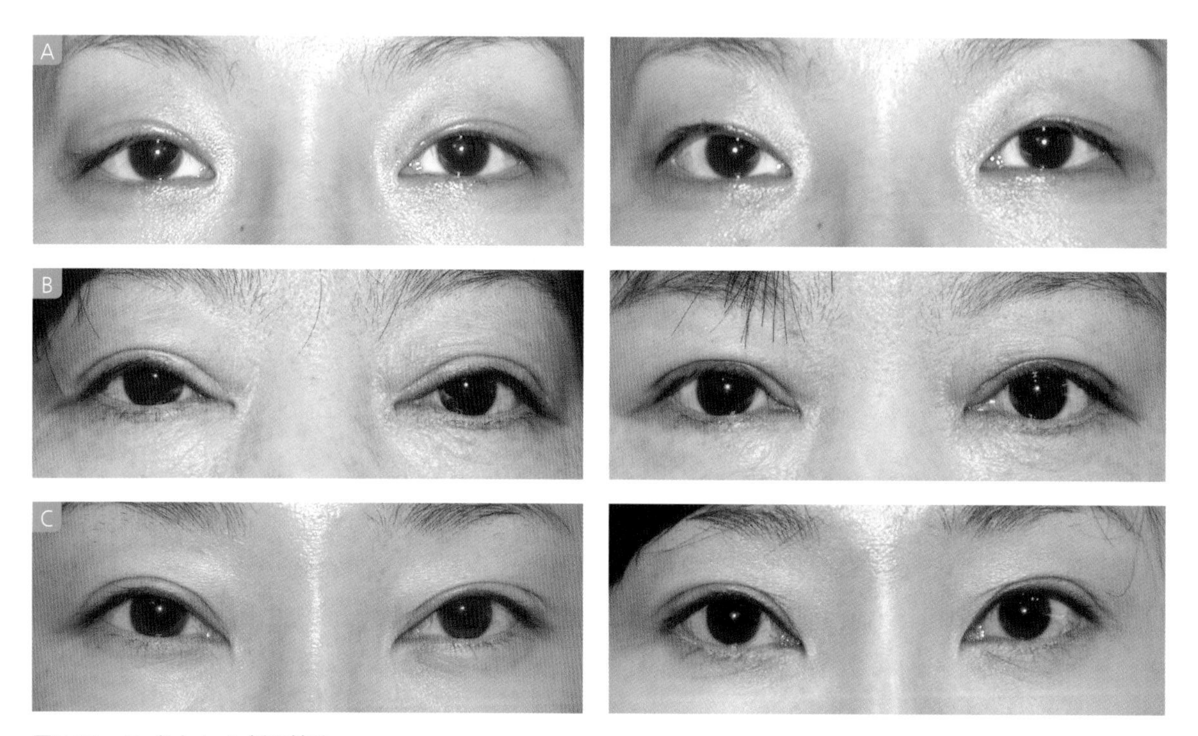

图5-56 **Medial ptosis 矫正前后**

A. Medial ptosis of right eye only. **B, C.** Medial ptosis in both eyes.

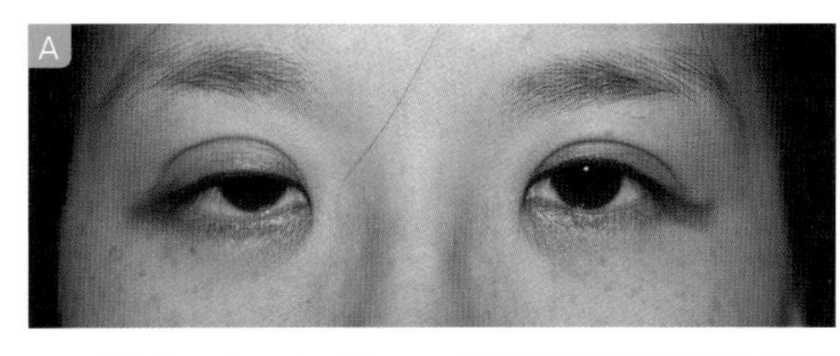

图5-57 A. 术前, B. 术后即刻, C. 术后一周，右侧只将眼窝脂肪拉出就矫正了上睑下垂，眼睑凹陷也得到改善。

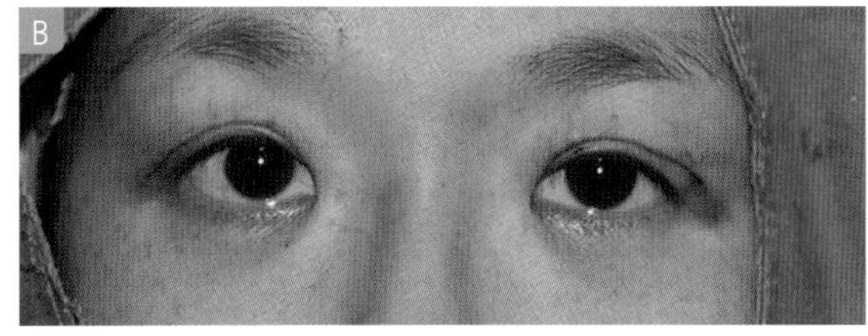

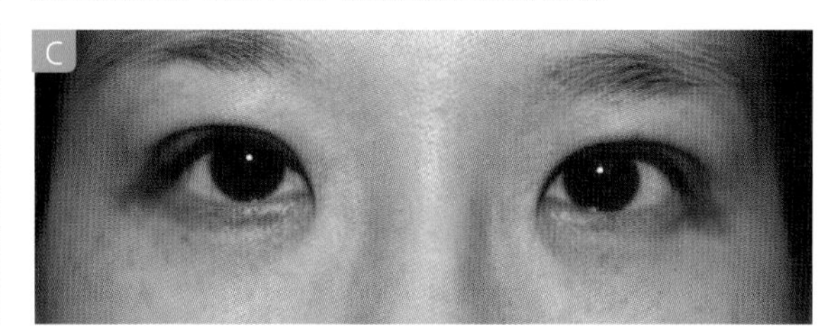

手术中引起眼睛大小变化的因素

- 局部麻醉剂，睡眠麻醉，镇定剂的镇定程度
- 水肿，血肿
- 姿势:平躺，坐姿
- 赫林氏定律:上提一侧眼睛后，提上去的一侧敏感反应及另一侧眼睛的变化
- 眉毛位置
- 玻尿酸酶(hyaluronidase)
- 睑板移位(tarsal shift)
- 上斜视(vertical strabismus)
- 强光，紧张状态
- 视力，主视眼(dominant eye)
- 眼球干燥症
- 双眼皮固定

术后

- 水肿，血肿
- cheese-wiring effect.
- 复发程度

赫林氏定律(Hering's law)

单侧上睑下垂的患者在接受矫正手术后，原先被认为是正常的一侧眼睛反而出现上睑下垂症状，而接受矫正的一侧眼睛则出现过度矫正的现象，这即是通常所说的赫林现象。这一定律于1977年被赫林所发现。由于两侧眼睛受同一神经支配，上睑下垂一侧增加的神经刺激会同时带动反方向的眼皮提起。这是对症状较严重一侧的眼睛进行矫正之后，额肌和提上睑肌原本对上睑形成的强大的收缩

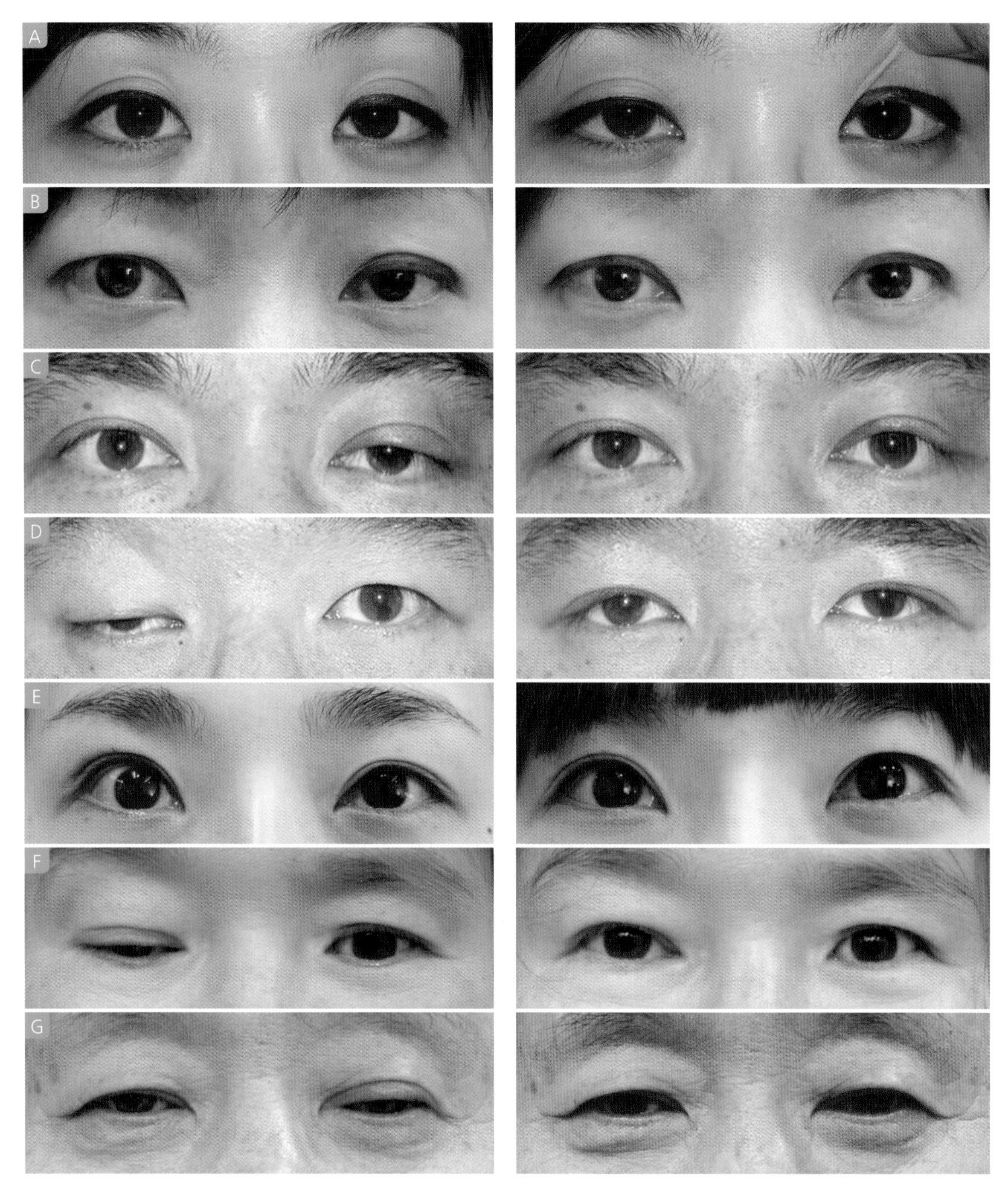

图5-58 Hering's law

Hering's law postive **A.** Manual elevation test. 左眼有上睑下垂，向上提起左眼睑后另一侧的眼睛变小。**B.** pheny lephrine test，前后。在左侧眼睛滴入pheny lephrine眼药后，左侧变大而右侧变小。**C.** 左侧上睑下垂矫正后，因hering's law 可以看到右侧眼睛变小。**D.** 右侧上睑下垂矫正后，左侧变小。因Hering's law 左侧眼睛变小。上睑降肌矫正后出现Hering's law negative.

E. 右侧上睑降肌后左侧眼睛变大，Hering's law negative. **F.** 左眼 dominent 状态。右眼上睑下垂术后，左眼并没有变大。**G.** 右眼 dominent 状态。左侧上睑下垂术后，右眼大小没有变化。

作用不复存在。其结果便是，原本症状较轻一侧的眼睛出现较为明显的上睑下垂症状，而另一侧则表现为过度矫正。因此，当患者症状与单侧上睑下垂比较相像时，在做出最终的判断之前一定要注意观察正常一侧的眼睛是否患有轻度上睑下垂。

另外，在单侧上睑下垂病例中，矫正幅度要比两侧睑裂的纵向幅度差稍微小一点的情况比较多。例如，如果双眼大小之差为3毫米左右，则在手术中应该对患病一侧的眼睛做2-2.5mm的矫正。尤其患病一侧为主视眼时这种现象会非常明显(图5-58F，G)。

这种现象在双侧上睑下垂时也时有出现。感觉先做矫正的一侧有过矫时，反侧眼睛做矫正后，先做的一侧会变小。实际手术中如先矫正的一侧被提到了隔膜上缘，不要觉得太高马上就放下，可以试着用手将反面提上去后再下决定。很多情况下反面做提升后，先做的一侧会自然降到适当的高度。

另外，如果放大了来分析发现双侧上睑下垂术后会出现同样的症状。即，上睑下垂患者会不由自主把力作用于帮助睁眼的肌肉上，而矫正术后，因额肌及提上睑肌的强收缩的作用消失，实际效果比术中矫正的效果要少一些。作者认为上睑下垂术后睁眼的努力意图会减弱。进行赫林氏法则测试时，另一侧眼睑出现1毫米以上的下垂的现象，叫做阳性(positive)反应。较先天性上眼睑下垂，这种现象多出现后先天性上睑下垂患者身上。而当主视眼(dominent eye)患有下垂症状时，这种现象表现得更为明显。

Bodian认为，以徒手上提测试法(manual elevation test)做测试时，大约有10%的阳性率，而Tucker则认为这一比例为29%。Meyer则认为，在徒手上提测试法中，出现阳性率的比例为20%，而在眼睛闭合测试中，这一比例则只有4%。作者认为把上睑下垂术后正常一侧下降的微小量也统计的话，赫林氏法则阳性反应是更多的。

与上睑下垂相反，如果出现眼睑退缩的问题，闭眼力量在对侧发生作用，对侧眼睛先是变小，待退缩的一侧矫正退缩症状后，会发现对侧眼睛反而会变大。当患者的一侧眼睛患有轻度上睑下垂，而另一侧眼睛则患有眼睑退缩时，不能轻易地决定对两侧眼睛均予以矫正。有时先矫正上睑下垂一侧或先矫正眼睑退缩一侧的话，对侧眼睛会自行得到解决，所以应慎重地选择手术方法。

手术前应做赫林氏测试

1. 徒手上提测试法(manual elevation test)
   将患有上睑下垂的一侧眼睑上提，观察另一侧的上睑会不会垂下来。
2. 阻滞观察测试(Visual block test)，眼睛闭合测试(eye occlusion test)
   用手遮住患有上睑下垂的一侧眼睛，再观察另一侧眼睛的变化。
3. 药物测试(sympathomimetic test)
   向患有上睑下垂的眼睛内滴入脱羟肾上腺素(phenylephrine)后，观察另一侧眼睛的变化。

两侧眼睛分别患有上睑下垂和眼睑退缩时应考虑的问题

· 矫正上睑下垂后，另一侧的眼睑退缩是否会自动得到矫正

· 矫正眼睑退缩后，另一侧的上睑是否会自动提升到令人满意的高度

· 是否应同时矫正两眼

局部麻醉剂的影响

局部麻醉做上睑下垂有利于术中确认眼睛的形状和睁眼高度。尤其是单侧上睑下垂时，局部麻醉更易观察。

局部麻醉剂中的利多卡因，布比卡因等。

1. 麻痹米勒氏肌及提上睑肌，降低上睑的功能。
2. 麻痹眼轮匝肌，降低闭眼机能，使上眼睑略微上升。
3. 注射液的肿胀会削弱睁眼功能。
4. 肾上腺素会使米勒氏肌功能亢进，使眼睛变大。Bartley(1995)认为，在注射肾上腺素后十分钟内，患者眼睛平均变大1.0mm。Brown 也认为眼睛会平均变大1-1.5mm。
5. 当局麻波及到上直肌时，眼球可能会下旋，这时会看到下方的白眼球，会因为MRD1的变大而增加手术的难度。

若术中因局麻而引起的双眼不对称，则考虑到其为暂时性的，要一直维持这种不对称到手术结束时。若术中因局麻药产生双眼1mm的大小不一致，则应使其维持到最后，术中肿胀，血肿引起的变化也要同样对待(图5-59A,B,C)。手术中因利多

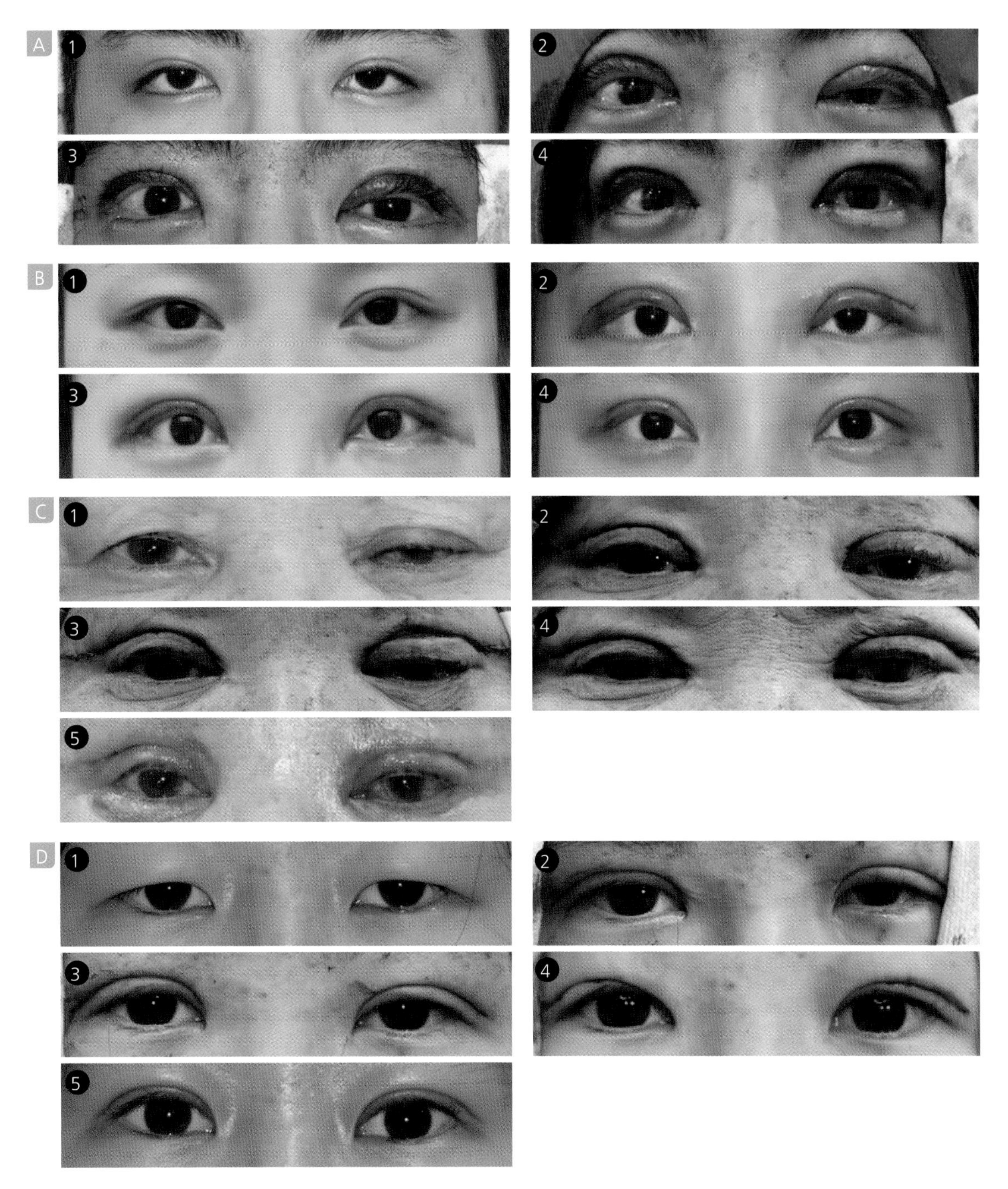

图5-59 局麻的影响

A. ① 术前两侧上睑下垂 ② 麻醉后左眼小了 ③ 提肌术后两侧眼睛大小的差距维持原样，两眼大小不同 ④ 皮肤缝合后两眼大小相同。

B. 1.术前 2.术后1天，因为麻醉和肿胀，眼睛大小差距还是存在 3.术后 3天，7天眼睛大小一致。

C. 1.左眼伴有血管瘤引起的上睑下垂，2.麻醉后左眼眼睛变大。3.在左眼米勒氏肌注射利多卡因使之变成术前的大小。4.左眼提肌术后 5.术后7天

D. ① 术前双侧上睑下垂。② 注射利多卡因后双侧眼睛大小发生了变化。③打蝴蝶结后，松开时眼睛大小再次发生变化。④ 最终打结后 5.术后26天

卡因眼睛大小可能会一直发生变化，所以因利多卡因眼睛大小发生变化时，不在初期对其进行判断，需一直对其进行观察。这种情况下作者在初期不会打结前徙的提上睑肌，只是暂时打蝴蝶结，在最终打结前会再次确认眼睛大小后再打结。但若是双眼皮术后产生的双眼大小不一致，则视其为永久性的变化，此时需要调整。若两侧双眼皮形状近似，可先矫正上睑下垂后再做双眼皮手术，但若两侧双眼皮形状有差距，则需先做双眼皮手术再矫正上睑下垂。还有有时主视眼比弱视眼相对少矫正一些会得到对称的效果。有时因患者精神状态，睡眠麻醉，羞明等原因术中可能睁眼大小与术前不一致，此时需牵记术前双眼大小。

双眼皮固定导致的眼睛大小的变化

做双眼皮时将眼轮匝肌固定在睑板或者腱膜上，眼睛大小会变小0-1.5mm。是因为提肌的负担加重。(参考p-3双眼皮手术导致的眼睛大小变化)图5-60)。

反之松解皮瓣和提上睑肌非正常的粘连后眼睛会变大(图5-61)。

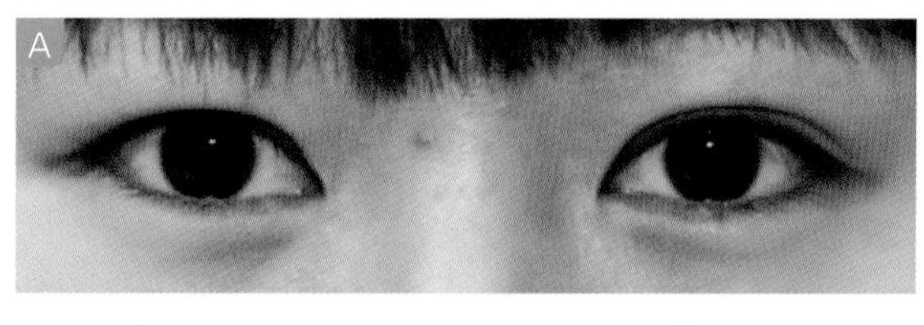

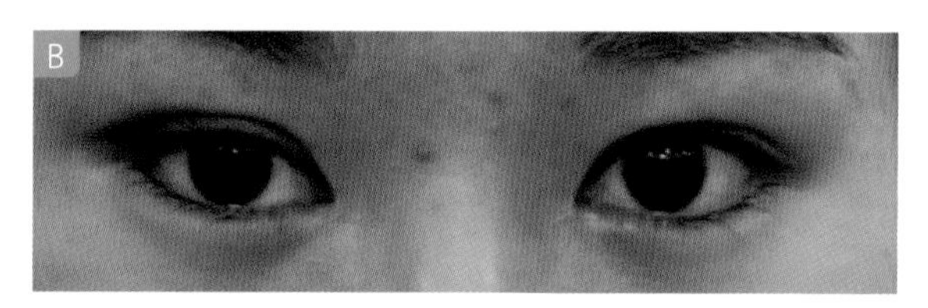

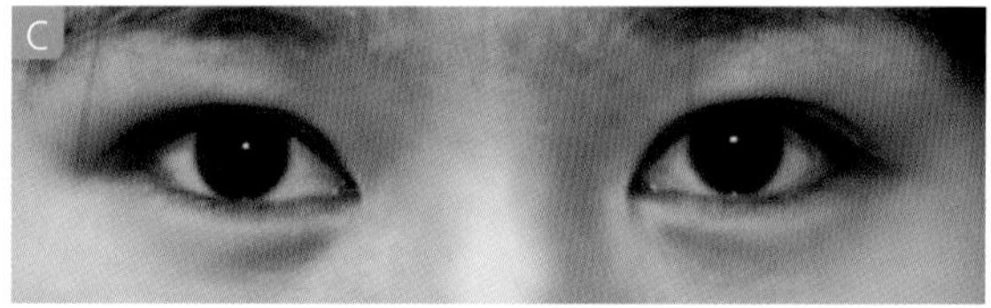

图5-60 · **上睑下垂术后双眼皮固定后眼睛大小的变化**
A. 术前右眼大，想把右眼双眼皮调整到左眼一样宽 **B.** 右侧双眼皮术后三天，右眼变小 **C.** 术后两周，两侧眼睛大小相同

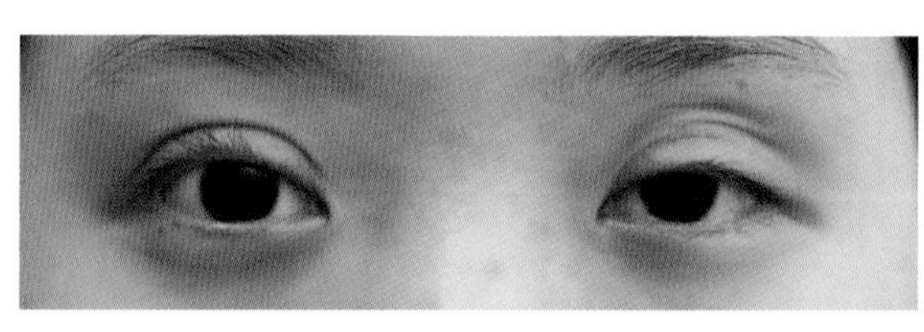

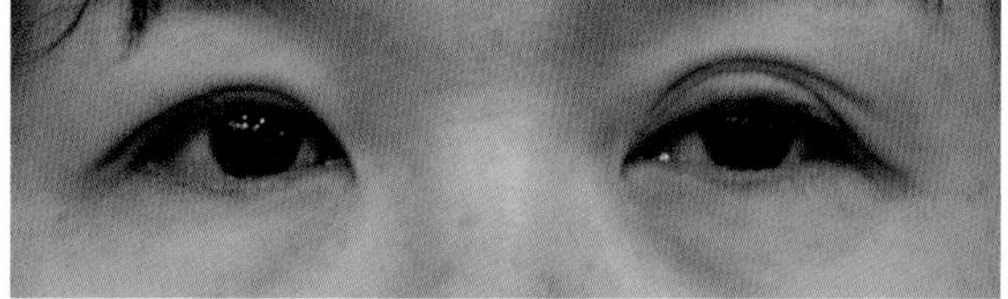

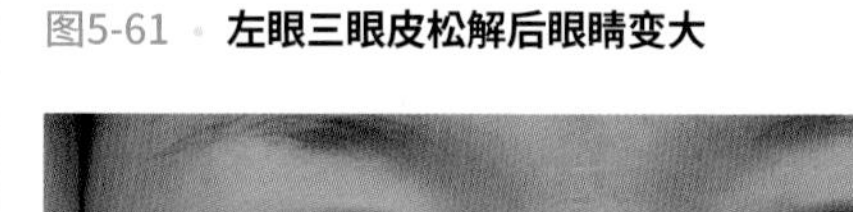

图5-61 · **左眼三眼皮松解后眼睛变大**

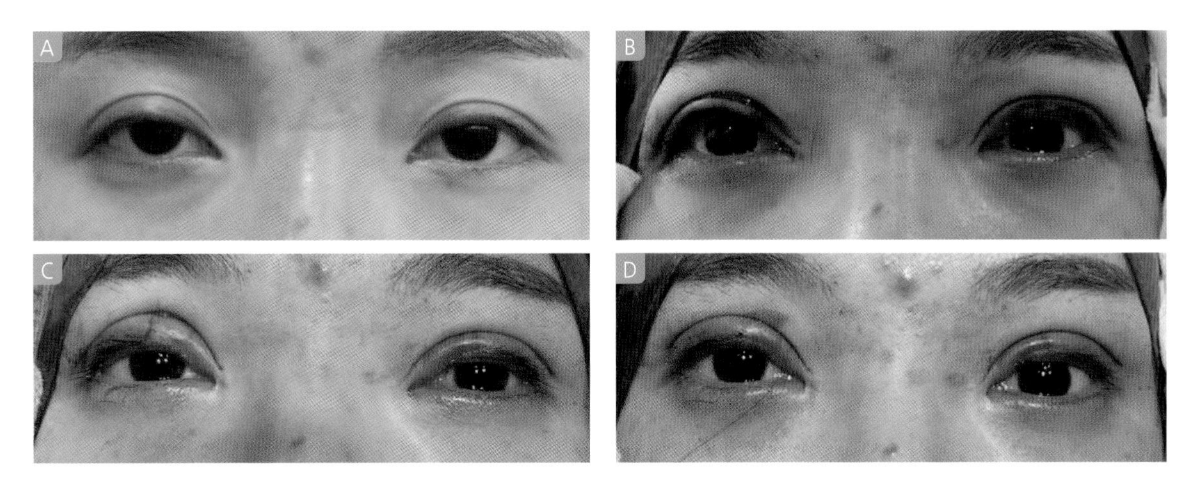

图5-62 **上睑下垂术后双眼皮固定后眼睛大小的变化**
A. 术前 **B.** 双侧同等提肌后，将左眼固定双眼皮后，左眼变小 **C.** 右侧双眼皮固定后，右侧眼睛也变小了。**D.** 皮肤缝合后两侧眼睛大小相同

上睑下垂手术时，可以先固定1-2处双眼皮，这样在做提肌时会比较稳定。若提前将双眼皮全部固定，会影响提肌缝合的操作，也可能使眼睛过度变小。尤其是在两侧双眼皮宽度和深度不同时，先固定双眼皮是比较好的选择(图5-62)。

上睑下垂复发程度(Recurrence)给眼睛大小带来的变化

上睑下垂的复发程度因术前症状的严重程度及手术方法的不同而易。此外,医生的手术技巧也有一定的影响。即使用同一种手术方法,术前症状严重的患者在术后复发的程度会更严重，矫正方法越稳固，术后复发程度会越轻。

作者认为，如果拿提上睑肌复合体(Levator complex)来进行比较按照腱膜手术

(aponeurotic surgery)>腱膜前徙及米勒氏肌折叠术(müller tuck and aponeurotic advancement)>提上睑肌复合体折叠术>提上睑肌缩短术(levator resection)的顺序复发率逐渐降低。CFS提升术联合提上睑肌缩短术(CFS advancement and levator resection)比起CFS提升术(CFS advancement)因是一起提升所以更加牢固, 复发率低。另外，上睑下垂越严重，提肌机能越差,复发率越高。即使是相同的手术方法也会因执刀医生的手术技巧不同而出现不同程度的复发状况。

例如,提上睑肌的上提缝合数越多,复发率越少。因此，作者一般在轻度上睑下垂的矫正中做3处缝合，而在中度以上病症的矫正中则做5处左右的固定缝合的同时在上提缝合时将睑板前组织(如睑板前眼轮匝肌等)从睑板上分离出去，促使形成稳固粘连，术后复发的程度会较轻;由睑板深处穿过，则复发的可能性就会减少。

作者认为线没有从睑板穿过是上睑下垂复发的最大原因。睑板的厚度约1mm左右，为 了准确的穿过,建议使用6-0尼龙线。

根据上睑下垂原因的不同,复发量也不一样。比起先天性上睑下垂,腱膜性上睑下垂的复发率低。作者因为提上肌腱膜折叠术在先天性上睑下垂复发率高，所以不用此术式，但在腱膜性上睑下垂会使用此方法。腱膜破裂时使用腱膜前徙术需做1-1.5mm的过矫。不单是前徙腱膜,而是加上米勒氏肌一起前徙来降低复发率和过矫的情况。

单侧上睑下垂或上睑下垂程度差距较大的双侧上睑下垂

单侧上睑下中重要的是确保麻醉或者水肿等因素不会对眼睛大小产生影响，如果一旦发生变化，要观察变化量以调节两只眼睛的大小。

举例说明的话，如果麻醉后眼睛变小了1mm，那么提肌后也要维持这 1mm 的变小量。单侧上睑下垂术中要观察对侧正常的眼睛大小是否与平时睁眼一致。提肌手术是使两眼平视时大小一致，向下看时患侧更大，向上看时则更小。术中睁眼睛的大小随患者的心境会发生变化，单侧提肌术前要检测正常侧眼睛会因为赫林反应而大小改变多少。因为术中患者可能因为环境等因素的改变，导致睁眼大小发生变化。如果术中健侧眼睛睁的比平时小，那么术后患侧可能低矫。如果上睑下垂侧为主视眼的话，赫林反应的影响会更大。

双侧差距较大的上睑下垂，更严重的那侧眼睛复发率会更高。举例的话，如果轻度那侧过矫正0.5-1mm的话，那么严重的那一只要过矫正2mm，最终要比轻度那一侧大1-1.5mm(图5-50，5-51)。

主视眼，辅视眼

要达到同等的效果比起辅视眼，主视眼提肌量会小一些，因为患者术中可能受环境等因素影响，导致眼睛大小与平时不一致，所以一定要牢记患者平时的眼睛大小。如果术中健侧眼睛睁得小了的话，此时根据健侧大小来调整患侧的话，那么术后患侧可能形成低矫。

全身麻醉时眼睑高度的调整方法

采取全身麻醉，患者不能像局部麻醉时那样有意识地睁开眼睛，供医生调整眼睑高度。这时有两种方法可以调整眼睑高度。①在术前根据上睑下垂程度和提上睑肌功能，事先定好组织的上提量。②根据全身麻醉状态下的眼睑高度进行调整。

在手术前决定组织上提量的方法

1. Berke 法: 在先天性上睑下垂手术中，按照上睑下垂程度的4倍上提调整提上睑肌或依照下垂程度的2倍加2mm的计算方法上提调整提上睑肌。

2. 在腱膜性上睑下垂手术中，采用睑板及腱膜切除(tarso-aponeurectomy) 的方法时，组织的上提量应为上睑下垂程度加3毫米(McCord)或上睑下垂程度加2mm(Chen)。此外，将组织上提到腱膜与肌肉连接处aponeuromuscular junction的方法(McCord)，也可以在矫正腱膜性上睑下垂时使用。

在全身麻醉中调节眼睛高度的方法(Chen)

提上睑肌切除法(levator resection method)

提肌功能	手术中眼睛高度
5-6mm	比目标高度高1-1.5mm
7-8mm	与目标高度相同
9-10mm	比目标高度低 1mm

额肌悬吊法(frontalis suspension)

提肌功能	手术中眼睛高度
0-2mm	比目标高度高 1mm
3-4mm	与目标高度相同
5mm	比目标高度低 1mm

注意

在提肌缩短术与额肌悬吊术中，同样是5mm的提肌功能，在提肌缩短法中要比目标高度高 1-1.5mm 固定，在额肌悬吊术中则需要比目标高度低1mm固定。为什么相同的肌力，也要根据手术方法产生2-2.5mm的差距?因为这两种手术术后都会出现再下垂现象，都需要过度矫正，但在额肌手术中，在麻醉状态下额肌变得松弛(relax)，但在平常因额肌的运动而使眼睛变得更大，因此需要做低矫正。

手术后的恢复和护理

在上睑下垂手术中，麻醉剂或镇静剂，手术中出现的水肿，眩目现象，患者的紧张程度等因素均可对术后的眼睛大小产生影响。因此，应使患者优先了解眼睛大小有可能在手术后予以调整。

手术刚结束时，由于水肿尚未消退，患者的眼睛会变得比原来小。但是，大多数情况下术后第二天开始眼睛会变大。Tucker认为，大约一半患者的上睑会在手术结束一个星期后上升到最终的高度，而另一半患者的上睑则会继续上升1.1毫米左右。他认为，这种上升过程持续6个星期，除了少数(18%)患者在此后出现轻微下降的现象外，大部分患者的上睑不会出现明显的变化。对究竟应该在术后什么时间进行调整的问题，估计每一位医生都会有自己的看法和意见。作者根据术后出现的肿胀程度决定调整时机。如果肿胀较轻，可在术后3-5天内进行调整，而如果肿胀较严重，应在术后7-12天内进行调整。但是如果浮肿或血肿严重时，眼睛变大的状态会持续一段时间，需要继续观察。而如果在手术中对肌的损伤较大，则与因水肿原因导致的恢复时间变长不同，肌肉及其功能恢复需要等待六个月，因此要注意在此期间眼睛大小的变化会持续存在。此外根据手术方法的不同也会有所差异。米勒氏肌折叠法比提肌缩短术能够更快的显示术后效果，而提肌缩短术眼睛变大的状态持续的时间比较长。另外在提肌功能受到严重创伤时，一年之内提肌功能(levator function)也会逐渐的完全恢复，创伤组织完成重塑(remodeling)会使兔眼(lagophthalmos)的程度降低。

如果眼睑被过度矫正，应视其程度再决定调整的时机和方法。如果过度矫正的程度较轻，可以在术后两周内用按摩方法使其伸展(forced stretching)开来。如果过度矫正程度较为严重，则应尽早给予修复手术进行再次矫正。按摩方法为:在眼睛睁大到极限的状态下，在避免切口拉开的情况下用力向下按压双眼皮线上方皮肤。另外也可以下拉睫毛并按压双眼皮线上方皮肤。此按摩方法可帮助手术中缝合的数量较少的情况，其效果特别明显。反之则不理想。

术后的调整宜早不宜迟。因为早期调整手术更简便易行，也更容易掌握需要调整的程度。同时，早期调整还能缩短伤口康复所需的时间，有助于获得患者的信赖。当术后出现过度矫正时如不及时予以修复，不仅会诱发眼部疾患，还会使

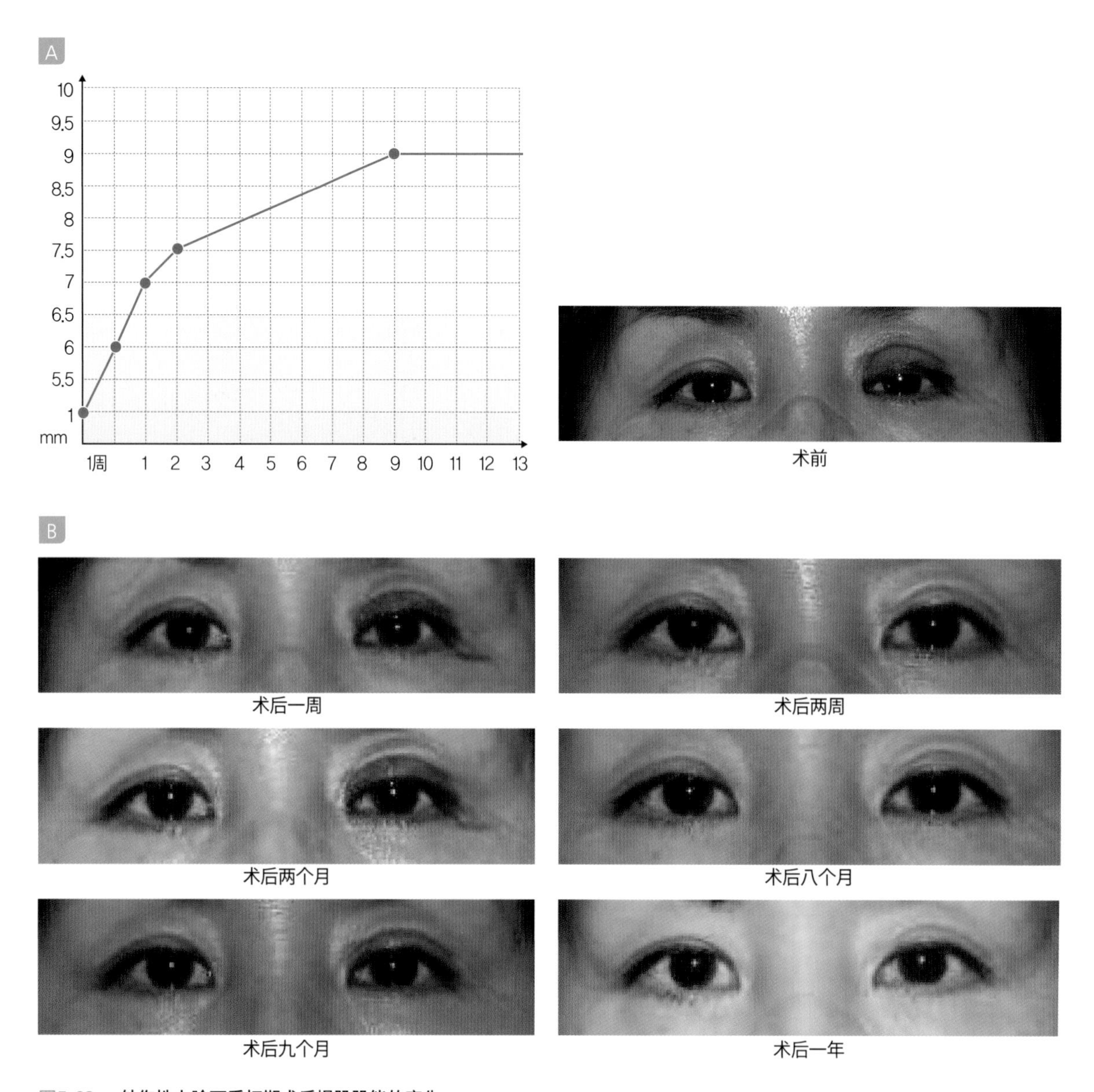

图5-63 **外伤性上睑下垂初期术后提肌肌能的变化**

A. 手术后提肌肌能9个月之间睁眼幅度增加从5mm到9mm。**B.** 上睑下垂术后眼睛大小9个月增加的样子
术后15天，1月22 天，8个月，9个半月，1年

提上睑肌功能下降，形成永久性眼睑迟滞(1id lag)。在过度矫正即眼睑退缩手术中，如果经过很长时间后再实施修复手术(late correction)则需要做提肌延长术，但如果在早期修复则不需要做，只需要移除手术缝线重新调整前徙量。

过矫正的早期修复方法是，移除手术时的缝合线，把组织宽松地向上提升，即做成上睑下垂的状态后，再重新由上睑下垂矫正术把眼皮调整到目标高度。此时也需要在不受麻醉剂的影响而变化的状态下，调整眼睛大小。

术后视力的变化

在上眼睑手术特别是在上睑下垂手术后，会有患者抱怨视力下降的情况。因眼皮的全面水肿，导致暂时性眼泪分布系统功能下降，另因初期外翻症使睑板腺(meibomian)的作用不够圆滑顺畅，从而引起眼部干燥症，并且造成眼睛不适，暂时性视力下降。此外结膜水肿(chemosis)也是导致视力下降的因素之一。

在临床可以经常性的看到出现散光的问题。有报告显示是由于眼睑对角膜的接触面减少而造成的，但出现的问题一般在三个月内就会得到自行恢复，并且在一年之后出现的几率也比较低。因此没有必要特别因散光造成的视力下降而佩戴眼睛，可以稍作观察等待再说。

上睑下垂手术与双眼皮手术

同时进行上睑下垂手术和双眼皮手术时与一般的双眼皮手术不同，双眼皮的高度和深度都有可能带来新的问题。

存在上睑下垂的状态下，设计双眼皮线

在上睑下垂状态下设计双眼皮时，要注意一点就是术后内侧及中央部位双眼皮较窄，外侧因无明显变化很容易形成过宽的双眼皮。

也要考虑到双眼皮固定后眼睛会变小的情况。

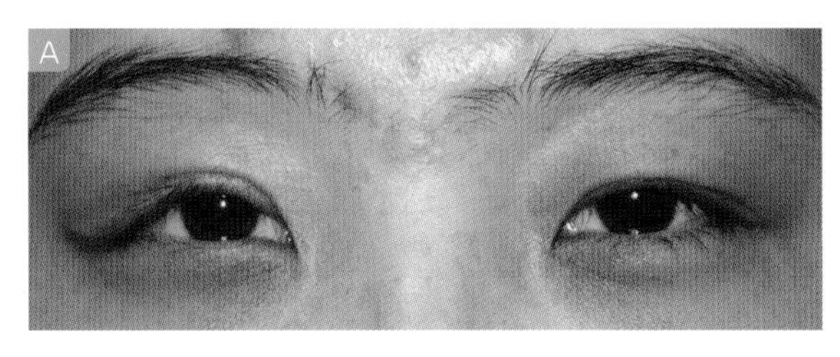

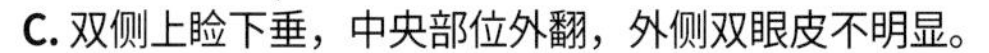

图5-64 **A.** 右侧上睑下垂 **B.** 左侧上睑下垂，典型性内侧及中央部位眼睑外翻，外侧双眼皮几乎消失。
C. 双侧上睑下垂，中央部位外翻，外侧双眼皮不明显。

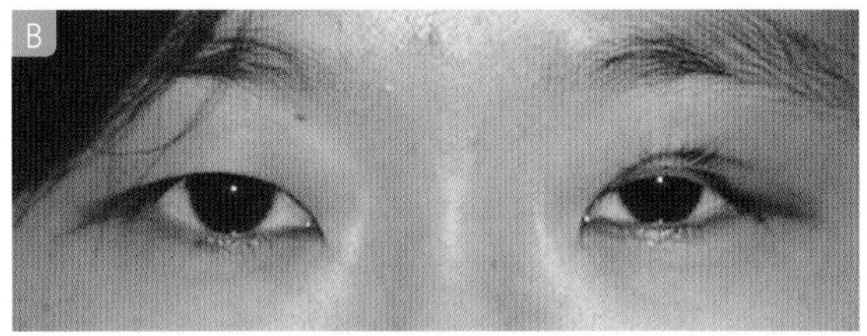

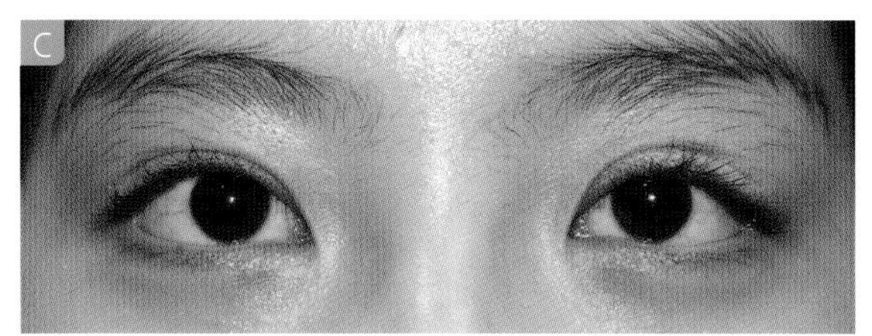

在一般的双眼皮手术中决定折皱线的高度时，先用探条做出令患者满意的临时折皱后，按照其高度进行手术即可。但是，如果同时进行上睑下垂手术，做出来的折皱高度会比一般双眼皮手术后形成的折皱高度低。简言之，同时进行上睑下垂手术时，最终形成的双眼皮折皱比较窄。要想做出理想高度的折皱，要在手术前先让助手按住患者的眉毛之后，在患者睁大眼睛的状态下设计和决定折皱线的高度。

如果患者无法睁大眼睛，就应找出上睑的外端，以其为设计点进行折皱线的设计，并决定折皱高度。这是因为在用力睁眼和不用力两种状态下，上睑外端的位置没有明显的变化。

一般做完上睑下垂手术后经常会出现内侧双眼皮较窄外侧较宽的形状，因此需要特别留意。

在上睑下垂患者中经常可以见到双眼皮有外翻及消失的情况。即，内侧及中央部位出现深的双眼皮(或外翻症)，外侧部位出现浅的双眼皮(快消失的双眼皮)(图5-64)。

同时进行上睑下垂手术和双眼皮手术，可能引起睑外翻。其原因有二。

1. 在上睑下垂手术中将上睑提肌腱膜拉下来后，在平时仅做双眼皮手术时的高度上做固定，其位置会自行变高。就像用力睁大眼睛时原本浅的双眼皮会自行变

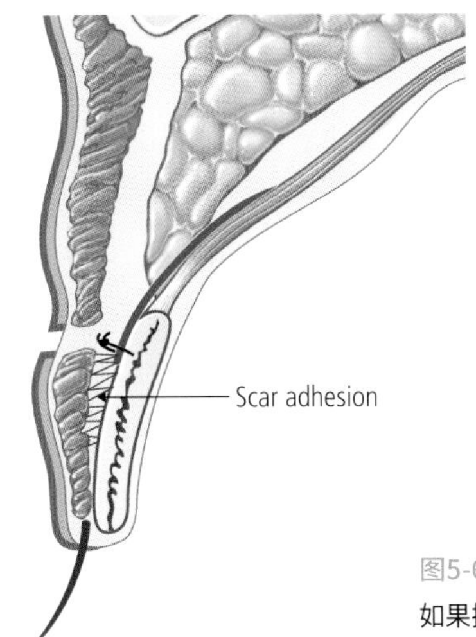

图5-65 **在上睑下垂患者中，容易出现重睑外翻的情况。**
如果把腱膜向下拉伸，因疤痕组织腱膜与皮肤之间形成间接性的粘连。

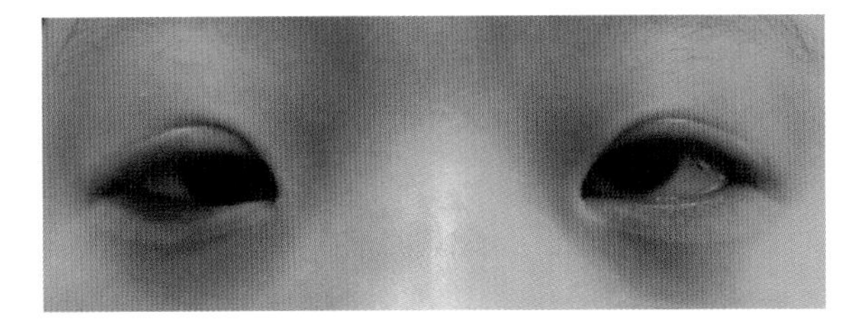

图5-66 在上睑下垂手术中双眼皮易消失

明显是一个原理。

2. 将提上睑肌牵到睑板上进行缝合时，有时会出现下皮瓣的一部分组织间接地挂到睑板上的情况。在此情况之下实施上睑下垂手术，把提肌固定于睑板时，因睑板前组织间接性的被排到了睑板上，而在未做出双眼皮之前就感觉像做了双眼皮固定一样，其实早已引起了外翻症。也就是说，虽然未做双眼皮固定，但间接性的造成了后层(posterior lamella)与前层(anterior lamella)之间的粘连状态。此时应找出提上睑肌的缝合线，并解开缝合线同时释放被缠住的下方组织(参考图5-65 的说明)。

在下皮瓣的前层(anterior lamella)和后层(posterior lamella)因粘连等原因而连在一起的状态下，如果将提上睑肌拉下来并缝合，提上睑肌也会间接地与皮肤连在一起，进而引发睑外翻。

除了睑外翻以外，上睑下垂患者在接受手术后还经常会出现折皱变浅，消失的问题(图5-66)。这主要是因为上睑下垂患者的眼睑属于静态 (static)，而非动态

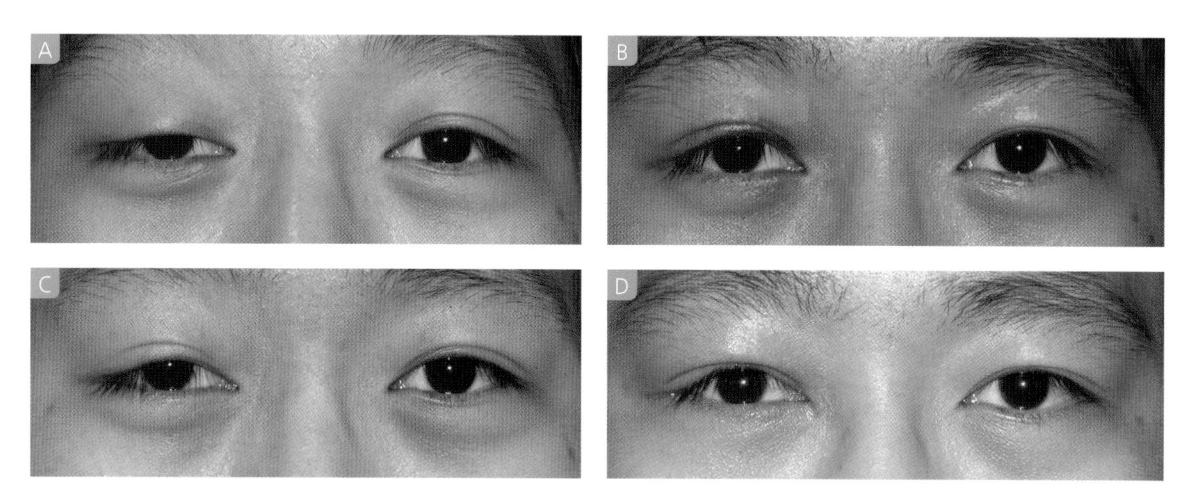

图5-67 **右侧上睑下垂手术** 右侧做完上睑下垂手术后，双眼皮易消失外侧宽。
A. 术前 **B.** 右侧上睑下垂及双眼皮手术后 **C.** 双眼皮消失上睑下垂复发，双眼皮外侧较宽。**D.** 修复术后

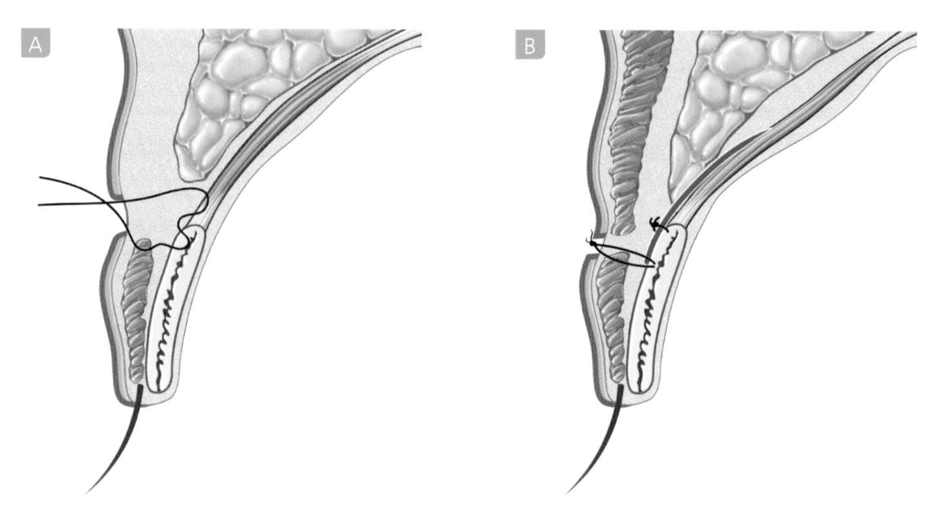

图5-68 **A.** 上睑下垂患者外侧实施双眼皮固定方法。把睑板，眼轮匝肌和腱膜像做aponeurosis plication时一样，与腱膜同时进行高位固定，(3 point fixation)。 **B.** 内侧，中间部位双眼皮固定方法，在低位的睑板固定后，在已前徙的提上睑肌腱膜的下方固定。

(dynamic)。即正常的双眼皮注视下方时双眼皮消失，注视前方时则双眼皮线变得清晰，但与之相反的上睑下垂术后的双眼皮始终保持在清晰的状态之下。因此要将固定的高度因情况不同而进行调整才能得到适当的双眼皮深度。

上睑下垂手术时，外侧双眼皮变宽及容易松掉的理由和解决方法。

在上睑下垂手术时，提上睑肌以角膜为中心将中间部位前徙，一般外侧不做所以外侧双眼皮部分容易出现双眼皮折皱消失或变成高折皱的现象(图5-67)。在这部位固定下皮瓣时，应先将下皮瓣固定到睑板上之后，再将其固定到上方的提上睑肌腱膜上(aponeurosis plication)。这种TAO fixation能够避免折皱线轻易地消失(图5-68)。

此外，在同时进行上睑下垂手术和双眼皮手术时还有一个不能忽视的重要问题，即固定双眼皮会增加上睑提肌的负荷会使睑裂变小。在双眼皮手术的临床经验中，将皮瓣固定到睑板上以后，可以观察到睑裂的纵向幅度缩小0-1.5毫米。单眼皮的上睑下垂患者在接受上睑下垂矫正手术时，一般都会和双眼皮手术同时进行。为这类患者做手术时，提上睑肌的上提量要比有双眼皮的患者的上提量多。

但是在单侧存在双眼皮另一侧无双眼皮的情况下，应先在无双眼皮的一侧做出双眼皮后，在相同条件下实施上睑下垂矫正术。如果先做上睑下垂将两侧两眼大小调对称后，在无双眼皮的一侧做双眼皮的话，做出双眼皮的同时这一侧眼睛会变小，双侧大小会存在差异。上睑下垂手术中，在未做出双眼皮之前不属于调整完全的状态。

接受上睑下垂手术后要“纳税”(上睑下垂术后眼睛变小)

上睑下垂患者由于上睑遮挡视线，会在不知不觉之中做出上提眉毛动作，以睁大眼睛。但是接受矫正手术，情况得到一定改善之后，大部分患者都在有意无意之间不再做出这些动作，而主要使用提上睑肌，因此术后睁大眼睛的效果会降低。有时眼睛提大很多，但恢复后的结果有可能和术前没有太大的区别。术后的复发是产生此现象的原因之一，但也有可能是上述的习惯问题。在上睑下垂手术中要特别注意此种现象。做了提肌眼睛变大后若马上出现眼睛变小，原因可以用此现象做解释。但眼睛是逐渐变小可能与水肿有很大关系。由上睑下垂手术使眼睛变大，其效果有时也会因主观或客观原因被抵消很大一部分。患者不能百分之百享受到手术效果的这种现象，与企业在营利后要交税是一样的道理。被抵消的一部分效果就等于企业上交的税款。

其次上睑下垂手术会让眼皮变得臃肿。这是因为在下拉提肌与腱膜时会同时把连接在腱膜上的脂肪带下来，从而导致眼皮臃肿。因此上睑下垂术后会让原本凹陷较严重的眼睛变得没有手术前那么凹陷，使原本比较正常的眼睛变得臃肿。术前看起来可能并不需要切除眼眶脂肪，但很多情况下上睑下垂中则需要切除脂肪。上睑下垂术后眉毛下降也是造成眼睛浮肿的因素之一。相反的在眼睑退缩手术后因腱膜与眶脂肪同时被推向上方而导致眼窝下陷，并且此时很容易形成三眼皮。

上眼睑退缩(Upper Eyelid Retraction)

眼睑退缩指上眼睑位置过高的一种病症。上眼睑缘遮住角膜上端(upper limbus of cornea)1-2mm左右时，MRD1为4mm时，被认为是上睑的理想位置。如果上睑的位置过高，会使角膜完全暴露，甚至露出巩膜(sclera)，会给人怒视对方或受到惊吓的印象，感觉很不自然(图5-69)。

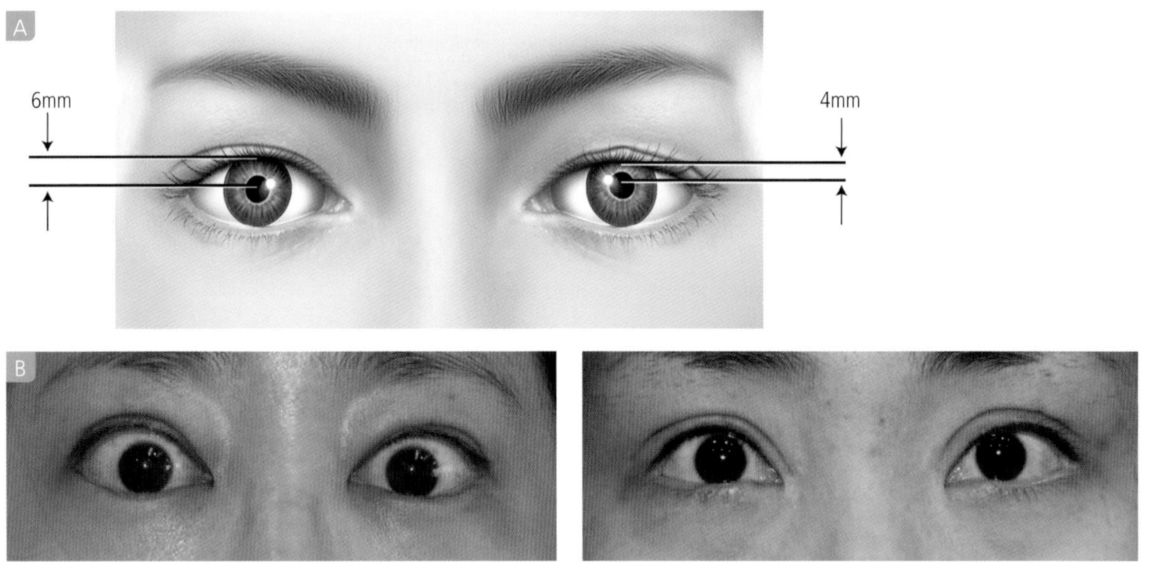

图5-69 **A.** 右侧 MRD1 4mm，左侧 6mm **B.** 甲亢和上睑下垂矫正术造成的上睑退缩

症状

· 惊吓的状态，怒视的表情。
· 眼球干燥症
· 烧灼感(burning sensation)
· 异物感
· 视力模糊(blurred vision)
· 畏光(photophobia)
· 内翻症或外翻症
· 兔眼(lagophthalmos)
· 暴露性角膜炎(exposure keratopathy dry eye)

原因

· 甲亢(grave's orbitopathy)
· 面神经麻痹
· 外伤
· 上睑下垂术后

与上睑下垂一样，上眼睑退缩根据其形成原因可分为提上睑肌功能异增强引起的生物性(biological)退缩和提上睑肌前徙手术后形成的机械性(mechanical)退缩。由甲状腺亢进引发的上眼睑退缩和其他不明原因的退缩属于生物性退缩。

而由提上睑肌或米勒氏肌质的变化引起的上睑退缩属于机械性退缩。上睑下垂手术后遗症提上睑肌被过度提拉是最常见的原因，外伤引起的上睑退缩也属于机械性退缩。

手术时要根据上眼睑退缩的不同类型，决定提上睑肌的延长量。

上眼睑退缩的多种手术方法

轻微的且术后初期的上睑退缩的情况可以用非手术方法来改善，用力闭眼或者用力向下牵拉的方法会很有帮助，但发生退缩术后一个月此方法作用不大。

手术方法

· 米勒氏肌切除法(müllerectomy)
· 提肌后退法(levator recession)，提肌延长法(levator lengthening)
· 腱膜后退法(aponeurosis recession with or without müllerectomy)
· 间隙移植法(spacer graft)

作者的手术方法:利用睑板前组织的提肌延长法(levator lengthening with pretarsal tissue)

不严重的上睑退缩，作者用此方法。局部麻醉的方法与上睑下垂手术中的麻醉方法相同。先将少量1%利多卡因(1:100,000肾上腺素)注射到皮下浅层，区域麻醉是在眶上神经，滑车上神经注射1.5-2.0ml,在泪腺神经上注射1-1.5ml。手术中如果觉得麻醉不充分，可随时注射少量未添加肾上腺素的利多卡因。在手术中注射麻醉剂时要注意，尽量不能使眼睛大小出现变化。

切开皮肤后先分离眼轮匝肌露出睑板，再将提上睑肌腱膜(aponeurosis)从隔膜(septum)分离并露出。之后需要延长提上睑肌，延长提上睑肌的方法有很多。相对最简单方便的手术方法是作者的利用睑板前组织(pretarsal soft tissue)的提上睑肌延长术。

沿着双眼皮线切开皮肤后暴露睑板，将未添加肾上腺素(epinephrine)的局部麻醉剂少量注射到睑板前组织上，然后从睑板的中间点，也就是从睑板上缘的下方4-5mm处开始将睑板前组织向上分离。在眼内滴入麻醉药水之后在睑板上缘部位用生理盐水在米勒氏肌与结膜之间进行水分离(hydrodissection)，并将米勒氏肌从睑板上分离出去，上方是将米勒氏肌从结膜上进行分离，使睑板前组织在米勒氏肌上得到延长。在将米勒氏肌从结膜上分离之前，要再次确认眼睛大小没有因水肿或麻醉剂等的影响而出现变化。分离要向内侧，外侧和上侧三个方向，进行分离时要随时观察上睑的下降情况，当上睑下降到目标位置以下，一旦产生上睑下垂就终止剥离。

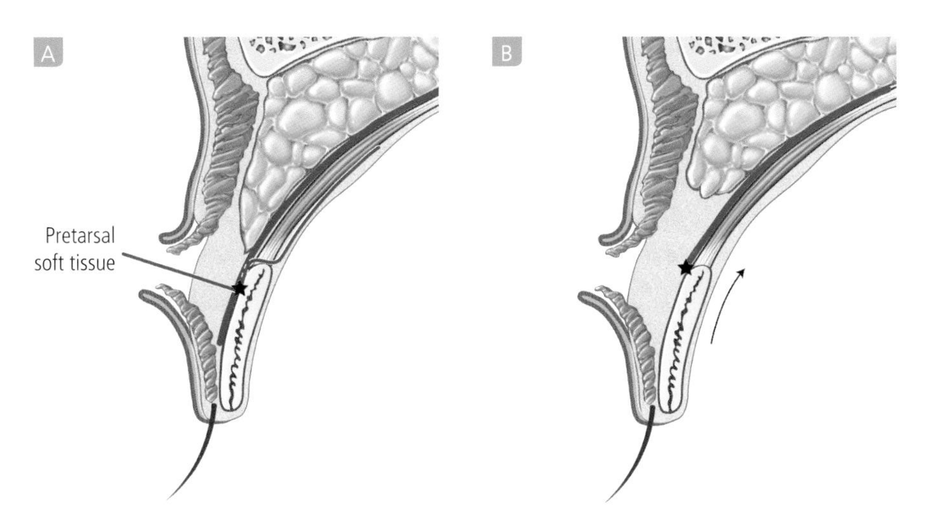

图5-70 利用 Pretarsal soft tissue 的提上睑肌延长术
随着睑板前组织向后退，提肌随之被延长。

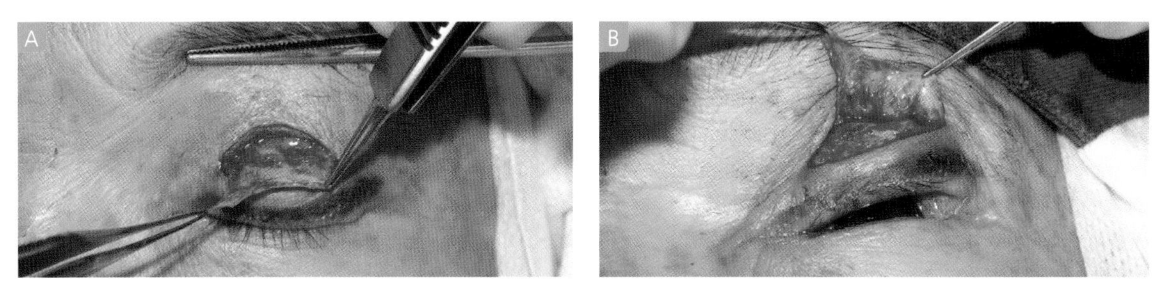

图5-71 如前次手术采用的是提上睑肌缩短术，睑板前组织是提肌很牢固

先做到上睑下垂的状态然后实施上睑下垂矫正术。把睑板前组织拉伸到睑板进行固定，根据组织的牢固性如睑板前组织薄且弱时，术后眼睛会有变小的倾向，所以要比最终的目标多提一些。之前的手术中如果采用的提上睑肌缩短术，可以看到提上睑肌的一部分还留在睑板上(图5-70)，它比一般的睑板组织牢固。组织牢固时后期眼睛变小的可能性很小，所以眼睛大小做到想要的大小即可。早期上睑退缩的手术最重要的是调整时期，如在发生退缩后1-2个月间手术，因此时期组织收缩现象非常强，所以要比目标值最少做1mm以上的低矫。

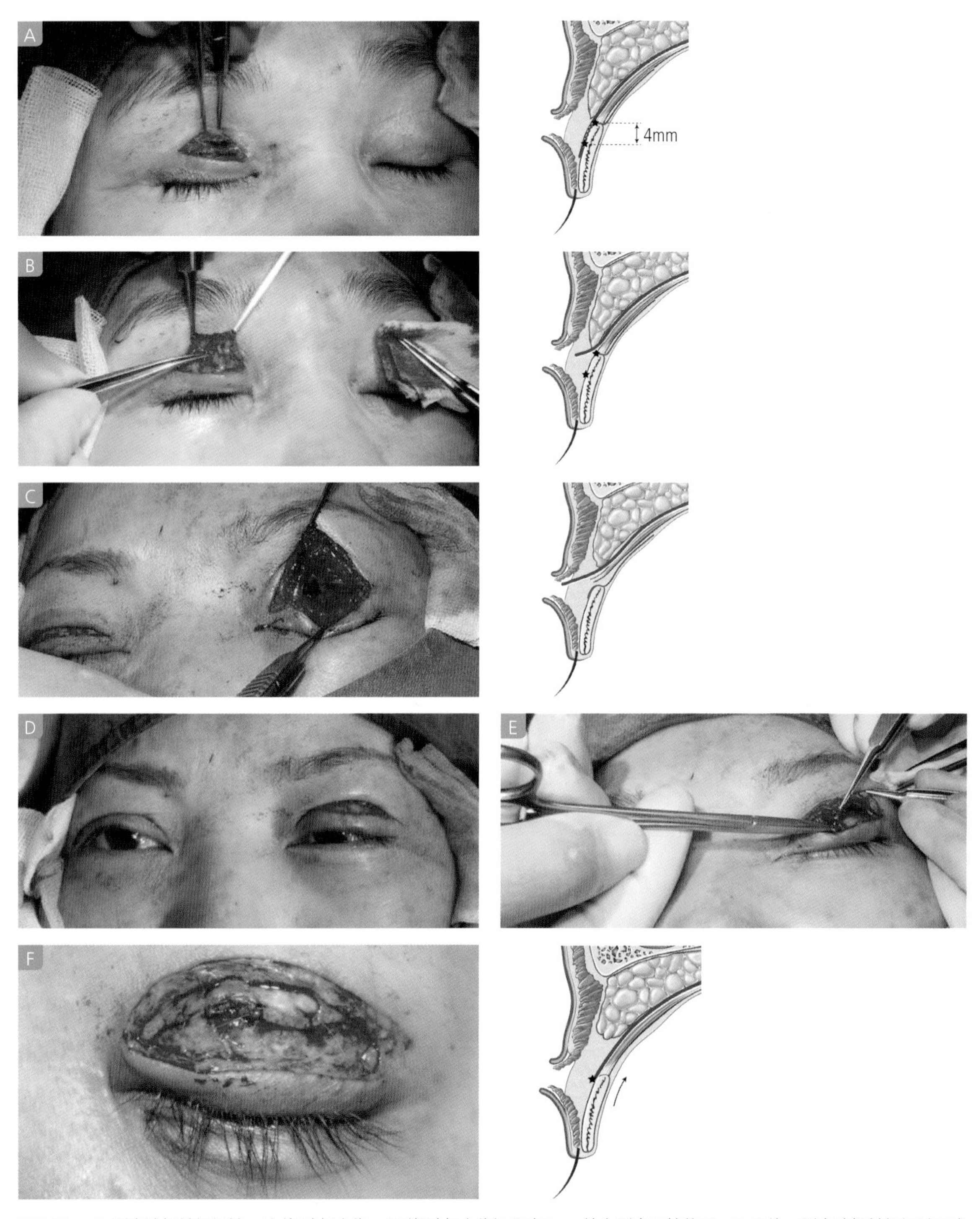

图5-72 · **A.** 剥离睑板前组织前，(上线)睑板上缘，(下线)睑板上缘沿下方4mm处为剥离开始位置。**B.** 照片。剥离睑板前组织后形成4mm组织瓣状态，下方forcep指的是睑板上缘。**C.** 把米勒氏肌从睑板上分离出来，从上方结膜分离出米勒氏肌。**D.** 从结膜上分离米勒氏肌后形成上睑下垂。**E.** 固定剥离后的提上睑肌组织。**F.** 把组织瓣末端缝合于睑板上端，形成 4mm 后退延长的样子。

睑板前组织延长术的关键点(key point)

- 注意不能让局麻影响到眼睛大小。
- 把睑板上缘4-5mm下方的睑板前组织从睑板上分离出来，作为提上睑肌延长的组织。
- 把米勒氏肌从睑板，结膜之间剥离。
- 剥离到比眼睑预期高度略低的位置，使之形成上睑下垂。
- 睑板前组织坚固的话则矫正到预期量，轻弱的话要矫正到比预期量略大一些。

一般通常多采用垫片移植(spacer graft)的方法矫正退缩的问题。在上睑下垂手术中需要做3-4倍的提升量，而退缩手术中则需要做2倍程度的spacer。在spacer中移植颞深筋膜(deep temporal fascia)或硬腭粘膜(hard palate mucosa)等自体组织，或由移植人工真皮来延长(图5-73)。不同的医生对于退缩量1-2倍之间存在较多的分歧。Spinelli用颞深筋膜(deep temporal fascia)移植了退缩量的2倍。McCord 做了1倍，而 Fox 用巩膜(sclera)做了2倍延长。Berke 通过提肌成形术(levator tenotomy)后退了两倍，Lai 与 Piggot 等后退2倍+2mm。因为患者情况不同，所以移植量很难做到准确的估测，但是对于退缩量较大的患者，做填充物移植是必要的(图5-73, 5-74)。

相对于自体移植，异体移植因吸收及收缩等原因容易导致复发。

在临床上退缩症是上睑下垂手术中常见后遗症，但退缩2-3mm以上的情况比较少，因此仅利用提升后的睑板前组织进行延长也能得到好的效果。但是单纯退

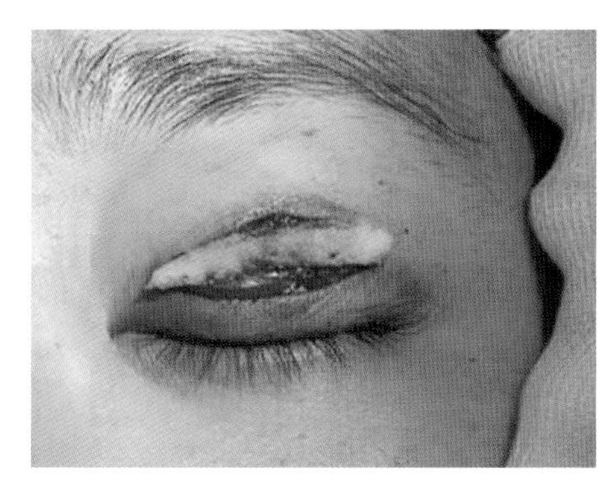

图5-73 使用 Alloderm 的 Spacer graft

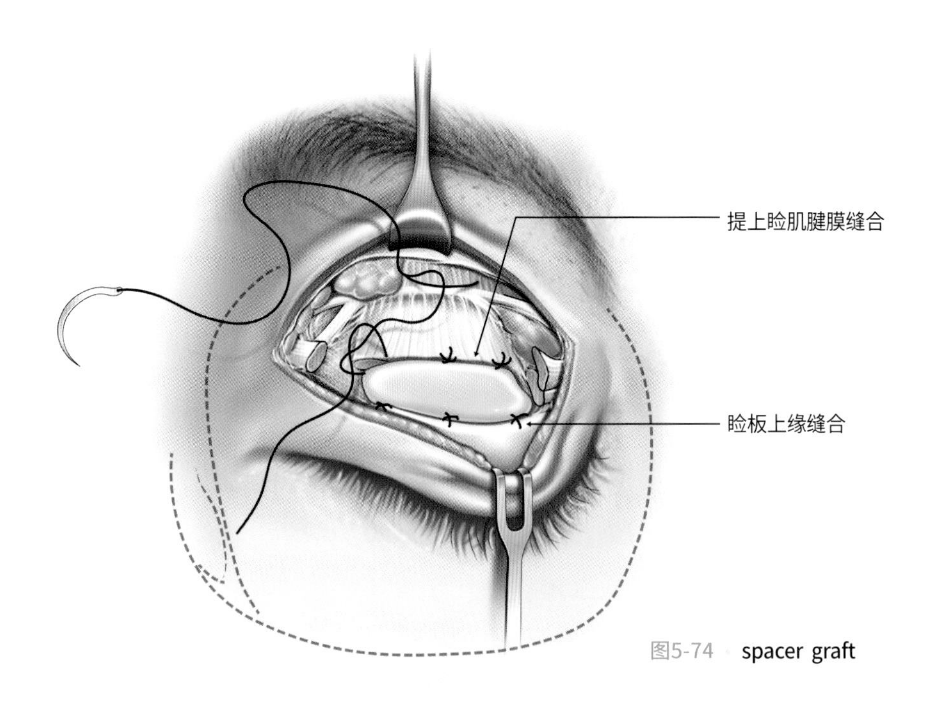

图5-74 spacer graft

缩睑板前组织的方法如果不能达到延长提肌的效果，作者会利用提上睑肌转瓣(rotation flap)。肌瓣转移时，在延长提上睑肌的过程中，如果提肌瓣(levator flap)的厚度较薄，固定缝合后就会出现 cheese-wiring 效果，由此容易导致肌瓣松弛，进而使上睑下垂复发。为此要尽可能保证提上睑肌瓣保持相当的厚度，且还要保证做出来的固定足够坚固(图5-74)。

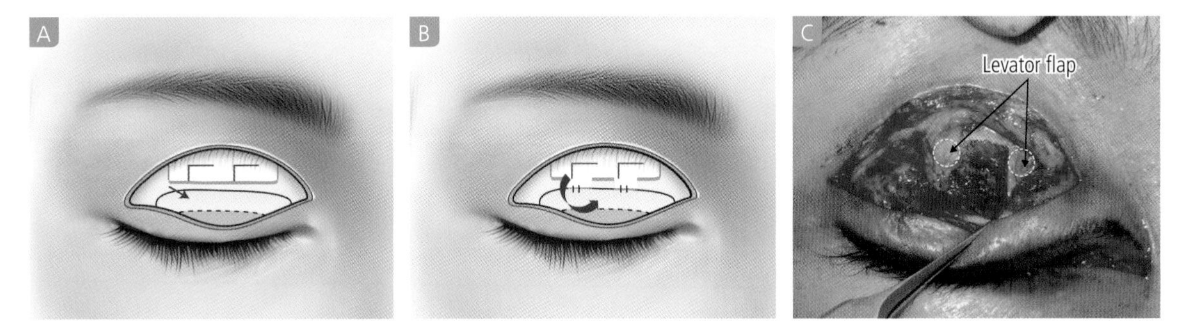

图5-75 提上睑肌转瓣延长术(pretarsal tissue rotation flap)图解和临床照片

在与甲状腺亢进症相同的米勒氏肌功能亢进这样的病症中，外侧部位的亢进比内侧严重。因此，由并发症引起的术后复发也更容易在外侧发生，而内侧则容易出现上睑下垂。所以，在甲状腺功能亢进引起的上眼睑退缩手术中，要从外侧开始纠正退缩，不足时再考虑下拉中间及内侧。

退缩手术后会存在眼睛的大小比预想的还要大的情况，此时因为兔眼，眼球干燥症等因素不能等到六个月以上的情况，等到眼睛大小差不多不再变化的时候，大概2-3周左右时要做初期调整。此时术后因为存在提肌的组织挛缩，所以要调整到比预期量稍微小一些。

采用睑板前组织延长术的退缩手术优点

· 手术简便 。
· 无需在间隙移植供区部位实施手术。
· Spacer graft的缝合部位有两条线，而睑板前组织延长的缝合部位只有一条线。因此组织松弛的变数较低，更可预测(more predictable)。
· 再次调整简单，只需稍微松开或拉紧缝合部位。

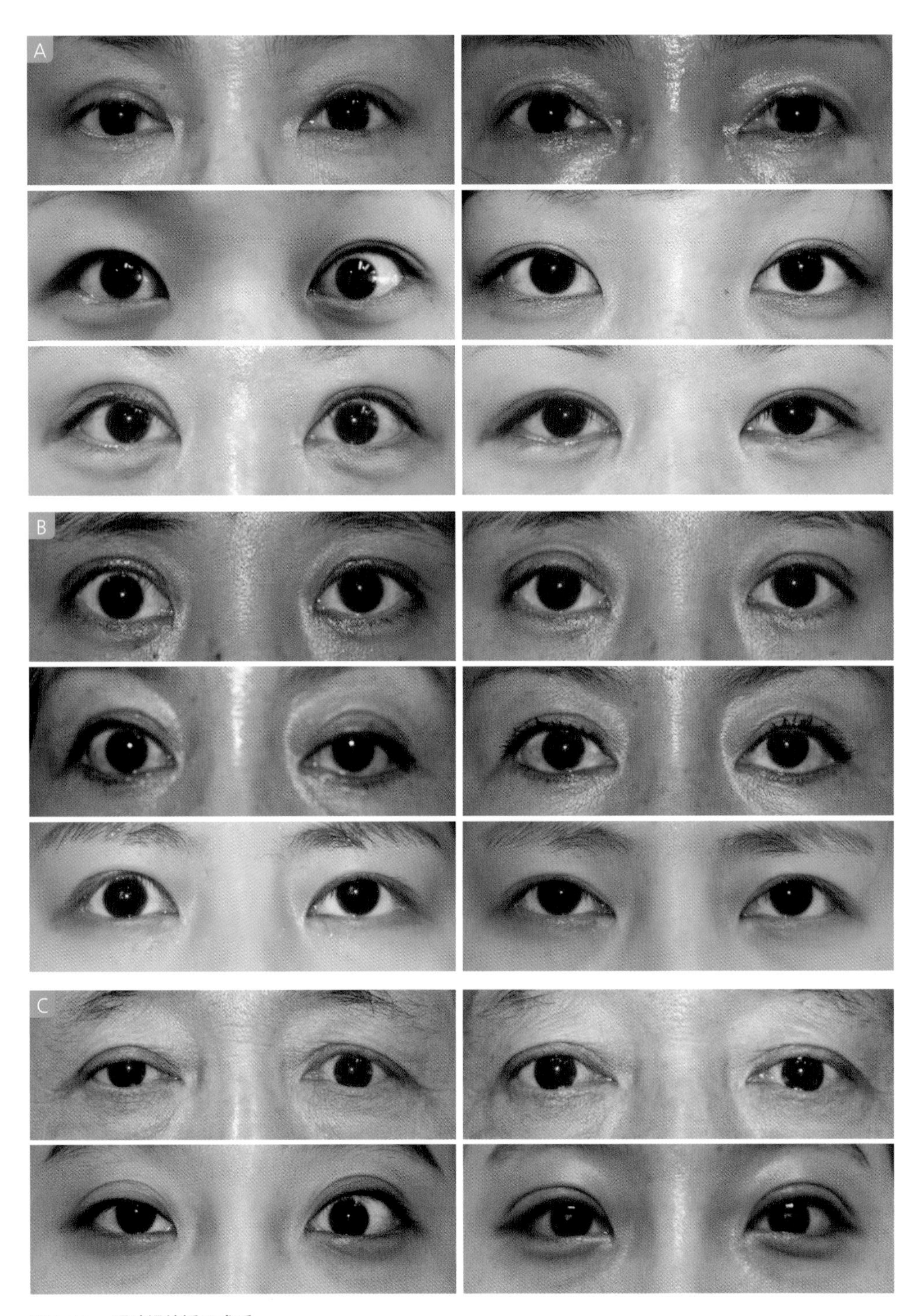

图5-76 **眼睑退缩矫正术后**

A. 双侧眼睑退缩。**B.** 单侧眼睑退缩 **C.** 上睑下垂与眼睑退缩同时存在。左眼退缩右眼上睑下垂。

REFERENCES

1. Fox SA : Surgery of ptosis. William & Wilkins. Baltimore. p.71, 1980.
2. Beard C : Ptosis(3rd ed.) St. Louis. C.V. Mosby Co. p.116, 1981.
3. Nahai F : The art of aesthetic surgery. St. Louis. Publishing, Inc. 2005.
4. Flower RS : The art of eyelid and orbital aesthetics : Multiracial surgical considerations. Clin Plast Surg 14:693, 1987.
5. Hoşal BM, Ayer NG, Zilelioğlu G, Elhan AH. Ultrasound biomicroscopy of the levator aponeurosis in congenital and aponeurotic blepharoptosis. Ophthal Plast Reconstr Surg 20:308, 2004.
6. Older JJ : Levator aponeurosis tuck : A treatment for ptosis. Ophthalmic Surg 9(4):102, 1978.
7. Older JJ : Levator aponeurosis surgery for the correction of acquired ptosis. Ophthamology 90:1056, 1983.
8. Doxanas MT : Simplified aponeurotic ptosis surgery. Ophthamic Surg 22(8):512, 1992.
9. Shao W, Byrne P, Harrison A, Nelson E, Hilger P : Persistent blurred vision after blepharoplasty and ptosis repair. Arch Facial Pastt Surg. 6:155-157, 2004.
10. Holck DE, Dutton JJ : Changes in astigmatism after ptosis surgery measured by corneal topography. Ophthal Plast Reconstr Surg 14(3):151-8, 1998.
11. Choi KS, Kim YS, Lee TS : A Clinical Study of Surgical Results on 466 Blepharoptosis. The Korean Ophthalmological Society 36:1093-104, 1995.
12. Chen WPD, Khan JA, McCord Jr. CD : Color Atlas of Cosmetic Oculofacial Surgery. Edinburgh, Butterworth Heinemann, Elsivier Science, 2004.
13. Lin KL, Uzcategui N, Chang EL : Effect of surgical correction of congenital ptosis on amblyopia. Ophthal Plast Recontr Surg 24(6):434-6.
14. Anderson RL, Baumgartner SA : Amblyopia in Ptois. Arch Ophthalmol 98:1068-9, 1980.
15. Holmstrom H, Santanelli F : Suspension of the eyelid to the check ligament of the superior fornix for congenital blepharoptosis. Scand J Plas Recontr Surg Hand Surg 36:149-56, 2002.
16. Song R, Song Y : Treatment of blepharoptosis ; Direct transplantation of frontalis muscle to upper eyelid. Clin Plast Surg 9:45, 1982.
17. Park DM, Song JW, Han KH, Kang JS : Anthropometry on Normal Korean Eyelids. Archives of Plastic Surgery 17:822-41, 1990.
18. Hwang K, Huan F, Kim Dj, Hwang S H. Size of the superior palpebral involuntary muscle (Müller muscle), J craniofacial surg 21(5):1626-9, 2010.
19. Soserburg GL : Kinesiology; Application to pathological motion. Baltimore: William & Wilkins, 1986.
20. Cho I C, Kang J H, Kim K K. Correcting upper eyelid retraction by means of pretarsal levator lengthening for complications following ptosis surgery, Plast Reconst Surg 130(1):73-81.
21. Spinelli HM : Atlas of Aesthetic Eyelid Periocular Surgery. Elserier health Sciences, 2004.
22. Anderson RL, Beard C : The levator aponeurosis attachments and their clinical significance. Arch Ophthalmol. 95:1437-41, 1977.
23. Burman S, Betharia SM, Bajaj MS, et al. : AIOC Proceedings. Orbit Oculoplasty 1:441, 2002.
24. Harris WA, Dortzbach RK : Levator tuck : a simplified belpharoptosis procedure. Ann Opthalmol 7:873-8, 1975.
25. Jones LT, Quickert MH, Wobig JL : The cure of ptosis by aponeurotic repair. Arch Ophthalmol 93:629-34, 1975.
26. Liu D : Ptosis repair by single suture aponeurosis tuck. Surgical technique and long term results. Ophthalmology 100:251-9, 1993.
27. H. kakizaki, Y iakahashi : Muller's Muscle tendon : Microscopic Anatomy in Asians. Ophthal Plast Reconstr Surg. Vol.27. No2. 122-124.
28. Berke RN : Histology of levotor muscle in conqenital and acfuired ptosis. Arch Ophthalmol 53:413-28, 1955.
29. Kuwabara T : structure of muscle of upper eyelid. Arch Ophthalmol 93:1189-97, 1975.
30. Wolfley. De : Preventing conjunctival prolapse and tarsal evesion following large excisions of levator muscle and aponeurosis after correction of corgenital ptosis. Ophthalmic surg 18:491-4, 1987.
31. Francis CS : Histological changes in congenital and acquired blepharoptosis. Eye(2):179-84, 1988.
32. Hwang K, Shin YH, Kim DJ : Conjoint Fascial Sheath of the Levator and Superior Rectus attached to the conjunctival fornix. The J of Craniofacial Surgery 19(1):241-5, 2008.
33. Bei Li et al. Anatomical and Histological Study of the Conjoint Fascial Sheath of the Levator and Superior Rectus for Ptosis Surgery. Ophthalmic Plast Reconstr Surg 2020:36:617-20.

CHAPTER

06

下眼睑矫正术及中面部提升术

LOWER BLEPHAROPLASTY WITH MIDFACE LIFT

老化过程及各种解决方法

下眼睑及周边老化主要是软组织受重力影响下垂和饱满度减少。要解决这些问题，应该根据不同情况选择合适的手术方法。下面列举了在人体老化过程当中经常出现的下眼睑变化及可用来治疗这些变化的手术方法。为了便于在临床治疗中选择最为恰当的手术方法，下面同时列举了各种手术方法与技巧的适应症。

常见的下眼睑周围老化表现有以下几种情况:

· 眼袋(palpebral bags)
· 泪沟(nasojugal fold，palpebromalar fold)
· 黑眼圈(dark circle.dark pigmentation around eyes)
· 眼眶下凹陷(infraorbital hollowness)
· 皮肤皱纹和松弛(skin winkles and skin redundancy)
· 颧骨突出，新月形颧骨(malar mound，malar crescent)
· 卧蚕减弱或消失(pretarsal flatness)
· 眼轮匝肌臃肿肥厚(O.O.M. hyptropy)
· 眼睑松弛(lid laxity)
  ① 眼睑水平松弛(lid horizontal laxity)
  ② 内外眦韧带松弛(canthal tendon laxity)
· 巩膜外露，眼睑外翻(scleral show, ectropion)
· 眼袋手术后老化表现(secondary blepharoplasty case)
· 颧骨发育不全，眶骨沉陷或扁平(malar hypoplasia.orbital bone sunken or flat)
· 眼窝凹陷或眼球内陷(exophthalmos or enophthalmos)
· 鱼尾纹(crow's feet)
· 颧袋，中面部下垂(mid-check groove.descent of the mid-check junction)
· 鼻唇沟(nasolabial fold)

各种解决方法

如上所述眼周老化的表现多种多样，所以它的解决方法也是很多样的。下面列举的各种处置方法少数情况下当然可以单独使用，但在大部分情况下各种方法可组合后一起使用。组合时，要针对各种方法的搭配慎重而周到的评估后，再做出最后的决定。

· 经结膜切口的脂肪切除术，经结膜切口的脂肪重置术(tranconjunctival fat removal，transconjunctival fat reposition)
· 皮肤抚平术(skin resurfacing)
· 玻酸或脂肪注射填充术(filler injection, fat injection)
· 皮肤和肌肉切除术(skin, muscle excision)
· 眼轮匝肌悬吊术(O.O.M. suspension)
· 眦角锚定术; 眦整形术，眦固定术(canthal anchoring; canthoplasty, canthopexy)
· 睑板部分切除术(tarsal segmental excision)
· SOOF提升，上唇提肌提升术(SOOF elevation, levator labii superioris elevation)
· 中面部提升术(mid-check lifting)
· 二次眼整形(secondary blepharoplasty)
· 缩肌释放(retractor release)
· 垫片移植(spacer graft)

虽然衰老属于正常现象，但我们却无法否认，正常的衰老现象已经影响着我们的社会生活。实际上，因为衰老的状态而导致自身在目前社会受到忽视，被排挤等不公平的对遇，这不仅对自身造成了伤害，对社会也是一个不小的损失。因此我们所追求的回春(rejuvenation)是让我们重拾自信，不再为被排挤而苦恼，适切的融入社会，获得有活力的，幸福的生活。

因此老年性上眼睑，下眼睑整形手术中，应注意接受手术者是否能够很好的适应其所在的社会生活。回春(rejuvenation)并不是单纯让人看起来年轻，而是具有活力地适应自身所在社会。二者同为回春(rejuvenation)，著重点是不同的。

在过去的一段时间里，下眼睑整形手术曾经被普遍认为只是简单地切除下垂的皮肤或突起的脂肪。但是随着时代的发展，为了达到最佳的手术效果和最大限度地减少并发症，需要根据每一名患者地特点而量身定做手术方法。

随着整个社会平均寿命的增加，人们的社会活动年龄也在逐步增加，希望接受整形手术的高龄或大龄患者数正在逐年递增。其次，社会上对男性美容认可度越来越高，使得原本不太接受整形手术的男性患者数量急剧增加。第三，医学的发展提高了人们对整形手术的期待值，这无形中又给整形外科医生形成了巨大的压力。而事实上，老龄患者，男性患者的增加，以及医生的心理压力等因素使得下眼睑整形手术并发症的发生频率不降反升。

作者想在不刻意区分初眼或修复的情况下跟大家分享更多的手术方法。因为很多修复手术所用到的方法在初眼中也会应用到。

在一部分下眼睑矫正手术中，需要同时进行中面部提升手术。作者在解决高龄患者松弛时一般用常规方法做mini中面部提升(mini-midface lifting)。如果有必要，有时还会做较广范围的中面部提升手术(midface lift)。

如果同时进行中面部提升手术，不仅可以使下眼睑矫正手术达到更理想的效果，还会带来以下几种下面效果。①比起单纯的眼睑手术更有效果 ②提升眼轮匝肌下脂肪垫，可以矫正眶下凹陷(infraorbital hollowness) ③可在一定程度上矫正法令纹(nasolabial fold) ④在接受下眼睑矫正手术时可以预防下眼睑退缩等并发症。如果已经出现下眼睑退缩现象，则必须同时施以下眼睑矫正手术和中面部提升手术。要铭记反过来说中面部提升也是诱发下眼睑退缩的要因。在下眼睑手术中，最重要的是要熟知其解剖知识，了解清楚结构特性。

下眼睑解剖结构 (图6-1)

正常的下眼睑位置在角膜的下缘(lower limbus)或遮盖1mm左右。内眼角(medial canthus)与外眼角(lateral canthus)之间的连接线呈一定的向上倾斜角。根据年龄，性别，种族等此眼角倾斜度(canthal tilt)是不同的。东方人比西方人的外侧倾斜角略大。东方人的外眼角比内眼角略高3-5mm，眼角倾斜度(canthal tilt)为5-10度(图6-2)。

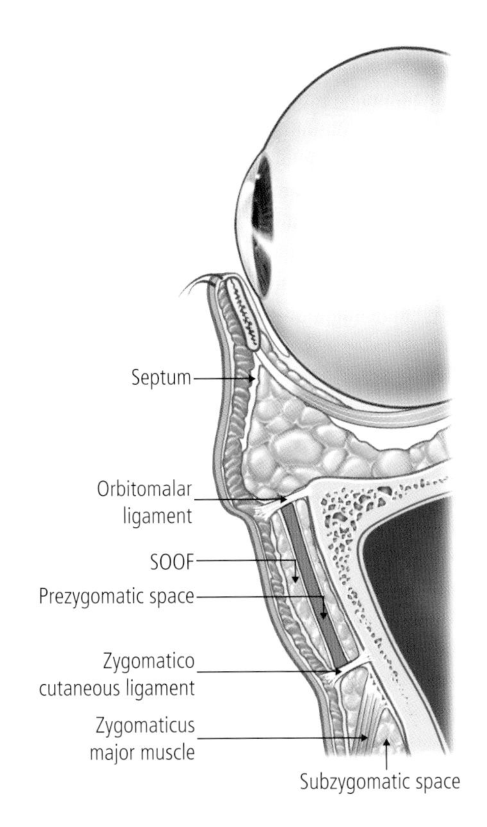

图6-1 **下眼睑结构**

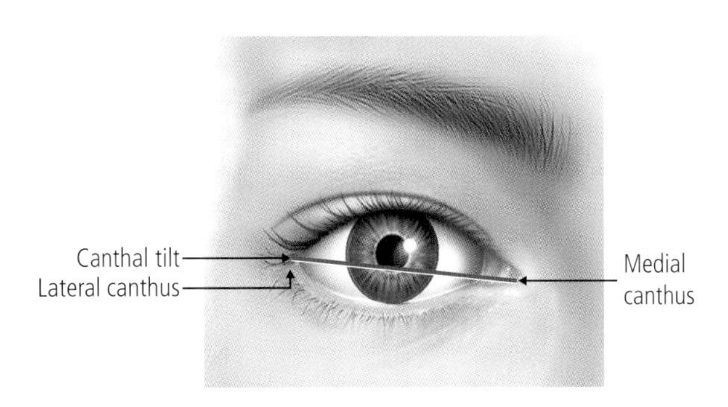

图6-2 **下眼睑位置与外眼睑肌的倾斜角(canthal tilt)**

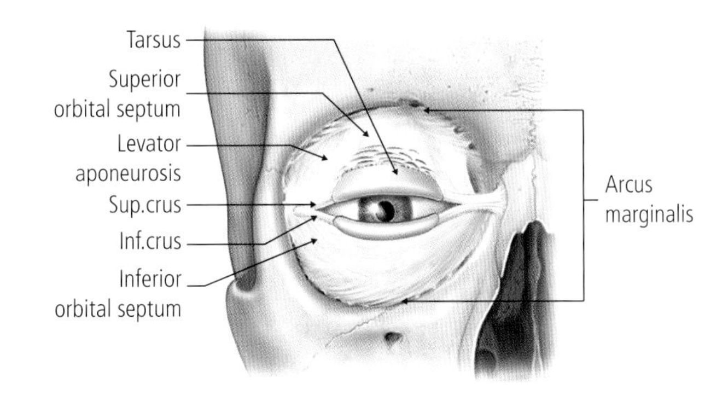

图6-3 **下眼睑结构**
上眶隔膜，下眶隔膜，睑板，Inf.crus sup.crus，
弓状缘(arcus marginalis)。

下眼睑分为三层。1.前层(anterior lamella)由皮肤和眼轮匝肌构成 2.中间层是眼眶隔(septum) 3.后层(posterior lamella)则以主要是睑板韧带悬吊结构(tarsoligamentous sling)，包括有下睑眼筋膜(capsulopalpebral fascia)和下睑板肌(inferior tarsal muscle)构成的缩肌(lower lid retractor)及结膜。有时也会把中间层的眶隔膜归结到后层而整体分成两个层次。向下看时，缩肌呈现下拉下眼睑的状态使视野开阔。睑板属于结缔组织，上睑板宽度为8-9mm，下睑板宽度为3-4mm，外眦部(lateral canthus)，由外眦韧带的上支(superior crus)和下支(inferior crus)连接固定。

外眦部(lateral canthus)是由外眦韧带(lateral canthal tendon)和外侧支持带(lateral retinaculum)组成(图6-3)。外眦韧带是复杂的结缔组织框架(complex

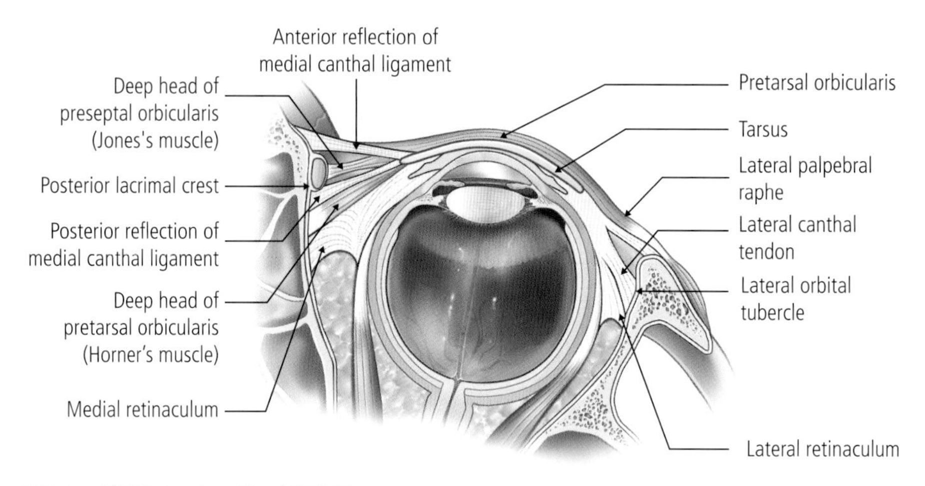

图6-4 **外眦(lateral canthus) 的构造**

connective tissue framework)，长度为4-7mm，宽约2mm。在眶外缘内侧2-3mm附着于whitnall's tubercle。

外眦支持韧带(lateral retinaculum)构造

· 外眦腱(lateral canthal tendon)
· 提上睑肌腱膜的外侧角(lateral horn of levator aponeurosis)
· 怀特纳韧带(Whitnall's ligament)
· 洛克伍德韧带Inferior suspensory ligament(Lockwood ligament)
· 外直肌的节制韧带(Check ligament of lateral rectus muscle)

手术方法

术前测定下眼睑松弛程度(lower lid laxity)测试检查(图6-5)

· 下拉测试法(Snap back test)
· 牵引测试法(Distraction test)
· 掐捏测试法(Pinch test)

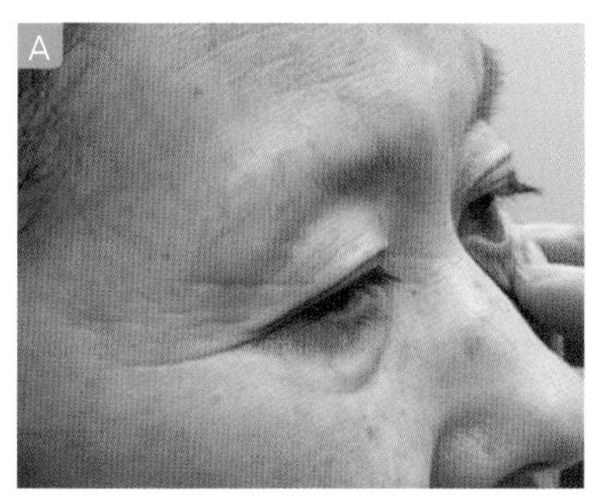

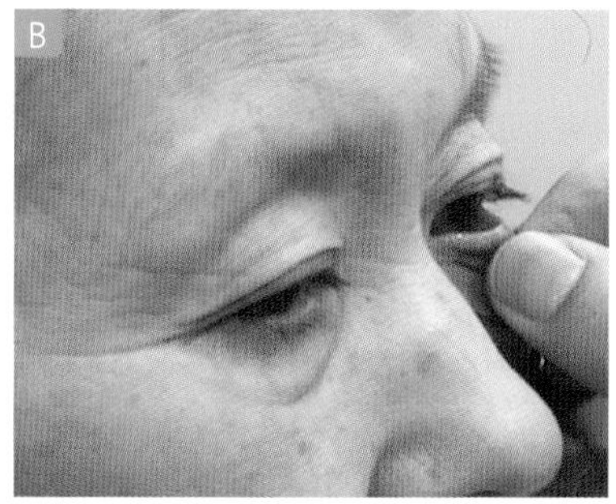

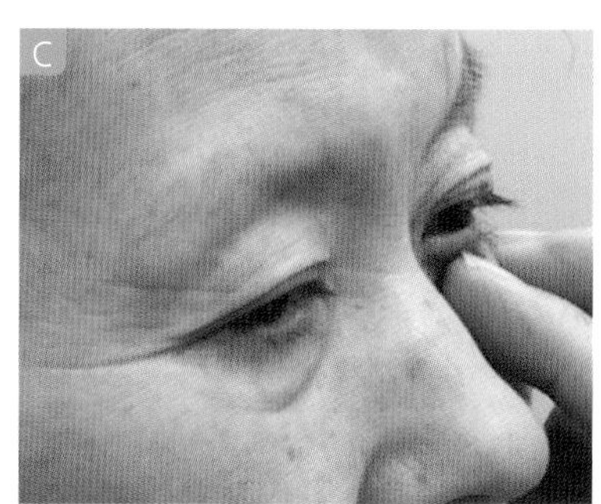

图6-5 **测定下眼睑松弛程度**
A. Snap back test **B.** Distraction test. **C.** Pinch test.

下拉测试法(snap back test): 用手将下眼睑向下拉，使眼睑翻过来后再把手放开，并观察下眼睑重新回到原位所需要的时间。如果下眼睑不能在一瞬间重返原位，就说明下眼睑已经松弛。

牵引测试法(distraction test):用手将下眼睑揪起，观察眼睑与眼球之间的距离。如果二者的距离3-5mm算正常，在6-7毫米以上，说明下眼睑存在松弛现象;10mm 以上则需做睑板切除。

掐捏测试法(pinch test): 用拇指和食指夹住下眼睑的中心部位之后，观察眼睛外眦，如果外眦被拉向中央，说明外眦腱功能存在问题(如开裂，断裂或被拉长)。

手术过程

①切开皮肤
②皮下及肌肉下剥离
③处理眶脂肪
④中面部剥离
⑤SOOF提开
⑥外眦锚定
⑦眼轮匝肌提升固定(orbicularis oculi suspension)
⑧重塑睑板前丰满度(pretarsal fullness，即卧蚕)
⑨皮肤缝合

皮肤切开，皮下及肌肉下剥离

在下眼睑的睫毛下方2-3mm处打开一道切口，之后沿着与鱼尾纹(crow feet)相同的角度向外侧继续切。向外转折的角度不要做成锐角，做成圆滑的弧度才能避免webbing的形成(图6-64)。内侧如果需要切除的皮肤量较多，最好要经过泪点(lacrimal punctum)之后再向内侧切，这样可以防止多余组织(dog ear)出现。但即使切开泪点内侧的皮肤也不能切除眼轮匝肌。此处的眼轮匝肌在功能上有非常重要的作用，因此一定要避免损伤面部神经。

为什么切口不能紧贴睫毛，而要隔开2-3mm

有部分人认为切开线越向上靠近睫毛根部越好，其实应该适当地向下隔开些比较好。理由是:

1. 一般睑缘下1-2mm皮肤较薄，在此下方皮肤会有突然变厚的倾向。所以切开线要避开薄皮肤和厚皮肤的分界点，在2mm以下皮肤变厚的地方切开最好。若从皮肤薄处切入，皮肤厚度有差异的皮肤相缝合会造成皮肤表面不平整，不自然，皮肤色泽和纹路上的差距也会让切口线非常明显。但也有些人下睫毛处以下皮肤较厚。这种状况可以在睫毛处设计切口。
2. 有的患者睑缘下2mm处存在凹陷，这种情况不应从此处设计切口。
3. 离睑缘愈近的切口，术后因张力形成睑外翻的机率愈大。如同摔跤时如紧紧地拉着捡带很容易将对方拉倒，但是很松弛拉却很难将对手放倒一样。

打开切口线之后，首先要在睑板前轮匝肌前做皮下剥离(subcutaneous dissection)。其中，外侧要做较宽的剥离，以便悬吊眼轮匝肌，而内侧的剥离要做得稍微窄一些。在睑板前进行皮下剥离，在下眼轮匝肌处将肌肉打开，切开时注意不能一直切到内眦处。这主要是为了防止面神经颊支(buccal branch)受到创伤，此处的面神经颊支不仅支配下眼睑的睑板前眼轮匝肌，还支配上眼睑的睑板前眼轮匝肌和降眉间肌(procerus muscle)。因此，手术中要注意不要伤及此处。

切开眼轮匝肌后，要继续做眼轮匝肌下剥离(submuscular dissection)。睑板前眼轮匝肌(pretarsal oculi muscle)能够使上眼睑维持原有的张力(tone)和状态(position)，使其保持一定的稳定性(stability)。特别是睑板前眼轮匝肌的内侧部分还在瞬目动作(blinking)和泪液流通，湿润眼球的过程中有着重要作用。因此，手术中一定要确保此处免受外伤。如果切开肌肉的位置过于靠上，就可能损

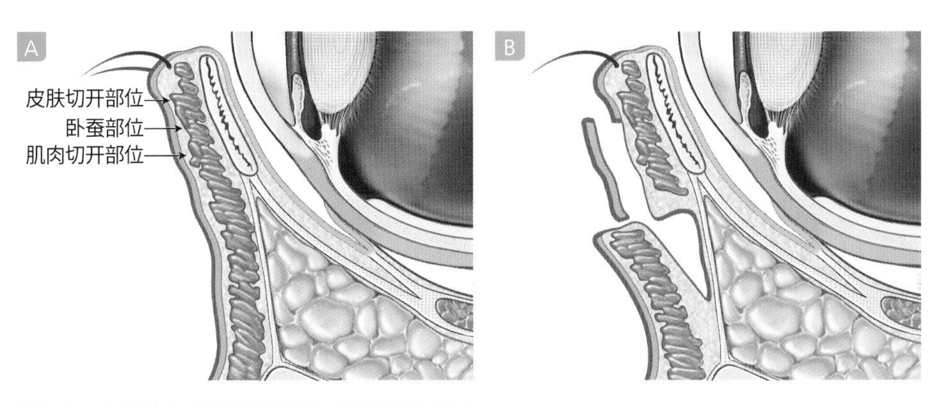

图6-6 **皮肤切开，眼轮匝肌切开，眼轮匝肌下剥离**
睑板内侧做皮下剥离，其下做肌肉下剥离。

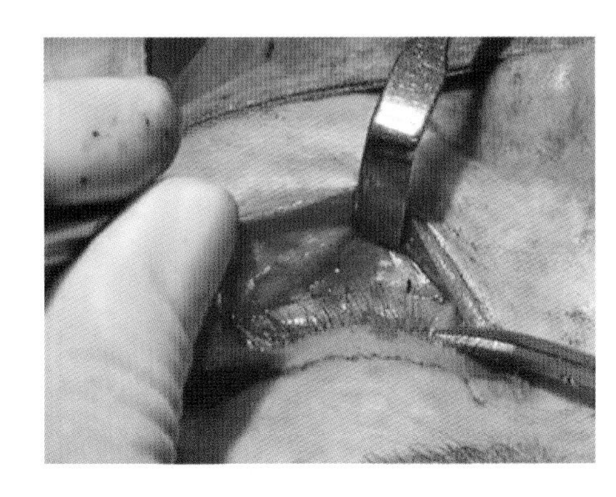

图6-7 在眶隔膜与眼轮匝肌之间剥离到达眶缘的状态

伤下睑板动脉弓(inferior tarsal arcade)，而切开的部位又与术后可能形成的睑板前卧蚕(pretarsal fullness)的幅度有着密切的关系。因此，一定要对这一问题考虑周全。经由肌肉下剥离(submuscular dissection)将肌皮瓣提升到眶缘(图6-7)。

Arcus marginalis release

到达眼眶缘后(orbital rim)，在眼眶隔与眼眶缘骨膜之间的联合部位，释放(release)弓状缘(arcus marginalis)。在此下方做骨膜上或骨膜下剥离(supra-periosteal or sub-periosteal dissection)。眼轮匝肌在内侧牢固地附着在眶骨膜上，必须把眼轮匝肌充分地从骨膜上分离下来。眼轮匝肌的内侧缘(medial limbus)与眶缘形成牢固的粘连，而在此外侧则是经由 orbitomalar ligament 间接性的与眶终进行连接。Mendelson教授把内侧与眼轮匝肌黏合的部位存在的

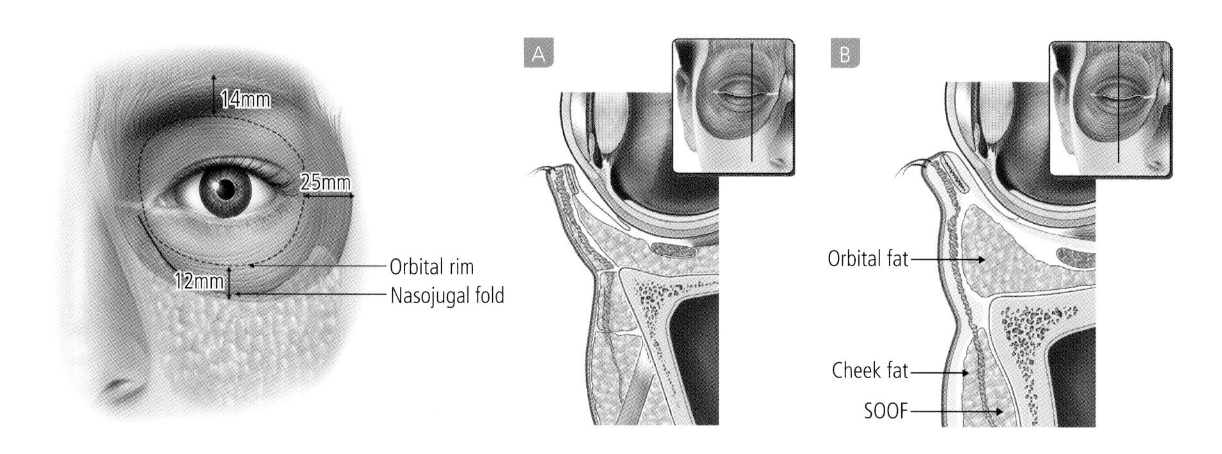

图6-8 **Nasojugal fold.**

A. 内侧与眼轮匝肌和眶骨膜黏合的部位一致。**B.** 越向外越靠 orbicularis retaining ligament 间接的与眶缘相连，眼轮匝肌眶缘以下部分间接与骨膜相连。Nasojugal fold与 cheek fat 的上端一致，也与较薄的眶隔前轮匝肌，Presptal orbicularis muscle 过渡为较厚的眶轮匝肌 preorbital 的位置相一致。因此从骨膜分离后，在分离的部位实施眶脂肪转移(orbital fat transposition)，能够避免再次粘连并填充凹陷部位。

韧带，命名为泪槽(tear-trough)韧带。Orbitomalar ligament是在弓形缘(arcus maginalis)之下，从眶缘开始穿过眼轮匝肌与皮肤相连接的韧带(ligament)。此韧带根据部位的不同长度会有所区别，眼睛中部最长，越向外越短，并在外眼角周围形成眶外侧筋膜增厚区(lateral orbitial thickening)。

Nasojugal fold 的存在与以下几点相一致(Haddock)

· 内侧与眼轮匝肌和骨膜直接黏合的部位一致(图6-8)
· 在中央部位，与 orbitomalar ligament 和皮肤连接部位一致
· 与 cheek fat 开始边界部位一致(图6-8)
· 从眼轮匝肌相对比较薄的 preseptal部位变换到较厚的 preorbital的部位相一致

因此把眼轮匝肌与 orbitomalar ligament 从骨膜黏合部位分离，并将脂肪移位以防止再次粘连是很效的。

下眼睑凹陷或平坦(pretarsal depression or flatness)的矫正

恢复睑板前丰满度(pretarsal fullness)手术或卧蚕手术(眼苔重塑手术)

作者采用的睑板前丰满(pretarsal fullness)手术方法及原理

(增厚睑板前眼轮匝肌，再把眶隔前眼轮匝肌重叠到上面。bunching of pretarsal orbicularis muscle and duplication with preseptal orbicularis muscle)作者做卧蚕恢复手术的基本原理是增加睑板前眼轮匝肌和眶隔前眼轮匝肌的厚度。即先增加睑板前眼轮匝肌的厚度，再将眶隔前眼轮匝肌重叠到上面，而形成卧蚕。卧蚕的位置要靠上，宽度也应比较适当。如果位置过低，过宽，会显得笨重。睑板前眼轮匝肌增厚对于形成高位卧蚕很有效。与眶隔前眼轮匝肌相比，睑板前眼轮匝肌能在更靠上的位置形成隆起。手术中要在希望形成隆起部位的下方2-3mm处切开眼轮匝肌，并做肌肉下剥离(submuscular dissection)。这是为了使睑板前眼轮匝肌在缝合后被挤到上面，形成眼苔(bunching)也就是卧蚕(图6-9)。

年轻人在下眼睑的睫毛线正下方有比较明显的隆起部分(pretarsal fullness)，笑的时候这个部分的隆起更加明显。但是，随着年龄的增长，睫毛下方的眼轮匝肌及脂肪等软组织会萎缩或下垂，致使原本隆起的部分变平甚至下陷。隆起部分变平会使原本温和，娇态可掬的表情显得平淡，满脸疲倦(图6-10)。因此，一般将隆起修复的手术称为卧蚕复原手术。

手术过程

- 尽量保留睑板前眼轮匝肌(pretarsal orbicularis muscle)。
- 上提眶隔前眼轮匝肌(preseptal orbicularis muscle)，重叠到睑板前眼轮匝肌上面(orbicularis oculi muscle suspension)。如果同时进行中面部提升手术，效果会更佳。
- 以间断(intermittent)缝合的方式用6-0尼龙线做5处左右的缝合。缝合时，缝合针从皮肤穿进去后经由眼眶隔前眼轮匝肌，再从睑板前眼轮匝肌的下端穿过肌肉后，最终再穿回到皮肤外，使睑板前眼轮匝肌被挤到上面(图6-9C)。
- 缝合皮肤时要留下足够的皮肤，避免皮肤张力过大。

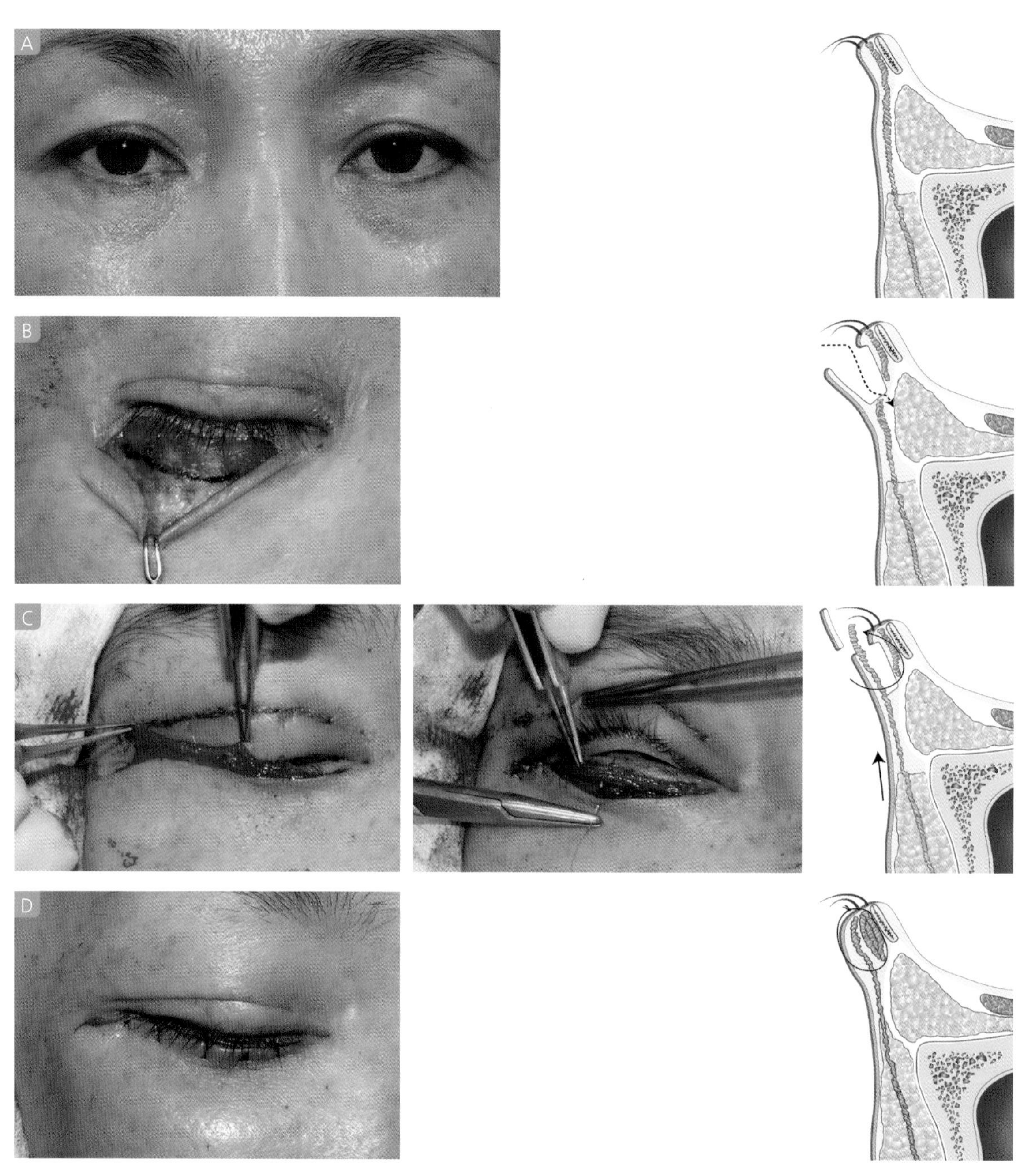

图6-9 **形成眼苔(pretarsal fullness)**

A. 术前 **B.** 切开皮肤做皮下剥离直到睑板下4-5mm处，之后做肌肉下剥离。为了做出眼轮匝肌“堆积隆起”(bunching)，不要在睑板前(pretarsal)做轮匝肌切开，而要选在其下方位置做切开。**C.** 左侧，去除多余皮肤后留有 preseptal orbicularis muscle. 右侧，缝合皮肤时缝合针穿过 preseptal orbicularis muscle 下方，形成肌肉的 bunching. 再把眶隔前眼轮匝肌(preseptal orbicularis muscle) 重叠到上面. **D.** 缝合后形成(眼苔) pretarsal fullness 的样子。

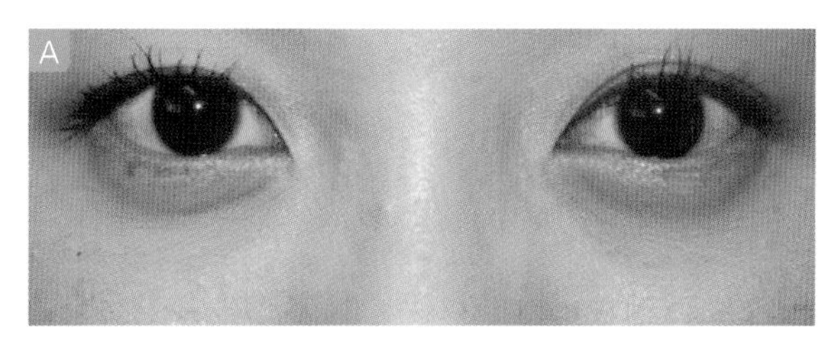

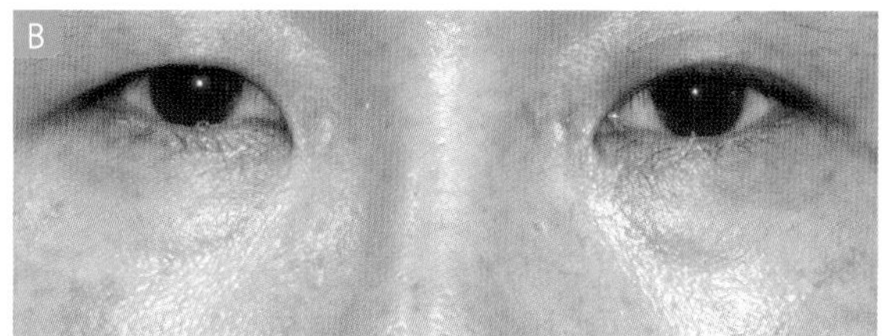

图6-10 **A. B. 年轻人与老人的眼苔pretarsal fullness对比**

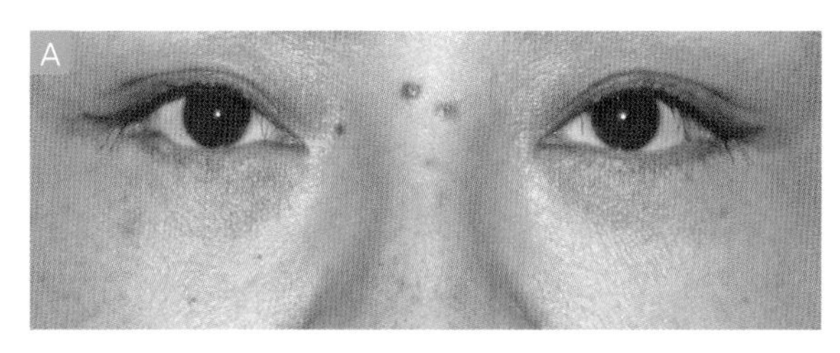

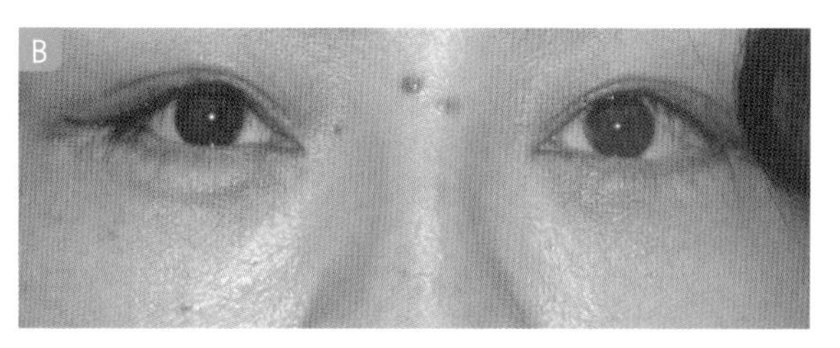

图6-11 **下眼睑手术中为了做出眼苔(pretarsal fullness)，实施(人选真皮)Alloderm移植手术前后对比**

· 因实施了眼轮匝肌悬吊固定(OOM suspension)，因此眼轮匝肌会变得紧致。

眼苔手术中如果皮肤量不充裕，眼轮匝肌的上提量再多，也不能形成眼苔。皱纹不是通过切除皮肤来解决，而是通过眼轮匝肌提升固定(orbicularis suspension)来改善。为形成眼苔，要注意在切除皮肤时一定要留有一定的余地。需要说明的是，这类手术的适应人群是年轻时曾有眼苔，但随着年龄增长而逐渐消失的患者。年轻时就没有眼苔的患者，即使接受手术也不可能得到令人满意的效果。此时隆起睑板前眼轮匝肌的方式，术后所带来的效果并不明显。这种情况可通过自体或异体真皮移植(autogenous dermal graft or allogenic dermal graft)得到一个不错的效果(图6-11)。

中面部提升术(cheek-midface lift)

中面部提升术是将中面部(midface)上提到中央或外侧眼眶壁(orbital wall)的手术方法。这种手术可以带来以下效果。

· 不仅可恢复中面部的下垂
· 眼轮匝肌和 SOOF 在手术中被同时上提，从而可以矫正眶下凹陷(infraorbital hollowness)
· 通过这一手术还可上提下眼睑和睑颊之间交界部位(lid-check junction)，而缩短下眼睑的垂直长度
· 眼轮匝肌下方是SOOF，上方是颧骨脂肪和颊脂(malar fat，cheek fat)。因此在提拉眼轮匝肌皮瓣时，颧脂(malar fat)和颊脂(check fat)同时被上提，从而能够修复新月形颧骨(malar crescent)和法令纹(nasolabial fold)。此时眼轮匝肌皮瓣就相当于中面部皮瓣的手柄(handle of midface lifting)
· 使眶隔前眼轮匝肌(preseptal oculi muscle)恢复原来的张力，从而改善眶脂鼓胀(bulging)现象
· 下眼睑退缩(lower lid retraction)患者可经由这种手术来解决皮肤不足的问题(skin shortage)
· 加强支撑(support)外眦腱，使下眼睑回到正常位置，起到辅助眼角锚定(canhal anchoring)的作用

经由下眼睑上提中面部的手术方法与一般的面部提升手术相比，在垂直方向有更好的提升效果。同时，具有良好弹性的眼轮匝肌被固定到坚韧的外眦骨膜或深层颞筋膜(deep temporal fascia)之后，手术效果会非常坚固(secure)。

手术方法

按照前面所述下眼睑手术的方法，把眼轮匝肌下剥离一直做到眶缘后，分离弓形缘(arcuis marginalis)，然后先在内侧剥离牢固附著在骨膜上的眼轮匝肌，再继续剥离中间或外侧的眼轮匝肌。由于中间或外侧的眼轮匝肌通过眼轮匝肌支持韧带(orbicularis retaining ligament)间接地与骨膜相连，将其切开之后，下方的骨膜和 SOOF 就能轻松地剥离。另外我们把与orbicularis retaining ligament连接的外侧部分称做 lateral orbital thickening。将此充分剥离并在其

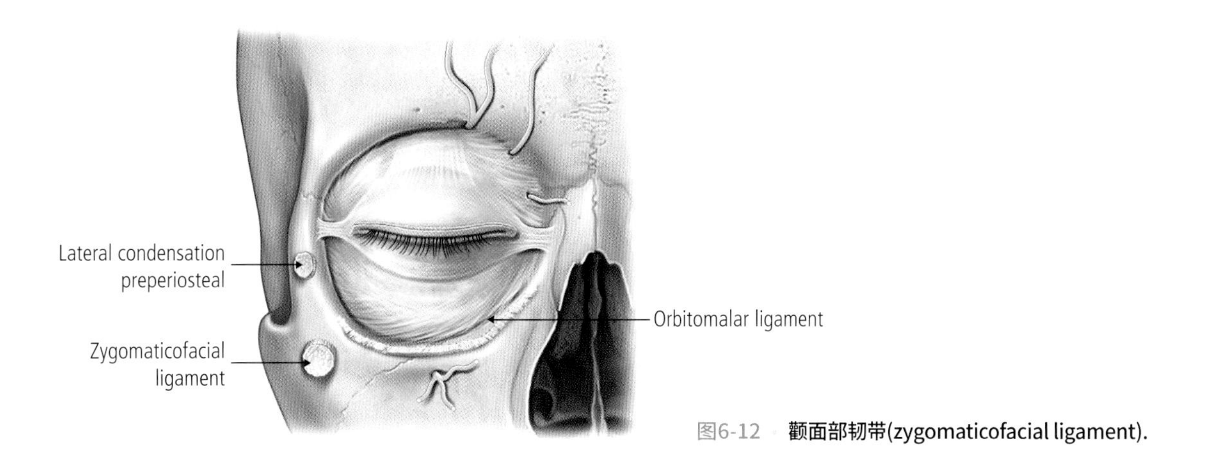

图6-12 颧面部韧带(zygomaticofacial ligament).

下zygomatico-facial nerve周围分离出颧面部韧带zygomatico-facial ligament (zygomatic cutaneous ligament)，这样就能使中央部位相对自由的移动。此后剥离可以在骨膜下也可以在骨膜上进行。

骨膜上剥离(supraperiosteal dissection)

在眶下缘分离骨膜与SOOF。在内侧向提上唇肌上方剥离，向外侧剥离骨膜前脂肪(preperiosteal fat)和SOOF，剥离时要注意不能损伤眶下神经(infraorbital nerve)。剥离后可以看到眶缘下侧颧大肌和颧小肌(major，minor zygomatic muscle)的起端，由于颧骨韧带(zygomaticocutaneous ligament)与颧骨及皮肤相连，需要将其分离掉。之后，向下可以一直剥离到牙槽骨(alveolar bone)的起端，但剥离到什么位置，要根据患者的下垂程度而定(图6-12)。

在中面部提升术中，中面部皮瓣薄才会对大量皮肤提升有效果。皮瓣过厚虽然深层组织能够得到提升，但浅层的皮肤与眼轮匝肌却无法得到提升。特别是在矫正下眼睑外翻症时，下眼睑前层(anterior lamella)需要得到充分的提升。因此只有皮瓣薄才能得到好的效果。作者为了前层(anterior lamella)能够得到充分提升，会选择经由颧骨前间隙(prezygomatic space)的剥离(图6-13)。而在疤痕组织较多的情况下选择实施骨膜下剥离(subperiosteal dissection)(图6-14)。另外 premaxillary space在prezygomatic space的内侧，底面为levator labii superioris muscle，顶部为 SOOF 和眼轮匝肌，上方界线是tear through ligament，下方是maxillary ligament。将premaxillary space 和 prezygomatic

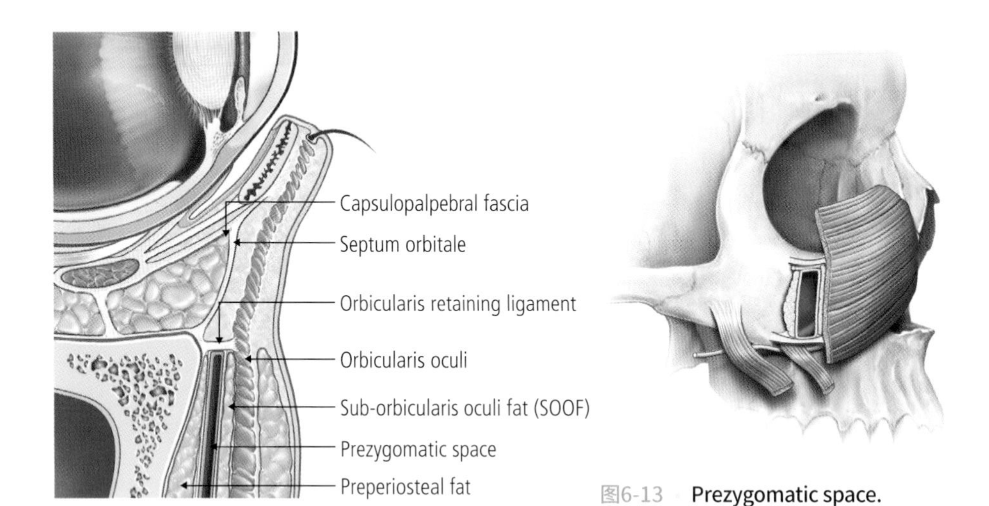

图6-13 **Prezygomatic space.**

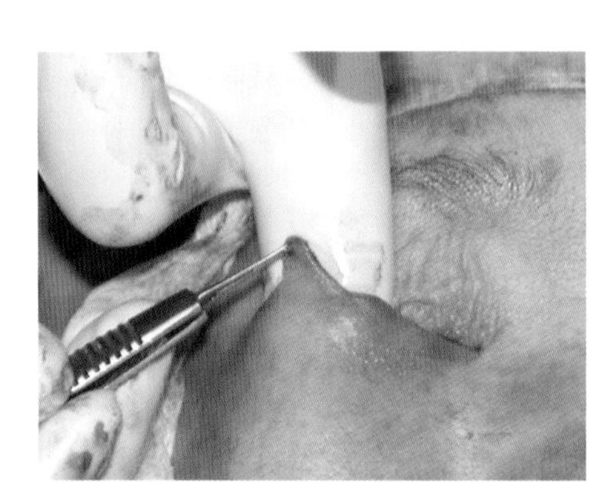

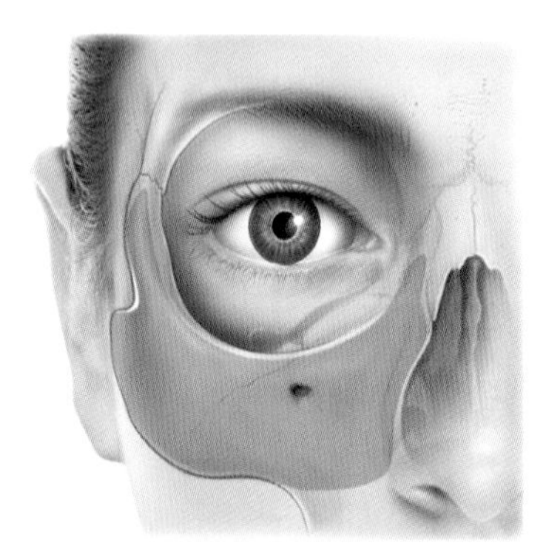

图6-14 **骨膜下剥离.** finger stretching

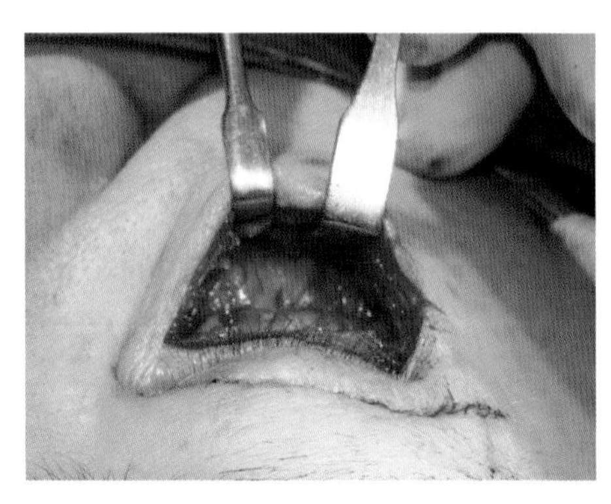

图6-15 **prezygomatic space和premaxillary space剥离**

骨膜上剥离 preperiosteral fat 与 SOOF 之间的状态，底层可以看到preperiosteal fat

space分为前后两方，前方的皮肤，眼轮匝肌以及SOOF比较容易下垂，后方的preperiosteal fat 和 levator labii superiosis muscle和骨膜组织因牢固的附着在骨头上，所以不会下垂，牢固附着在骨头上的后方组织没必要做提升，而前方薄的组织提升效果比单纯皮肤提升的效果要好，所以作者喜好在premaxillary space 和 prezygomatic space 层面剥离(图6-15)。特别是对于那种因皮肤不足而导致的下眼睑 scleral show 的患者，也可薄薄的做一层剥离。

另外在剥离中面部时，不能切除软组织。进行剥离并将其展开(spreading)后，撑开若干个孔，形成犹如蜂窝的形状，之后将其伸展，牵拉，就可以看到组织具伸缩性地提上来。这一方法不只简便快捷，出血少，水肿少，还因为有穿通血管连接于此，恢复起来也比较快。薄皮瓣的优点是比起一般的骨膜上剥离创伤少，皮肤提开效果好(图6-13)。

骨膜下剥离(subperiosteal dissection)

在下眶缘(inferior orbital rim)下方5毫米处骨膜上打开一条水平切口，并以此为起点向骨膜下方进行剥离。留下眼眶缘(orbital rim)附近的骨膜是为了做出坚固的悬吊缝合(suspension suture)。从切口处向内侧，要向提上唇肌(levator labii superoris)的下方进行剥离，剥离从鼻骨附近到鼻颌缝(nasomaxillary suture line)。向外侧，从切口到距离颧骨弓2毫米的区间内向下剥离颧骨韧带(malar retaining ligament)，一直剥离到观骨下缘(inferior margin of malar bone)。剥离时要注意保护好眶外侧筋膜增厚区(lateral orbital thickening)及观面神经(zygomatico-facial nerve)。向下侧，剥离从口到颧骨韧带(malar retaining ligament)部位后，接下来就很好剥离了。东方人不喜欢术后眼外侧呈现颧骨突出，因此会很少剥离外眼角以外。剥离到观骨下缘(inferior margin of malar bone)之后，向下侧，从切口到颊沟buccal sulcus部位的范围内，将手

TABLE 6-1 Subperiosteal dissection VS Supraperiosteal dissection.

骨膜下剥离(subperiosteal dissection)	骨膜上剥离(supraperiosteal dissection)
出血量少 造成面部软组织供血障碍的几率小	出血量大 可能造成面部软组织供血障碍
组织损伤小(atraumatic) 面神经损伤几率小	组织损伤大 可能造成面神经损伤
挛缩性弱	挛缩性强
易剥离，剥离涉及面大	即使不做大面积剥离也能得到好的效果
在修复手术时，尤其是前次手术已经做了骨膜上剥离的情况	在保守手术(Conservative surgery)中效果很好

指放进患者口腔内，之后剥离被切开的骨膜。一直剥离到骨膜剥离器和手指能够连在一起的程度。之后剥离骨膜，使其在观骨和牙槽骨(alveolar bone)上能够自由地上下左右移动，并将手指放进去进行确认后，用手指或骨膜剥离器使其向上下伸展。因牙槽骨(alveolar bone)周围骨膜较薄或裂开(dehiscence)，所以没必要特意的做切开，只要做适当的伸展很容易就能牵拉。轻剥离时首先在骨膜上追加切开，之后拉伸组织使其延长。在此剥离过程中，为了方便剥离虽然可以切断zygomaticofacial nerve，但还是应尽量保留 。做切断出现的感觉丧失或减弱都是暂时性的。

骨膜下剥离比骨膜上剥离做起来容易。由于骨膜下剥离的组织属于无血管层(avascular layer)，出血量比较少。但是，骨膜属于没有伸缩性的组织，需要做大范围的剥离或在骨膜上打开一道切口，赋予一定的伸展性。皮瓣有骨膜与无骨膜时在变长的程度上大约相差1.5倍。骨膜上剥离比较容易损伤到组织，但由于皮瓣上没有坚韧的骨膜，伸展性比较良好，上提的过程能够进行得比较顺畅。即便剥离范围不大，也有一定效果。此外在补充皮肤不足的问题上，皮瓣较薄的情况下效果更加理想。在提升SOOF和眼轮匝肌时，中面部皮瓣越厚，提升皮肤的效果越差。骨膜上剥离与骨膜下剥离的差异，就好比在相对近的地方散步的人更适合穿舒适方便的运动鞋(骨膜上剥离)，而去山高路远的远方的人则需要登山鞋(骨膜下剥离)一样。在组织疤痕较多的修复手术中，骨膜下剥离不仅出血量少且损伤小atraumatic。

做中面部提升术要交「皮肤税」

中面部提升手术比较容易引发睑外翻或巩膜外露(scleral show)。而发生巩膜外露(scleral show)以后，为了解决下眼睑皮肤不足的问题，恰好又要接受中面部提升手术。即中面部提升术不仅能够解决皮肤不足的问题，同时也容易导致皮肤不足。导致这种恶性循环的关键问题就是提升手术中由大范围的剥离而引起的疤痕挛缩(scar contracture)。尤其在剥离过程中周围的组织受损或出现血肿后，疤痕挛缩现象更为严重。因此，为了矫正下眼睑皮肤短缺(skin shortage)而实施中面部提升术时，应适当加大面部的提升幅度，而抵消挛缩带来的影响。也就是说，若要实施提升术，除了需要交付“基本的费用”(增加疤痕形成)，并要缴纳比此更多“附加税”，才能看到效果。

脂肪再配制(Fat transposition)

如果有凸出的眼眶脂肪，要根据泪沟凹陷(nasojugal fold)的有无，或简单地将其切除，或经由眼眶隔重置(septal reset)的方法予以解决。脂肪再配置有助于矫正泪沟(tear trough)。

泪沟(tear trough)是位于眼轮匝肌的眶隔(preseptal)与眶骨(preorbital)的过渡区，它与眼轮匝肌黏合在眶骨膜上的部位一致，并与cheek fat的边界部位一致(图6-8)。因此脂肪再配制不仅能够填充并且丰满凹陷部位，也能避免眼轮匝肌再次粘连到骨膜上。

再配制方法是，在内眦一侧将眶脂转移到已被上提的眼轮匝肌下，在中间则转移到被上提后的SOOF下，中央脂肪垫(central fat pad)要拉到内侧进行转移。转移中央脂肪时可松解有牵拉感觉的隔膜。至于外侧脂肪垫(lateral fat pad)，如果睑颊沟凹陷(palpebro-malar fold)比较明显，可以进行转移，亦可将其少量切除。在接受外眦锚定(canthal anchoring)手术后，外侧脂肪垫往往会出现更凸出的现象，这一点必须引起注意。另外，进行脂肪再配制后一定要观察下眼睑的位置是否受到影响而出现下降。如果下眼睑位置出现下降，要松解(release)周边部位上对其形成张力的组织。脂肪再配制后，应注意因眼眶隔膜的牵拉而导致退缩的问题。

在实施脂肪再配制时，同时对眼眶隔膜进行转移，可以得到眼眶隔紧致(septal tightening)的效果。虽然可以经由切开眼眶隔膜只做脂肪转移，但作者会因眼眶隔膜处于松弛的状态而选择同时对眼眶隔膜进行转移再配制。此时要注意避免不要因眼眶隔膜紧张而引起下眼睑向下牵拉的问题。

在哪个部位做脂肪移位才是最合适的?首先在坐姿状态下，画出泪沟凹陷(nasojugal fold)与睑颧沟凹陷(palpebral malar fold)并做出标记，为了在脂肪缝合固定时能够包含一部分此线下方的眶下凹陷(infraorbital hollowness)，要在泪沟凹陷(fold)下方4-5mm左右的位置做脂肪移位，中央位置上与眶缘相距1cm左右的距离(图6-16)。泪沟凹陷(nasojugal fold)在下睑前层(anterior lamella)是：①cheek

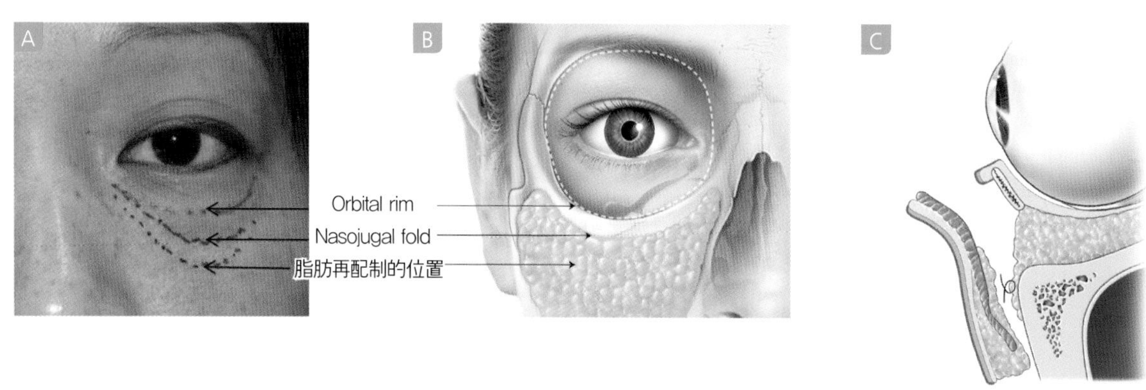

图6-16 **脂肪再配制Fat transposition.**

A. nasojugal fold 和 palpebromalar fold 与 check fat 的上端是一致的。在内侧眼轮匝肌直接黏在眶缘上。**B.** Fat transposition 的位置在check fat 上端，即 nasojugal fold 下4-5mm处。nasojugal fold 与眶缘之间的关系。**C.** 脂肪再配制及 SOOF 提升。

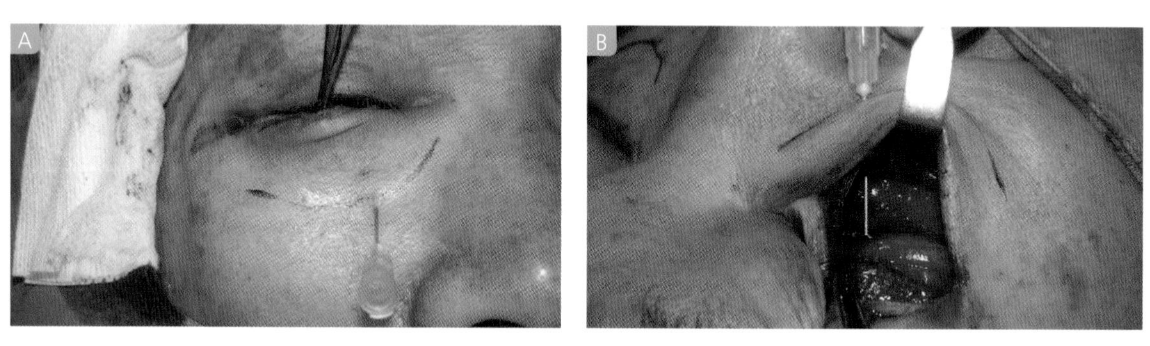

图6-17 **下睑前层的脂肪再配制**

A. 在Nasojugal fold 下方 4-5mm处垂直插入针。**B.** 能从皮瓣内侧看到针头的穿出点，由此确定与眼轮匝肌相对应的脂肪移植位置。

fat开始的边界部位，②薄的眶隔前轮匝肌(preseptal oculi muscle)与较厚的眶轮匝肌(preorbital oculi muscle)的交界部位。因此薄的前层部分(anterior lamella)转变成较厚前层(anterior lamella)的交界是形成凹陷的主要原因(Haddock)，这可以经由手指来判断厚度的差异。因此如果是泪沟凹陷(nasojugal fold)非常明显的患者，作者会在手指能够感知到的前层(anterior lamella)颊脂肪(cheek fat)开始部位的下方固定眶脂肪(图6-17)。在哪个部位脂肪再配制才适当，这在进行脂肪移植的方法中也是适用的，因此作者认为这是一个很好的参考。

进行脂肪移位时如果觉得脂肪过多，可以切除少量的脂肪。但是，转移完后切除脂肪的情况是很少见的。因为切除大量脂肪可能引起下列问题。①会引起严重的下眼睑凹陷 ②随着眼球向内陷并下沉，会使人看起来没精神，老态。(eno

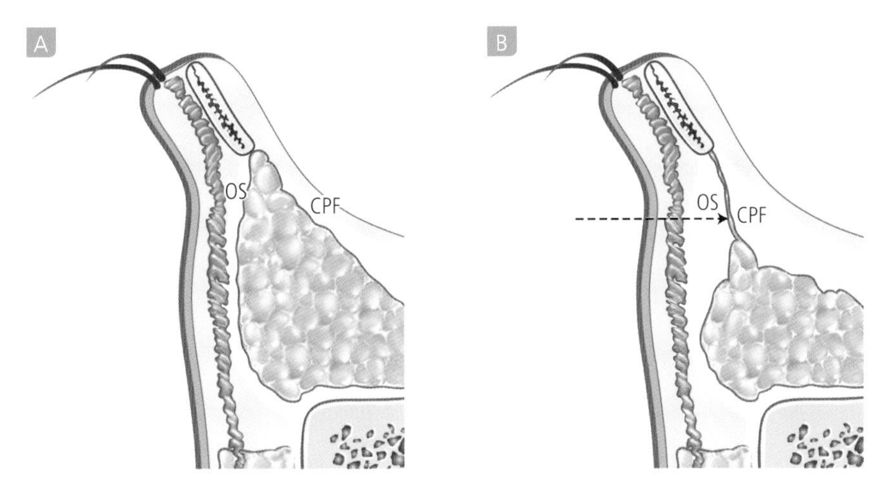

图6-18 **A.** 脂肪切除前 **B.** 切除脂肪后。如果切除过多脂肪，因 septum 与 capsulopalpebral fascia (CPF)之间的脂肪消失而导致组织之间的黏合，而使眼眶隔膜的挛缩力量直接作用于CPF，并形成下眼睑退缩。→隔膜与CPF连接在一起的位置。

phthalmos, downward displacement) ③上眼皮凹陷：因眼球向下沉，眼球与上眼皮之间的空隙变宽及脂肪回转原理(Rouleau phenomina)而引起上眼皮凹陷。④可能引起隔膜及缩肌的结构性粘连，所以要多加小心注意(图6-18B)。因脂肪是在于眼眶隔(septum)与囊膜(capsulopalpebral fascia)之间，有滚珠轴承(ball bearing)般的作用。如果去除脂肪过多，此处的脂肪会向下移动，眼眶隔(septum)与囊膜 (capsulopalpebral fascia)之间就会形成紧贴状态。术后如果在眼眶隔(septum)上引起炎症性反应，在有眼眶脂肪的情况下不会出现太大的问题；但在无脂肪的状态下则还会因炎症性而导致挛缩，此力量直接传递到capsulopalpebral fascia上，从而一起形成挛缩(图6-18B)。

在前层(Anterior lamella)上做脂肪再配制的方法

如果泪沟凹陷(nasojugal fold)非常明显，此时要在准确的位置上做脂肪移位才会得到好的效果，因此这种情况在前层(anterior lamella)上做脂肪移位是最准确的。

因前层(anterior lamella)在中面部提升(midface lift)后位置会得到提升，脂肪固定于移动的组织上比固定在骨膜上更准确。泪沟凹陷(nasojugal fold)与cheek fat的上边界相一致，与眼轮匝肌的preseptal portion和preobital portion交界部位相一致，这是因其都属于前层(anterior lamella)的范畴(图6-19)。

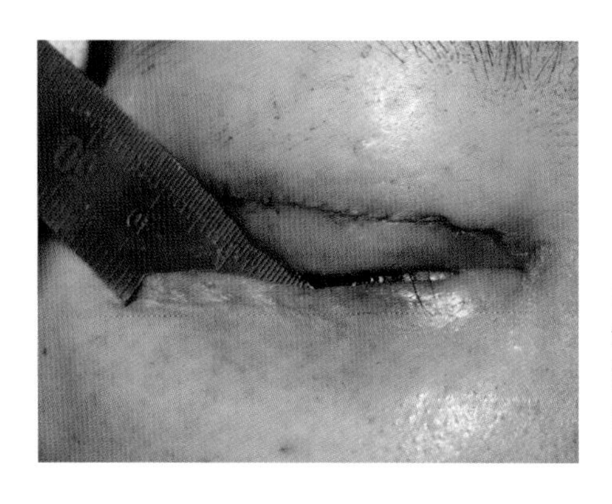

图6-19 在前瓣(anterior flap)与后瓣(posterior flap)之间插入钢尺，nasojugal fold 的情况也并未好转(左侧)。通过塞入脱脂纱布能够看到很大好转，由此可以得知导致 nasojugal fold 的原因主要在于前瓣(anterior flap)之上。

手术方法与上述方法相同，从眼眶缘做骨膜上剥离后，用手按压可以暂时缓解浮肿，颊脂肪(cheek fat)上沿及眼轮匝肌变厚的睑颊交界(lid-cheek junction)很明显的显露出来。也就是说，如果泪沟凹陷(nasojugal fold)很明显，沿着此凹陷(fold)在其下方4-5mm平行画线，再从此线的垂直方向用针扎入，能看到针头从前层皮瓣的内侧穿出，在此位置将脂肪缝合(suture)在眼轮匝肌上(图6-17)。在进行脂肪移位固定缝合大约3至4个位置，如此就将脂肪随着泪沟(nasojugal fold) 重新分布在正确的位置。

经结膜(transconjunctival)脂肪切除术及脂肪再配制手术

患者没有皮肤严重下垂等皮肤松弛问题，且只想简单地矫正眼眶脂凸出或改善泪沟凹陷(nasojugal fold)时，可以采用经结膜脂肪切除及脂肪再配制手术。即使患者皮肤有一些问题，也能接受这种手术，前提是皮肤问题可由激光手术等其他手术方法解决。经结膜手术可以直接延伸为中面部提升术。这首先是因为经结膜做中面部提升不会留下疤痕。这是非常显而易见的优点。其次，经皮肤切口法(transcutaneous approach)可能损伤到由睑板前眼轮匝肌的面神经分支或引起前层(anterior lamella)的疤痕挛缩或眼眶隔收缩。而经结膜切口方法则可最大限度地减少引起此类并发症的产生。

脂肪切除术

下眼睑脂肪突起，在坐姿下显得尤为明显，而在平躺姿势下则显得相对不严

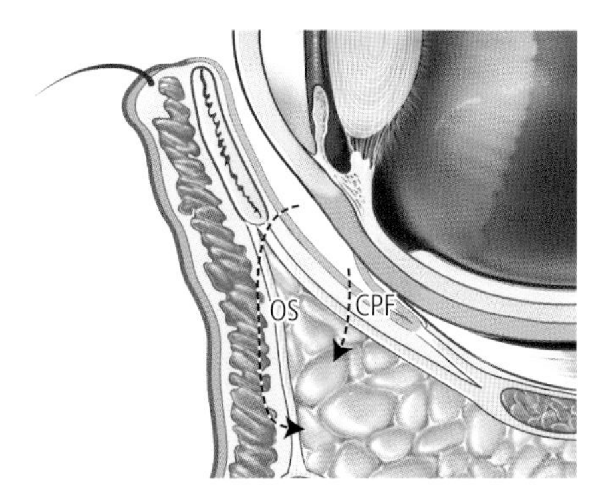

图6-20 眼眶隔前入路法与眼眶隔后入路法
OS: orbital septum，CPF: Capsulopalpebral fascia.

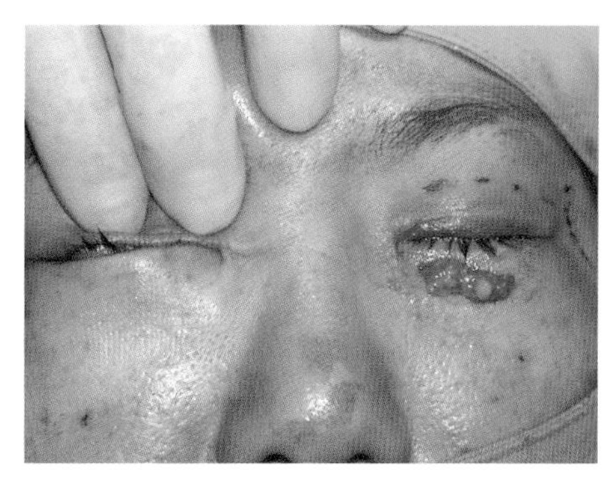

图6-21 左侧切除脂肪的状态。
右侧切除脂肪后按压眼球来确定是否要切除更多的脂肪。

重。因此，切除脂肪后一定要在坐姿状态下确认手术效果。如无法坐姿状态下确认，还有一种确认方法。手术前先让患者平躺下来后，用手按下患者眼球，使下眼睑脂肪突出到与端坐时一样的程度，并记住按住眼球时的力量。手术后再按下患者的眼球，并根据手术前后按住眼球的力量对比进行确认。

手术前，先在患者坐姿状态下观察眼眶脂肪突出情况，观察时要看眼眶脂肪是否只在内侧比较突起，突起现象向外侧延伸多少，两侧眶脂肪的突起程度存在何种程度的差异等。让患者躺下来后，在眼睛里滴下表面麻醉剂，再在结膜上注射局部麻醉剂。

根据切割部位的不同，找到眼眶脂肪的方法可分为眼眶隔前(preseptal)入路法和眼眶隔后(retroseptal)入路法。眼眶隔前入路法:在睑板下方1-2毫米处(眼睑缘下方5-6毫米处)打开切口，沿着眼眶隔和眼轮匝肌的中间线一直剥离到下眶缘(inferior orbital rim)。然后在下眶缘部位的眼眶隔膜上打开1厘米左右的切口线，并按下眼球，将挤出来的脂肪用电凝切除。眼眶隔后入路法:在睑板下方5-6毫米处打开切口线，直接打开坚韧的眼囊筋膜(capsulopalpebral fascia)，选择下眶缘方向的入路进行脂肪切除(图6-20)。

新手在寻找眼眶脂肪上可能会有一定困难。最简单的方法是在切开结膜后，在眼眶缘内侧寻找脂肪感知眼眶缘，在寻找眼眶缘的过程中找脂肪将会很容易。

有两种方法可以判断切除的脂肪量是否适中。第一种方法是先用手指轻轻按一下手术部位，使肿起来的部分被按下去后，让患者睁开眼睛，以判断手术结果。

当然，这一切都要在患者保持坐姿的状态下完成。另一种方法是，先在手术前让患者躺下来后，用手按住眼球，使下眼睑脂肪突起到与端坐时相同的程度，并记住按住眼球时手上的力量。手术之后再用同样的做法按住患者眼球，并根据手术前后按住眼球时手上的力量对比进行判断(图6-21)。

切除脂肪后不缝合结膜

如果患者的皮肤比较紧绷，接受单纯切除脂肪手术不会引发其他问题。而且手术前因突起的脂肪而显得相对凹陷的泪沟凹陷(nasojugal fold)也能得到改善。但是，年龄在30岁以上，皮肤不太紧绷甚至开始出现皱纹的患者如果接受这种手术，可能会在切除脂肪后出现新的皱纹。此外，脂肪突起固然是个问题，但是切除的脂肪量过多，以致原本突起的部位上形成下陷更会造成要重的问题。因此，一定要掌握好脂肪的切除量。

经结膜脂肪再配制手术

先标出泪沟凹陷(nasojugal fold)后，在其下方5mm处标出需再配制脂肪的部位，在眼睛里滴少许表面麻醉，再注射局部麻醉剂。然后用眼眶隔前入路法(preseptal approach)，在结膜上切开1.5厘米的切口线，并分离眼轮匝肌和眼眶隔，一直到眶下缘。在此处再切开眶支持韧带orbital retaining ligament后，做骨膜上或骨膜下剥离。如果做骨膜下剥离时，首先在骨膜上做切开，之后做骨膜下剥离。骨膜上剥离是在上唇提肌(levator labii superioris)上。眼轮匝肌在内侧与眶缘紧密粘连，剥离起来并不是很容易，而在中央部位因经由眶支持韧带(orbital retaining ligament)与骨膜黏合部位并不牢靠，因此剥离起来相对较容易。

有时隔膜被拉长，这时作者会在不切开结膜的情况下将隔膜上堆积的脂肪一起做移动。从眶缘上切开眼眶隔(septum)之后取出脂肪，操作时要注意不能使下斜肌(inferior oblique muscle)受到损伤。这条肌肉将眶膈脂肪分为内侧和中央两个脂肪垫。用double-arm长手术针将眶脂肪从眼轮匝肌或SOOF下或者从骨膜下由内到外以pull-out缝合法做3-4个固定。拆线要等到手术后第四天进行。此时重要的是：①取出脂肪后，将连在脂肪上的结缔组织分离出去。分离后脂肪组织不会被与其连在一起的结缔组织拉向眼眶内，如果脂肪被拉向眼眶内，说明分离做得不够充分(图6-22)。②处理脂肪时要做到无创伤(atraumatic)，使脂肪吸收减少。③移动的脂肪袋内侧要做充分的剥离，内侧眼轮匝肌牢固的附合在骨膜

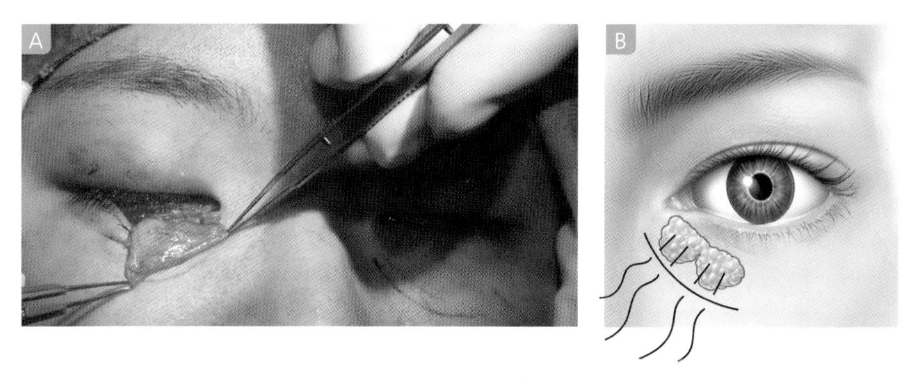

图6-22 **A.** 从外侧把眶脂肪拉出后实施脂肪再配制之前的状态。左眼，脂肪移位的位置在nasojugal fold 下 5mm处。**B.** 脂肪再配制后

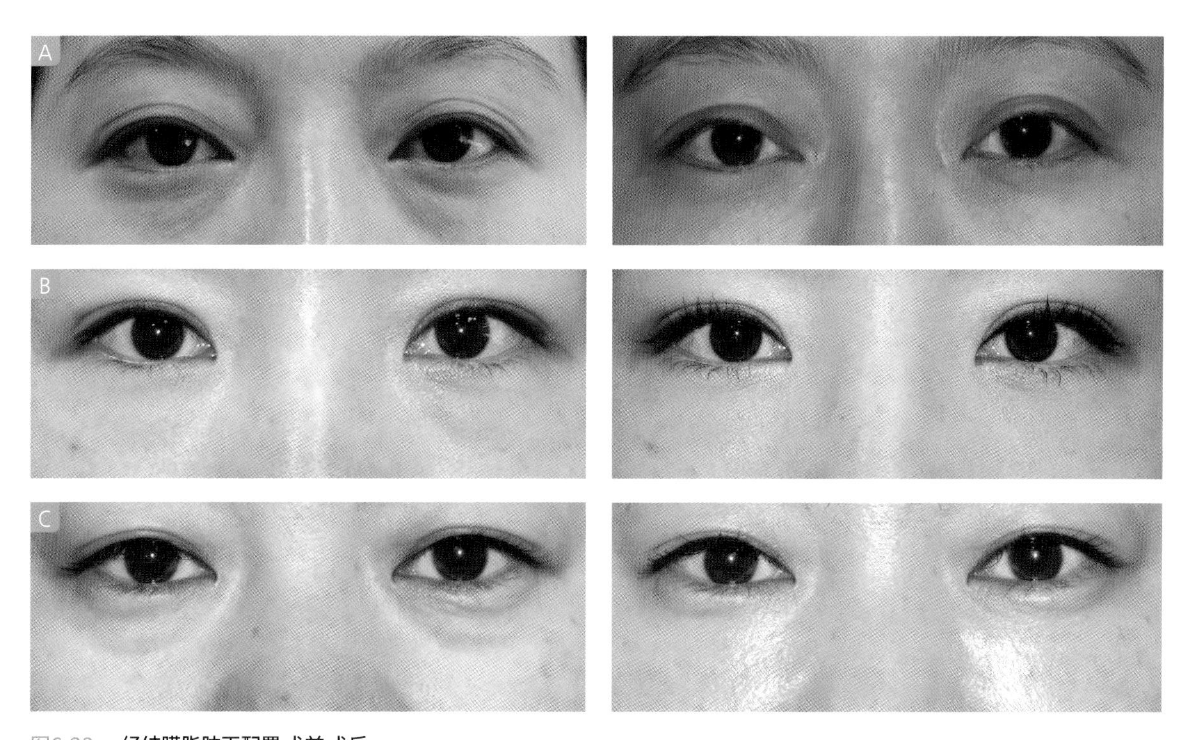

图6-23 **经结膜脂肪再配置 术前 术后**

内。④在Anterior lamella上做脂肪转移时，缝合针穿进眼轮匝肌的位置非常重要。其位置应该在泪沟凹陷(nasojugal fold)下方，与泪沟凹陷(nasojugal fold)至少应相距0.5厘米左右，距离眼眶缘则至少应在1.0厘米左右。缝合针穿出皮肤的

位置则不太重要。外侧伸出的线在厚人工真皮(duoderm)上做支撑缝合(bolster suture)。被切开的结膜断面要整齐的以7-0PDS 线做结扎。

SOOF 及眼轮匝肌提升 (图6-24)

眼轮匝肌下脂肪的提升是改善因老化中面部脂肪挛缩下垂形的凹陷，脸颊沟及泪沟的有效方法。

下眼睑退缩(lower lid retraction)时，如只单纯的提升SOOF无法完全弥补皮肤不足的问题，因此需要同时提升眼轮匝肌。即只有提升与皮肤临近的组织才能

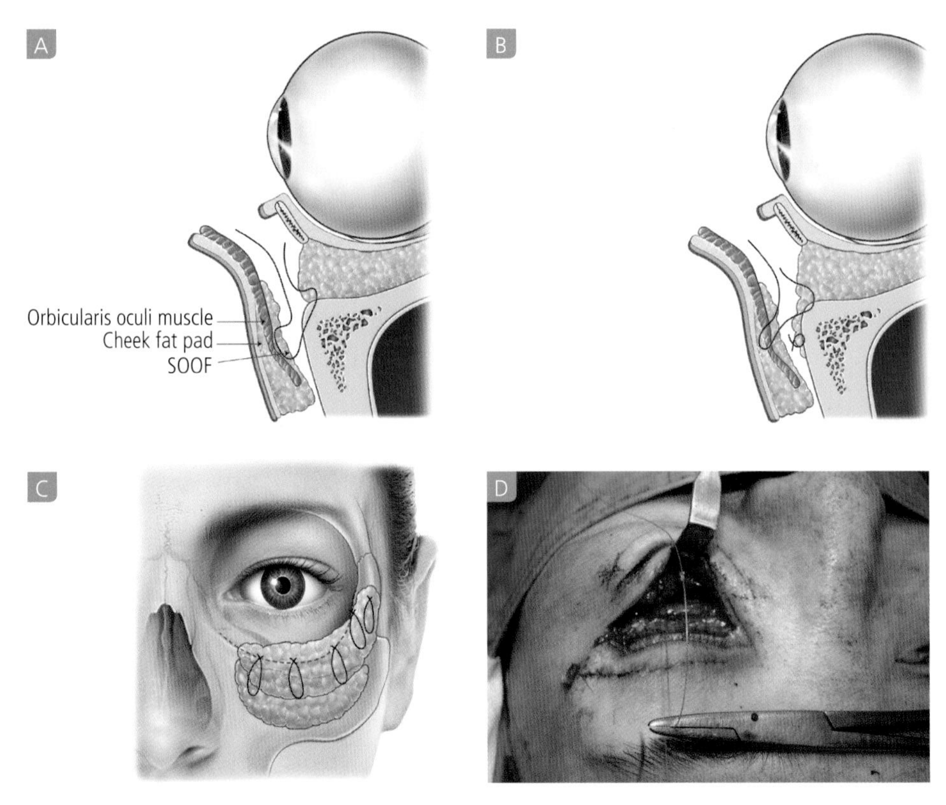

图6-24 · **SOOF suspension.**
SOOF与深层眼轮匝肌同时提升。如果一次缝合不够牢固可以在前方或后方进行两次缝合。**A.** SOOF elevation. **B.** fat transposition and SOOF elevation. **C.** SOOF elevation **D.** 手术中S0OF 与眼轮匝肌同时固定在眼眶缘上。

在弥补皮肤不足的问题上达成效果。术中首先要在剥离中面部后，在眼眶缘的中央位置向上拉伸SOOF到眼眶缘上，用线穿过SOOF并将线固定在眼眶缘的骨膜上。此时如果判断骨膜及SOOF较弱，可以反复固定。在眼外侧做眼轮匝肌提升术(orbicularis suspension)时，首先把眼轮匝肌从皮肤上分离下来，并在固定缝合时同时向上提升SOOF。

SOOF提升固定是把眶下神经束(infraorbital nerve bundle)上方的内侧，中央部或外侧眼轮匝肌分别缝合固定在骨膜上。眶缘骨膜固定缝合是缝合针从眼窝内侧向外轻轻穿过骨膜。因眶缘弓状缘(arcus marginalis)上同时存在骨膜与眶隔膜增厚区(septal thickening)，因此固定会很坚固。

眼轮匝肌下端相当于inferior arcus。如果单纯缝合SOOF，因固定不牢固而出现下垂。此时为了能够提升更多的皮肤，缝合部位要贴近皮肤的表面，缝合后要能够观察到轻微的凹陷，这样才能有效地上提皮肤。轻度的皮肤凹陷会逐渐消失，因此不必担心。特别是在因皮肤不足而导致外翻的情况下，为了弥补皮肤不足的问题，比起采用厚皮瓣使用薄皮瓣效果更加理想。如果觉得固定缝合一次有不足，可以在SOOF或骨膜上做两次固定。固定骨膜时，如果觉得骨膜比较弱，可以在中央眶缘打个孔(bone drill hole)并固定。

外眦固定(canthal anchoring)手术

外眦固定术是将外侧睑板和外眦及外侧持支韧带即睑板-韧带系统固定于眶外缘(orbital rim)上，从而使下眼睑的位置与形态(shape and position)得到稳定(图6-26)。

适应症

· 下睑松弛(lower eyelid laxity)
· 眼球突出(exophthalmos)
· 下睑外翻，退缩
· 同时做中面部提升时
· 为了稳定术后因肿胀或挛缩而引起的下眼睑形态的变化

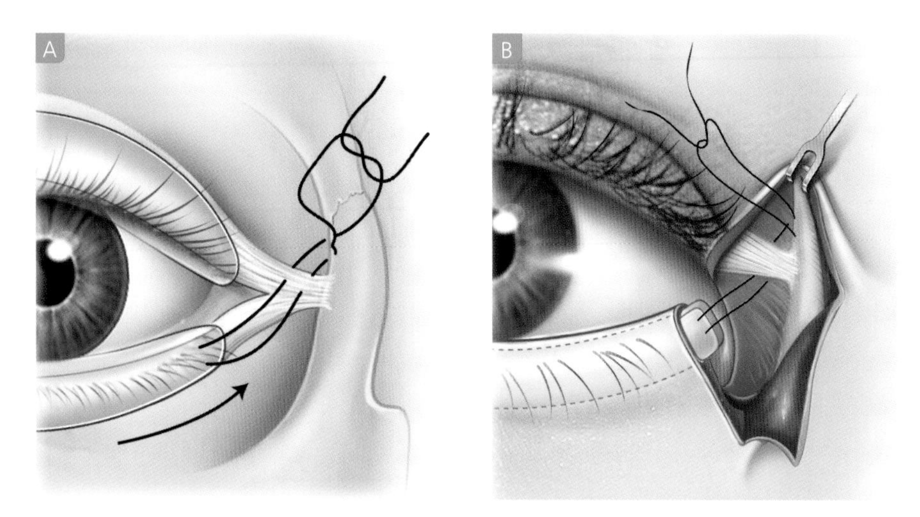

图6-25 **A.** canthopexy(tarsal suspension, lateral canthal tendon plication, transcanthal canthopexy, OOM canthopexy等) **B.** canthoplasty 中的 tarsal strip procedure.

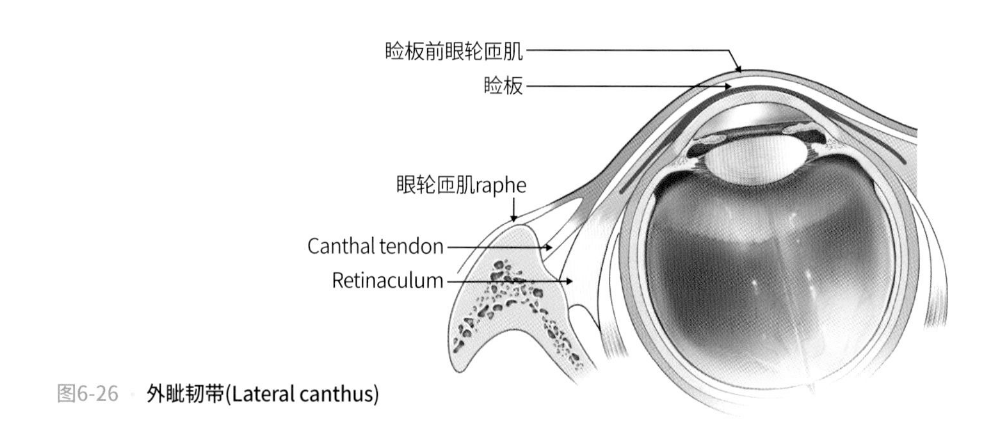

图6-26 **外眦韧带(Lateral canthus)**

外眦固定的种类

- 眼轮匝肌外眦固定术(orbicularis oculi muscle canthopexy)
- 浅层外眦韧带固定术(superficial canthopexy，superficial canthal suspension)
- 浅层外眦韧带固定术(deep canthal anchoring or lateral canthal anchoring)
- 睑板外眦固定(tarsal anchoring)，睑板缘固定(tarsal strip canthoplasty)

是否做外眦固定术是根据下眼睑的松弛度来判断的，根据下睑松弛度和眼球突

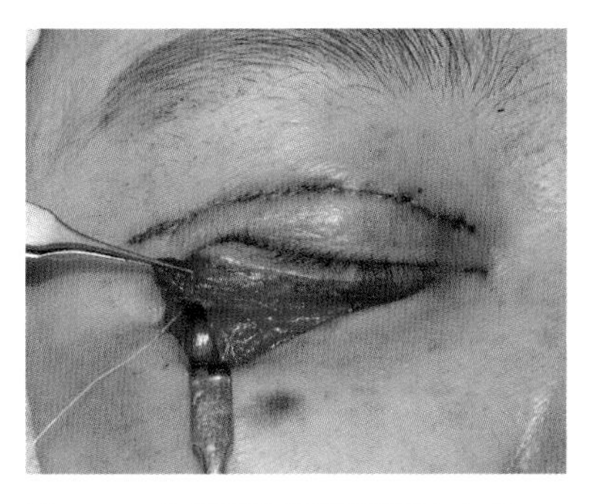
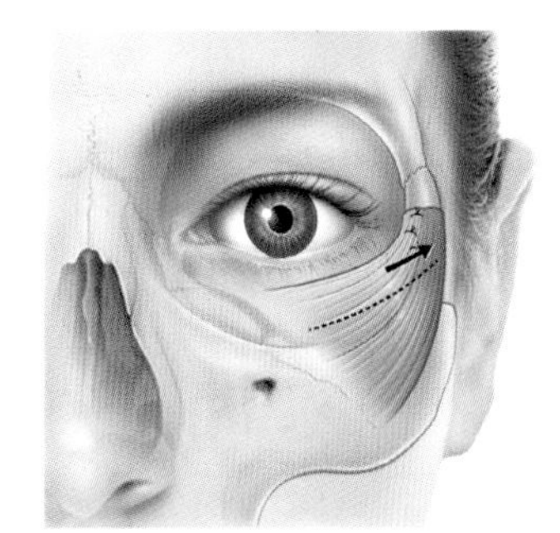
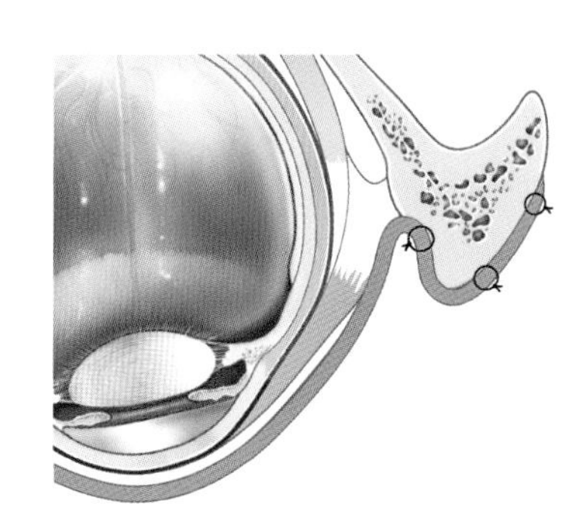

图6-27 **眼轮匝肌外眦韧带固定方式**
将睑板前眼轮匝肌固定在眶缘或眶缘内测

出度，如果是轻度松弛或为了防止术后下睑位置的变化，可以做眼轮匝肌外眦固定术，浅层外眦韧带固定术，迷你外眦固定术或者外眦支持韧带悬吊术。但是下睑松弛度高的情况(distraction test在5-6mm以上)，要利用外眦韧带或外侧睑板来做外眦固定，如果下睑延长受限的话，可做不切断外眦韧带的外眦固定术(图6-25A)，下眼睑可以延长的情况下，可以切断外眦，做水平距离短缩的外眦固定术(图6-25B)。

Canthal anchoring(canthopexy 或者 canthoplasty)中需要注意的问题是，应采用何种方法最适合目前的情况，哪种才是最安全(secure)的手术方法。为此，要避免缝合线在组织上形成'cheese wiring'，较长时间后重要的并不是看suspention线的张力，而是组织间牢固的粘连(adhesion)效果是否能够得到延续。即使采用非吸收线，一旦软组织粘连不牢固，逐渐的就会复发(relapse)。因此一定要根据 canthal anchoring 的每种方法的优缺点灵活运用在手术中。另外为了最大限度的确保得到牢固的黏合，要保证固定组织之间不留有任何脂肪或眼轮匝肌等组织。粘连作用主要是在表面形成的。固定的位置，高度及深度非常重要，要避免 tie 的强度过大。

从解剖学上来看，外眦腱(lateral canthal tendon)分为浅层外眦腱(superficial canthal tendon)与深部外眦腱(deep canthal tendon)。前者在眼眶缘(orbital rim)表面(anterior surface)(图6-27)。后者是在睑板与眼眶内侧3-4mm处与 whitnall's tubercle 相连。

因此外眦锚定术(canthal anchoring)可以考虑使用眼轮匝肌与眶缘连接的

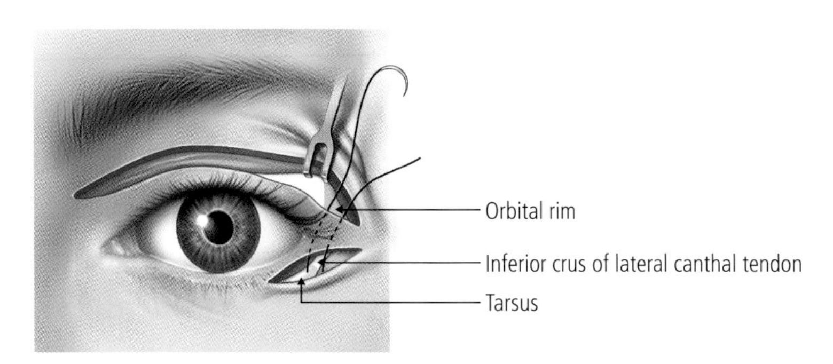

图6-28 Lateral retinaculum suspension:支持韧带(retinaculum)穿过外眦(transcanthal)并固定在眶缘内侧的骨膜上。

方法(浅层外眦腱固定方式);或者把睑板，外眦腱或retinaculum固定在眶缘内2-3mm处的whitnall's tubercle上(深部外眦腱固定方式)。但是眼球突出较严重时，为了避免深层固定，也可以选择把睑板固定在眶缘上。作者在下眼睑出现松弛或在矫正下眼睑退缩时，会把外眦腱在眶缘内3mm做深层固定，但对无下眼睑松弛的患者，单纯只是为了预防下眼睑位置不正(malposition)的问题时，实施眼轮匝肌canthopexy，相对来说，是非创伤性的手术方法(图6-27)。手术线可以采用5-0 的Ethibond 或 Mersilene 及 double arm 针，从眶缘内侧向外穿出后并把两根线系在一起。

睑板前眼轮匝肌外眦固定术(pretarsal orbicularis canthopexy)(图6-27)

在外眦固定中相对创伤较小(atraumatic)的术式，适用于外眦基本没有松弛(canthal laxity)，为了防止术后发生下眼睑变形(malposition)的情况。方法是将外侧的睑板前眼轮匝肌(lateral end of pretarsal orbicularis muscle)固定在眶外缘的内侧面(inside of the orbital rim)。

固定后试验下睑紧张度是否达到1-2mm(图6-27)。这点与眼轮匝肌提升术(orbicularis suspension)是不同的。为了改善下睑皱纹，做皮下剥离后，在做下睑悬吊时，肌肉作垂直固定，皮肤则向上外侧(upward lateral)牵拉，使之形成新的 redraping。

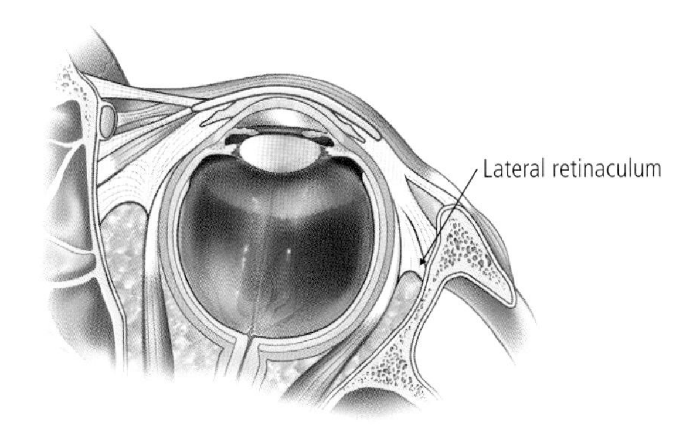

图6-29 Lateral retinaculum.

Lateral retinaculum suspension(图6-28)

Lateral retinaculum 与 Lateral canthus 同义，包括canthal tendon。所以把连在眶外侧结节lateral orbital tubercle (whitnall's tubercle)上的组织也称之为Lateral canthus。

Lateral retinaculum 的结构(图6-29)

· 外眦腱(Lateral canthal tendon)

· 提肌腱膜的外侧角(Levator aponeurosis lateral horn)

· Whitanll's 韧带(Whitanll's ligament)

· Inferior suspensory ligament (Lockwood ligament)

· 外直肌的节制韧带(Cheek ligament of lateral rectus muscle)

由上述构成，利用此做外眦固定的方法。

固定部位

睑板外侧端结束的部位(lateral portion of tarsus)与连在此处的一部分睑板前眼轮匝肌(pretarsal oculi muscle)同时固定在眶缘内侧3-4mm骨膜的lateral orbital tubercle上。并以此为标准，固定位置以三度空间方式来设计(3-dimension):

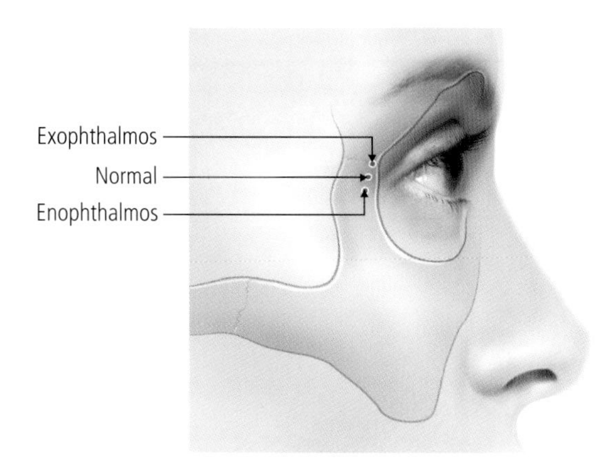

图6-30 **根据眼睛暴露程度决定下眼睑的固定位置**
一般的眼睛以瞳孔下缘为基准固定

1. 垂直 - 高度
2. 前后 - 固定位置在眼眶缘内的深度
3. 横向 - 根据固定强度逐渐调整

固定时采用睑板和外眦腱同时固定的方法，固定更加牢固。

如果眼睑牵拉测试法(eyelid distraction test)发现下眼睑有6-7mm 以上严重松弛或外翻严重的情况，为了做到水平缩短(horizontal shortening)，应在下眼睑皮肤上做楔型切开(wedge excision)。切除时如果切除相同量的皮肤与眼轮匝肌，在缝合皮肤时张力(tension)变大，因此不能切开四边形，而应切开梭型。切开量以不超过2-3mm为准，要留有一定余地。此时牵拉的强度应为2-3mm，如果拉扯过大下眼睑的位置会下移，相反眼睛凹陷时则会上移。

作者有时会提前做楔形切开，有时也在外眦固定后因下眼睑折叠，外眦出现buckling时切除。先做楔形切开，可以看到睑板的断面，容易固定(图6-31B 在切开的断面上固定睑板的图片)。

固定位置根据眼球的突出程度而不同。一般情况下，固定位置是在瞳孔下缘inferior margin of pupil的高度上。但是在实际操作过程中，测定瞳孔下缘的位置是非常困难的。因此作者选择把外眦腱经由上通过固定在骨膜上的方式来测定其位置，此种方法在测定瞳孔下缘位置中有很好的作用。外眦腱松弛严重时即使最大限度的拉扯固定，固定位置基本一致。眼球突出(exophthalmos)时，虽然需要连接在上端不是很深的地方，但如果过分向上连接，眼尾会有上扬的效果。

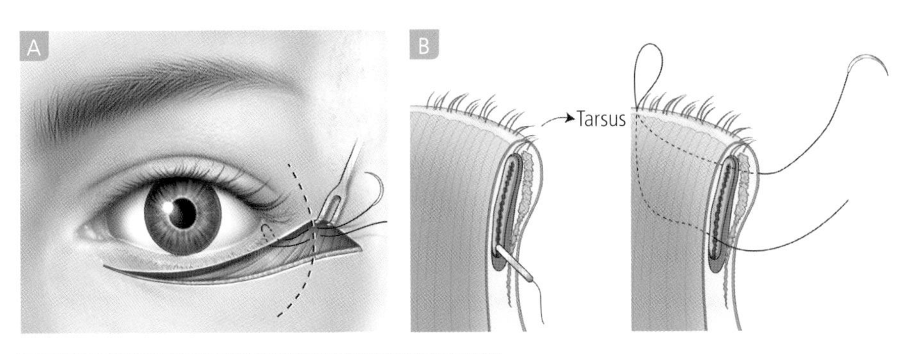

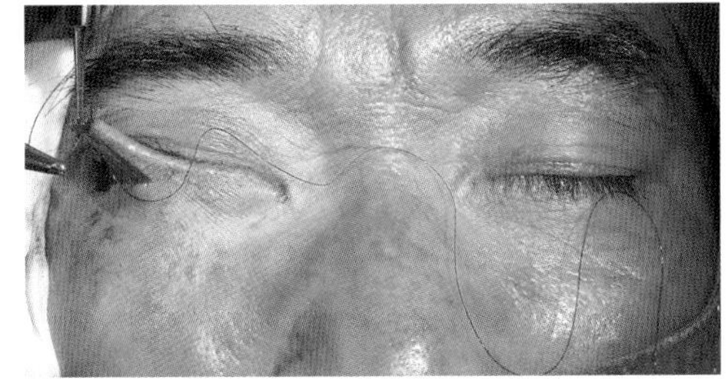

图6-31 **睑板上方通过的方法**

A. canthopexy。先将睑板horizontal mattress缝合后，将在grey line内侧stab incision后穿过。**B.** canthoplasty。针从睑板下方向上通过。比起左图，右图因包含了更多量的睑板组织，所以更牢固。

特别是对于东方人来讲被叫做madam butterfly眼，也是眼睛变小的原因之一。如果眼球凹陷(deep set eye)，则需要固定的比一般情况低一些，深一些，即固定在眶缘3mm内侧(图6-30)。如果固定在上方则会使眼睛变小(squinty eyes)，而如果固定位置不够深则会使下眼睑包绕眼球的力量减弱，形成眼球与下眼睑分离(distraction)的问题，因此需要准确掌握尺度。想要在眼窝深处做固定时，通过double arm suture，用两个针从内到外穿过才能做到深层固定。骨膜较弱的修复手术中，在眶缘上打一个孔，让线从内到外穿出后，在眶缘的骨膜或颞深筋膜(deep temporal fascia)上缝合。固定后在坐姿状态下确定双侧是否对称。如果缝合时基本无张力(tension)，做出所需的形态才能有效减少复发。

眼球突出的程度以 Hertel 的测定记录 15-18mm 为正常，高于这个数值则为突出，低于此数值则为凹陷。

为了避免眼球与下眼睑分离，固定时应采用下面的方式:

- 在睑板之上
- 向眼窝深处
- 用 double arm 针线比上方更深位固定，避免睑板扭曲变形。
- tension 少的情况下

· 要有把握的(secure)手术。

要点

突眼(exophalmos)的 canthal anchoring

1. 上方，前方固定(upward，anterior anchoring)
2. 避免水平短缩(horizontal shortening)
3. 松解下睑缩肌(release of retractor)，有时做spacer graft
4. 低张力固定

凹陷的眼睛(enophthalmos)

1. 下方，深位固定(downward，posterior anchoring)
2. 线结打紧(intensively tie)

悬吊下眼睑时，对于睑板的固定位置作者一般认为，选择在睑板较低的位置缝合会较容易地提升下眼睑，但在外翻症严重的情况下选择把睑板拉到最高位置上，对矫正外翻有很好的效果(图6-31)。

为了把睑板固定在高的位置上

外眦固定(Canthopexy)方法

在距外眦角(lateral canthal angle)最近的皮肤交界处缘结上打一个小口(stab incision)，用4-0的 prolene 或 PDS 线穿过睑板即可。此时为了避免引起cheese-wiring，可以用7-0的nylon线在4-0线上方固定睑板(locking suture)，或用4-0线缝合穿过一次睑板后，再从灰线(grey line)上的小口(stab incision)穿回(图6-31A)。

外眦成型术(Canthoplasty)

在下眼缘的切面，针从睑板断面从下向上穿过(图6-31B)，固定在眶缘内部的骨膜上。这时一定要维持上下两条线的方位，以免手术线乱成一团。大概需要切除

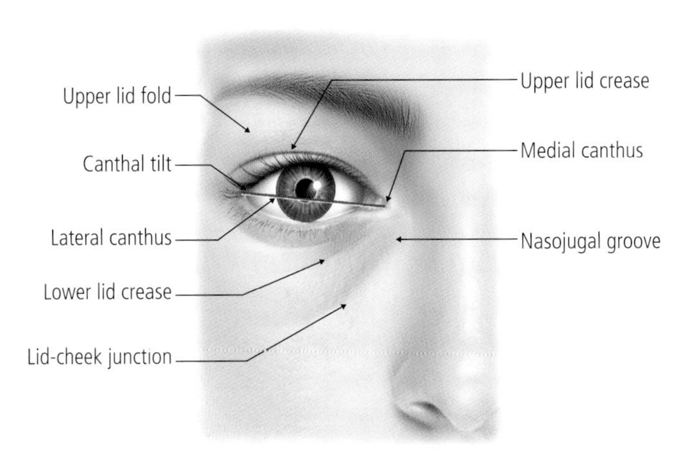

图6-32 **Canthal tilt的角度与长度**
眼裂的横径为30mm时，韩国人的正常 canthal tilt 在5-10度左右，外眼角比内眼角高2.6-5.3mm。换句话说:如果是2mm的差距则是为3.8度。如果是4mm的差距就是7.6度。

2-3mm左右的下眼睑与睑板，但要注意断面也要进行准确的缝合，注意不要使外眦角(canthal angle)变钝(blunt)。为了让上眼皮稍微遮盖下眼皮，把上眼皮灰线后方与下眼皮灰线前方缝合，就像上门牙遮盖下门牙一样。在眶缘固定的位置，其高度与深度要根据眼球的突出程度有所不同，但东方人的眼角大部分都是上扬的，因此要特别注意不要出现眼角过于上扬的问题，以避免术后变成上挑眼(madam butterfly eye)。内眼角(medial canthus)与外眼角(lateral canthus)连线存在一定的上倾角度。此角度叫做眦部倾斜角(canthal tilt)，此倾斜角根据年龄，性别，民族等有所差异。东方人比欧美人的倾斜角度大，东方人倾斜角大概在5-10度左右，外眼角比内眼角高3-5mm(图6-32)。此外，拉扯外眼角的力度也是非常重要的，在眼球突出的情况下，拉扯的力度越大下眼睑就会下垂较多。相反的在有眼球凹陷问题的情况下，越拉紧下眼睑就会越向上。考虑到在术后的一段时间外眼角会下垂的问题，需实施过度矫正，术中要让下眼睑遮盖眼角膜(corneal limbus)1-2mm，使canthal slant稍微向上。做1-2mm遮盖角膜也就是说，在首次手术中做少许的过矫正，而对于存在疤痕组织导致组织弹性下降张力过大的情况下，应实施稍多一些的过度矫正。

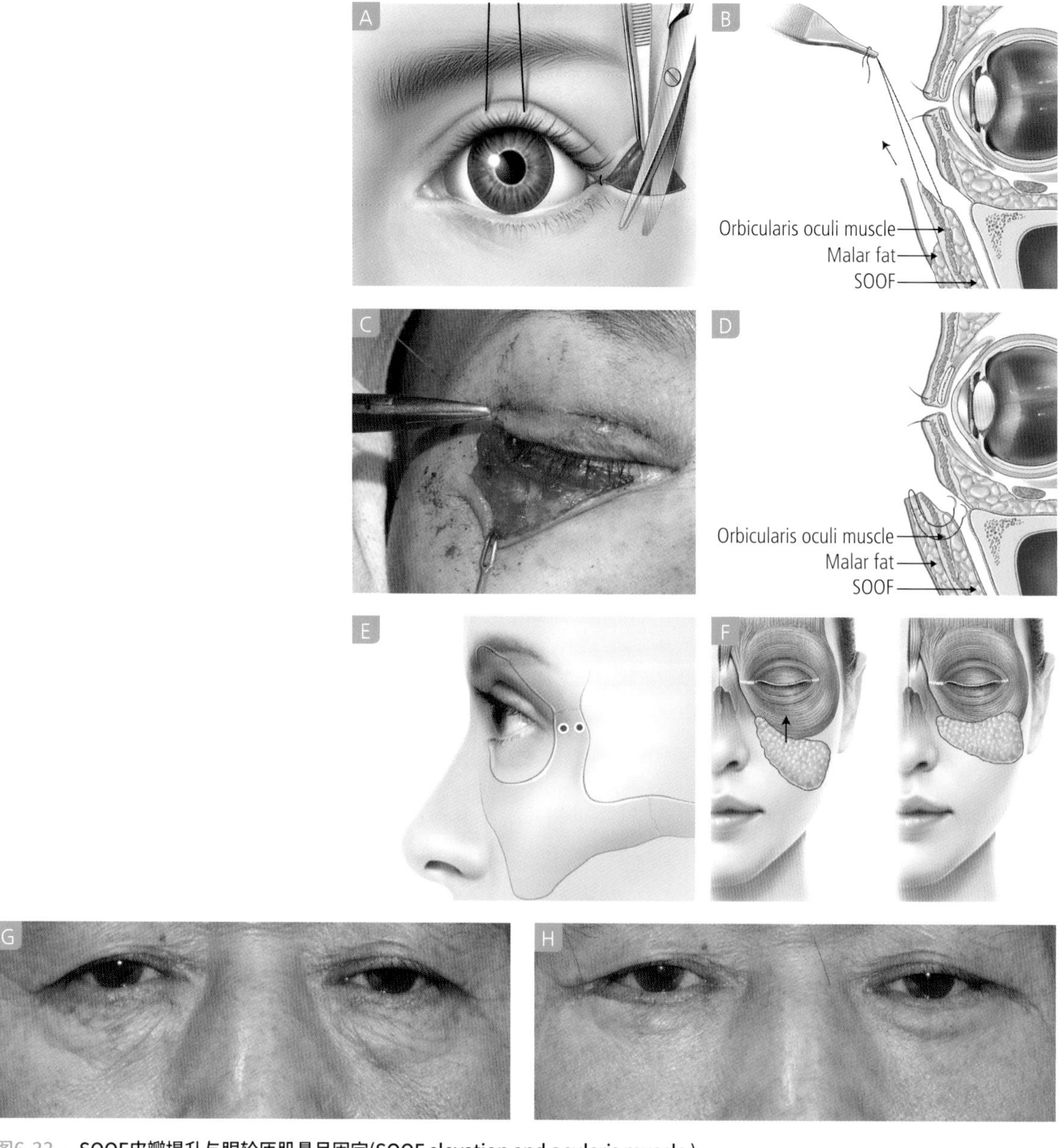

图6-33　**SOOF皮瓣提升与眼轮匝肌悬吊固定(SOOF elevation and ocularis muscle)**

A.B.C 悬吊眼轮匝肌时，SOOF与malar fat(cheek fat)也同时进行悬吊。**C.**下眼睑再手术调整时进行皮下剥离后做3-4处的悬吊固定。**D.** 不能皮下剥离，悬吊眼轮匝肌和SOOF。**E.** 眼轮匝肌悬吊固定位置 **F.** 眼轮匝肌悬吊固定术前术后 **G&H.** 临床照片，眼轮匝肌皮瓣固定前，固定后

眼轮匝肌悬吊固定(Orbicularis oculi muscle suspension) (图6-33)

在已被剥离的肌皮瓣上，在外侧上缘经由皮下剥离将眼轮匝肌分为上下两部分。然后在眼轮匝肌保持适当紧绷状态的情况下，做至少两次悬吊固定(suspension suture)。首先将外侧眼轮匝肌瓣拉到眶骨的侧面或深层颞筋膜(deep temporal fascia)后，做悬吊固定。②悬吊后要将更内侧的眼轮匝肌再次固定在眼缘上。眼轮匝肌悬吊固定时，要先做皮下剥离，做成眼轮匝肌瓣。这样既有利于上提眼轮匝肌，还有助于预防皮肤凹陷(图6-33C)。皮下剥离会造成皮肤损伤，因此要将皮下剥离最小化，这也可以减少dimpling形成。同时为了减少皮肤dimpling，也不宜将眼轮匝肌过度牵拉。眼角皮肤切除时不要留任何的富余。作者除了将皮肤切除外，不做皮下剥离的同时将眼轮匝肌往上拉提，能预防dimpling产生(图6-33)。这时针从SQ开始向下穿过眼轮匝肌和SOOF。把眼轮匝肌固定在骨膜时，做适当紧张度的向上提拉很重要，其次线结不要打的太紧，因为肌肉组织对抗压力是比较脆弱的。另外注意在固定时如果被固定在上眼睑腱膜(apponeurosis)上就会引起上睑下垂。作者认为只将眼轮匝肌层悬吊固定是不够充分的，因此会同时把 SOOF 与眼轮匝肌做提升固定。

此手术方法不仅能够得到提升的效果，经由对眼轮匝肌下层的SOOF的提升，也解决了眼窝下方周围凹陷(infraorbital hollowness)的问题(图6-33E)。还能有效预防睑脂肪突起，不仅是提升了眼轮匝肌上层的颧脂肪(malar fat fad)与颊脂肪(cheek fat)(图6-33B)，就连与下眼睑连接的睑-颊交界部分也得到了提升，并有抚平(blending of the lid-cheek junction)此部分的作用。此外，眼轮匝肌属于前层(anterior lamella)组织，具有支持和加强外眦腱的效果。若眼轮匝肌固定不牢，术后随着时间变化下睑会下移，而且会因皮肤不足产生变形(malposition)。

眼轮匝肌悬吊固定的作用

- 中面部提升
- 矫正泪沟，睑颊沟(nasojugal fold，palpebromalar fold)
- 矫正眶下凹陷(Infraorbital hollowness)
- 弥补皮肤不足(skin shortage)
- 颧骨部位矫正(smoothing of the malar area)
- 完善下眼睑和面颊的交界线(blending of the lid-cheek junction, malar crescent)

以上的手术方法在没有特殊问题的情况也适用，下眼睑存在malposition scleral show，ectropion 问题的患者也同样使用该手术过程。

下眼睑皱纹较多的情况

为了改善下睑皱纹，将皮肤从眼轮匝肌上剥离后，皮肤和眼轮匝肌向不同的方法牵拉，使之形成新的redraping。

切除皮肤及缝合，睑板前凹陷或恢复眼苔(pretarsal fullness)

切除皮肤要以保守性为原则。特别是在中面部提升术或修复手术中，尤其存在下眼睑外翻或巩膜外露(scleral show)等问题时，下眼睑术后会有1-1.5mm左右的下垂，因此需要做留有余地的皮肤切除。作者会让患者在平视状态下适当张开嘴，用适当的力量向上拉下眼睑，用此方法对准确估计皮肤垂直切除量有很大帮助(图6-34)。

在切除多余下眼睑皮肤时，对于眼轮匝肌要做保留。睑板前眼轮匝肌对维持下眼睑形态有很大的帮助，一般不做切除。对重建眼苔(pretarsal fullness)在之前做了详

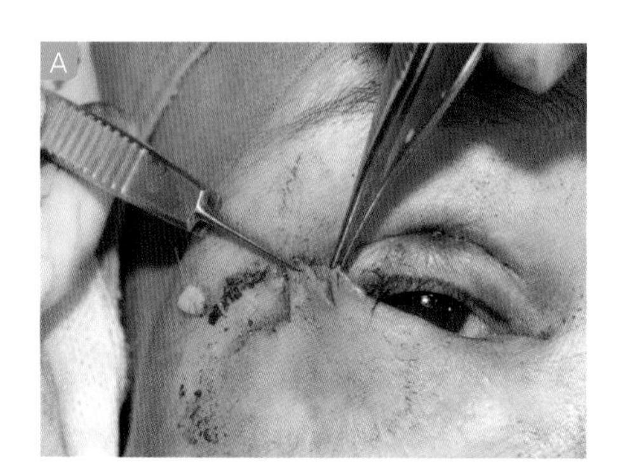

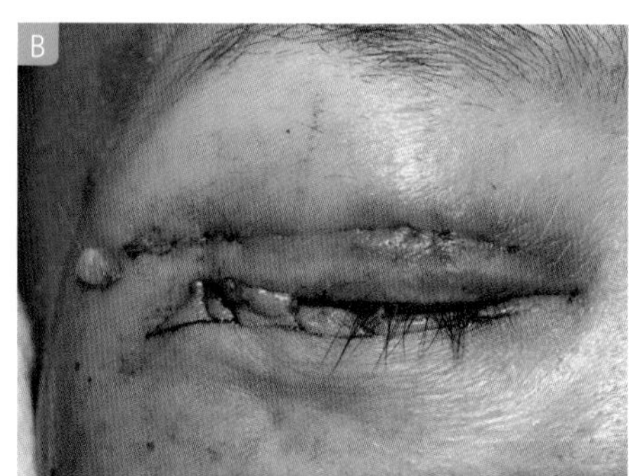

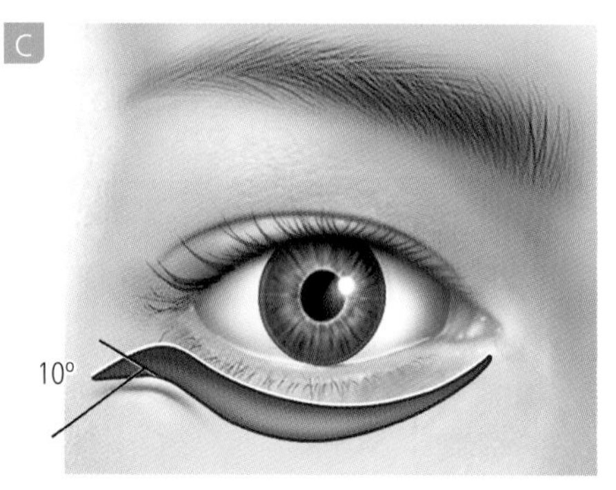

图6-34 **A.**. 皮肤垂直切除的方法 **B.** 做四个垂直切开后，在水准位置画出切开线 **C.** 眼尾切开线往外向下10°左右是最适合。

细的介绍，在此就简单说明：首先让眼眶隔膜前眼轮匝肌(preseptal OOM)与睑板前眼轮匝肌(pretarsal OOM)重叠，使其形成睑板前肥厚(pretarsal fullness)。睑板前凹陷(pretarsal flatness or depression)也是老化现象的一种，导致此问题的原因主要是眼轮匝肌量减低及睑板前组织下垂，会使人看起来老态，印象不柔合。适当的睑板前肥厚(pretarsal fullness)，会显得年轻可人。因此恢复眼苔(pretarsal fullness) 就是 a.睑板前眼轮匝肌因手风琴效果而使其变得肥厚，b.使黏在下眼肌皮瓣的眶轮匝肌与睑板前眼轮匝肌重叠。此时睑板前肥厚(pretarsal fullness)，高度越高看起来越好看。在高位做出睑板前丰满肥厚(pretarsal fullness)时睑板前眼轮匝肌要比眶隔前眼轮匝肌更有用。因此在做肌肉切开时在上部留有较大部分的肌肉是非常重要的。另外需要强调的是所谓的眼苔(pretasal fullness)是经由增厚眼轮匝肌得到的，但需要有充足的皮肤作为支撑才可能达到做眼苔的目的。眼外侧的切口长度以皮肤切量和切线角度而定。下眼睑皮肤切除的部份是在切开线往外及往下方约10°左右最适合。

要在下睑外侧部位做安置缝合(quilting suture)，以消除死腔(dead space)。皮肤缝合时要让皮肤彻底的外翻以避免凹陷性疤痕的出现。皮肤缝合后如果外翻严重或下眼睑张力非常弱的情况下，可以使用tarsorrhaphy或frost suture等向上拉。用Microform等做出皮肤外固定夹板(splint)。粘贴时要把下眼睑的皮肤完全伸展，贴上后下眼睑会约上升1mm(图6-35)。

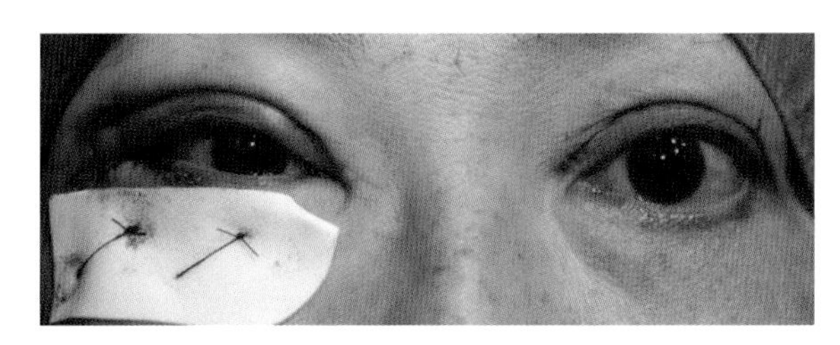

图6-35　术后做出skin splint，在microform 之上做 quilting suture，消除死腔，预防浮肿。

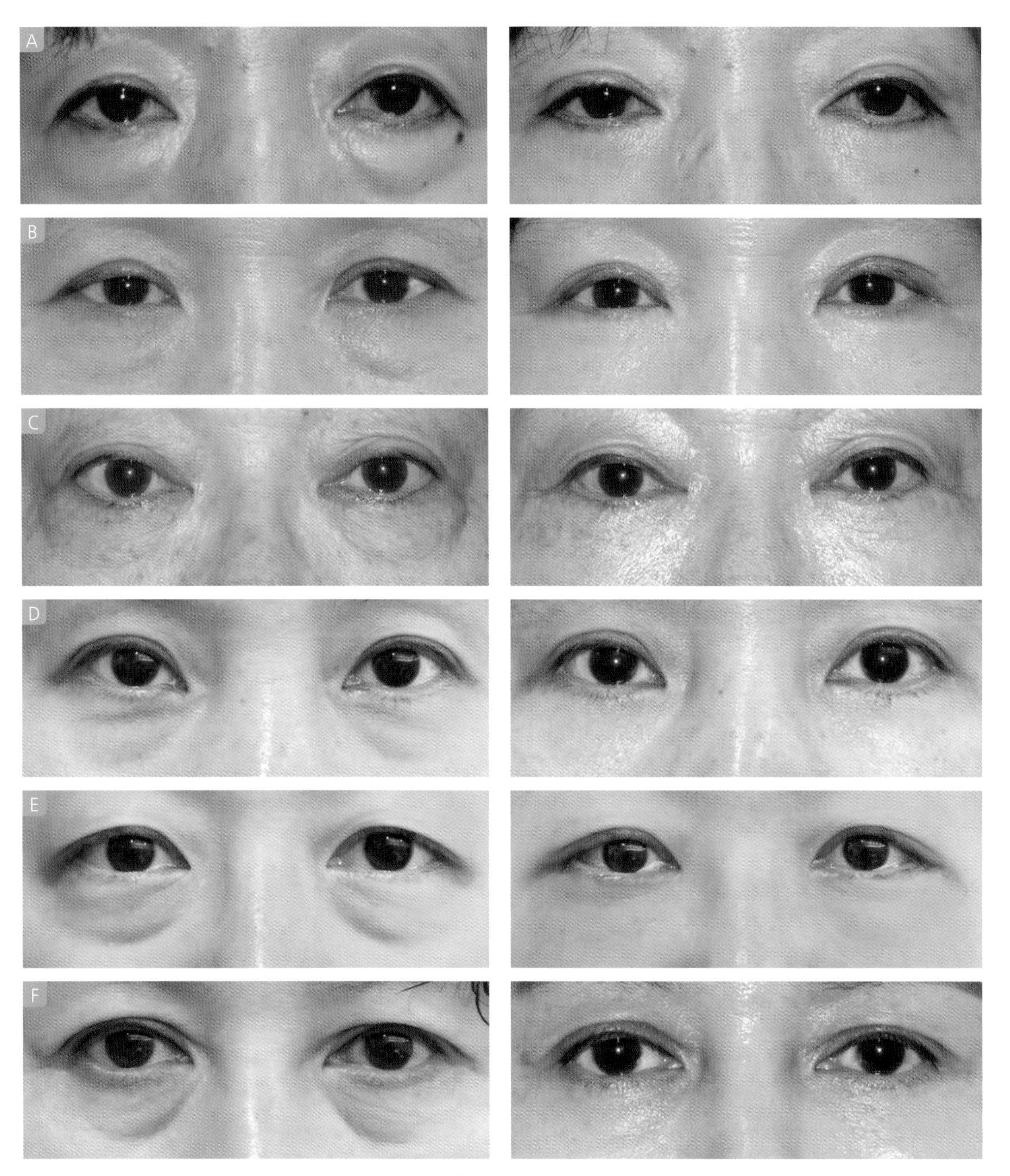

图6-36 下眼睑整形及中面部提升术后

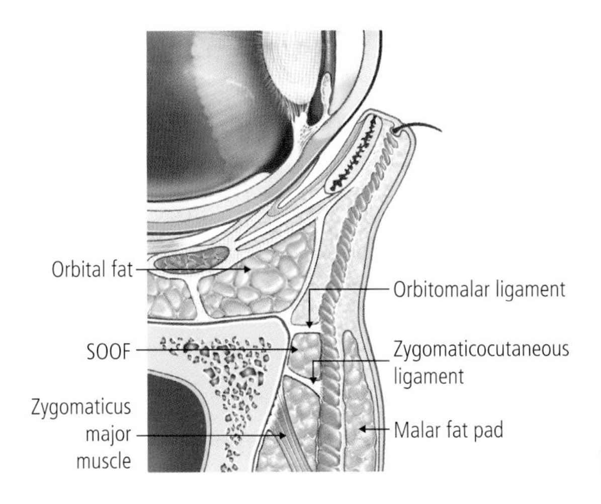

图6-37 眼周脂肪

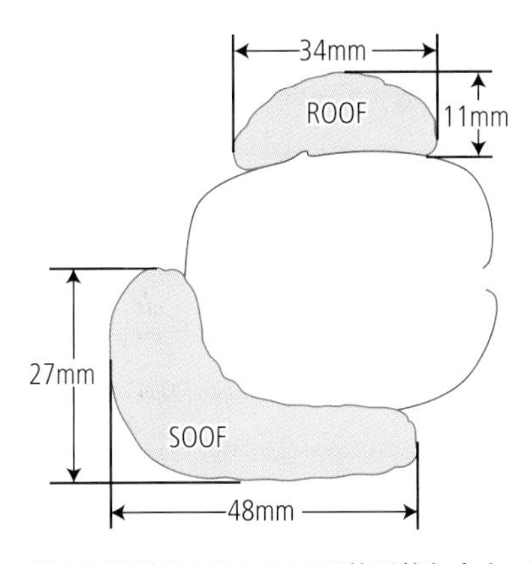

图6-38 肌肉下脂肪(ROOF，SOOF)的形状与大小一黄健

Crescent of ROOF is mostly above supraorbital rim，yet also a few millimeters below rim. Horizontal length of ROOF is 34mm and vertical height 11mm. Hockey stick-shaped head of SOOF is mostly below lower orbital rim，yet also a few millimeters over inferolateral orbital rim. Horizontal length is 48mm and vertical height 27mm.

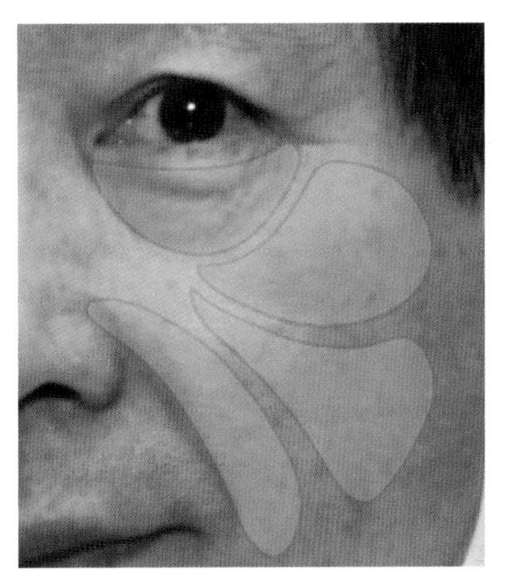

图6-39 下眼睑与中面部皮下脂肪分布

眼周脂肪

在此我们将单独对眼周脂肪进行说明，具体的手术方法因在前面讲解过，在此就不再详细说明了。

下眼睑脂肪可以分为以下三大类

· 眼眶脂肪(orbital fat)(图6-37)

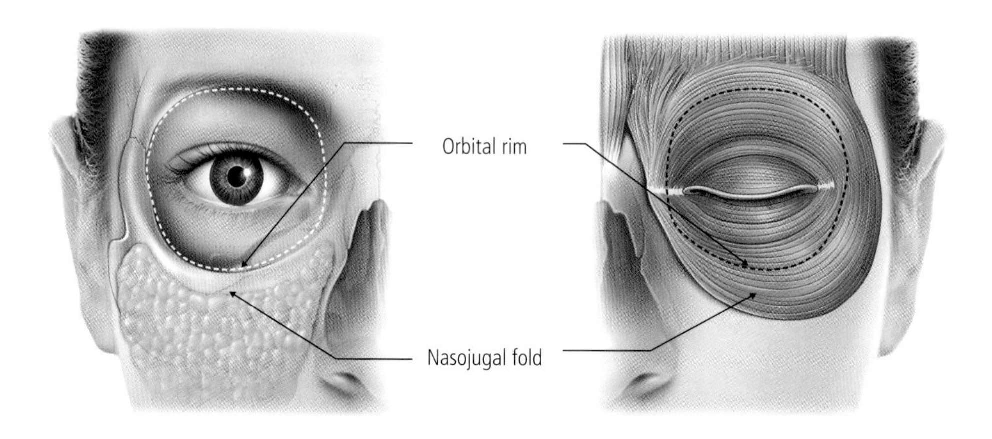

图6-40 cheek fat 的上方界缘与 nasojugal fold，palpebromalr fold 一致，也是相对于眼轮匝肌pre-septal与preorbital 的界线部位

· 眼轮匝肌下脂肪(SOOF)(图6-38)
· 皮下脂肪(malar fat，cheek fat)(图6-39)

因老化而发生的变化与脂肪变化的关系

Nasojugal fold and palpebromalar fold

· 眼眶脂肪(orbital fat)突出部位与下线一致
· 因 SOOF 向下移动而导致的凹陷
· Cheek fat的上界缘部位(图6-40)

Malar crescent

· Malar fat 的界缘部位

Inferior orbital hollowness

· SOOF 下移

Nasolabial fold

· Cheek fat 下移

利用下眼睑脂肪的下眼睑手术方法

眼眶脂肪

单纯切除: 手术方法在前面讲解过

能减少下眼睑的突起。能改善Nasojugal fold，但不能得到明显的效果(图6-43)。过多的去除眶脂不仅会产生下睑凹陷还可能产生眼球下陷。另外隔膜与退缩肌之间因没有缓冲机能，脂肪内的炎症引起粘连从而使下眼睑退缩。

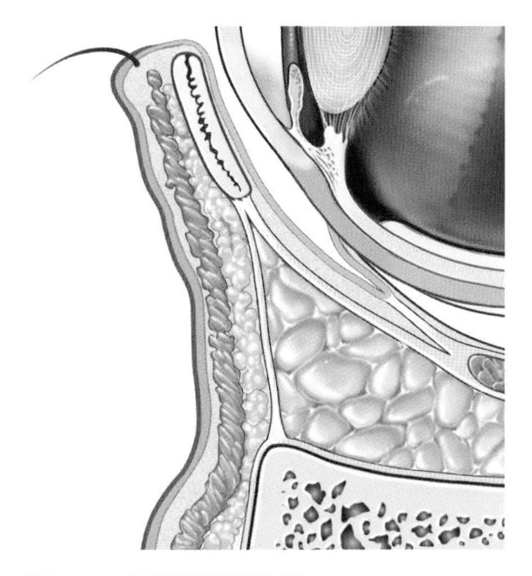

图6-41 **微细脂肪移植位置**
眼轮匝肌与骨膜，隔膜之间

细微脂肪移植

脂肪移植的效果(fat graft)

改善naso-jugal fold以及infra-orbital hollowness

· 改善鱼尾纹 crow's feet
  - 皮肤变得平整
  - 皮下脂肪的作用是隔离(physical barrier)皮肤及眼轮匝肌，它的萎缩会引起皮下与肌肉的粘连，从而引起较深的皱纹。
· 改善下眼睑黑眼圈
  - 缺少皮下脂肪，会因皮下肌肉及浅表血管的颜色而看起来发暗。反之，脂肪较多的话，皮肤因黄色脂肪而显得发亮。
· 解决睫毛下方的水平凹陷

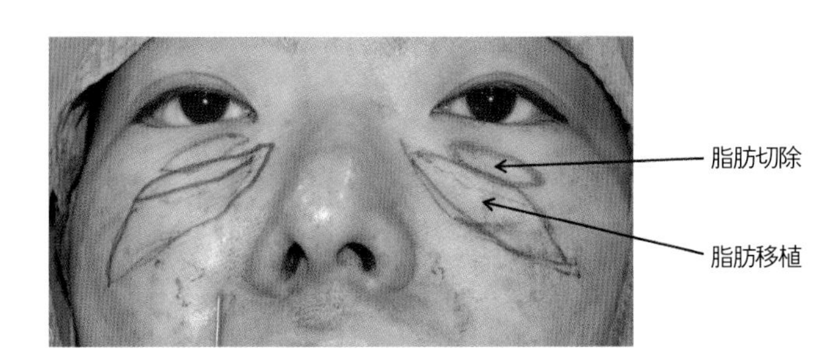

图6-42 **微细脂肪注射** 坐姿状态下进行脂肪移植

· 改善眼睫毛下方的水平凹陷
· 做出 pretarsal fullness：将微细脂肪用 23G顿针在最上方做注射
· Scleral show得到好转
  - 脂肪移植可以让下眼睑位置上移
· Maxillary hypoplasia 得到好转
· 因周围组织膨胀缩小毛孔

沿着nasojugal fold与infra-orbital hollowness进行脂肪移植。露出少量眼眶脂肪的情况，仅仅经由这种方法也能使脂肪看起来并不是很突出。

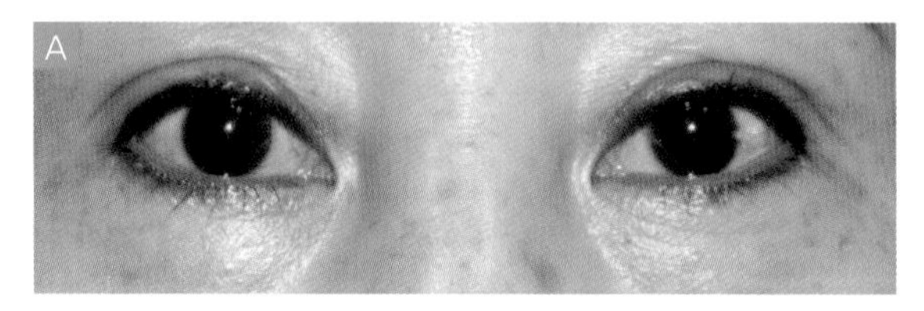

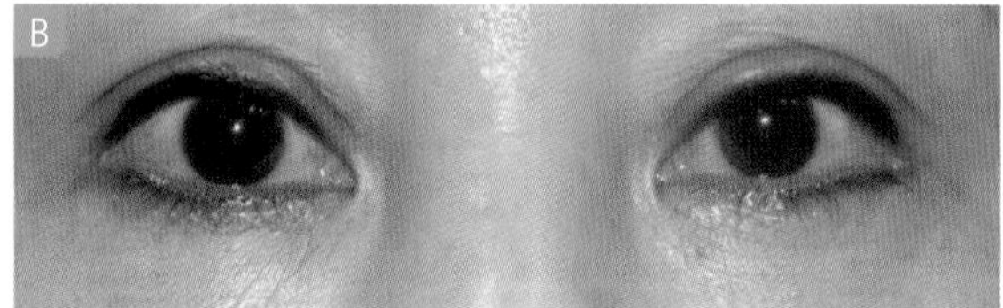

图6-43 · **经结膜 脂肪去除 手术前后**

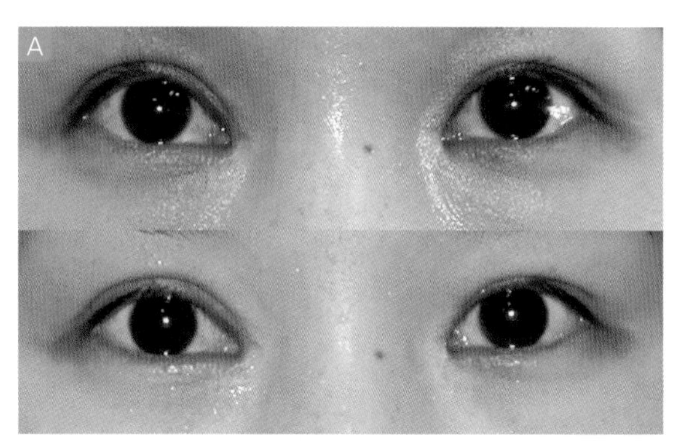

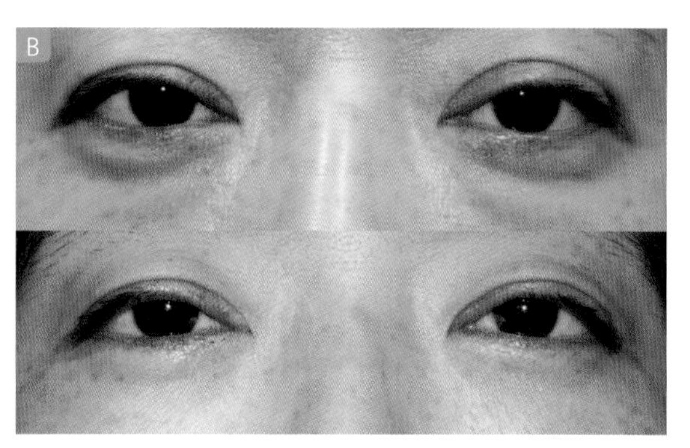

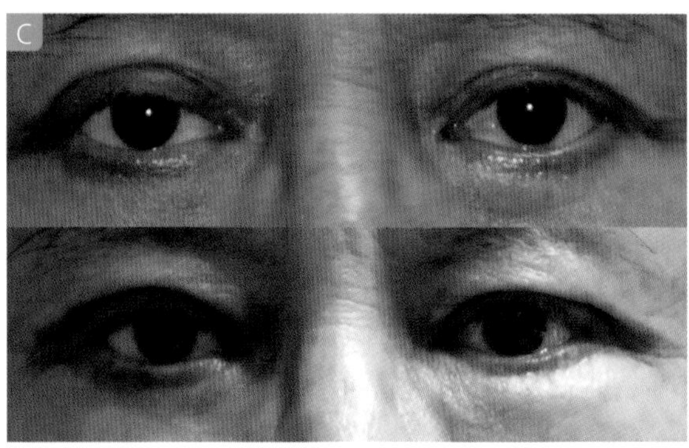

图6-44 · **脂肪去除与 nasojugal fold 的脂肪移植(microfat injection)**

A，B. nasojugal fold和 infra orbital hollowness得到改善

C. 左侧下眼睑脂肪移植后位置上移，露白的问题得到改善。

手术方法

- 麻醉眶下神经(infra-orbital nerve)和要移植脂肪的部位。为了提高脂肪的生存率，在吸出脂肪时尽量降低负压量，用12G 针头吸出。比起腹部在大腿或膝盖内侧(inner part of the knee)更容易得到微细脂肪。
- 微细脂肪移植要在患者坐姿状态下完成。
  卧姿与坐姿状态下凹陷的部位不同。如果在卧姿状态下注射会比坐姿状态的注射位置高一些。另外要让患者多做几种面部表情，以此来观察是否有脂肪囤积的情况。
- 眼眶缘(orbital rim)下方位置的脂肪要移植在接近眼眶骨的深处，这样就能避免皮肤表面出现凹凸不平。眼眶缘以上部位要注射到各个层次。此时最重要的是，要用 1ml 的注射器把 1ml 的脂肪分 30-40 次少量的注射到各个方向及各个层次中，这样不仅能避免皮肤表面凹凸不平也能提高脂肪的生存率。注射时用手确认脂肪是否注入到了所需部位中。脂肪注射量应不超过所需量的1.5倍。注射后需进行冰敷。

切除眼眶脂肪及微细脂肪移植(图6-44)

在眼眶脂肪突出的部位，要切除眶脂肪，在其下方凹陷的部位-nasojugal

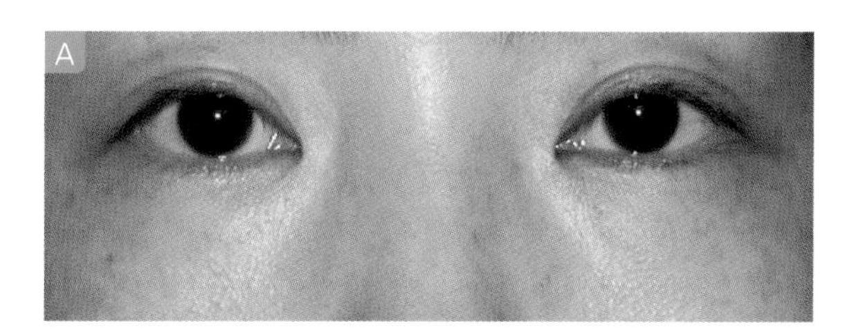

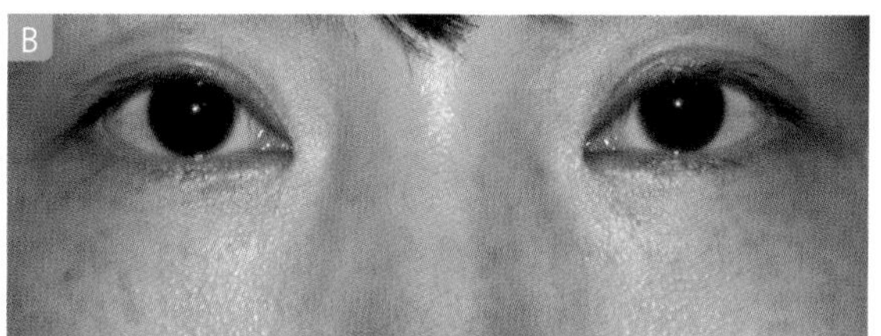

图6-45 经结膜脂肪再配置术前术后

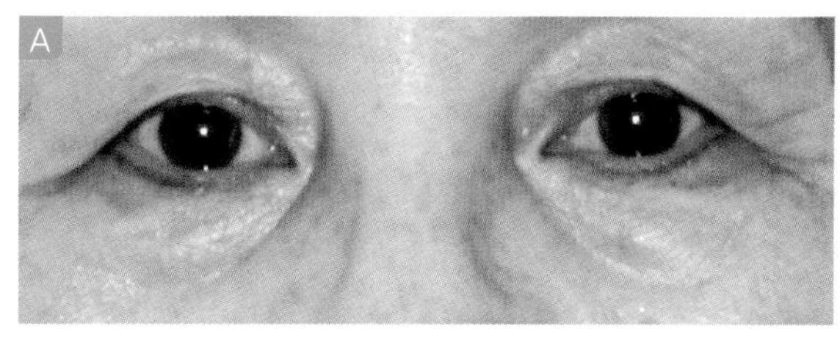

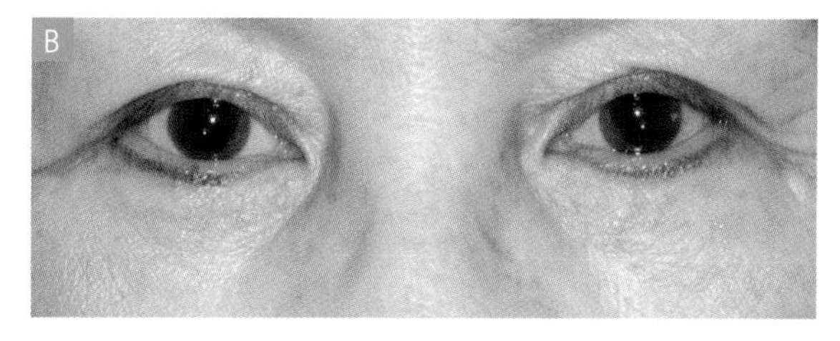

图6-46 脂肪再配置与SOOF提升前后

fold及 infraorbital hollowness 部位进行脂肪移植。脂肪移植要在骨膜上层，SOOF 层，眼轮匝肌，皮下层等多层中进行，infra-orbital hollowness 部位多注射，周围部位进行 teathering out 注射。越是薄层越要多次少量注射，而避免皮肤表面的凹凸不平。

脂肪再配置;手术方法在前面讲解过(图6-45)

减少下眼睑突出，把眼轮匝肌从与眶骨连接的点上分离下来，在cheek fat 界线部位下4-5mm为止，把orbitomalar ligament下方脂肪进行再配置，从而缓解nasojugal fold。

SOOF

经由提升SOOF，将lid-check junction 悬吊，缓解infraorbital hollowness。

Cheek fat

经由眼轮匝肌悬吊，提升cheek fat，malar fat。由此方式来改善malar crescent和 nasolabial fold。

下眼睑再手术(Secondray Lower Blepharoplasty)
下眼睑退缩(Lower Lid Retraction)

在下眼睑整形手术后出现可能性最大，且最为严重的并发症就是下眼睑退缩。下眼睑退缩指的就是下眼睑的下向移位(lower eyelid malposition)，包括外眦角圆锥(lateral canthal rounding)，巩膜外露(scleral show)及疤痕挛缩性睑外翻(cicatrical ectropion)。有时没有外翻，单纯的下眼睑的下移也称之为退缩。

下眼睑退缩的原因在老年性中普遍存在，如下眼睑的迟缓，下眼睑睑板韧带松弛或腱断裂(tarsoligament laxity or disinsertion)，眼睑张力减退(hypotonic lid)等原因造成的老化现象。还有就是，由于下眼睑手术后无法完全避免在眼窝周围出现的疤痕挛缩力(cicatrical forces)，有时也会导致下眼睑退缩的问题出现。另外，在手术中过多切除皮肤与眼轮匝肌，或虽未切除过多皮，但术后在眶隔膜周围出现炎症疤痕性挛缩力(cicatrical forces)的情况也会出现下眼睑退缩。在临床上严重的血肿后，出现退缩的情况非常常见。下眼睑术后如果出现血肿，即使马上清除血肿，也仍会在包含眼轮匝肌，眼眶隔膜及capsulopalpebral fascia的软组中残存血肿的问题，因此很容易引起严重的疤痕挛缩。在实施下眼睑整形术时，在眼眶隔膜周围注射移植脂肪后，也会出现相似的问题。因此，不能以清除血肿而结束手术，应做一定的预防退缩产生的措施。

下眼睑退缩的程度是根据测量下眼睑缘(lower lid margin)与角膜下缘(corneal inferior limbus)之间的距离来确定的。正常下眼睑的位置是在水平注视时，位于角膜下缘或遮盖下缘1mm左右(图6-47)。巩膜外露(scleral show)的量是以角膜的内侧，中央，外侧来分别测定的。下眼睑的退缩不仅影响美观，还存在泪溢(epiphora)，视线模糊(blurred vision)，异物感，视力障碍，畏光，眼部干燥症，在严重的情况下会引起暴露性角膜炎。

下眼睑退缩之所以会引起眼部干燥症，是因为下眼睑退缩会使下眼睑包绕(hug，opposition)眼球的力量减弱，导致眼睑与眼球的分离，而使靠近皮肤与粘膜交界mucocutaneous junction的皮脂腺(sebaceous gland)，睑板腺(tarsal

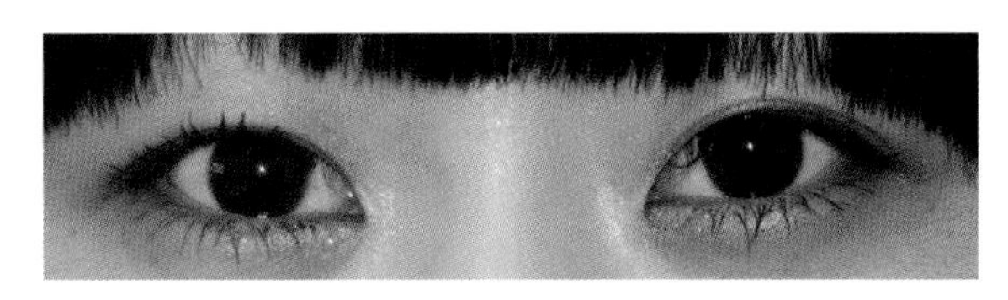

图6-47 在水平注视时，正常的下眼睑位置应在角膜下缘或遮盖下缘 1mm

gland. meibomian gland)的分泌物排泄口(orifice)形成角质化(keratinization)。此外，构成眼球表面泪膜成分中的脂质出现异常导致泪膜张力下降，眼泪蒸发速度过快，而引发眼球干燥。但是像这种眼球干燥症会随着退缩症的矫正，睑板腺的功能的改善而得到康复。

此外，流眼泪主要是因内侧的外翻使泪点角质化形成阻塞，眼轮匝肌的弱化使眼泪排谢机能下降而使其变得更加严重。

为了矫正下眼睑退缩的问题，需要实施多种手术。首先切开皮肤进行剥离，与初次手术的不同点是初次手术是在进行一定程度皮下剥离后再进行肌肉下剥离。但矫正手术因无需切除皮肤，所以是在不进行皮下剥离的情况下直接进行肌肉下剥离。

在实施矫正手术之前，首先要确认是前层(anterior lamella)的问题，还是中层(middle lamella)，后层(posterior lamella)或是全层的综合性问题。

单纯的切除过多皮肤而导致的退缩属于于前层(anterior lamella)。而未切除过多皮肤但眼眶隔膜后方出现了血肿(hematoma)或疤痕结构(cicatrical contraction)就会导致后层(posterior lamella)退缩的问题。在很多情况下，虽然退缩只出现在某一层，但在术后恢复过程中，退缩延伸到了其他层，从而导致前后层的综合性退缩问题。

区分此问题的方法检测下眼睑退缩的原因，可在患者在张大嘴的状态下如三白眼加重，可判断其是前层(anterior lamella)不足引起或做强制提升测试(forced elevation test)，该方法是由Mc Cord，Patipa等人提倡的，该方法包括用一个手指上推来进行测试的方法和用两三个手指上推的测试方法。在手术过程中也可以检测下眼睑退缩，完全松解前层的挛缩后，下眼睑仍没有一定程度的上升就表明后层有退缩。而作者会用手指把颧骨部位的皮肤向上推，直到使下眼睑皮肤出现褶皱为止，如果退缩的问题被解决了则表明单纯是前层(anterior lamella)出现退缩。反之如果退缩没有解决，则应判定后层(posterior lamella)也需要实施退缩矫正。另外如果皮肤上皱纹多，皮肤多余成份多，可判定前层(anterior lamella)无问题，只是后层(posterior lamella)存在退缩问题。

从手术方法上来看，最重要的在提升皮肤时，一定要充分保留皮层，其次要避免提升的皮肤再次下垂而引起皮肤不足的问题。中面部提升术是将皮肤提开到有多余程度的过程，而实施外眼角固定术及眼轮匝肌提升术是为了防止再次下垂，要做其牢固的固定。

另外，把后层与中间层(posterior lamella and middle lamella)的收缩，从睑板下沿到下眶缘做充分松解(release)。

轻度下眼睑外翻的情况，可以选用外眦整形术(canthoplasty)，睑板悬吊法(tarsal strip procedure 等)，楔形切除法等;在重度下眼睑退缩中，应先分离疤痕退缩后使用外眦腱整形术和中面部提升术进行眼轮匝肌提升。实施后如后层缩短严重，要先松解间层和后层的疤痕收缩之后，再做垫片移植(spacer graft)补充不足。

前层不足(Anterior lamella shortage)

· 中面部提升术及眼轮匝肌悬吊固定，外眼角固定术

· 皮肤移植术

后层(Posterior lamella)不足

下睑缩肌(retractor=capsulopalpebral fascia，inferior tarsal muscle)，与疤痕收缩的隔膜等彻底松解，重度时可进行垫片移植补充不足。

下眼睑的松弛程度比较轻，经由牵引测试法(distraction test)判断出的松弛度在6-7毫米以下的时候，可以使用外眦固定术(canthopexy)。如果松弛度在6-7毫米以上，且伴有水平延长现象，应使用睑板悬吊法(tarsal strip procedure)，楔形切除法等，使用外眦整形的同时使用眼轮匝肌及SOOF提升术。下眼睑退缩的矫正手术不仅可以改善外观，还有助于解决眼部干燥症，暴露性角膜炎(exposure keratopathy)结膜水肿(chemosis)，视力减退等病症。因下眼睑外翻症引起的灰缘(mucocutaneous junction)角质化，会随着外翻的矫正后得到了眼泪的滋润得以恢复。

Dehiscense of lateral canthal attachment

A. 原因

- 年龄
- 水肿
- 手术后

B. 症状

- 暴露症状
- 外眦牵拉感
- fish-mouth 现象
  用力闭眼时，外眦向内移动

高危人群(high risk patient)

· 兔眼症(Exophthalmosis)

· 额骨发育不全(Malar hypoplasia)

· 高度近视(High myopia)

· 已经存在巩膜外露
(Pre- existing scleral show)

· Lid laxity-hypotonia

· 二次眼整形术
(Secondary blepharoplasty)

依按眼球与颧骨之间存在的相对位置关系，眼球凸出严重的状态叫做负向量(negative vector)，属于危险群的范畴。此外，存在眼睑松弛症的情况下也属于危险群，当然二次手术也属于此范畴。

下眼睑缩肌松解(release of lower lid retractors)及垫片移植(spacer graft)

如前所述，如果退缩只局限于前层，可以经由前面提到过的中面部提升术及皮肤移植和外眦锚定术，眼轮匝肌悬吊固定术等方法予以解决。

如果中间层和后层(middle-posterior lamella)上有退缩，要先彻底松解退缩部位上的粘连组织，并松解收缩的组织及下缩肌(inferior retinaculum)(图6-48)。松解收缩组织和下缩肌，下眼睑的位置会上升大约1毫米。但这一点不足的情况很多，而且有可能重新形成粘连，而使下眼睑退缩复发。原则上松解下缩肌可预防下眼睑退缩，但后层的退缩需要通过垫片移植来治疗。此外，因眼球突出严重或术后血肿等眼睑的向下的收缩力较强会使下向异位现象趋于严重。如果出现这种现象可以进行垫片(spacer)移植。移植材料自体移植包括腱膜，巩膜(scleral)，耳朵或鼻部软骨，硬颚(hard palate)粘膜，真皮或真皮脂肪等。同种或异种移植材料包括enduragen，隔膜，人造真皮，lyoplast等。其中，硬颚粘膜具有不易收缩，不易引发水肿等优点，但同时具有移植难度高，移植部位痛症明显等缺点。真皮移植不易吸收且存活率高，真皮脂肪移植可填充下眼睑因组织缺失形成的凹陷，可起到支撑下眼睑的作用，也可在分离收缩的隔膜和疤痕组织后在结膜和眼

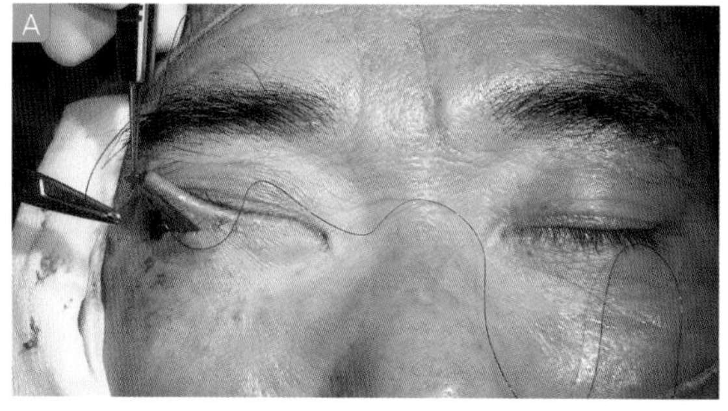

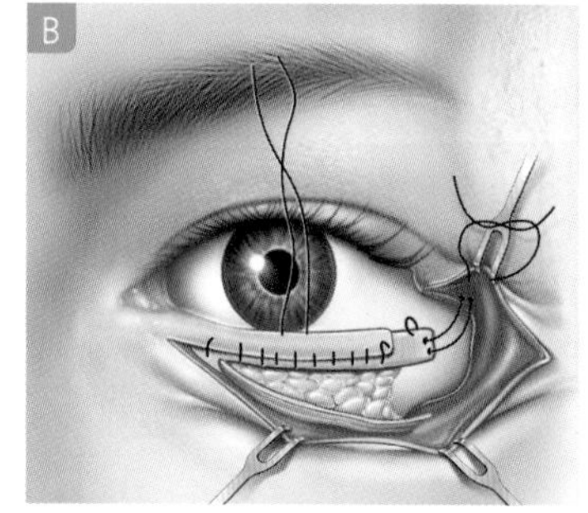

图6-48 · 松解下睑缩肌(retractors)，inferior retinaculumm 等周围组织后行睑板条法(trasal strip procedure)外眦成形术

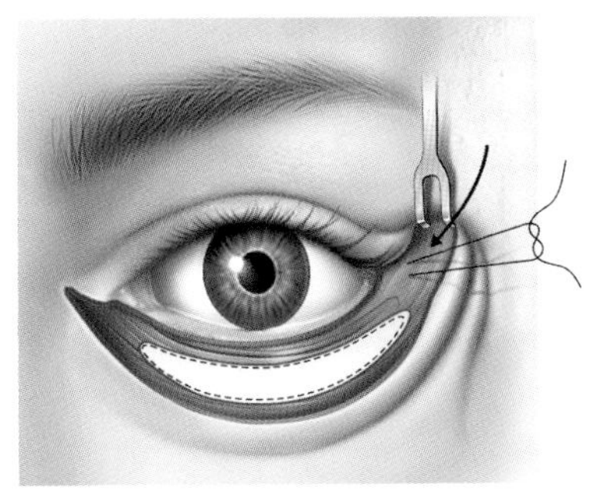
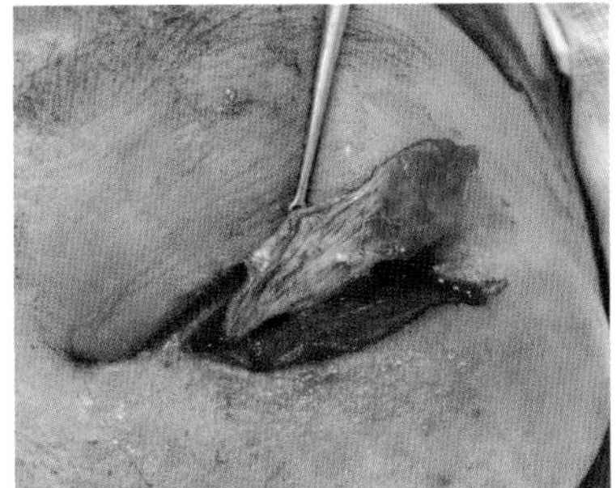
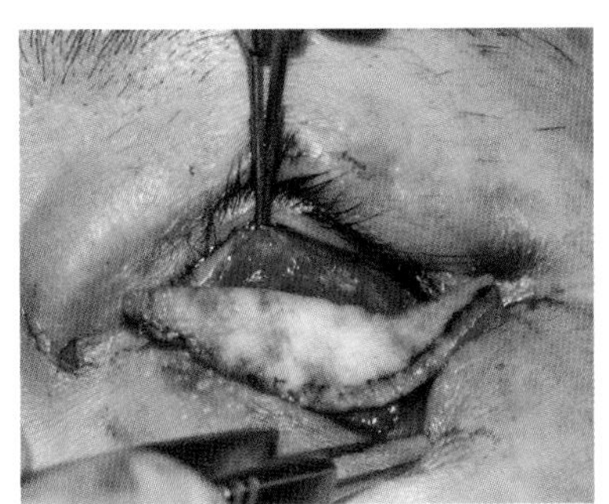

图6-49 spacer 移植，Deep temporal fascia 移植，同种皮肤移植，dermofat 移植

轮匝肌之间起到缓冲的作用。真皮一般是在耳后或骨盆下提取，真皮脂肪主要在骨盆下提取。人造真皮易引发水肿，而且出现炎症后需要较长的恢复时间。但在另一方面，人造真皮具有便于移植的明显优点，尤其较厚的人造真皮不易收缩，但也存在使下眼睑肥大的问题(图6-49)。

另外下缩肌(retractors)松解后的位置，中面部提升后，得到提升的眼轮匝肌皮瓣可以充分遮盖的话，这本身就可起到垫片作用。

移植方法是首先将已沾黏的组织充分释放，切开下睑缩肌(retractors)及结膜，将眶缘充分上提之后，在此空隙进行垫片移植，与自体组织移植相比，外来组织移植时，要考虑到收缩的问题，移植物要比提升量高出两倍宽。然而同种移植(同种异体材料移植)的情况下，要特别注意移植组织过宽会引发炎症。这时还要注意，如果结膜做水平切开，下眼睑上部会出现双蒂组织瓣(bipedicle flap)，如果同时做了眦切开术(canthotomy)则形成无蒂组织瓣(unipedicle flap)而使其不易存。作者不切开结膜，保留结膜的同时释放所有剩余的挛缩组织，在结膜上实施移植术。在保留结膜的情况下，即使移植组织较大也不会引起炎症，而在结膜不遮盖移植组织状态下，存活率下降并容易引起炎症。

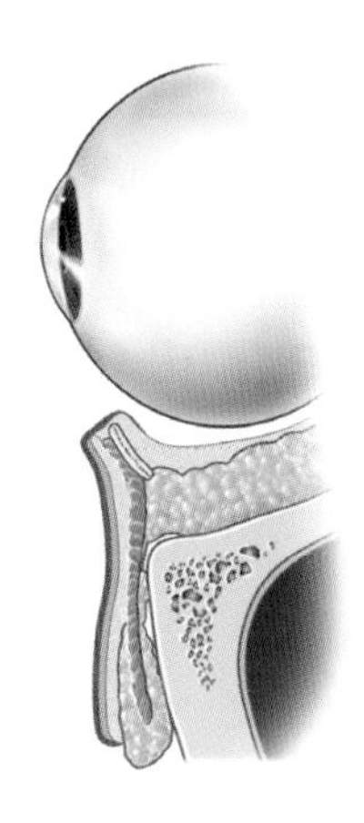
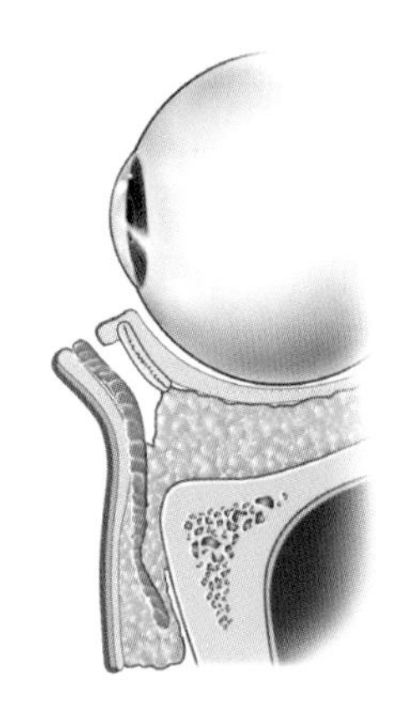

图6-50 提升下眼睑手术前后

为了实施垫片(spacer)移植，首先松解(release)后层(posteror lamella)，经由外眦锚定(canthal anchoring)使下睑充分上提，充分显露移植创面(raw surface)，考虑到移植物收缩的问题，创面移植覆盖一定要做较宽的移植。换句话说，垫片并没有提升下眼睑的作用，把移位(malposition)的下眼睑恢复到原位是经由把下睑缩肌和收缩的组织充分释放，并行外眦锚定(canthal anchoring)来完成的。可把垫片(spacer)移植看作预防复发的作用。可以用窄的垫片(spacer)在局部使用，而如果存在全面的退缩，就要充分延长移植到有外眦韧带部位。

中面部提升术后可能存在轻微血肿，因此作者会在手术后，为了避免收缩把曲安耐德以2mg/ml 稀释后，取1ml左右进行喷洒。

实施睑缘缝合术(tarsorrhaphy)或暂时性边缘缝合(frost suture)。这是为了在手术后的初期来限制(immobilization)下眼睑的运动，确保其稳定(stabilize)，以预防血肿。粘贴胶布(Patch)，这也是为了限制下眼睑的运动和预防血肿。粘贴Microform。在此期间可以看到下眼睑是向上提起的。如果把Microform向上quilting suture对预防水肿作用很大。

如何实施下眼睑退缩矫正术才能避免失败?

下眼睑退缩矫正术即刻虽然显现出下眼睑轻微遮盖下缘(lower limbus)的过度矫正效果，但术后2-3个月左右之后，就会恢复到术前退缩的状态。因此如何做才能避免复发?下眼睑退缩矫正术是很有成就感的手术之一。矫正成功需要长时间持久的力量，即使这个力量很小也是可以的。

下眼睑退缩厚如向下牵拉的力量强，用何种方法可以抵抗这个力量呢？从手术后开始到粘连稳定，最少需要3个月时间，此间需要线的牵拉力量使其稳定。但睑板比较小且薄，用4-0或5-0的粗针穿过外眦韧带会使其撕裂，继而引起cheese-wiring现象。所以可以抵抗张力直到形成稳定粘连的稳固缝合是必要的。

为了精准，正确的矫正下眼睑错位，需考虑如下两个问题:

1. 充分地提升下眼睑前层(anterior lamella)或后层(posterior lamella)。
2. 避免提升后的组织再次下垂

· 为了能够使下眼睑充分提升，需要把限制下眼睑活动性的组织-颧面部韧带，眶颧韧带，侧筋膜增厚区及周围因前次手术而导致的粘连及疤痕挛缩(cicatrical contraction)彻底地释放。在外眼角固定前，能够无障碍顺利的提升到瞳孔的位置，并在外眼角固定时无张力。

· 如果皮瓣较厚，SOOF及相同深度的组织充分提升后，就能矫正inferior hollowness的问题。但皮肤及眼轮匝肌一样的表面组织并不能得到提升。因此作者认为在向上拉 SOOF时将大量的SOOF紧贴眼轮匝肌，使针穿过浅层缝合固定。

· 为了使提升的组织不再下垂首先做牢固的外眦固定，然后做有效的眼轮匝肌悬吊术。打个比方被拉长的晾衣绳为了使其紧绷，我们需牵拉绳子并将其系在柱子上(外眦固定术)并分散其承受的重量(SOOF，眼轮匝肌悬吊术)。牢固固定不是意味着要大力固定，而是在减少张力的情况下柔和固定。

· 首先为了得到稳定的固定，要确切的剥离出固定组织(睑板，外眦韧带)并将其准确且牢固的固定在骨膜上。因矫正修复手术中存在更多量的紧张度，为了使更多的睑板组织得到固定，需做水平延长固定(图6-31.A,B右侧图)。非常重要的一点是固定组织和骨膜间不可有其它组织。线的支撑力不会持久，牢固的粘连才是永久性的。

· 也可带上睑板和周围包括眼轮匝肌的其它组织来增加厚度加强固定。外韧带也要确切缝合(capture of canthus)，针穿过两次外眦韧带是最好的。若需要较深的固定外眦，则需在眶缘的内侧(inside of the orbital rim)钻孔(bone drill hole)。因为眶缘内侧骨膜比眶缘薄弱，不易固定。除了钻孔，准确穿过附合在骨膜上的外资韧带后固定在骨膜上是非常有用的(图6-25)。需要较深固定的有外翻症，睑球分离以及眼球凹陷(endphthalmos)等情况。
· 固定后 distraction test 做到 1-2mm 的分离，外眼角固定从深度及高度做稍微过矫正overcorrection。
· 在矫正外翻时睑板自身固定的位置较高的话效果较好。
· 组织损伤严重或者薄弱时，可做外部组织移植(patch graft)。
· 比起角(cutting needle)顿针(round needle)的损伤较轻，比起尼龙，PDS 等会变松的线，medilone，ethibond，wire 等不会变松的线更适合。
除了利用睑板及外眼角的固定，还可追加眼轮匝肌外眼角固定术(orbicularis muscle canthopexy)(图6-27)。
· 固定后于坐姿状态下观察外眼角位置。
· Spacer 移植有时候会做到外眦腱的长度。Spacer 的宽度和饱满度都重要，比起它向上托起的作用来讲，其更主要的目的是为了做前，后层之间的缓冲(buffer between anterior and posterior lamella)及防止收缩。
· 眼轮匝肌悬吊固定(orbicularis muscle suspension)时，因中面部提升要比初次手术更牢固，固定时需进行3-4次固定(图6-33E)。
· 多余的组织为了防止术后萎缩，不切除皮肤，皮肤缝合时多余的皮肤不可让其向下松而应尽可能储存在上方，加宽缝合宽度。
· 皮肤移植要在眼轮匝肌上
· Tarsorraphy 有助于维持下眼睑位置的固定。需固定2周。

手术后的处理

术后当天应充分休息，头部高于45度角以上，并做冰敷。在下眼睑下缘(lower eyelid margin)涂抹抗生素眼药膏，每日2-3次。使用抗生素与steroid的混合液几天每日2-3次。眼药膏起到润滑剂的作用，也能起到预防结膜浮肿的作用。有时也会使用1周的人工眼药水。睡觉时尽可能让头部保持向上。为了避免下眼睑向收缩引起下移位，可以使用类固醇(steroid)。

每天做20-30次下眼睑按摩也有助于防止下眼睑的下方异位。按摩方法非常简单，用手托住下眼睑组织向上，保持这一姿势 20-30 秒每日反复20-30次，

手术后容易出现的并发症主要是眼部干燥症。

结膜水肿(chemosis)

结膜水肿的预防和治疗用同样的方法来处理。兔眼是引起结膜水肿的重要原因，所以手术中要最小化睑板前眼轮匝肌(pretarsal orbicularis oculi muscle)和皮肤的切除，外眦整形或眼轮匝肌悬吊固定时一定要牢固。

下眼睑二次手术(secondary lower blepharoplasty)或上下眼睑同时手术时结膜水肿的可能性非常大。为了预防此问题的产生，手术中要注意不能损伤负责眨眼功能的睑板前眼轮匝肌(pretarsal orbicularis oculi muscle)，外眦固定时要避免过度剥离引起的淋巴道(lymphatic channel)障碍。眼周水肿是引起结膜水肿的常见原因，所以要将剥离最小化。严重的结膜水肿会使下眼睑和眼球分离，引起外翻。

为了预防暂时性的眼球过度暴露和术中已引起的严重结膜水肿，可暂时性做睑板缝合(tarsorraphy),睡觉时贴胶布，或闭眼状态使用胶布和眼罩。眼罩可以中消毒纱布替代，相对于单层，多层折叠使用效果会更佳。药物方面术前会静脉注射地赛米松来减少炎症反应。

为了减少术后的炎症反应，需做如下措施:术后冰敷，睡觉时枕头垫高一些，使用人工眼药水或眼药膏。切记不可以热敷，热敷会加重结膜水肿。使用含有抗生素成分和激素成分的眼药，如dexamethasone,neosynephrine。dexamethasone眼药水一日使用四次，睡觉时使用眼药膏。使用期限不可超过两周，眼压高的

患者不可使用。术后也会肌肉注射4mg的dexamethasone两天。压迫眼罩每两个小时使用十五分钟会有助于恢复，睡觉时可使用胶布。经常做按摩，按摩的方法是用手向上推下眼睑，比状态维持一分钟(aggressive stretching)。可服用泼尼松龙，40 mg分五天服用。如结膜水肿过于严重可切除结膜。结膜切除时要贯通到下层的眼球囊tenon's capsule，切除前注射肾上腺素使血管扩张，这样会有一定的帮助。结膜切除后24小时使用压迫眼罩来排水肿。也有报告(Moesen 2008)指出在结膜下方注射2%丁卡因会有效果。结膜水肿早期治疗非常的重要，笔者会选择上述方法中的几种来提前预防结膜水肿，并得到了很好的效果。

下眼睑整形根据不同的情况有多种手术方法。有下眼睑迟缓的患者术后产生下眼睑退缩得可能性很大，所以手术时要准确，慎重。为了得到没有并发症且最佳的手术效果，要充分理解下眼睑及中面部的解剖学，要细致，准确的理解各种手术方法。

下眼睑退缩矫正

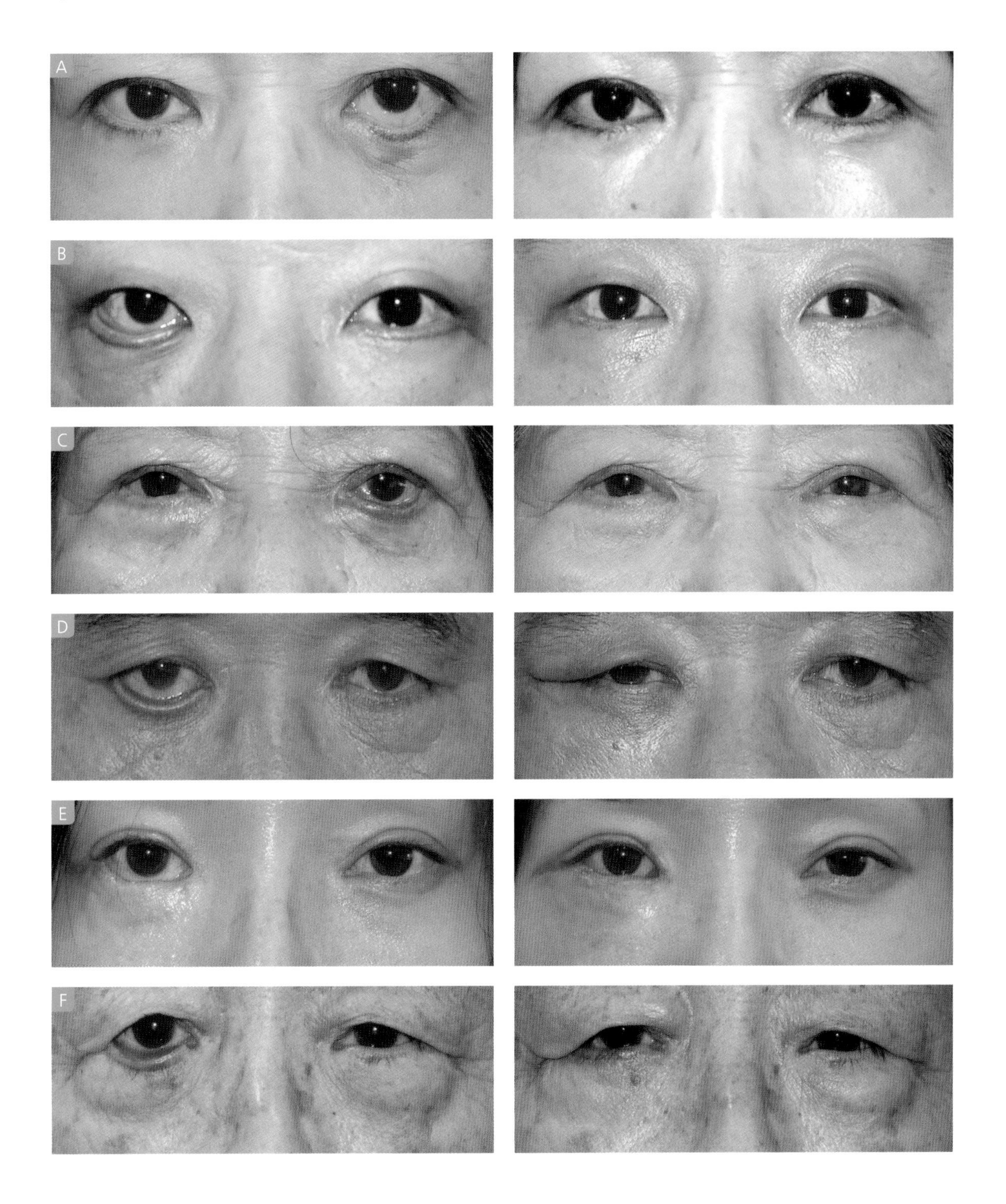

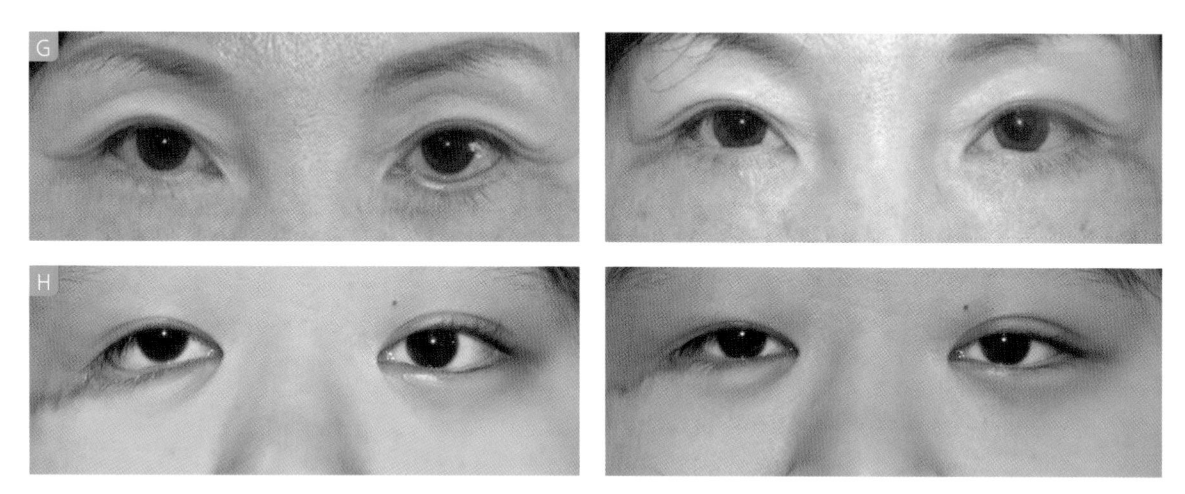

图6-51 下眼睑手术引起的退缩，矫正术前术后(左图术前，右图术后)

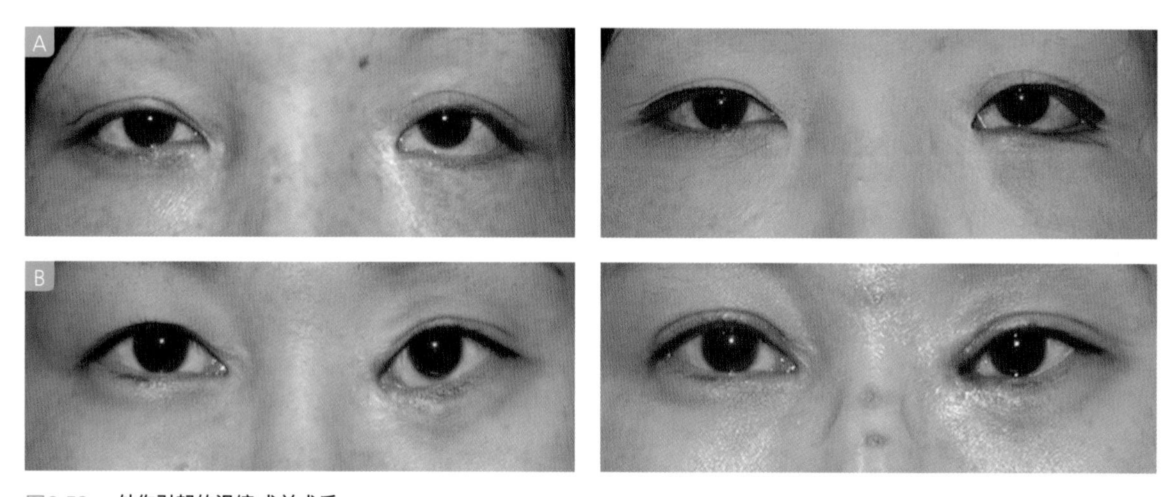

图6-52 外伤引起的退缩 术前术后

外眦延长术【外眼角】术后并发症矫正

并发症种类 (图6-53)

- 黏膜露出(mucosal exposure)
- 下眼睑位置移位(lower eyelid malposition)；睑外翻(ectropion)，巩膜外露(scleral show)，睑球分离(distraction)
- 反向眦倾角(negative canthal tilt)

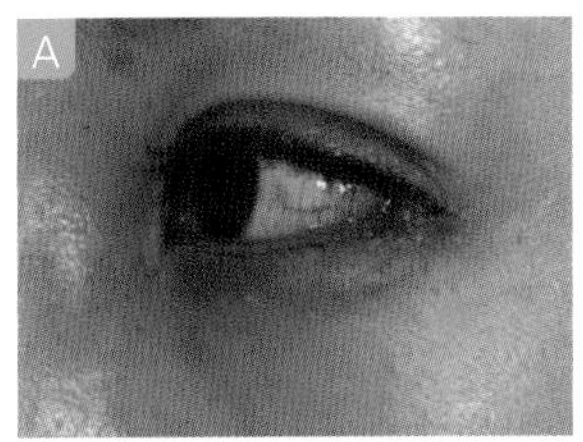

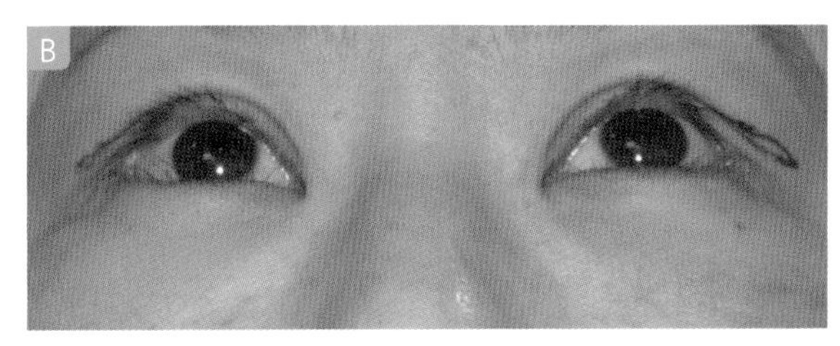

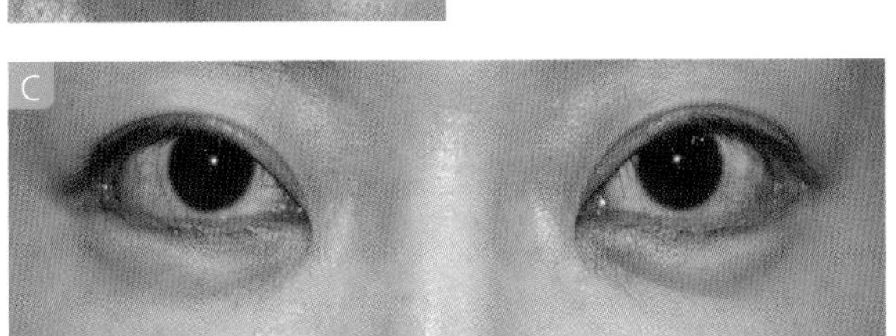

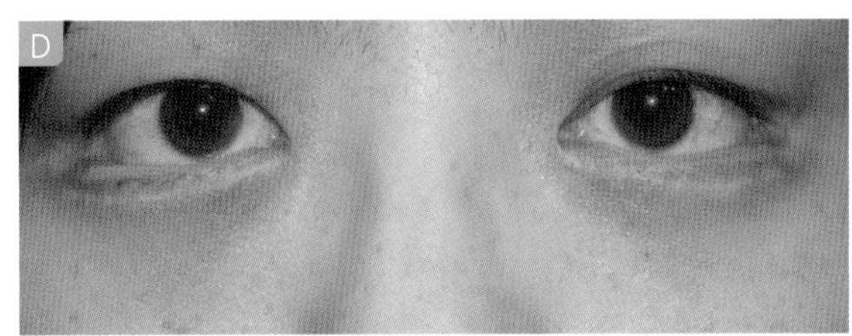

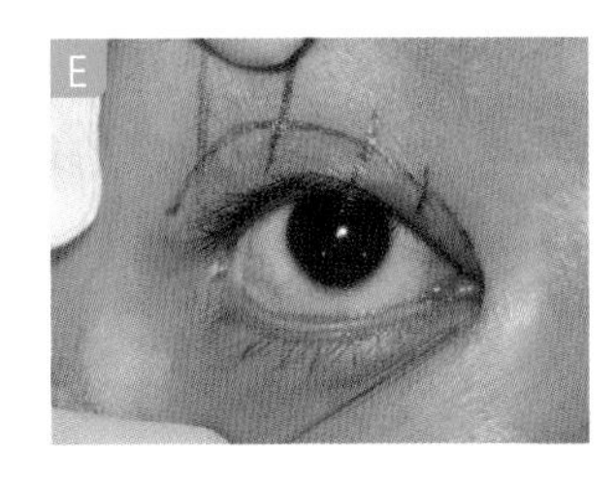

图6-53 **外眼角并发症**

A. 黏膜露出 **B.** 内翻症 **C.** 巩膜外露(scleral show)，反向眦倾角(negative canthal tilt) **D.** 睑外翻，巩膜外露(scleral show)，反向眦倾角(negative canthal tilt) **E.** 结膜蹼状畸形(conjunctival webbing deformity)

· 下睑缘曲线异常(unnatural lower eyelid curvature)，外侧弓形变(lateral bowing)
· 外侧巩膜三角变宽大 Wide lateral scleral triangle
· 结膜充血，结膜蹼状畸形(conjunctival injection，conjunctival web)
· 睑内翻(entropion)

固定方法

· V-Y advancement
· 外眦锚着术(Canthal anchoring)
· OOM suspension
· 垫片移植(Spacer graft)
· Epilation

内眼角手术中只要采用正确的手术方法，就不用担心并发症的问题，但外眼角手术本身存在一定的问题，因此是一项存在日后隐患的手术。内眼角手术是把遮盖泪阜的皮肤翻转过来，而外眼角手术是经由横向切开达到外眼角延长，延长部位没有睫毛和灰线。因此术前一定要与患者明确说明可能导致的问题，达成共识后实施手术。此外长期面对镜头的人(艺人等)应避免实施外眼角手术。

整形手术是在确保自然的角度上进行的创造行为。因此一定要避免违背自然的创造行为。

在外眼角中要特别注意的是，要避免做弱化外眦的手术，因为这样会加快老化现象的出现。此外应注意下睑外侧弓形变(lateral bowing)也属于老化现象。

在外眼角并发症中，单纯性黏膜外露及下眼睑位置移位(malposition)最为常见。对于单纯性黏膜外露的问题，可以由切除黏膜后进行缝合或采用V-Y adcancement的隐藏式方法(图6-54)，但对于伴有下眼睑位置移位(malposition)问题时需，使用前面所讲的下眼睑矫正术。

在下眼睑矫正术中，外眦锚定术(canthopexy，canthoplasty)是必做的。附带的也要做辅助性眼轮匝肌悬吊术(OOM suspension)，手术中试着向上提升下睑时，皮肤能够向上提起，但后层(posterior lamella)在提升时受到一定的阻碍时，就要同时实施垫片移植(spacer graft)(图6-55)。此时重要的是，要根据具体症状实施过矫正。举个例子，如果反向眦倾角(negative canthal tilt)严重，则外眼角固定位置要高一些，如果下眼睑与眼球分离，则需要把外眼角固定的深一些。

单纯性黏膜外露矫正方法

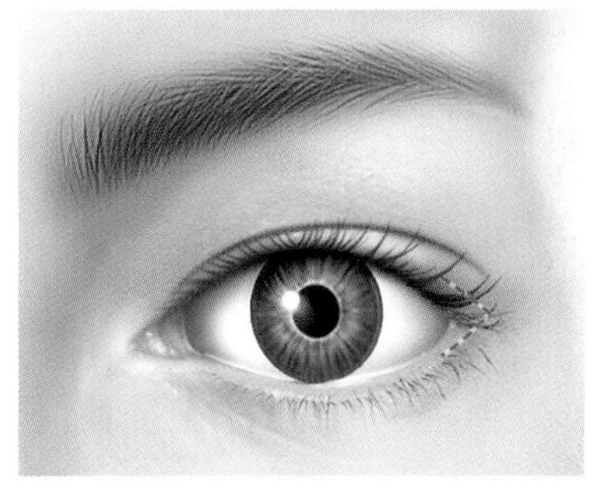
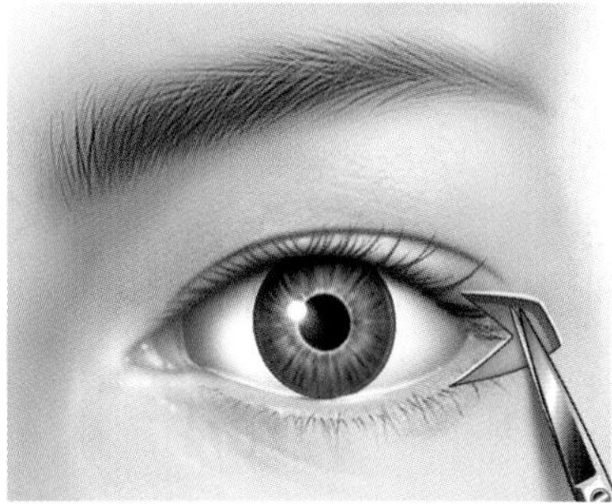
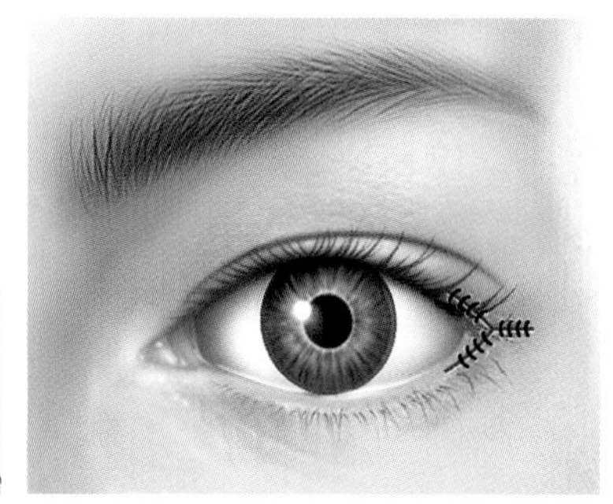

图6-54 黏膜露出矫正

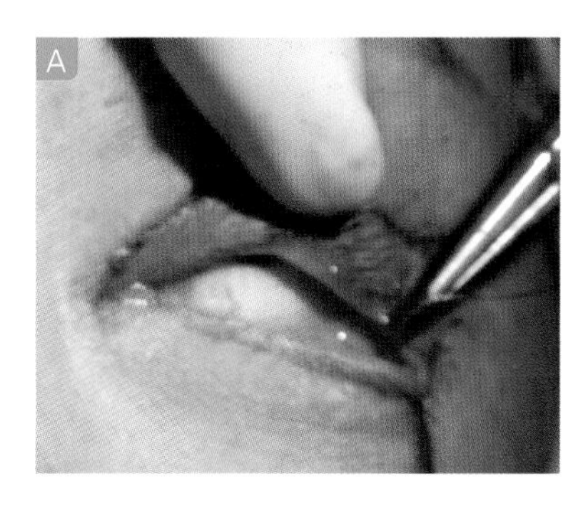

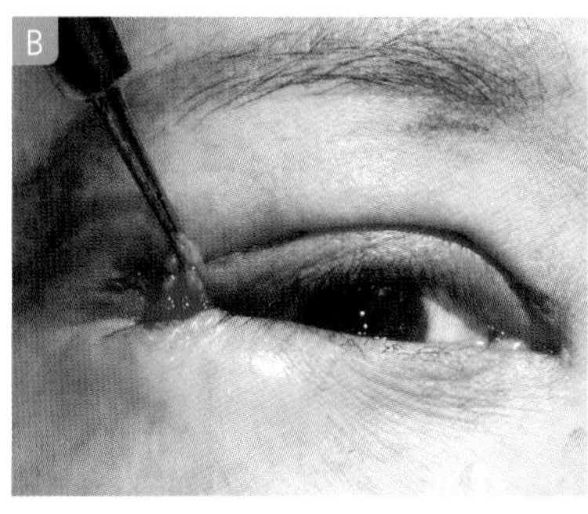

图6-55 外眼角并发症导致的lower eyelid malposition 矫正
A. canthopexy. **B.** OOM suspension.

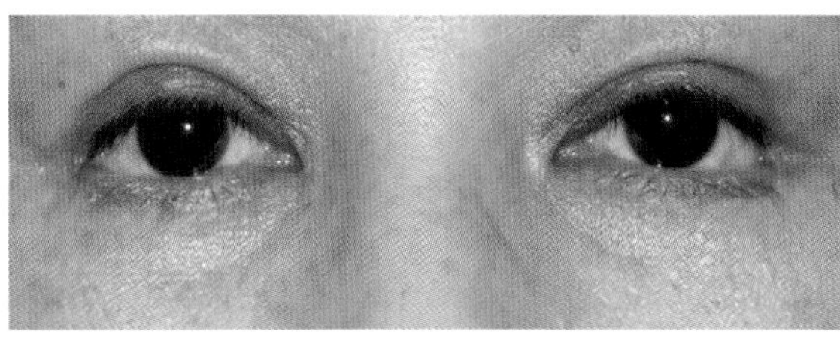
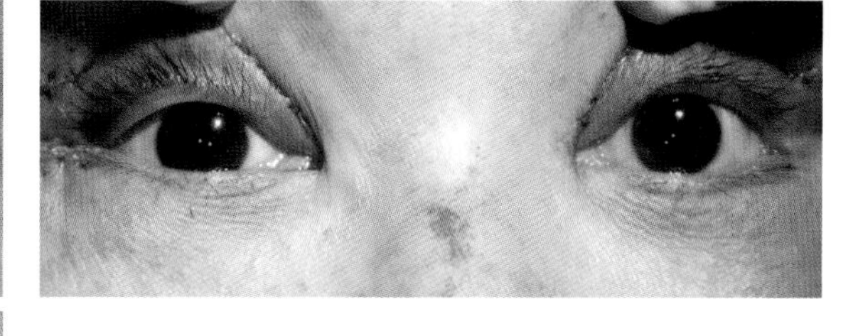
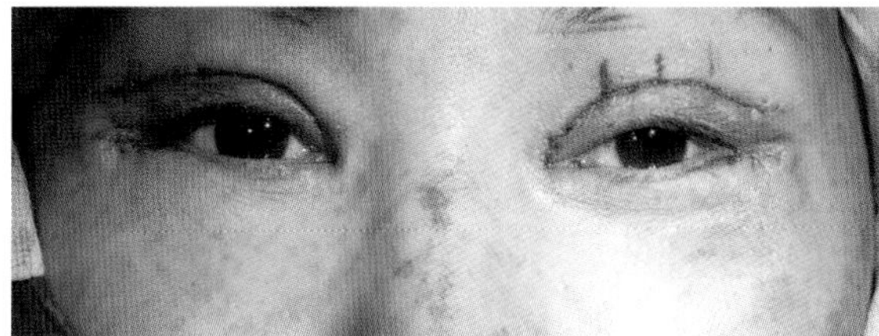

图6-56 外眼角并发症矫正术

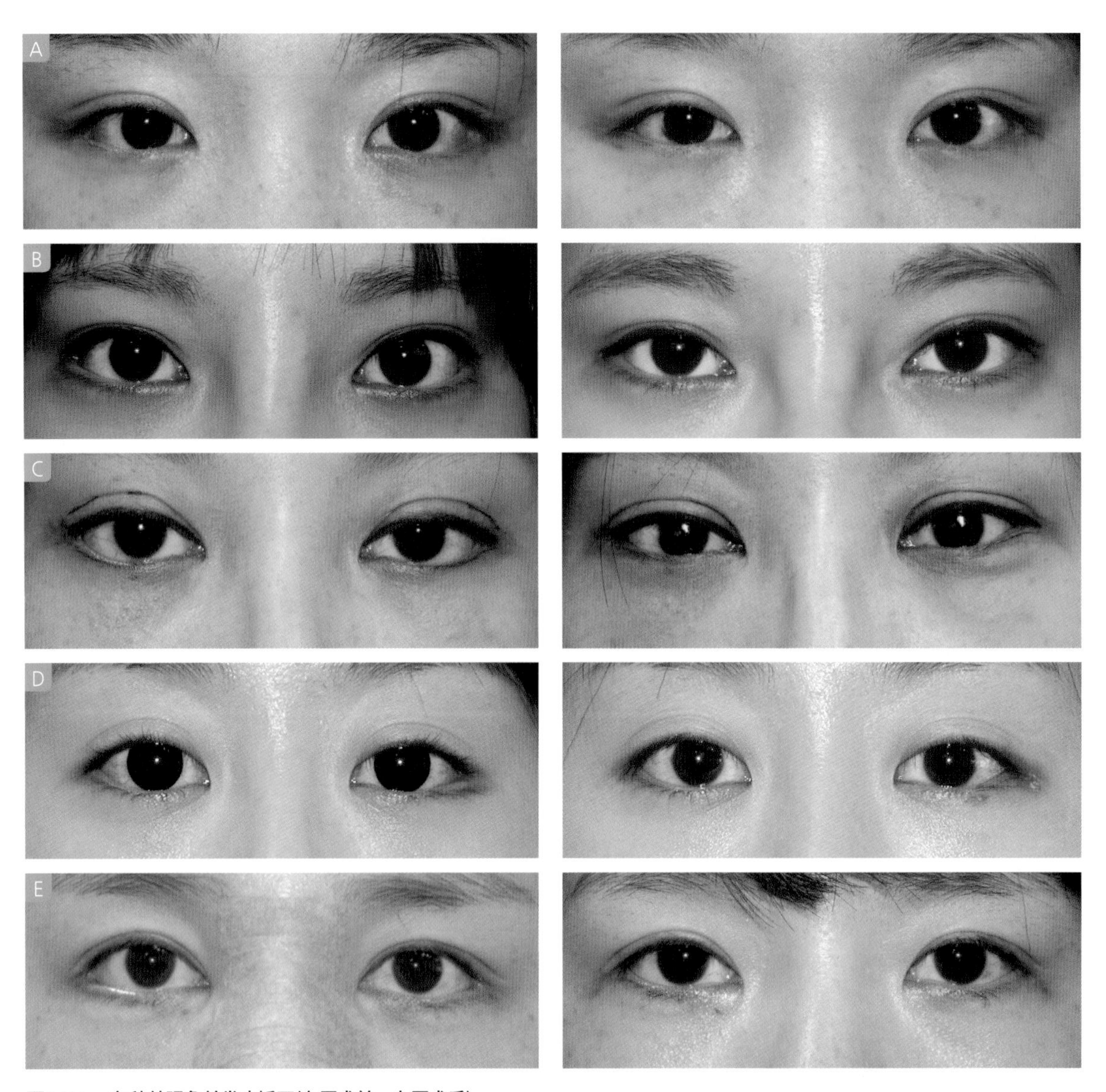

图6-57 各种外眼角并发症矫正(左图术前，右图术后)

下眼睑内翻症(Lower Lid Entropion)

表现为下眼睑睫毛向内卷入，刺激眼球

内翻症的原因

· 先天性: 在首次手术与二次手术中，因内眦赘皮(epicanthus)与睑赘皮(epiblepharon)所导致

· 后天性: 老年性(involutional)及疤痕性(ciatrical).

矫正术后容易引起的并发症

· 复发(recurrence)

· 疤痕:疤痕长度长，凹陷性疤痕

· 下眼皮形成双眼皮折皱

· 巩膜外露(scleral show)

· 睑板前平坦(pretarsal flatness)或称做眼苔缺失

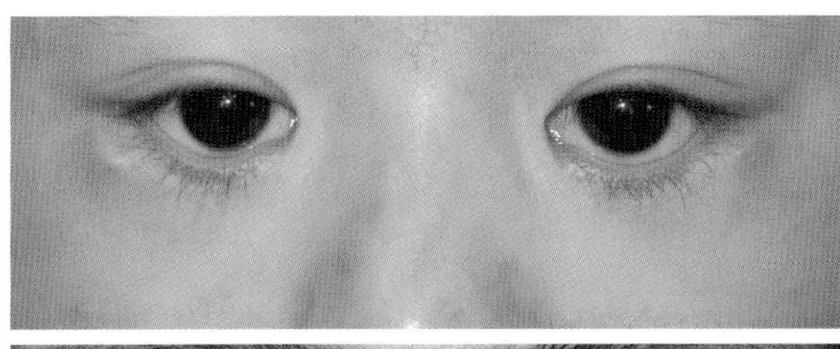
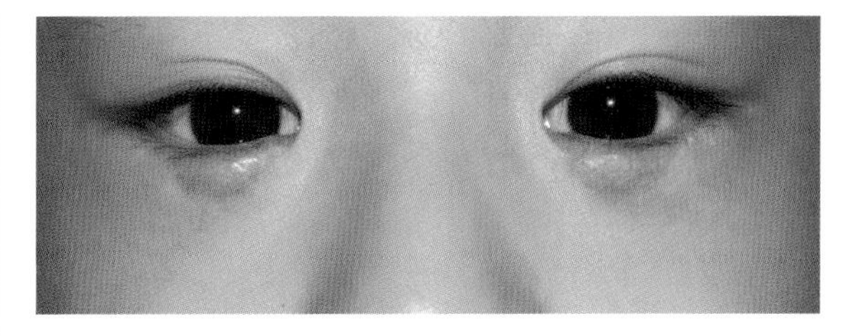
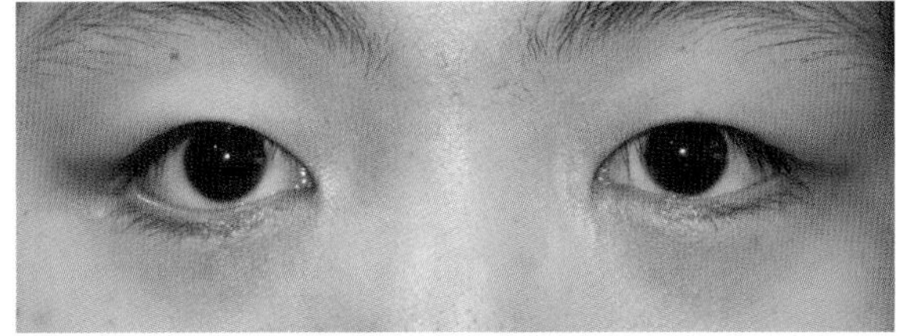

图6-58 内翻症手术后产生巩膜外露

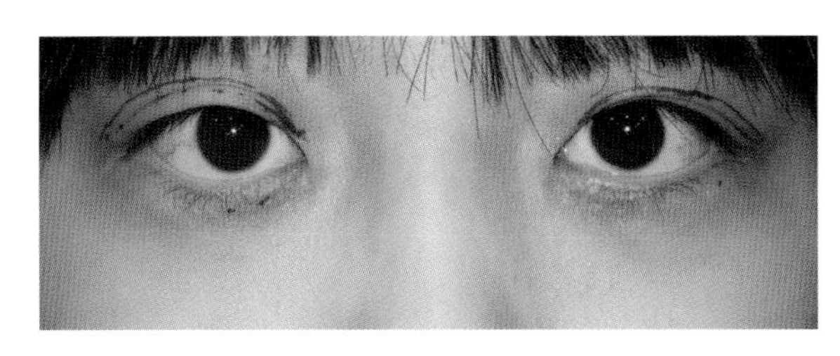

图6-59 凹陷性疤痕，眼苔缺失

矫正方法

· 睫毛下切开皮肤
· 切开眼轮匝肌后露出睑板
· 把上皮瓣眼轮匝肌固定在睑板或下缩肌上
· 部分睫毛毛囊电凝
· 切除皮肤或眼轮匝肌

在存在内翻症的睫毛下2mm上做切开，先天性内翻症患者，大多是内侧及中央部位较严重而外侧正常。在切开线下方的眼轮匝肌上做切开，使睑板露出。然后，在下眼皮上像做双眼皮一样手术。即把接近皮肤的眼轮匝肌固定在睑板下端或严重的情况下固定在退缩肌(retractor, capsulopalpebral fascia)上(图6-60A，B)。严重内翻症的状态下，在睑板上施加hatch incision。但有时采用此手术方法也未能解决内眦内侧的内翻症的时可以在内眼角内侧，对毛囊进行电凝处理。

存在严重蒙古皱折及睑型赘皮(epiblepharon)时，也可切除皮肤与眼轮匝肌。在一般的内翻症手术中，有记述要把皮肤与眼轮匝肌同时做切除。但除了眼轮匝肌过于肥大(orbicularis hypertrophy)以外最好不要切除眼轮匝肌。其原因是，如果切除眼轮匝肌就会使睑板前眼轮匝肌的下列重要功能减退，一分配眼泪的功能，维持下眼睑位置的功能，闭眼功能。不仅如此，从美观上眼苔(pretarsal

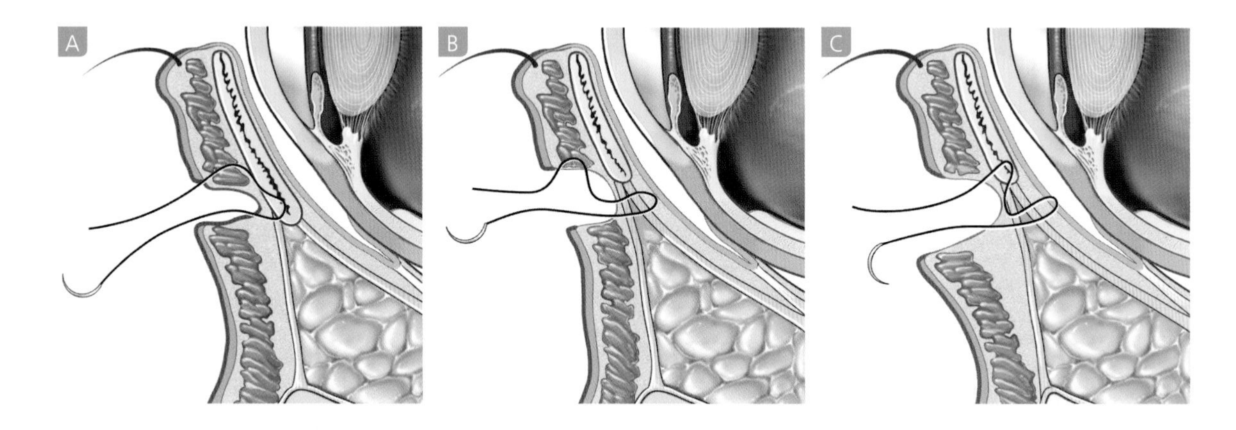

图6-60 **A.** 内翻症的矫正。把下皮瓣眼轮匝肌固定在睑板下端部位。**B.** 严重的情况下，连接在退缩肌上。**C.** reverse ptosis operation，把睑板下端与退缩肌(Capsulopalpebral fascia)做固定。

fullness)也会消失。

除了先天性下眼睑内翻症以外，后天性因退行性引起的情况，如缩肌(retractor-capsulopalpebral fascia)断裂，此状态下需要分离眼轮匝肌与睑板，把退缩肌固定在睑板上端。下眼睑遮盖较多角膜下缘的反向睑下垂(reverse ptosis)，需要诱发巩膜外露(sclera show)来矫正。

反向睑下垂(reverse ptosis)矫正手术也常被叫做下眼睑下置手术。与严重睑内翻矫正手术不同点是要把睑板下部固定在缩肌上，并向下牵拉。睑内翻症手术像是拉开普通的门(hinge door)，而reverse ptosis矫正手术则与拉开滑动门(sliding door)的原理相同(图6-60C)。

手术方法概括比较

· 先天性内翻症: 把上皮瓣眼轮匝肌固定在睑板下端

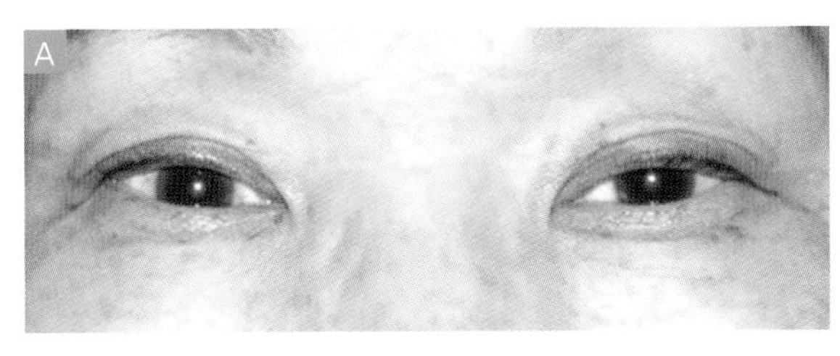
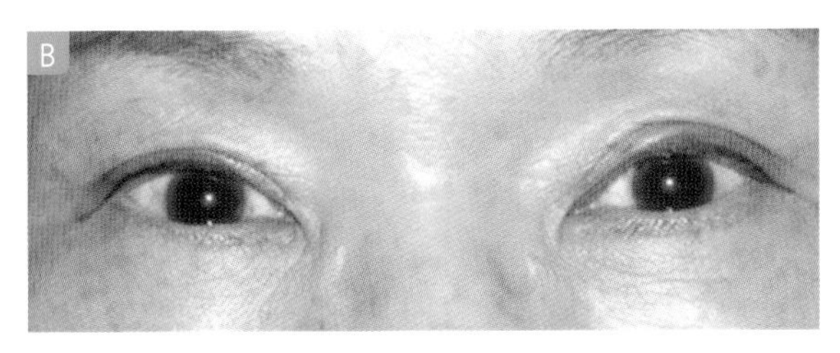

图6-61 Reverse ptosis operation 术前术后

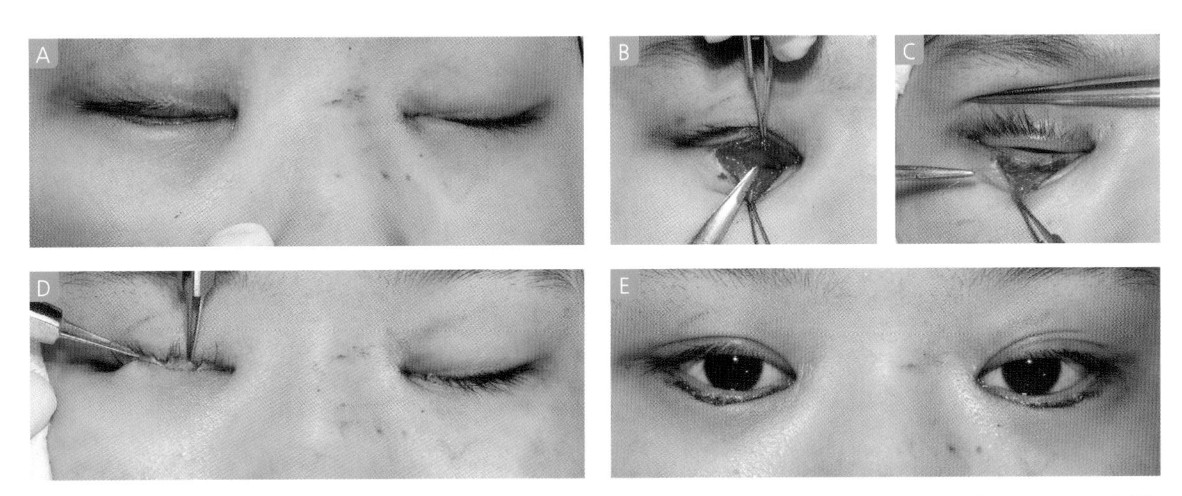

图6-62 **A.** 切开皮肤没有睑内翻的外侧不做切开。**B.** 把皮瓣眼轮匝肌固定在睑板下端。**C.** 在4-5个位置上做固定，下眼睑形成外翻的状态。**D.** 切除剩余皮肤。**E.** 术后即刻。

· 后天性内翻症: 把缩肌固定在睑板上端
· Reverse ptosis: 把缩肌固定在睑板下端

下眼睑术后眼尾蹼状畸形(webbing deformity)

下眼睑术后，在上眼睑眼与下眼睑连接眼尾位置形成的皮肤畸形，睁眼时因眼尾牵拉受限而睁眼困难，常被患者埋怨眼睛变小。

原因

下眼睑整形术，在追加切开线时先随着下眼睑边缘切开，之后在外侧做

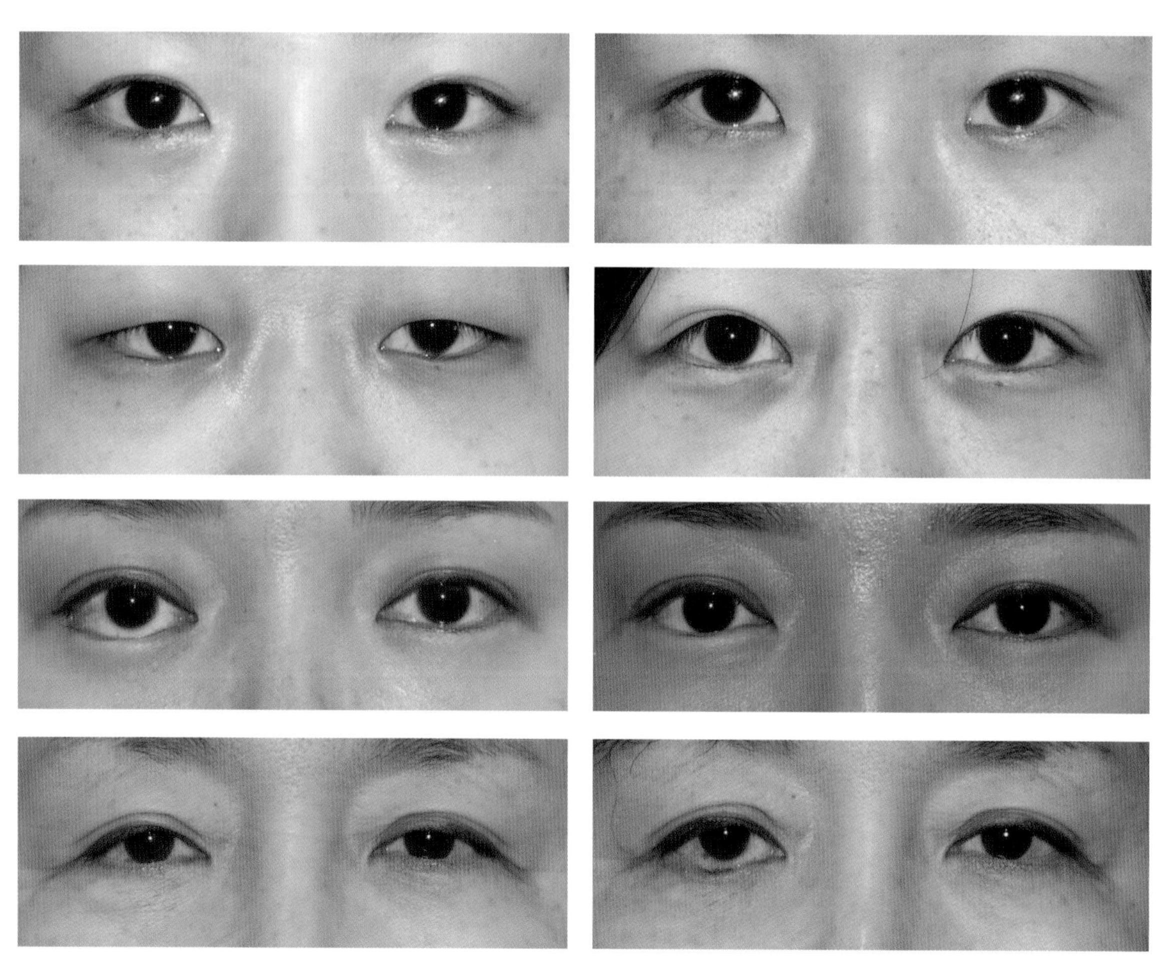

图6-63 内翻症矫正 矫正术后

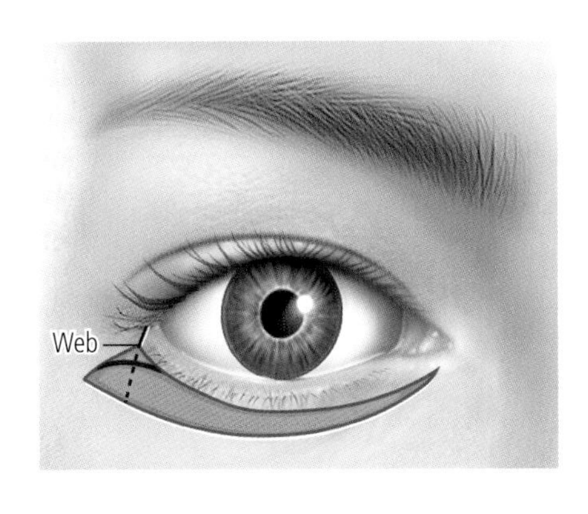

图6-64 **蹼状畸形形成的前提**
在皮肤缝合时，张力集中产生在某个部位。为了预防此问题，切开线不要做成锐角而是要钝角的形式柔和地切开。

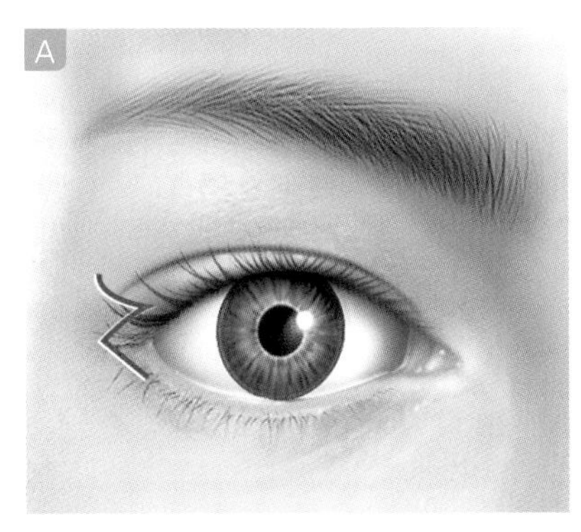

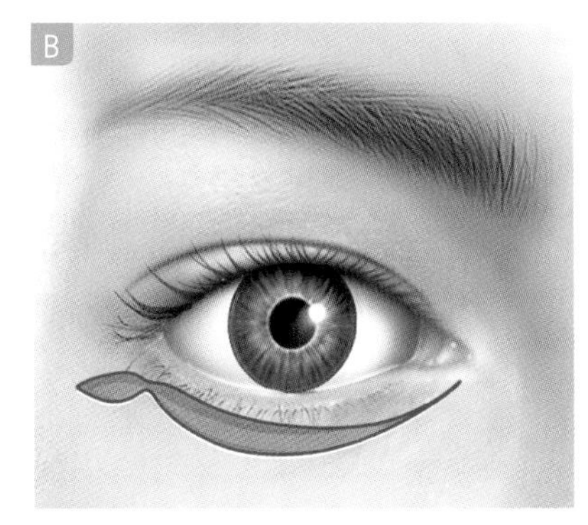

图6-65 **矫正方法**
A. Z plasty. **B.** 实施下眼睑形成术的时候，少量切除畸形部分皮肤来补充不足

back-cut，此时在转向的地方没有进行柔和的转角(有弧度的)，而是做成了尖角(无弧度的)。之后在切除剩余皮肤时，并不是切开均等量的皮肤，而是局部切除较多的量，张力(tension)被集中到了一点，而导致了眼尾蹼状畸形(图6-64)

矫正方法

Z plasty *(图6-65A)*

依着引起web的线与下眼睑疤痕线向内，上方则与眼尾平行向外画线。释放收缩部位并做Z-plasty.

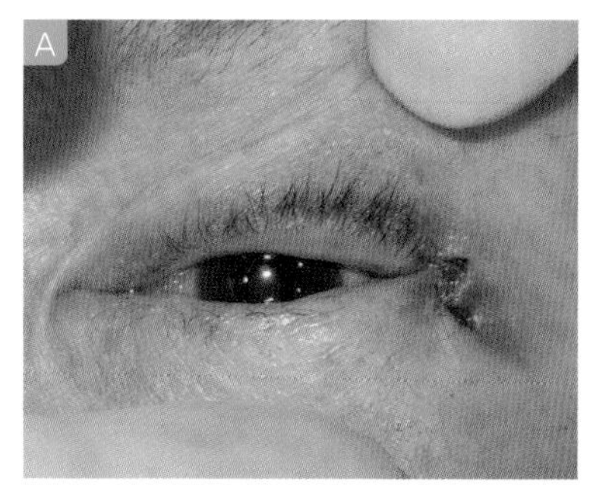

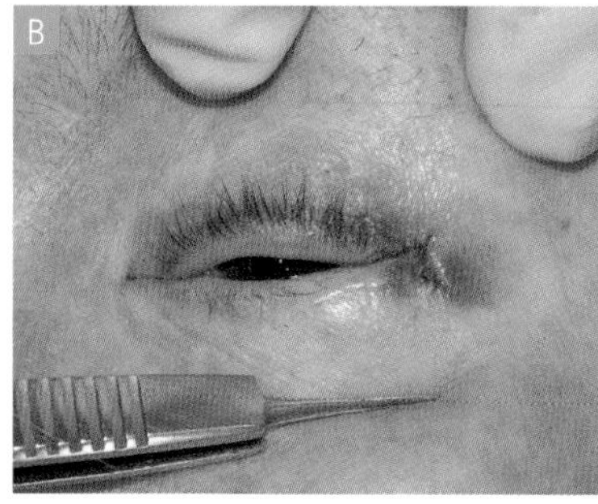

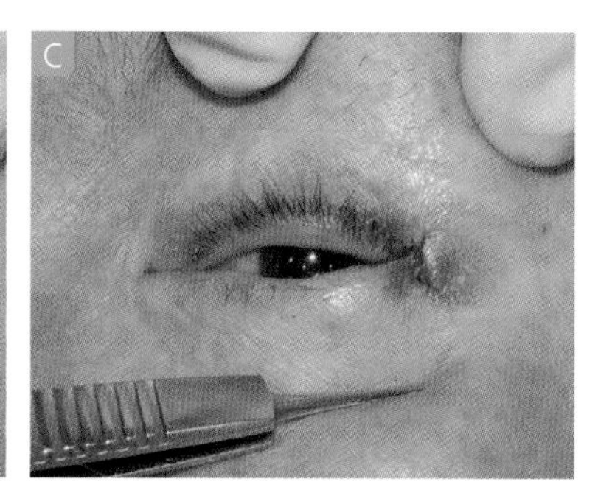

图6-66 **眼尾蹼状畸形手术**
A. Z plasty design. **B.** 切开及剥离 **C.** Z plastly后缝合

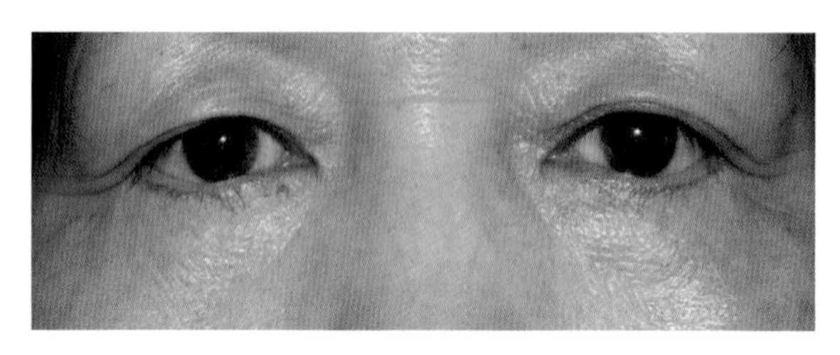
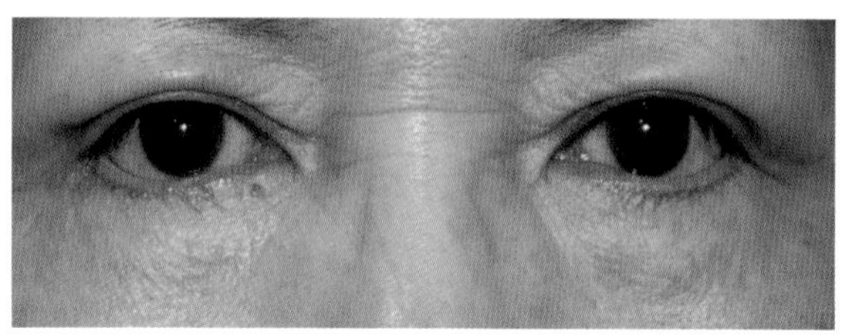

图6-67 **眼尾蹼状畸形矫正** 术前术后

需要实施下眼睑修复的情况

在切开下眼睑时，少量切除存在web的部位，以此来补充皮肤不足。

参考文献

1. McCord CD, Ford DT, Hanna K, Hester TR, Codner MA, Nahai F : Lateral canthal anchoring : Special Situations. Plast Reconstr Surg 116:1149, 2005.
2. Patipa M : The evaluation and management of lower eyelid retraction following cosmetic surgery. Plast Reconstr Surg 106:438, 2000.
3. Park J, Putterman AM : Revisional eyelid surgery : Treatment of severe postblepharoplasty lower eyelid retraction. Facial Plastic Surgery Clinics of North America 561, 2005.
4. Lee EJ : Midface lifting through subcilliary incision. J Korean Soc Plast Reconstr 105:204, 1999.
5. Sullivan SA, Daily RA : Graft contraction : A comparision of acellular dermis versus lid hard palate mucosa in lower eyelid surgery. Ophalmic Plast Reconstr Surg 19(1):14, 2003.
6. Taban M, Douglas R, Li T, Goldberg RA, Shorr N. Efficacy of "thick" acellular human dermis (AlloDerm) for lower eyelid reconstruction: comparison with hard palate and thin AlloDerm grafts. Arch Facisl Plast surg 7:38, 2005.
7. Honig JF : Subperiosteal endotine assisted vertical upper midface lift. Aesthetic Surg J 27:276, 2007.
8. Hamra ST : Septal reset in midface rejuvenation. Aesthetic Surg J 25:628, 2005.
9. Fagien S : Reducing the incidence of dry eye symptoms after blepharoplasty. Aesthetic Surg J 24:464-8, 2004.
10. Haddock NT, Saadeh PB, Boutros S, Thorne CH. The tear trough and lid/cheek junction: anatomy and implication for surgical correction. Plast Reconst Surg 123:1332, 2009.